ILUZJONISTA

REMIGIUSZ MROZ

ILUZJONISTA

FILIA

Copyright © by Remigiusz Mróz, 2019
Copyright © by Wydawnictwo FILIA, 2019

Wszelkie prawa zastrzeżone

Żaden z fragmentów tej książki nie może być publikowany w jakiejkolwiek formie bez wcześniejszej pisemnej zgody Wydawcy. Dotyczy to także fotokopii i mikrofilmów oraz rozpowszechniania za pośrednictwem nośników elektronicznych.

Wydanie I, Poznań 2019

Projekt okładki: © Dark Crayon

Redakcja: Karolina Borowiec
Korekta: Joanna Pawłowska
Skład i łamanie: Stanisław Tuchołka | panbook.pl

ISBN: 978-83-8075-918-3

Wydawnictwo Filia
ul. Kleeberga 2
61-615 Poznań
wydawnictwofilia.pl
kontakt@wydawnictwofilia.pl

Seria: FILIA Mroczna Strona
mrocznastrona.pl

Wszelkie podobieństwo do prawdziwych postaci i zdarzeń jest przypadkowe

Druk i oprawa: Abedik SA

Dla Czesuafa,
niech ma, bo poleca mi dobre wina

Złudzenie to westchnienie wyobraźni.

                                        Ramón Gómez de la Serna

Rzeczywistość jest tylko iluzją, aczkolwiek bardzo trwałą.

                                                Albert Einstein

Akt pierwszy

Obecnie
ul. Kośnego, Opole

Tego dnia przeszłe zdarzenia stały się przyszłością. Rzeczy, które Gerard Edling lata temu zostawił za sobą, nie tylko do niego wróciły, ale także wyznaczyły jego dalszą drogę.

Słysząc pukanie do drzwi w środku nocy, nie łudził się nawet, że to zwiastun czegokolwiek dobrego. Odłożył kieliszek z czerwonym winem, podniósł się z fotela i ruszył sprawdzić, kto niepokoi go po północy.

Szybkie zerknięcie przez wizjer wystarczyło, by rozpoznał Konrada Domańskiego, prokuratora okręgowego, z którym od czasu „Koncertu krwi" utrzymywał sporadyczny kontakt. Przełożony opolskich oskarżycieli z pewnością nie fatygował się bez powodu, a jego nerwowa mowa ciała dowodziła, że coś istotnego jest na rzeczy.

Edling poprawił beżową kamizelkę, przesunął dłonią po śnieżnobiałej koszuli, a potem powoli otworzył drzwi.

Domański natychmiast posłał mu zniecierpliwione spojrzenie.

– Blackberry ci się rozładował? – spytał. – Czy może jedna z tych twoich zasad każe ci wyłączać dzwonki po dwudziestej drugiej?

– Dobry wieczór – odparł Gerard.

Prokurator uniósł bezsilnie wzrok, choć powinien już dawno przywyknąć do tego, że Edling nigdy nie uchybi regułom savoir-vivre'u. Prawdopodobnie nawet, gdyby kończył się świat, Gerard w porę zdążyłby należycie pożegnać się ze wszystkimi.

– Wieczór nie był dobry – odparł Domański. – A noc zapowiada się jeszcze gorzej.

– Dla ciebie czy dla mnie?

– Dla nas obydwu – rzucił pod nosem Konrad i zajrzał do mieszkania. Od razu dostrzegł kieliszek z resztką czerwonego wina. – Dużo wypiłeś?

– Odpowiednio, by poznać finisz, ale jeszcze nie na tyle, by wykryć wszystkie nuty smakowe. Dekantacja trwa dłużej, niż…

– Jesteś trzeźwy czy nie, Gerard?

– Zależy, jaką miarę przyjmiemy. Poza tym przerwałeś mi w połowie zdania.

Domański pokręcił głową z jeszcze większą frustracją.

– Sprawa ci to przyjemność, prawda? – zapytał.

– Bynajmniej.

– Mniejsza z tym – rzucił prokurator, a potem wskazał Edlingowi płaszcz wiszący w niewielkim przedpokoju. – Wkładaj to i chodź ze mną.

– Dokąd?

– Na Silesię.

Gerard uniósł pytająco brwi.

– Kąpielisko przy Luboszyckiej – dorzucił Konrad. – To, na którym woda jest tak przezroczysta, jak na tropikalnej lagunie. Na Boga, ja nie jestem stąd, a od razu wiedziałem, o co chodzi.

– Mieszkasz tu już kilka lat. I należysz do gatunku ludzi, którzy lubią ekshibicjonizm plażowy.

Domański przez moment sprawiał wrażenie, jakby miał zamiar coś dodać, ale ostatecznie machnął ręką.

– Jak możesz się domyślić, tym razem nie chodzi o opalanie się – bąknął.

– A zatem o co?

– Znaleziono zwłoki w wodzie... a właściwie na wodzie.

Edling musiał przyznać, że obecność samego prokuratora okręgowego i fakt, że zjawił się z powodu zabójstwa, budziły w nim pewną ciekawość. Użyty przez Domańskiego przyimek tylko pogłębiał zainteresowanie Gerarda.

– Na wodzie? – spytał. – Masz na myśli to, że ciało znajduje się na jakiejś łódce?

– Niezupełnie.

– Co znaczy, że niezupełnie?

– Do cholery, Edling... – mruknął Konrad. – Najlepiej będzie, jeśli to zobaczysz.

Gerard nie miał zamiaru się wzbraniać. Szybko zostawił synowi liścik na stole, po czym narzucił jasną marynarkę i płaszcz. Swojego nieodzownego czarnego krawata nie miał zamiaru wiązać, wychodząc z założenia, że na miejscu przestępstwa na niewiele się zda.

Wyszli z klatki trzypiętrowego budynku i od razu skierowali się do samochodu zaparkowanego pod ogrodzeniem miejscowego przedszkola. Domański zerknął na plac zabaw, a potem spojrzał znacząco na towarzysza.

– Dobre sąsiedztwo – zauważył.

Edling wsiadł do samochodu w milczeniu, zajmując miejsce pasażera.

– Nie patrzyłem na okolicę, kiedy wynajmowałem mieszkanie – odezwał się. – Liczyło się, żeby Emil miał blisko na uczelnię.

– Jest teraz na trzecim roku?

– Zgadza się.

Gerard przegapił pierwsze lata syna na Wydziale Prawa i Administracji, ale zadbał o to, by niczego mu nie brakowało, przynajmniej pod względem finansowym. Sprzedawszy mieszkanie na Osiedlu Klonowym, pozbył się właściwie też wszystkiego innego. Sam za kratkami niczego nie potrzebował, a przypuszczał, że zanim wyjdzie, Emil dawno znajdzie pracę i założy rodzinę.

Stało się inaczej: marszałek Swoboda zastosowała akt łaski i postanowiła o zatarciu skazania. Edling był nie tylko wolny, ale także formalnie czysty – mógł wrócić do pracy w prokuraturze, o ile nie sprzeciwiliby się temu samorząd zawodowy lub minister sprawiedliwości. Po tym jednak, co zrobił dla polityków, mógłby być dobrej myśli.

Nie miał jednak zamiaru wracać do pracy śledczego. Zatrudnił się na uniwersytecie, zajął wykładaniem i w ostatnim czasie wreszcie uzyskał habilitację. Od tamtej pory formalnie mógł się tytułować profesorem UO.

Nie przypuszczał, że kiedykolwiek będzie go ciągnęło do dawnego zawodu. A jednak teraz bez wahania skorzystał z oferty Domańskiego. Czy kierowało nim to, o czym niegdyś mówiła żona Edlinga? Magnetyczne przyciąganie zbrodni?

Być może. Bardziej frapujący zdawał się jednak powód, dla którego prokurator okręgowy zjawił się akurat u niego.

– Powiesz mi, o co chodzi? – odezwał się Gerard, gdy ruszyli w kierunku Matejki. Szacował, że o tej porze dojazd na miejsce zdarzenia nie zabierze im więcej niż dziesięć minut.

– Mówiłem ci. Na wodzie są zwłoki.

– Tyle że ja nie jestem specjalistą od pontonów, ale od mowy ciała – zauważył Edling. – A martwe wiele nie powie.

– Znam takich, co sądzą inaczej.

– W takim razie powinieneś zwrócić się do nich – odparł Gerard i obróciwszy się do rozmówcy, przez moment wbijał w niego wzrok. – Dlaczego zjawiłeś się u mnie?

– Bo na piersi ofiary ktoś wypalił gigantyczny pytajnik.

Edling zamarł, nie potrafiąc dobyć głosu. Nie pamiętał, kiedy ostatnim razem zabrakło mu słów, nie kojarzył też, kiedy poczuł ciarki na całym ciele. Przełknął głośno ślinę i potarł nerwowo kark.

Ten ostatni gest przykuł uwagę Domańskiego. Podobnie jak wszyscy inni, tak i Konrad zdawał sobie sprawę, że Edling zawsze panuje nad każdą swoją reakcją, a mowa jego ciała zazwyczaj jest dla rozmówców nieprzenikniona.

Nigdy nie pozwalał sobie na tak niespokojne gesty.

– To niemożliwe… – powiedział cicho.

– A jednak. Znak zapytania jest wyraźnie widoczny.

Gerard robił wszystko, by zebrać się w sobie, ale wstrząs był zbyt duży. Ostatnim razem był tak zdezorientowany przy sprawie Horsta Zeigera, kiedy wyszły na jaw wszystkie fakty. Potem nigdy więcej nie miał styczności z podobnym uczuciem. W zasadzie zapomniał, że cokolwiek jest w stanie wprawić go w takie osłupienie.

– To nie może być on – odezwał się Edling. – Nie ma takiej możliwości.

– Więc pytajnik to przypadek?

– Może nie mieć żadnego związku z tamtym człowiekiem.

– Tylko że znak wygląda identycznie jak te, które zostawiał Iluzjonista.

Próba zakłamania rzeczywistości była jedynie reakcją obronną umysłu – i kiedy Gerard to sobie uświadomił, natychmiast odsunął wszystkie oczywiście błędne hipotezy. Przesunął palcami po jasnym zaroście okalającym usta i doszedł do wniosku, że pora spojrzeć prawdzie w oczy.

– Złapaliśmy Iluzjonistę w osiemdziesiątym ósmym – rzucił. – Doprowadziliśmy do osądzenia i skazania.

– Wiem.

– W takim razie pozostaje tylko jedna możliwość. Mamy do czynienia z naśladowcą.

Konrad zatrzymał samochód na czerwonym świetle, wrzucił na luz, a potem popatrzył na Edlinga z troską. Przywodził na myśl dobrego kumpla, który stara się ocenić, czy druga strona jest obłożnie, czy tylko trochę chora.

– Jest też inne wyjaśnienie – oznajmił Domański. – Że trzydzieści lat temu złapaliście niewłaściwego człowieka.

– Wykluczone.
– Bo jesteście nieomylni?
– Bo to była solidna sprawa. Obroniła się we wszystkich instancjach, nie było żadnej wątpliwości co do winy.

Domański rozejrzał się i nie dostrzegłszy żywej duszy, ruszył przez skrzyżowanie. Kątem oka złowił dezaprobatę, która pojawiła się w oczach pasażera.

– Oprócz tego żaden seryjny zabójca nie zdołałby wytrzymać trzech dekad bez popełnienia kolejnej zbrodni – ciągnął Gerard. – Złapaliśmy wtedy właściwą osobę, zapewniam cię.

Konrad milczał.

– Słyszysz? – upewnił się Edling.
– Trudno nie słyszeć. Prawie krzyczysz.

Nie mylił się. Gerard niepotrzebnie podniósł głos, ale zrobił to zupełnie bezwiednie. Sprawa sprzed trzydziestu lat nadal wzbudzała w nim emocje, których nie potrafiło wyzwolić nic innego.

Po tym jednak, co się wówczas stało, nie mógł się sobie dziwić. Większość osób na jego miejscu z pewnością skończyłaby dużo gorzej.

– Naśladowca to jedyna możliwość – powtórzył po chwili Edling.

Domański przyspieszył trochę, jakby nagle zaczęło zależeć mu na czasie, a potem na jakiś czas pogrążył się we własnych rozważaniach. Dopiero kiedy minęli stadion Odry Opole, zdawał się wrócić do rzeczywistości.

– Żeby to był naśladowca, musiałby mieć co powielać – odparował Konrad.

– Przecież ma.
– Co? Co konkretnie? – rzucił prokurator znacznie ostrzej. – Akta tej sprawy zaginęły, Edling. Upewniałem się co do tego kilkakrotnie, próbowałem też rozmówić się z ludźmi, którzy mieli na jej temat jakieś pojęcie. Wiesz, z jakim rezultatem?
– Nie.
– A mnie się wydaje, że wiesz.

Przez chwilę jechali w milczeniu. Niewypowiedziany zarzut był daleko idący, ale Gerard nie miał zamiaru na niego reagować.

– Wszyscy albo milczą, albo nie żyją – dodał Domański. – Jesteś pierwszą osobą, z którą w ogóle mogę wymienić parę słów na ten temat. I zachowujesz się, jakbyś nagle znalazł się na polu minowym.

Znów miał rację. Bardziej, niż sądził.

Edling szybko upomniał się w duchu, by więcej nie tracić kontroli. Nabrał tchu, wyprostował się i powziął mocne postanowienie, że od tego momentu nie wykona choćby jednego bezwiednego ruchu.

– Coś już na pierwszy rzut oka jest nie tak – dorzucił Konrad.

– Skoro tak sądzisz, być może nie powinieneś wieźć mnie na miejsce zdarzenia.

Jeśli miał zamiar się rozmyślić, powinien zrobić to teraz. Znaleźli się już na Luboszyckiej, a zatem do Silesii nie mogło być daleko.

– Wydaje mi się, że mimo wszystko powinienem – odparł Domański. – Bo możesz być jedyną osobą, która jest w stanie to rozwiązać.

– Co konkretnie?
– Zobaczysz.

Zatrzymali się nieopodal plaży znajdującej się na niewielkim cyplu. Teren był już ogrodzony policyjnymi taśmami, a mocne przenośne lampy wycelowano w taflę jeziora. Z oddali nie było widać wiele, ale kiedy Edling podszedł bliżej, mógł dostrzec kształt człowieka.

– Co to ma znaczyć? – spytał.

Z takimi pytaniami również rzadko wypalał. W dodatku nikt z zebranych nie potrafił udzielić mu odpowiedzi. Wszyscy zdawali się przyglądać przedstawieniu, którego prawideł nie rozumieli.

– Widzisz pytajnik? – odezwał się Konrad.
– Widzę.

Trudno było go nie zauważyć. Podświetlony lampami z brzegu, był wyraźnie widoczny na bladym torsie dość wysokiej kobiety. Górna część znaku zawijała się nad lewą piersią, a kropka na dole została wypalona wokół pępka. To jednak nie symbol przykuwał uwagę i powodował konfuzję wszystkich wokół, ale to, w jakiej pozycji znajdowała się ofiara.

Kobieta stała na tafli z szeroko rozłożonymi rękoma.

Nie unosiła się na niczym. Stała pośrodku zbiornika, jakby potrafiła chodzić po wodzie.

Jaskrawe światło LED-owych lamp zapewniało iluminację, która niemal pozwalała dostrzec dno. Nigdzie nie było żadnej konstrukcji, na której mogła stać ofiara. Wszystko to sprawiało wrażenie iluzji, a logika podpowiadała, że to, co widzą zebrani, nie ma racji bytu.

Edling musiał przyznać, że jeśli rzeczywiście mieli do czynienia z naśladowcą, to takim, który odrobił lekcję. Być może nawet przerósł mistrza.

Ledwo ta myśl nadeszła, Gerard zrozumiał, co powinien zrobić. Zignorował pytania, które w jego stronę zaczęli rzucać zgromadzeni, a potem ruszył przed siebie. Nikt nie protestował, dopóki szedł po plaży.

Głosy sprzeciwu podniosły się, kiedy wszedł na wodę i ruszył po jej tafli na środek jeziora.

Niegdyś
ul. Sieradzka, Malinka

Młody asesor prokuratorski zjechał windą na parter, a potem opuścił klatkę jednego z nowych bloków z wielkiej płyty przy Sieradzkiej. Okolica powoli się zaludniała, ludzie kierowali się na najbliższy przystanek MPK i wsiadali do niespiesznie jadących w kierunku centrum ikarusów.

Gerard Edling miał własny samochód. Biały maluch czekał na niego pod blokiem, a dwadzieścia cztery konie mechaniczne pod maską i pojemność skokowa przekraczająca sześćset centymetrów sześciennych w zupełności wystarczały na sprawny i szybki dojazd do pracy. Więcej do szczęścia nie było mu potrzebne.

Mijał powoli wzbierającą falę polonezów i dużych fiatów, tu i ówdzie urozmaicaną pojedynczymi syrenkami i trabantami. Właściwie nie czuł potrzeby, by inwestować w większy samochód – jego długoletni związek z Brygidą chylił się ku upadkowi i nic nie wskazywało na to, by mogło dojść do powiększenia rodziny.

Edling bez problemu dotarł do centrum, a potem zaparkował niedaleko siedziby prokuratury, przy placu Thälmanna. Wysiadł z auta, po czym skierował się do niebieskiego kiosku Ruchu na rogu. Kolejka uformowała się już jak zawsze o tej porze, ale młody asesor nigdy nie stał w niej dłużej niż kilka minut.

– Dzień dobry – rzucił, nachylając się do okienka między podłużnymi, pionowymi deskami.

Kioskarz nie potrzebował nic więcej, by podać mu to, co zawsze. Gerard zapłacił pięćdziesiątych złotych, zabrał „Trybunę Ludu" i podziękował tak uprzejmie, jakby mężczyzna wręczył mu gazetę za darmo.

Do propagandy tuby Komitetu Centralnego partii był tak przyzwyczajony, że nie zwracał już na nią uwagi. Nie miał zresztą wielkiego wyboru, „Trybunę" kupował, bo stanowiła najlepsze źródło doniesień ze świata.

Zaraz potem skierował się do kolejnego miejsca, które odwiedzał co ranek. Nie jadł przed wyjściem z domu, głównie dlatego, że od pewnego czasu poranne rozmowy przy stole z żoną działały mu na nerwy. Wolał spożyć pierwszy posiłek bez Brygidy, siedząc w społemowskim barze w podwórku przy 1 Maja, którego jadłospis znał na pamięć. Miał tam swój stolik, mógł rozłożyć gazetę i spokojnie poczytać.

Tym razem nie miał jednak okazji zagłębić się w artykuły. Zobaczył tylko jeden z nagłówków informujących o tym, że „rolniczy trud przyniósł wielkie plony", po czym całą uwagę przeniósł na mężczyznę, który wszedł do baru i wyraźnie szukał go wzrokiem.

Prokurator Bogdan Karbowski nosił brązowy garnitur, niebieską koszulę i szary krawat w paski. Mimo że wpisywał się w modę prezentowaną na ulicach, zdaniem Gerarda mógłby ubierać się lepiej – choć Bogiem a prawdą, nie potrzebował tego, by budzić respekt. Każdy bywalec baru doskonale zdawał sobie sprawę z tego, że Karbowski to zawodnik wagi ciężkiej.

Bogdan rozejrzał się i szybko dostrzegł osobę, której szukał. Edling złożył gazetę. Podniósł się, świadom, że przełożony nie zjawił się bez powodu.

– Jadasz czasem w domu, Gerard? – spytał szef.

– Czasem.

Karbowski zerknął na naleśniki z serem i kubek kakao.

– Tym razem trzeba było – powiedział. – Bo teraz już nie zdążysz.

Zanim Edling zdążył zapytać, co jest powodem pośpiechu, przełożony skinął na niego w sposób, który nie pozostawiał wątpliwości, że nie ma czasu na żadne pytania. Gerard upił jeszcze łyk, odkroił kawałek naleśnika, a potem odstawił wszystko do okienka i podziękował kobiecie w wypłowiałym fartuchu.

Bogdanowi brakowało nie tylko ogłady, ale także cierpliwości. Udowadniał to nie raz, wytaczając najcięższe działa przeciwko podejrzanym jeszcze przed zebraniem całego materiału dowodowego.

Znalezienie się na celowniku Karbowskiego było równoznaczne z poważnymi problemami, bez względu na to, czy delikwent był winny, czy nie. Prokurator doprowadzał do skazania zbrodniarzy, krętaczy, ale także wielu opozycjonistów, co budziło sprzeciw Edlinga.

Ten ostatni nigdy jednak się na ten temat nie zająknął. Karbowski zaszedł tak daleko między innymi dzięki temu, że członkiem partii nie był jedynie na papierze.

Kiedy podczas aplikacji prokuratorskiej Gerarda pod skrzydła wziął właśnie ten człowiek, młody Edling odczuł pewien dysonans – z jednej strony nie mógł trafić lepiej. Z drugiej trudno, by trafił gorzej.

Ostatecznie szybko znaleźli wspólny język, a niemający dzieci Bogdan zaczął traktować aplikanta niemal jak syna. I z pewnością przyłożył rękę do tego, że po złożeniu egzaminu prokuratorskiego i mianowaniu na asesora Edling cieszył się specjalnymi względami.

Poparcie Karbowskiego w połączeniu z dobrymi wynikami egzaminu i udanym przebiegiem aplikacji sprawiły, że prokurator generalny powierzył Edlingowi pełnienie czynności prokuratorskich, dzięki czemu mógł on mniej więcej tyle, ile starsi koledzy – z kilkoma wyjątkami. Jako asesor nie miał prawa występowania przed sądami wojewódzkimi ani Sądem Najwyższym, nie mógł też stosować tymczasowego aresztowania.

Nic nie stało jednak na przeszkodzie, by wraz z Bogdanem pełnoprawnie uczestniczył w śledztwie. I niechybnie właśnie z tego względu przełożony wyprowadził Gerarda z baru mlecznego.

Przeszli przez podwórko, mijając szare elewacje i odrapane tynki, po czym wsiedli do kremowej łady 2103 Karbowskiego. Starego prokuratora z pewnością stać było na lepszy samochód, z jakiegoś powodu nie mógł jednak rozstać się z autem jugosłowiańskiej produkcji.

– Mamy denata – oznajmił Bogdan, włączając silnik.

– My? – spytał Edling. – W bagażniku?

– Nie czas na błaznowanie, Gerard. Sprawa jest poważna.

Karbowski włączył się do ruchu i skierował w stronę Młynówki. Ruch był minimalny, pojedyncze samochody kolebały się niespiesznie kocimi łbami ku centrum.

– Jesteś w stanie się skupić? – odezwał się Bogdan.

– Bez śniadania niełatwo, ale…

– Spróbuj – uciął przełożony, a Edling skinął głową. – Bo mamy wyjątkowo ciekawe zdarzenie.

– Jakie?

Karbowski nabrał tchu.

– Na scenie amfiteatru znaleziono zwłoki jakiejś kobiety – podjął. – Lat około trzydziestu, budowa ciała nieznana…

– Nieznana?

– Tak mi przekazano. Włosy jasne, kształt twarzy trójkątny, brak znaków szczególnych… może z jednym wyjątkiem.

– Jakim?

– Morderca wypalił jej na czole znak zapytania.

Gerard natychmiast się ożywił. W takiej sytuacji śniadanie rzeczywiście było zbędne, a może nawet niewskazane, jeśli wziąć pod uwagę widoki czekające na niego na miejscu zdarzenia.

– Oprócz tego sprawca zostawił list. A właściwie kartkę.

– Jest jakaś różnica?

– Taka, że w liście jest tekst. A ta kartka jest pusta.

Edling zmarszczył czoło i spojrzał na szefa, gdy mijali siedzibę Komendy Wojewódzkiej Milicji Obywatelskiej. Przypuszczał, że mundurowi są już na miejscu i zamknęli całą okolicę.

– Była w kopercie zaadresowanej do mnie – dodał Karbowski.

– Dlaczego akurat do pana? – spytał Gerard bez zastanowienia. – Znał pan ofiarę? Coś panu mówi ten symbol?

– Symbol mówi mi tyle, że mamy zagadkę. A ofiary jeszcze nie widziałem.

W głosie przełożonego zadrgała nuta niezadowolenia. Nie lubił informować o rzeczach oczywistych, a te właśnie takie były. Oprócz tego z pewnością nie spodobało mu się, że na moment znalazł się na pozycji przesłuchiwanego.

Do amfiteatru dojechali w milczeniu. Zgodnie z przypuszczeniami Gerarda teren był już niedostępny dla cywilów, a fakt, że ciało znajdowało się na scenie, sprawiał, że odseparowanie gapiów nie było trudne. Wystarczyło zamknąć cały obiekt.

Funkcjonariusze milicji powitali Bogdana z odpowiednim szacunkiem, Edlinga niemal nie dostrzegając. Nie dziwił się, sam na ich miejscu też nie poczuwałby się do obowiązku, by wylewnie witać młodzika z dalece większymi uprawnieniami niż oni.

Prokuratorzy weszli na scenę, ale zatrzymali się kilka metrów przed ciałem. Nie spodziewali się widoku, który zastali.

Ofiara znajdowała się w skrzyni umieszczonej na niewielkim podeście. Konstrukcja nie wyglądała na element wyposażenia teatru, przeciwnie, raczej na skleconą naprędce przez jakiegoś amatora. To, co znajdowało się nad nią, z pewnością było jednak dziełem kogoś, kto znał się na rzeczy.

Edling wlepił wzrok w duże koło zębate, przywodzące na myśl piłę. Znajdowało się nad skrzynią i wymierzone było tak, by rozciąć ją wpół. Utrzymujące je liny umocowano gdzieś przy dachu, choć z tej perspektywy nie sposób było dostrzec, do czego konkretnie.

Na scenie leżała zaadresowana do Karbowskiego koperta, obok gwóźdź, którym została przybita do desek, a kawałek dalej list wyjęty już przez milicjantów.

– Ktoś pozwolił wam to ruszać? – odezwał się Bogdan.

Kiedy nikt mu nie odpowiedział, rozejrzał się z frustracją.

– Gdzie jest jakiś oficer?

– Zaraz będzie na miejscu, towarzyszu prokuratorze.

Karbowski zerknął na oznaczenie stopnia rozmówcy i westchnął bezsilnie.

– Słuchajcie no, młodszy chorąży – rzucił. – Odsuniecie mi stąd waszych kolegów i niech nikt nic nie rusza, dopóki nie powiem. Jasne?

– Tak jest, towarzyszu prokuratorze.

– Czegoś oprócz listu tknęliście?

– Nie – odparł szybko chorąży. – Ciała nie dotykaliśmy, nawet do niego nie podchodziliśmy, bo nie wiadomo, czy ta piła nie opadnie.

Bogdan skinął lekko głową.

– A list dlaczego ruszaliście?
– Bo zaadresowany do pana.
– To od razu trzeba było podnieść i sprawdzić?
– Nie wiedzieliśmy, co...
– Mniejsza z tym – uciął Karbowski. – Odmaszerować. I nie wracajcie tu, dopóki nie powiem.

Młodszy chorąży machinalnie zasalutował, choć z pewnością nie zrobiłby tego przed żadnym innym oskarżycielem publicznym. Potem oddalił się, zostawiając prokuratorów samych.

Bogdan wyciągnął nieotwartą paczkę klubowych, oderwał papier z góry i wyciągnąwszy jednego, podpalił zapałką.

– Powinieneś się poczęstować, Gerard.
– Nie, dziękuję.
– Lepiej się przy tym myśli.

Przykucnęli obok listu, a potem obejrzeli go z każdej strony. Stojący w oddali za nimi funkcjonariusze Milicji Obywatelskiej przyglądali im się z konsternacją, niepewni, dlaczego śledczy zajmują się kopertą, a nie ciałem czy wiszącą nad nim piłą.

– Co sądzisz? – spytał Karbowski, wypuszczając dym.
– Że sprawca nieprzypadkowo wybrał scenę. Chce rozgłosu, spektaklu, widowiska.
– A to pudło?
– To element jego przedstawienia.
– Które nie doszło do skutku? Dlatego to koło zębate nie opadło?
– Możliwe. Coś mogło mu przeszkodzić. Lub ktoś.
– Twoim zdaniem jest jakimś magikiem?

– Raczej iluzjonistą.

Bogdan zaciągnął się głęboko, a następnie potarł dłonią świeżo ogolone policzki. Podniósł list, który wyjęli z koperty milicjanci, i uniósł go pod światło. Obaj przyglądali mu się przez chwilę, ale nie dostrzegli ani delikatnych odcisków, ani śladów tuszu.

– Może to wiadomość sama w sobie? – podsunął Edling.

– W jakim sensie?

– *Tabula rasa*. Czysta karta.

– I co ma znaczyć twoim zdaniem?

Gerard zdawał sobie sprawę, że przełożony już dawno o tym pomyślał. Zapewne znał też odpowiedź zarówno na to, jak i inne pytania. Zadawał je po prostu, by sprowadzić młodego asesora na właściwe tory.

– Zabójca może sygnalizować, że śmierć to nowy początek. Że w jakiś sposób zbawia ofiary, bo ofiaruje im…

– To zbyt daleko idące.

Właściwie wszystko na tym etapie takie było, ale Gerard zachował tę myśl dla siebie. Być może w ogóle nie powinni stawiać roboczych hipotez, wszak nie widzieli nawet zwłok. Karbowski znany był jednak z tego, że udowadniał wersję śledczą równie szybko, jak ją przyjmował.

Podniósł się, a potem zbliżył do pudła z ciałem. Edling zrobił to samo.

– Ta dziewczyna nie ma jeszcze trzydziestki – zauważył Bogdan. – Powiedziałbym raczej, że niedawno skończyła dwadzieścia lat.

Gerard przyjrzał się denatce. Kolor jej skóry świadczył o tym, że do morderstwa doszło stosunkowo niedawno.

Nie pojawił się jeszcze trupioblady odcień, próżno było szukać plam opadowych.

– Śliczna – odezwał się Karbowski.

– Słucham?

Starszy prokurator potrząsnął głową i zbliżył się ostrożnie jeszcze o pół metra.

– Nie jest piękna, ale śliczna – rozwinął. – Naprawdę delikatne rysy twarzy.

– Więc chciał ją oszpecić tym pytajnikiem?

– Raczej się podpisać.

– I popisać.

Karbowski pokiwał głową, wciąż podchodząc. Stawiał kolejne kroki coraz śmielej, stopniowo przekonując się, że sprawca nie pozostawił żadnych pułapek. Kątem oka obaj śledczy kontrolowali jednak, co dzieje się z kołem zębatym zawieszonym nad pudłem.

– Może powinien pan uważać – przemówił Edling. – Ta piła nie wisi tam bez powodu.

– Nie widzę zagrożenia.

– A temu człowiekowi z pewnością chodzi właśnie o to, by pan go nie dostrzegał.

Bogdan popatrzył na niego z pobłażliwością, jakby chciał zasugerować, że to on powinien się martwić o podopiecznego, a nie odwrotnie. Edling zignorował spojrzenie, skupiając się na dziewczynie.

Szef miał rację, była śliczna. Miała niemal anielską urodę, zdawała się niewinna, zadbana i delikatna. Miała przed sobą całe życie, z pewnością dość ciekawe, bo nie sprawiała wrażenia osoby, która pozwoliłaby, by przeciekło jej przez palce.

Leżała na brzuchu, jej głowa zwrócona była w kierunku, z którego nadeszli prokuratorzy. Zupełnie jakby na nich czekała.

Karbowski podszedł jeszcze kawałek i nagle zamarł, opuszczając wzrok. Przywodził na myśl żołnierza na wrogim terenie, takiego, który właśnie nadepnął na minę.

– Coś nie tak? – odezwał się Gerard.

– Słyszałem trzask. Pod jedną z desek, na której stanąłem.

Edling natychmiast ruszył ku niemu, ale przełożony obrócił się i powstrzymał go ruchem ręki.

– Stój – rzucił.

– Ale...

– Daj mi się zastanowić.

– Ale jest pan pewien, że słyszał trzask?

– Cichy. Ale tak.

Karbowski oddychał nieco szybciej i mówił z wyraźnym roztrzęsieniem. Edling niczego nie słyszał, jeśli jednak rzeczywiście znajdowała się tu jakaś pułapka, z pewnością została skonstruowana tak, by do końca nie zasygnalizować niebezpieczeństwa.

Gerard poczuł, że serce bije mu mocniej. Czy to naprawdę możliwe, że zabójca zastawił tu na nich sidła? Nie, nie na nich. Bezpośrednio na Karbowskiego – w końcu to właśnie jego imię i nazwisko znajdowało się na kopercie.

Zanim Edling zdążył rozwinąć tę myśl, niemal nieświadomie wychwycił jakiś ruch przed sobą. Potrzebował chwili, by zrozumieć, co dostrzegł.

– Panie prokuratorze... – jęknął.

– Daj mi chwilę, do cholery.

Gerard miał trudności z przełknięciem śliny i sformułowaniem myśli. Zamrugał kilkakrotnie, niepewny, czy naprawdę dobrze widzi.

– Panie prokuratorze, proszę spojrzeć przed siebie – rzucił.

Bogdan w końcu przestał wbijać wzrok w podłogę. Machinalnie się cofnął, jakby coś odrzuciło go do tyłu.

– Na Boga, ona…

– Żyje – dopowiedział Edling, wbijając wzrok w dziewczynę.

Lekko się poruszała, choć sprawiała wrażenie, jakby budziła się z wyjątkowo głębokiego snu. Otwierała oczy tylko na moment, nie mogąc długo utrzymać podniesionych powiek. Głowa kiwała jej się bezwładnie na boki, a z ust wydobywał się cichy, niezrozumiały bełkot.

Jasna jak błyskawica myśl przecięła umysł Edlinga.

Dopiero teraz wisząca nad dziewczyną piła nabrała sensu. Przedstawienie się nie skończyło. Wprost przeciwnie, główny punkt programu dopiero miał nastąpić.

– Musimy ją stąd zabrać – odezwał się niepewnym głosem Gerard.

Szef uświadomił sobie, że mimo woli się wycofał i nie stał już na deskach, które wywołały w nim niepokój. Skinął głową, a potem obrócił się, by wydać milicjantom kilka krótkich komend.

W tym samym momencie rozległ się dźwięk łamiącego się drewna. Tym razem głośny i niepozostawiający wątpliwości, że coś uległo pod znacznym ciężarem.

Edling natychmiast się rozejrzał, spodziewając się, że podłoga na scenie nagle się zapadnie albo sufit runie im prosto na głowę.

Zamiast tego dostrzegł, jak liny trzymające koło zębate puszczają. Dziewczyna w ostatniej chwili zorientowała się, co się dzieje. Z jej gardła wydobył się przeraźliwy, dziki pisk, a piła runęła z impetem wprost na pudło. Przecięła je oraz znajdujące się w nim ciało, z którego trysnęła ciemnoczerwona krew.

Ostro zakończone koło wbiło się w podłogę, dwie części pudła się rozjechały, ale dziewczyna nadal dziko krzyczała.

Edling stał jak sparaliżowany. Nie potrafił nie tylko się ruszyć, ale także zebrać myśli. Patrzył na krew i rozcięte na pół ciało i nie mógł pojąć, dlaczego dziewczyna wciąż żyje. Nie był to pośmiertny spazm, ofiara krzyczała coraz głośniej, błagając o litość.

Obecnie

Kąpielisko Silesia, Opole

Gerard szedł po wodzie, nie zważając na reakcje zebranych na brzegu ludzi. Zatrzymał się dopiero w połowie drogi, by zerknąć pod siebie. Woda była niemal idealnie przejrzysta, a znajdujące się na podwyższeniu reflektory sprawiały, że Edling bez trudu dostrzegał ławice małych ryb.

– Gerard!

Były prokurator obrócił się i uniósł rękę do zdezorientowanego Domańskiego.

– Co to ma być? – spytał Konrad.
Edling rozłożył ręce.
– Najwyraźniej opanowałem umiejętność kroczenia po wodzie.
– Daj, kurwa, spokój – syknął prokurator okręgowy.
– Po prostu mam zamiar przyjrzeć się ofierze. I być może powinieneś zrobić to samo.
– Co? – rzucił Domański, patrząc niepewnie na taflę.
– Idź za mną. Tą samą drogą.
– Moment...
– Zaufaj mi.

Gerard przypuszczał, że rozmówca jest jedyną osobą na brzegu, która była gotowa to zrobić. Pozostali prędzej spróbowaliby dostać się do niego wpław, niż ruszyli naprzód tylko dlatego, że jemu się udało.

Konrad niepewnie poszedł jego śladem, każdy kolejny krok stawiając tak, jakby dopiero uczył się chodzić. Edling poczekał na niego w połowie drogi między plażą a stojącym na wodzie ciałem.

– Co to ma być? – żachnął się Domański, tupiąc lekko w wodę.
– Pleksiglas.
– Że co?
– Szkło akrylowe.
– Wiem, czym jest pleksa. Chodzi mi o to, jak... – Urwał i popatrzył pod nogi. – Chcesz powiedzieć, że to się ciągnie aż do ciała?
– Z pewnością – odparł Edling, a potem obrócił się w kierunku nagiej kobiety z wypalonym pytajnikiem. – To prosty trik, który kilka lat temu zastosował iluzjonista

chodzący po Tamizie. Przymocował do dna konstrukcję z pleksiglasu, a potem położył na niej praktycznie niewidoczne płaty z pleksi, znajdujące się kilkadziesiąt milimetrów pod lustrem wody. Skoro tam się udało, to tutaj tym bardziej.

– Najwyraźniej – odbąknął Domański. – Ale skąd wiedziałeś?

– Nie wiedziałem. Przypuszczałem.

– Mimo wszystko poszedłeś jak po sznurku.

– Bo założyłem, że kobieta jest ustawiona w ten sposób nie bez powodu i wyznacza nam ścieżkę. – Gerard ściągnął poły płaszcza i zapiął go na kolejny guzik. – Sprawcy zależy na przedstawieniu, musi dbać o swoją widownię.

– Mimo wszystko...

Konrad zawiesił głos, jakby miał zamiar dokończyć. Edling odczekał chwilę, by upewnić się, że nie wejdzie rozmówcy w słowo.

– Kiedy postawiłem pierwszy krok i poczułem twarde podłoże, wiedziałem, że się nie mylę – odezwał się. – Ale twoje uwagi każą mi sądzić, że mnie o coś podejrzewasz.

Na miejscu Domańskiego z pewnością zachowałby znacznie większą ostrożność. Za jedną z hipotez śledczych z pewnością należało przyjąć, że naśladowcą jest ten, kto niegdyś ścigał Iluzjonistę.

Bogdan Karbowski nie wchodził w grę, ale Gerard z pewnością powinien być choćby hipotetycznym kandydatem na sprawcę. Inny prokurator z pewnością nie przywiózłby go na miejsce zdarzenia, Domański po sprawie Kompozytora jednak zwyczajnie mu ufał.

Nie miał pojęcia, jak wiele tajemnic wiąże się z wydarzeniami sprzed trzydziestu lat.

Ledwo ta myśl nadeszła, Edling poczuł się niekomfortowo. Nigdy nie miał zamiaru wywodzić Konrada w pole, ale w tej sytuacji wyjawienie prawdy po prostu nie wchodziło w grę.

– O nic cię nie podejrzewam – odezwał się Domański. – Po prostu ustalam, czy strzelałeś w ciemno, czy może zrozumiałeś, co się dzieje, bo już kiedyś Iluzjonista podobnie działał.

– Nigdy nie strzelam w ciemno.

– Jasne – odburknął Konrad.

– Prowadzę naukowe spekulacje i domysły.

– Oczywiście.

Gerard spojrzał na rozmówcę z ukosa, a potem wskazał ciało. Pierwsi funkcjonariusze na brzegu zaczynali powoli iść w ich kierunku, ale najwyższy stopniem szybko ich powstrzymał, zapewne obawiając się, że zbyt duży ciężar naruszy stabilność konstrukcji z pleksi.

– Może poświęcimy ofierze nieco uwagi? – spytał Gerard.

– Chętnie, bo zaraz zrobi się za słodko.

Edling nie skwitował uwagi i ruszył przed siebie. Stawiał kolejne kroki dość pewnie, ignorując fakt, że buty całkowicie wypełniły się wodą, a skarpetki można było wyżymać. Skupiał się wyłącznie na kobiecie, która sprawiała wrażenie, jakby została odlana z jakiejś masy.

– Może zwolnij trochę – podsunął Konrad.

– Dlaczego?

— Bo ktokolwiek to zrobił, ma nasrane w głowie. Bez trudu mogę sobie wyobrazić, że gdzieś w pleksiglasie jest wyrwa i że zaraz znajdziesz się pod wodą.

— Nie sądzę.

— Bo?

— Jeśli ten człowiek rzeczywiście imituje Iluzjonistę, nie będzie uciekał się do takich rzeczy.

— Tamten facet na moje oko lubił sobie z wami pogrywać.

— To prawda — przyznał Edling, nie zwalniając. — Ale nie w taki sposób. Interesowały go znacznie bardziej... wymyślne figle.

Domański mruknął coś niezrozumiałego, ale Gerard nie miał zamiaru dopytywać. Zatrzymał się przed ciałem, a potem przesunął nogą w jedną i drugą stronę. Zgodnie z jego przypuszczeniami znajdował się tutaj nieco szerszy podest.

— I? — spytał Konrad. — Widzisz, jakim cudem ona tak stoi?

— W taki sam sposób, jak my.

— Mam na myśli to, że jest martwa, Edling. I że mimo to potrafi utrzymać pozycję pionową i rozkładać ręce.

Prokurator stanął obok niego. Obaj nie mogli oderwać wzroku od ofiary, zupełnie jakby znaleźli się w muzeum i trafili na wyjątkowo intrygujący eksponat.

Powoli obeszli kobietę, przyglądając się konstrukcji, która pozwalała na ustawienie zwłok w taki sposób. Do podstawy umocowany był kawałek pleksiglasu, przylegał do pleców i utrzymywał ciało w pionie. Ręce były przymocowane do przezroczystej belki.

– Nieźle – odezwał się Domański. – Zadał sobie trochę trudu.

– Całkiem sporo, biorąc pod uwagę, jak stabilna jest ta konstrukcja.

Konrad spojrzał pod nogi.

– Ile czasu musiało mu to zająć?

– Wbrew pozorom niedużo – odparł Edling. – Dynamo, o którym ci wspominałem, uwinął się dość sprawnie na Tamizie, a ruch był tam dużo większy. Odległość do przejścia też.

Znów skupili się na ofierze. Skóra kobiety w górnych partiach ciała była blada jak prześcieradło, a w dolnych nieco ciemniejsza. Krew nie mogła jednak spływać zbyt długo, plamy opadowe nie były jeszcze nadto wyraźne.

– Ustaliliście tożsamość? – odezwał się Gerard.

– Jeszcze nie. Jak widzisz, denatka nie zabrała ze sobą dokumentów.

Edling przyjrzał się twarzy, a potem powiódł wzrokiem po szyi, piersiach i brzuchu. Ofiara była w dobrym stanie, wszystko wskazywało na to, że sprawca nie znęcał się nad nią, zanim odebrał jej życie. Były prokurator obejrzał okolice łonowe, po czym obszedł kobietę.

– Jakieś wnioski? – rzucił Domański.

– Nie sposób spekulować co do przyczyny zgonu. Nie widzę żadnych śladów mechanoskopijnych.

Konrad pokiwał głową, również przyglądając się ofierze.

– Brak charakterystycznych zasinień, które mogłyby świadczyć o uduszeniu – ciągnął Edling. – Ale…

– Ale co?

– Głowa jest umocowana na sztywno do pleksiglasu.
– Brawo. To akurat nie ulega wątpliwości.
– Nie można wykluczyć, że ofiara ma skręcony kark – kontynuował Edling, niemal nie odnotowując komentarzy prokuratora okręgowego. Wciąż obchodził kobietę, przyglądając się jej, ale musiał się zatrzymać, kiedy drogę zastąpił mu Domański.
– To pasowałoby do *modus operandi* Iluzjonisty? – spytał Konrad. – Skręcenie karku?
– Niewykluczone.
– Kurwa, Gerard... – mruknął rozmówca i rozejrzał się, jakby chciał zademonstrować, że są tutaj sami. – Musisz dać mi coś więcej na temat tego człowieka.
– Człowiek, o którym mówisz, nie mógł popełnić tej zbrodni.
– Nie tobie to oceniać – rzucił nieco ostrzej Domański. – Nie jesteś już prokuratorem, nie prowadzisz śledztwa. Znalazłeś się tu jako zwykły obywatel, który jest obowiązany udzielić mi wszystkich odpowiedzi.
Edling postąpił w stronę ciała.
– Zwykłych obywateli nie dopuszcza się tak blisko zwłok.
– Więc jesteś niezwykły, w najgorszym tego słowa znaczeniu – odparł Konrad. – A teraz mów, czy sposób działania się zgadza.
– Nie wiem.
Prokurator okręgowy uniósł błagalnie wzrok i rozłożył ręce, jakby liczył na to, że niebiosa się nad nim ulitują.
– Naprawdę nie wiem – dodał Gerard. – Zakładasz, że czynnie uczestniczyłem w tamtym śledztwie, ale

prawda jest taka, że byłem wtedy tylko młodym aplikantem prokuratorskim.

Domański również zapiął się pod szyję, choć ani na moment nie oderwał wzroku od Edlinga. Ten poczuł się trochę nieswojo, dostrzegając w spojrzeniu znajomy oskarżycielski błysk.

– Gówno prawda – odparował Konrad. – Robiłeś wtedy pierwszy rok asesury.

– Możliwe.

Domański zmrużył oczy.

– Pamięć cię zawodzi na stare lata? – spytał. – Czy może zaczynasz mijać się z prawdą?

– Po prostu nie miałem czasu, żeby się nad tym zastanowić.

W istocie nie musiał się nad niczym głowić ani tym bardziej przebijać się przez mgłę niepamięci. Zasłonił się nią tylko dlatego, że sądził, iż Konrad nie miał czasu sprawdzić kalendarium.

– Tak czy inaczej, nie dopuszczano mnie wtedy do czynności – ciągnął Edling. – Wciąż byłem nowicjuszem.

– To dlatego prokurator generalny zezwolił ci na wykonywanie obowiązków?

Gerard skarcił się w duchu za nieostrożność. Powinien założyć, że kiedy tylko dochodzeniowcy zrozumieli, co oznacza pytajnik wypalony na ciele ofiary, natychmiast wzięli go na celownik. Ustalili wszystko, co istotne, a potem przekazali informacje Domańskiemu.

On sam zapewne nie podejrzewał Edlinga o współudział w zbrodni, ale musiał być w tej ocenie raczej osamotniony.

– Karbowski zadbał o to, żebyś mógł brać czynny udział w prowadzonych postępowaniach – dodał Konrad, nadal patrząc na rozmówcę jak na przeciwnika, a nie sojusznika. – Byłeś jego pupilem, chciał cię namaścić na swojego następcę.

Edling nie odpowiadał. W takiej sytuacji mniej słów oznaczało także mniej problemów.

– Ścigaliście Iluzjonistę we dwóch. I oczywiście nie znajdę żadnego potwierdzenia w aktach, bo większość przepadła podczas jakiejś powodzi, ale przecież go nie potrzebuję.

– Nie jakiejś, tylko powodzi stulecia.

– Mniejsza z tym – odparł Domański i machnął nerwowo ręką. – Liczy się to, że starzy prokuratorzy twierdzą, że byliście jak ojciec i syn.

– To przesada.

Gerard poczuł, że robi mu się nieco cieplej. Powstrzymał się jednak przed rozpięciem płaszcza, choćby nieznacznym.

– Może – przyznał Konrad. – Ale wasze relacje były bliskie.

– Przyjaźniliśmy się – potwierdził w końcu Edling. – Ale to nie znaczy, że prowadziliśmy wspólnie śledztwo w sprawie Iluzjonisty. Od początku do końca pozostawało w gestii Karbowskiego, zapewniam cię.

Rozmówca nie miał jak tego zweryfikować. Istotne dokumenty prokuratorskie rzeczywiście zaginęły, a te, które znajdowały się w archiwach Służby Bezpieczeństwa, zostały zniszczone jeszcze przed Okrągłym Stołem. Kilkoro wysoko postawionych ludzi o to zadbało.

– Mataczysz – orzekł w końcu Domański. – Nie rozumiem tylko dlaczego. Jedyne, o co pytałem, to to, czy tamte ofiary miały skręcone karki.
– Nie wiem.
– W takim razie powiedz mi coś o pierwszej ofierze. To była kobieta, tak?
– Mężczyzna.
– Znaleziony na scenie amfiteatru?
– Tak.

Konrad wyraźnie czekał na więcej, ale Edling nie miał zamiaru rozwijać. Przez moment trwali w milczeniu, słuchając nocnego szumu wody i cichych głosów funkcjonariuszy, którzy na brzegu wymieniali się uwagami.

– Dlaczego kłamiesz, Edling?
– Nie kłamię.

Prokurator okręgowy zmarszczył brwi.

– Z pewnością nie powinieneś tego robić – oznajmił. – Po pierwsze dlatego, że to karalne, a po drugie ze względu na to, że zabrania ci tego twój zespół norm.

Gerard robił wszystko, by o tym nie myśleć. Powodowało to wewnętrzny sprzeciw i moralny refluks, którego za wszelką cenę chciał uniknąć. Mimo to w tej sytuacji nie mógł postąpić inaczej.

Jedynym ratunkiem było skierowanie myśli na inny tor, i to jak najszybciej. Na powrót skupił się na kobiecie, która w okrutny sposób została pozbawiona życia.

Jeśli ten człowiek naśladował Iluzjonistę, z pewnością nie podał jej żadnej trucizny. Tamten zwyrodnialec pozbawiał życia, mając bezpośredni kontakt z ofiarami. Nigdy nie uciekłby się do czegoś, co nie dawałoby mu satysfakcji własnoręcznego wysłania kogoś na tamten świat. Skręcenie karku było w tej chwili najsolidniejszą hipotezą.

Ale jeżeli sprawca tak skrupulatnie kopiował *modus operandi*, to powinien zadbać także o to, by pojawiły się inne elementy właściwe Iluzjoniście. Szczególnie jeden, o którym obecnie wiedziało już niewiele osób.

List.

Edling zignorował dalszy wywód Domańskiego i przesunął wzrokiem po lustrze wody. Nie dostrzegł tego, czego szukał, ale z pewnością właśnie o to chodziło sprawcy.

– Słuchasz mnie? – żachnął się Konrad.

Behawiorysta nie odpowiedział. Zamiast tego nagle kucnął, a potem położył dłonie na pleksiglasowym podeście. Przesuwał nimi po powierzchni, zbliżając się do ciała.

– Oszalałeś?

Gerard w końcu znalazł to, czego szukał. Trafił na niewielki przezroczysty pojemnik, w którym znajdowała się szczelnie zamknięta karta microSD. Edling podniósł pudełko i wstał, ignorując wodę spływającą po jego nogach.

– Co to jest? – rzucił Domański.

– Przypuszczalnie zaadresowany do mnie list – odparł Edling bez wahania. – A w nim zagadka.

Niegdyś

Amfiteatr opolski, wyspa Pasieka

Dziewczyna krzyczała wniebogłosy, błagając o to, by ktoś ją uwolnił. Mimo że zgromadzeni właściwie nie myśleli o niczym innym, żaden nie potrafił się ruszyć.

Z przepołowionego ciała wciąż ciekła krew, a tors znajdował się w odległości kilkudziesięciu centymetrów od nóg.

Jako pierwszy ocknął się Edling. Ruszył w kierunku dziewczyny, nie zważając na to, czy po drodze trafi na inne zagrożenia. Dopadł do niej, a potem ujął jej twarz w dłonie, starając się ją uspokoić.

– Już wszystko dobrze – powtarzał.

Krzyczała jeszcze głośniej.

– Jesteś bezpieczna.

Szarpała się i wrzeszczała jeszcze przez chwilę. Ostatecznie jednak opanowany wzrok młodego człowieka w garniturze i stanowczy, acz delikatny dotyk jego dłoni na policzkach sprawiły, że się opanowała.

Łzy spływały jej po twarzy, oddychała nierówno, ale w jej oczach pojawiło się nieco spokoju.

– Gdzie ja jestem? – spytała. – Co się ze mną stało?

Gerard nie bardzo wiedział, jak na to odpowiedzieć. Był szkolony do radzenia sobie ze sprawcami, nie z ofiarami.

– Co ja tu robię? – dorzuciła trzęsącym się głosem dziewczyna.

– Właśnie staramy się to ustalić.

– My? Czyli kto? Kim ty jesteś?

– Gerard Edling, prokuratura wojewódzka.

– Jezu… – jęknęła dziewczyna i z trudem przełknęła ślinę.

Obecność władzy z pewnością nie mogła dać jej poczucia bezpieczeństwa, ale w tej sytuacji dziewczyna powinna odłożyć na bok wszelkie uprzedzenia.

– Dlaczego nie mogę ruszyć nogami? – spytała, znów powoli przegrywając nierówną walkę z emocjami.

Gerard zerknął na drugą część pudła. Stał już przy niej Karbowski, przyglądając się skapującej ze skraju krwi. Prokuratorzy wymienili się niewiele znaczącymi spojrzeniami, po czym Bogdan podszedł do dziewczyny.
– Jak się nazywacie? – spytał.
Słuszny ruch, uznał w duchu Edling. Na szok osoby poszkodowanej lub świadka należało reagować właśnie w ten sposób, sprowadzając ją na tory, które dobrze znała.
– Ela…
– I jak dalej? – dopytał Bogdan.
– Olszewska.
Karbowski przykucnął przy skrzyni, a ponieważ to on przejął inicjatywę, Edling skorzystał z okazji i zainteresował się samą konstrukcją. Skrzynia nie była duża, kształtem przypominała siódemkę, przy czym dłuższe ramię stanowiło część, w której znajdował się tors Olszewskiej.
Gerard zbliżył się do drugiej połówki pudła, o tym samym kształcie. Postukał w nie od góry, a potem przyjrzał się wystającym z tyłu nogom. Szef wciąż uspokajał Elę i szło mu znacznie lepiej niż podwładnemu.
– Boże… – jęknęła dziewczyna. – Co się stało? Czoło boli mnie, jakbym…
– Ile pamiętacie? – przerwał jej Karbowski.
– Wyszłam wieczorem na spacer z psem, a potem… nic nie pamiętam. Jezu Chryste, nie pamiętam!
– Spokojnie.
– Co się ze mną stało?
Edling podszedł do kobiety i spojrzał na nią z góry.
– Zostaliście przerżnięci na pół – wypalił.

– Że co?

– To znaczy raczej nie wy, ale skrzynia, w której się znajdujecie.

– Co pan…

– Spokojnie – powtórzył szybko Bogdan. – Nic wam nie grozi. Zaraz was z tego wyciągniemy i wszystko będzie dobrze.

– Ale jak to przecięta…

– Mój kolega lubi koloryzować – odparł Karbowski i posłał podopiecznemu długie spojrzenie.

Jeszcze raz zapewnił Elę, że nie ma się czego obawiać, po czym odciągnął Edlinga na bok. Zapalił klubowego, tym razem nawet nie częstując Gerarda.

– Sfiksowałeś? – rzucił. – Mówić takie rzeczy tej dziewczynie?

– Po prostu odpowiedziałem na pytanie.

Przełożony wypuścił dym w jego stronę, a potem wskazał skrzynię.

– Co ustaliłeś? – spytał.

– Kilka rzeczy – odparł Edling i nabrał tchu. – Jak pan być może wie, ta sztuczka nie ma nic wspólnego z magią, tylko z odpowiednią konstrukcją pudła. Przypuszczalnie już w czasach starożytnego Egiptu przedstawiano ją gapiom.

– Powiesz mi jeszcze, podczas panowania której dynastii?

– Obawiam się, że…

– Nie mówię poważnie, Gerard – uciął Karbowski. – I kontynuuj.

Edling skinął głową.

– Trik przeprowadzano dość powszechnie już od początku tego wieku, dlatego wydaje się dziś chyba najklasyczniejszym z repertuaru iluzjonistów.

– Przejdź do rzeczy – ponaglił go Bogdan.

– Potrzebne są do niego oczywiście dwie osoby. Jedno ciało jest ułożone tak, że tors znajduje się w poziomej części konstrukcji, a reszta w tej, która jest podstawą całości. Drugie odwrotnie, nogi są na górze, reszta na dole.

Prokurator wojewódzki podrapał się po głowie, najwyraźniej nie do końca potrafiąc sobie to wyobrazić.

– Nigdy nie interesował się pan, jak powstają różne iluzje? – spytał Edling.

– Nie. Mam ich dostatecznie dużo, kiedy wracam do domu po wódce, Gerard. Żona wydaje mi się wtedy nie dość, że ładna, to i czarująca. Dopóki nie otworzy ust.

– Nie ma pan żony.

– Ale gdybym miał, to z pewnością tak by było.

Edling zignorował uwagę. Wskazał, gdzie w skrzyni w kształcie cyfry siedem znajduje się tors, a gdzie reszta ciała. Szef niemal natychmiast przeniósł wzrok na drugą część pudła.

– Chcesz powiedzieć, że ofiara jest tam?

– Być może. W tej chwili widzimy jedynie jej nogi. Reszta jest w umieszczona w podstawie konstrukcji.

Nie trzeba było długo czekać na komendy Karbowskiego. Chwilę później dziewczynę oswobodzono i ułożono na noszach, jako że straciła czucie w nogach. Zaraz potem otwarto drugą skrzynię.

Zgodnie z tym, co przypuszczał Gerard, właściwa ofiara znajdowała się w środku. Zwłoki były mocno wygięte, a sprawca musiał umieścić tam mężczyznę jakiś czas temu, bo cała krew spłynęła mu do twarzy i nagromadziła się w naczyniach podskórnych.

W efekcie Edling patrzył na sinoczerwone, makabryczne oblicze, tylko w pewnym stopniu przypominające człowieka. Widział wiele plam opadowych, także tych, które rozlewały się na dużych partiach ciała. Nigdy nie miał jednak do czynienia z czymś takim. Cała głowa kojarzyła się z czerwonym balonem, mogącym pęknąć w każdej chwili.

Z ust nieboszczyka wylewała się ciemna maź, wybroczyny pod oczami były jak ciemne, odstające płaty skóry. Gerard miał ochotę odwrócić się i odejść, ale jako jeden z nielicznych został na miejscu.

Kilku funkcjonariuszy spasowało. Jeden, widząc owady w obrzękniętych ustach trupa, zwrócił to, co zjadł na śniadanie. Do unoszącego się wokół odoru śmierci dołączyła nieprzyjemna woń wymiocin.

– Wyciągnijmy go – postanowił Karbowski.

Nikt nie palił się do roboty, ale ostatecznie najwyższy stopniem milicjant wytypował kilku nieszczęśników. Szybko stało się jasne, że stężenie pośmiertne jest tak duże, iż zwłoki niełatwo rozprostować.

W końcu się udało. Edling i Bogdan przykucnęli przy mężczyźnie, a potem starszy z prokuratorów odpiął jedyny guzik trzymający poły koszuli denata. Na jego brzuchu wypalono zajmujący niemal całą powierzchnię znak zapytania.

– Co to ma znaczyć? – zapytał Karbowski.

– Igraszkę.
– Tyle widzę, Gerard.
Edling przebiegł w pamięci wszystko, co wiedział na temat pytajnika. Właściwie nie było to nic znaczącego. Kojarzył, że znak pełniący taką funkcję pojawił się w języku pisanym bodaj w ósmym wieku, a w Polsce dopiero w dziełach Kochanowskiego – choć obydwa wyglądały nieco inaczej niż ten dzisiejszy.
– Zasrany, kurwa, iluzjonista – syknął przełożony. – Kpi sobie z nas.
– Albo zaprasza nas do rozwikłania zagadki. Pyta nas o coś.
– O co? I jakiej zagadki?
Edling rozejrzał się uważnie. Jeśli rzeczywiście było to zaproszenie, to w okolicy znajdowała się tylko jedna rzecz, w której mogła kryć się jakakolwiek treść.
– I skąd w ogóle taka myśl? – dorzucił Bogdan.
Młody asesor miał wrażenie, że szef wciąż zadaje pytania wyłącznie po to, by to on mógł się wykazać. Zupełnie jakby młodzik musiał być nieustannie egzaminowany.
– Stąd, że to raczej nie podpis – odparł Gerard. – Wydaje mi się, że symbol oznacza wprost pytanie.
– Jakie?
– Trudno przesądzić. Możliwości jest bez liku: „co dalej?", „podejmiecie grę?", „znajdziecie mnie?", „rozwiążecie zagadkę?" *et cetera*.
Edling podniósł się i podszedł do leżącej na scenie koperty. Wyjął z niej list, a potem jeszcze raz mu się przyjrzał.
– Tu coś musi być – zauważył.

– Co? Atrament sympatyczny?

Nie sposób było tego wykluczyć. Nawet więcej – teraz wydawało się całkowicie sensowne, że sprawca zostawił list pisany niewidzialnym tuszem.

– Jeśli tak, to powinien zostawić instrukcję, jak go uwidocznić – dodał Karbowski.

– Łatwo to ustalić.

– W jaki sposób?

– Mam znajomą, która zna się na rzeczy.

Bogdan posłał mu nieprzychylne spojrzenie, ale Edling spodziewał się takiej reakcji. Szef doskonale znał opinię Gerarda, która ciągnęła się za nim od studiów – nigdy nie był wzorem wierności, mimo że w każdej innej sferze życia moralność była dla niego jednym z najwyższych nakazów.

Oprócz tego „osoba znająca się na rzeczy" mogła oznaczać zarówno dziennikarkę lub osobę pracującą w drukarni, jak i znajomą, która rozpowszechniała bibułę.

W tym wypadku chodziło o tę ostatnią możliwość. Mniej więcej.

Małgorzata Rosa trudniła się bowiem wydawaniem prasy nawet nie w drugim, ale w trzecim obiegu. Była rasową punkówą, która tematom związanym z muzyką alternatywną i szeroko pojętą kulturą buntu potrafiła poświęcać całe szpalty tekstu.

Stanowiła całkowite przeciwieństwo Edlinga i przypuszczalnie właśnie dlatego ostatnimi czasy tak mocno go do niej ciągnęło. Spotkali się kilkakrotnie, za każdym razem na prywatkach organizowanych przez znajomych Małgorzaty, a właściwie Gochy, bo tak kazała do siebie mówić. Gerard pasował tam jak garbaty do ściany. Mężczyźni mieli czupryny jak u Absalona, wszyscy nosili skórzane kurtki, agrafki i porwane jeansy, na które w Pewexie trzeba byłoby wydać całe naręcze bonów.

Alkohol lał się strumieniami, choć prawdziwego wina próżno było szukać. Do tego hymnem każdego spotkania był któryś kawałek Kryzysu lub Tiltu, a najważniejszym świętem państwowym dla uczestników stał się coroczny festiwal w Jarocinie.

Każde zetknięcie się z Gochą było jak wejście do innego świata. Niebezpiecznego, pozbawionego reguł i zupełnie Edlingowi obcego. Początkowo gotów był zrezygnować z rodzącego się romansu już po pierwszej randce. Teraz jednak nie wyobrażał sobie, by opuścić choć jedno spotkanie.

– Co to za znajoma, Gerard? – odezwał się przełożony.

– Zna się na rzeczy.

– To dość wymijająca odpowiedź.

– Tak – przyznał Edling. – Mimo to wolałbym nie udzielać innej.

Karbowski nie musiał pytać o nic więcej. Gerard był zresztą przekonany, że szef połączył fakty już wcześniej – a z pewnością nie umknęło mu, że kiedy tylko podwładny wspomniał o dziewczynie, jego oczy się zaświeciły.

– Nie będę miał z tego tytułu jakiegoś smrodu? – spytał. – Nie będę musiał się za ciebie wstydzić?

– Absolutnie nie.

– Co to za jedna?

– Małgorzata Rosa. A właściwie Gocha.

– Nie znam.

– I prawdopodobnie nigdy pan nie pozna – skwitował Edling. – Obraca się w trochę innym towarzystwie, ale nie kojarzę nikogo, kto znałby się lepiej na tych sprawach.

Przełożony przez chwilę przypatrywał mu się równie uważnie, jak przed momentem denatowi.

– Poznam ją, jak tylko ją ściągniesz do prokuratury.
– Obawiam się, że to niemożliwe.
– Dlaczego?

Edling nie miał czasu namyślić się, w jaki sposób określić anarchistkę stojącą w opozycji do wszystkiego, co państwowe.

– Nie przepada za instytucjami publicznymi – odparł. – Ale jestem z nią dziś umówiony.

Jeśli szef potrzebował potwierdzenia, że Gerarda z dziewczyną coś łączyło, to właśnie je otrzymał. Karbowski pozwolił sobie na lekki uśmiech, po czym wskazał ciało ruchem sugerującym, że powinni zająć się właśnie nim.

Przy oględzinach czas mijał szybko, ustalili jednak niewiele. Mocne wygięcie zdawało się potwierdzać, że przyczyną zgonu był uraz kręgosłupa, a konkretnie rdzenia kręgowego. Żadnych innych śladów śledczy nie dostrzegli, nie sposób było też ustalić, na jakiej wysokości doszło do urazu. Karbowski spekulował, że być może na poziomie czwartego kręgu szyjnego, co spowodowało porażenie nerwu przeponowego.

Na szczegóły musieli czekać do momentu, aż ciało zostanie otwarte i poddane sekcji.

Po powrocie do prokuratury Edling zabrał kopertę i list od sprawcy, po czym wsiadł do malucha i pojechał prosto na plac Lenina. Zaparkował nieopodal jednego z dziesięciopiętrowych bloków, a następnie wjechał na samą górę.

Gocha mieszkała w dwupokojowym mieszkaniu, ale tyle w zupełności wystarczało, by odbywały się tam najhuczniejsze imprezy w całej okolicy. Milicjanci wzywani byli nie raz i nie dwa, a kiedy tylko dostawali zgłoszenie z placu Lenina, nie musieli nawet dopytywać, dokąd się kierować.

Rosa powitała Edlinga, łapiąc go za poły marynarki. Przyciągnęła go do siebie tak mocno, że niemal uderzył czołem w jej głowę, a potem od razu zabrała się do rozpinania koszuli.

– Poczekaj – zdołał wydusić Gerard między pocałunkami.

– Na co?

– Mam coś do...

– Masz coś w spodniach, Gero. Coś, co trzeba uwolnić.

Tylko jej pozwalał tak się do niego zwracać. I tylko w jej przypadku nie przeszkadzała mu dosadność w określaniu tego, co mieli zamiar zrobić. Słowa i złote myśli Gochy często wprawiały go w pewną konfuzję, a ona zdawała się formułować je właśnie po to, by osiągnąć taki efekt.

– Moment... – powiedział, a potem sięgnął po kopertę.

Rosa spojrzała na niego z niedowierzaniem.

– Teraz będziesz pisał do mnie listy miłosne?

– To po prostu coś, co muszę sprawdzić.

– W tej chwili?

– Przy odrobinie szczęścia nie zajmie to wiele czasu.

Gocha uśmiechnęła się i pokręciła głową z niedowierzaniem. Dopiero gdy powiedział jej, w czym rzecz, zyskał jej całkowitą uwagę. Szczegółów nie przedstawiał, ale wystarczyło, by oznajmił, że list pochodzi od sprawcy wyjątkowo zagadkowego morderstwa.

Zastanawiała się przez moment, po czym wzruszyła ramionami.

– Jak to rozwiążę, pójdziemy się rżnąć? – spytała.

– Tak.

– W takim razie naprawdę mogłeś sam na to wpaść i nie tracić czasu – bąknęła, ruchem ręki sugerując, by pozbył się marynarki. – Znając życie, zaraz będziesz musiał wracać do żony.

Gerard uznał, że najlepiej będzie zignorować wzmiankę o Brygidzie. Właściwie nigdy nie pojawiała się w rozmowach z innymi kobietami, a on robił wszystko, by w relacji z Gochą również tak było.

– Mogłem wpaść na co? – spytał.

– Nigdy nie bawiłeś się z dzieciakami w pisanie sympatycznym atramentem?

– Nie mam dzieci.

I z pewnością nie będę miał, dodał w duchu.

– Ja też nie, ale to nie znaczy, że nie mam z nimi kontaktu – odparła Rosa. – A napisanie niewidzialnej wiadomości to żaden problem. Wystarczy ci sok z cytryny i pędzelek. Nurzasz to drugie w pierwszym, piszesz, a potem czekasz, aż wyschnie. Tyle.

– I co potem?

– Potem wystarczy, że ogrzejesz kartkę, a tekst się pokaże.

Nie był przekonany, czy w tym wypadku też tak się stanie, ale nie miał zamiaru protestować, kiedy Gocha rozgrzała żelazko. Umieściła kartkę nad stopą grzejną, a potem przez moment czekała.

– Ciepło sprawia, że węgiel w papierze się rozkłada – rzuciła. – Więcej go tam, gdzie sok z cytryny, więc tamte miejsca ściemnieją szybciej od reszty.

Miała rację. Zarówno co do tego, jak i sposobu, w jaki sprawca postanowił porozumieć się z organami ścigania. Nie trwało długo, nim pokazał się czarnobrązowy tekst.

Odręcznie sporządzana wiadomość była krótka. Zawierała tylko jedno pytanie.

„Co wszyscy ludzie na świecie robią w tym samym momencie?"

Obecnie

Prokuratura okręgowa, ul. Reymonta

Domański zamknął drzwi gabinetu, po czym od razu wsunął adapter z kartą microSD do swojego laptopa. Chwilę zajęło technikom sprawdzenie, czy nośnik jest bezpieczny i czy nie znajduje się na nim nic, co mogłoby zainfekować system.

Dopiero po tym Edlinga wpuszczono do pomieszczenia. Nie wiedział, co znajduje się na karcie, choć domyślał się, że naśladowca zapewne w sposób cyfrowy stara się powielić to, co Iluzjonista robił analogowo przeszło trzydzieści lat temu.

– Spójrz – rzucił Konrad, odwracając laptopa przodem do siedzącego przed biurkiem Gerarda.

W otwartym okienku znajdowała się pojedyncza ikona.

– Co to jest? – spytał Edling.

– Plik wykonywalny.

– Czyli?

– Zwykły plik exe – odparł Domański z lekką rezerwą, jakby nie mógł przesądzić, który z nich bardziej stroni od technologii. – Informatyk twierdzi, że kod jest nieskomplikowany i służy jedynie uruchomieniu prostego programu.

– Jakiego programu?

– Tego nie wie, bo rzecz jest zabezpieczona hasłem.

– Czyli lepiej go nie uruchamiać?

– Próbuj – przyzwolił Konrad. – Komputer jest odcięty od sieci, informatyk podobno wszystko zabezpieczył. W najgorszym wypadku laptop będzie do wyrzucenia.

Gerard nie miał zamiaru dłużej dopytywać. Sięgnął do gładzika, a potem kliknął dwukrotnie plik o nazwie „Iluzja.exe". Natychmiast pojawiło się zwyczajne, szare okienko z pustym polem do wpisania tekstu.

Ponad nim widniało pytanie.

– Co robią wszyscy ludzie na świecie w tym samym momencie? – odczytał Domański, a potem przysunął sobie krzesło i usiadł obok Edlinga.

Obaj wlepili wzrok w monitor.

– Jak myślisz? – dodał Konrad.

Gerard milczał. To pytanie nie miało prawa się pojawić. Nikt nie powinien wiedzieć o wiadomości, którą trzy dekady temu on i Karbowski odkryli na scenie amfiteatru. Fakt ten został ukryty równie skrupulatnie, jak wiele innych rzeczy związanych z dawną sprawą.

– Edling? – upomniał się o uwagę prokurator.
– Cóż…
– Nie masz pomysłu?

Gerard miał nie tylko pomysł, ale także pewność co do tego, że jest trafny. Kluczowe było jednak to, by nie dał po sobie poznać, że nie po raz pierwszy spotyka się z tą w gruncie rzeczy nieskomplikowaną zagadką.

– Daj mi chwilę – powiedział.
– Za chwilę to ja wygooglam sobie odpowiedź.

Konrad otworzył przeglądarkę i wpisał pytanie w wyszukiwarce. Na niewiele się to jednak zdało, bo zamiast odpowiedzi wyświetliły się wyniki zupełnie niezwiązane z tym, co chciał ustalić.

Domański zaklął cicho.

– Oddychają? – podsunął. – O to chodzi?
– Nie wszyscy oddychają w tym samym momencie. Niektórzy przecież nurkują, wstrzymują oddech *et cetera*.
– Żyją?
– Nie wszyscy żyją. Niektórzy akurat w tym momencie umierają.
– Więc o co, kurwa, chodzi?

Edling znów sięgnął do laptopa. Włączył na powrót okienko z polem do wpisania odpowiedzi.

– Starzeją się – powiedział, a potem wprowadził tekst. – Nawet jeśli ktoś w tym konkretnym momencie umiera, jego ciało się starzeje.

Nacisnął enter, zanim Domański zdążył odpowiedzieć i zastanowić się, jakie konsekwencje mogłoby mieć wprowadzenie niewłaściwego rozwiązania.

To wpisane przez Edlinga okazało się dobre. Prosty kod aplikacji sprawił, że uruchomiło się przekierowanie na Mapy Google. Na rzucie satelitarnym pojawiła się pinezka, którą algorytm umieścił w obrębie miasta.

Konrad nachylił się nad komputerem.

– Co to za miejsce? – spytał.

– „Niedźwiednik".

Domański popatrzył na rozmówcę pytająco.

– Niegdyś społemowski hotel i restauracja przy trasie łączącej Opole ze Strzelcami Opolskimi – wyjaśnił Edling, przypatrując się mapie. – Powstał jeszcze w PRL-u, urządzano tam wesela, hucznie się bawiono… Potem w tamtejszych pokojach można było zażyć płatnej miłości.

Konrad powoli kiwał głową, dość jasno sygnalizując mową ciała, że jest gotów usłyszeć więcej. Gerard jednak nie miał zamiaru rozwijać ani tego, ani żadnego innego tematu. Dawał Domańskiemu tylko tyle, ile było absolutnie konieczne, by nie wzbudzić podejrzeń swoim zachowaniem.

– Płatnej miłości, mówisz? – spróbował Konrad.

– Takie opinie krążyły.

– Jasne.

– Oprócz tego dwa razy budynek strawił pożar, dzisiaj jest ogrodzony i zamknięty decyzją inspekcji budowlanej.

– Brzmi świetnie.

– Nie nadaje się może do rozbiórki, ale renowacja z pewnością pochłonęłaby niemałe środki. Oprócz tego teren jest wykorzystywany przez niektórych jako składowisko odpadów.

Domański przysunął się do biurka, a potem zaczął wyszukiwać informacje na temat tego miejsca, próbując zrozumieć, dlaczego akurat ono zostało wskazane. Edling nie musiał się nad tym zastanawiać.

Doskonale znał powód, dla którego naśladowca wybrał akurat „Niedźwiednik".

– Dlaczego ten lokal spłonął? – odezwał się po chwili Konrad.

– Nie wiem. Nie śledziłem historii obiektu.

Domański ewidentnie zadał pytanie tylko po to, by zwerbalizować myśl. Odpowiedzi szukał nie u Gerarda, ale w internecie. Przeczesywał kolejne artykuły prasowe, aż w końcu trafił na jeden na łamach lokalnego oddziału „Głosu Obywatelskiego".

– Tu jest napisane, że w obydwu przypadkach doszło do podpalenia – oznajmił Konrad. – Co więcej, pojawia się sugestia, że załatwiano tam porachunki mafijne, a właściciele nie chcieli płacić za tak zwaną ochronę.

– Mhm.

– To prawda? – spytał Domański, w końcu odrywając wzrok od ekranu.

– Nie uczestniczyłem w śledztwie dotyczącym tamtych zdarzeń.

– Ale chyba byłeś wtedy prokuratorem?

– Być może.

– Być może? – żachnął się Konrad. – Takie rzeczy albo się wie, albo nie.

– Albo się nie pamięta, bo nie każdy koduje sobie, kiedy płonie jaki budynek w pobliżu miasta.

Przez chwilę mierzyli się wzrokiem, ale Edling nie sądził, by był to rezultat podejrzeń ze strony prokuratora okręgowego – bardziej jego frustracji spowodowanej tym, że Gerard tradycyjnie go zbywa.

Domański na powrót zaczął przeglądać artykuł, a Edling dopiero teraz zobaczył, kto figuruje w stopce redakcyjnej jako autor. A raczej autorka.

Małgorzata Rosa.

Ledwo zobaczył imię i nazwisko, zrobiło mu się gorąco. Mimowolnie sięgnął do szyi, by poluzować węzeł krawata, i dopiero po chwili uświadomił sobie, że go nie ma. Przełknięcie śliny przychodziło mu z trudem z innego powodu.

– Wszystko okej? – rzucił Konrad.

– Tak.

– A nie wyglądasz.

Otrząśnięcie się nie zajęło Edlingowi wiele czasu, ale wiedział, że zrobił to niedostatecznie szybko. Reakcja nie uszła uwagi prokuratora, w którym natychmiast uruchomił się instynkt śledczego. Zerknął na ekran, starając się zrozumieć, co ją spowodowało.

– Na pewno nie kojarzysz nic z tych spraw?

– Na pewno – odparł Edling. – Zresztą, o ile pamiętam, te pożary miały miejsce już po upadku PRL-u.

– Sporo po. Jeden w dwa tysiące siódmym, drugi w dwa tysiące jedenastym.

– Tak czy inaczej, rozeznajesz się w tym lepiej niż ja.

Konrad znów przesunął wzrokiem po tekście, starając się ustalić, co sprawiło, że Gerard na moment przestał skrupulatnie kontrolować swoje gesty.

Pech. Oto co.

Fakt, że to akurat Gocha pisała o pożarach, był zwykłym przypadkiem. Nie miało to bezpośredniego związku z Iluzjonistą ani tym, co wydarzyło się w „Niedźwiedniku" lata wcześniej. Mimo to mogło sprawić, że Domański trafi na trop, który Edling za wszelką cenę chciał ukryć.

– Mniejsza z tym – odezwał się Gerard. – Ważniejsze jest to, dlaczego sprawca wskazał akurat to miejsce.

Konrad milczał.

– Powinieneś tam pojechać – dodał Edling.

– Wolałbym najpierw dowiedzieć się czegoś o tej ruderze – odparł Domański i kątem oka spojrzał na rozmówcę. – Może powinienem zapytać tę dziennikarkę, która pisze o pożarach? Pewnie nieprzypadkowo akurat ona opracowywała te tematy.

Tym razem Gerard kontrolował każdy ruch swojego ciała.

– Nieprzypadkowo? – spytał.

– Może miała już wcześniej jakieś rozeznanie.

– Każdy, kto jeździł do Strzelec lub z powrotem, miał pewne rozeznanie – zauważył Edling. – Zresztą nie tylko. Swego czasu to było dość popularne miejsce wszelakich imprez.

– Mimo wszystko z nią pogadam.

– Jak sobie życzysz.

Konrad lekko się uśmiechnął.

– Szczególnie że to właśnie na widok jej nazwiska tak zareagowałeś, prawda? – rzucił.

Mimo że intonacja była pytająca, w istocie uwaga przełożonego była jedynie oznajmieniem faktu. Edling postanowił na nią nie odpowiadać.

– Daj spokój – dodał Domański. – Trochę już cię znam.

– Albo tylko tak ci się wydaje.

Powinien bardziej się pilnować, zwłaszcza przed kimś takim jak Konrad. Owszem, jego powierzchowność była nieco myląca, a niemodne garnitury i znoszone teczki kazały sądzić, że ma się do czynienia z kimś nienadążającym za rzeczywistością, ale prawda była inna. Domański był uważnym obserwatorem, stanowczo zbyt uważnym.

– Pogadamy też z twoim byłym przełożonym.

– My? – spytał Gerard.

– Przydasz mi się.

– W to nie wątpię. Ale nie pracuję już tutaj.

– Wydam ci zgodę na udział w wykonywaniu określonych czynności śledczych – odparł Konrad, jakby rzeczywiście nie stanowiło to żadnego problemu. – Twoje skazanie zostało zatarte aktem łaski. Nie widzę przeciwwskazań.

Edling nie miał zamiaru rozważać proceduralnych kwestii, nie kiedy na wolności pozostawała osoba kopiująca to, czego trzy dekady wcześniej dopuścił się Iluzjonista. Skąd ten człowiek czerpał informacje? I jakim cudem znał fakty, które nie wyszły poza wąskie grono osób?

– Zgoda? – dorzucił Konrad.

– Zgoda.

Prokurator okręgowy klasnął cicho, jakby dopuszczał myśl, że Gerard udzieli innej odpowiedzi. W rzeczywistości także dla niego było jasne, że Edling nie przepuści takiej okazji.

– W takim razie chodź – oznajmił Domański, a potem zabrał płaszcz z wieszaka. – Pogłowimy się nad najważniejszymi kwestiami po drodze.

– Po drodze dokąd?

Ruszyli korytarzem, przykuwając uwagę pojedynczych mijanych osób. Mimo głośnego zabójstwa, o którym mówili już zapewne wszyscy, o tej porze korytarze w prokuraturze świeciły pustkami.

– Najpierw rozmówimy się z Karbowskim. Potem przepytamy tę twoją dziennikarkę.

– Nie mam z nią nic wspólnego

Konrad zignorował odpowiedź, przyspieszając kroku.

– W ostatniej kolejności pojedziemy do „Niedźwiednika" – postanowił prokurator. – Wątpię, by czekały tam na nas odpowiedzi, ale miejsce z pewnością jest istotne. Może chodzi o jego historię.

Edling był o tym stuprocentowo przekonany.

– Chodzi raczej o przeszłość niż o teraźniejszość – dodał Domański, otwierając drzwi czarnej skody superb. – Tak uważam.

– Niewykluczone.

Konrad sugestywnym ruchem wskazał pasażerowi nawigację przyczepioną do szyby, a Gerard od razu wprowadził adres dawnego przełożonego. Nie odwiedzał go od wielu lat, ale był przekonany, że Bogdan Karbowski nadal mieszka w tym samym miejscu.

Prokurator okręgowy zmarszczył czoło, patrząc na mapę.

– Falmirowice? – spytał. – Gdzie to?

– Niedaleko.

– Przecież widzę, że poza miastem.

– Raptem piętnaście minut stąd – odparł Gerard.

Przypomniał sobie chałupę przy drodze prowadzącej do krajowej dziewięćdziesiątki czwórki. Kiedy był tam ostatnim razem, sprawiała wrażenie, jakby miała się zawalić. Dach nieco przeciekał, okna były tak brudne, że nie sposób było zajrzeć do środka, a elewacja kompletnie zaniedbana.

Domański ruszył w stronę Kościuszki, rezygnując z dalszych wywodów. Odezwał się dopiero, gdy skręcił w Katowicką i obrał właściwy kierunek.

– Powinniśmy zastanowić się nad tym, co w ogóle znaczy ta zagadka – oświadczył.

– Nic nie znaczy. Chodziło o hasło do tego programu na karcie SD.

– Jesteś pewien?

– Tak.

Nie. Nie o to chodziło. Nic, co przed laty robił Iluzjonista, nie było przypadkowe – i z pewnością tak samo Edling powinien zinterpretować działania naśladowcy, którego tropem ruszali.

W tym wypadku wzmianka o starzeniu się po pierwsze miała pokazać, że sprawca zna szczegóły – na tyle, że potrafi powielić pierwszą zagadkę Iluzjonisty z osiemdziesiątego ósmego. Po drugie z pewnością dotyczyła Edlinga i Karbowskiego, którym starość powoli dawała się we znaki. Morderca mógł sugerować, że żaden z nich nie jest już w tak dobrej formie, by go dopaść.

Domański rozwodził się nad swoją teorią przez całą drogę do Falmirowic. Skończył dopiero, kiedy zatrzymał samochód pod zaniedbaną posesją. Z niedowierzaniem omiótł wzrokiem ruinę, która znajdowała się nawet w gorszym stanie, niż Gerard pamiętał.

– Ktoś tu naprawdę mieszka? – spytał Konrad.

Edling wyszedł z auta, nie odpowiadając. Budynek z pewnością nie sprawiał wrażenia, jakby nadawał się na dom dla kogokolwiek. Gerard nie pozwoliłby w nim przebywać nawet dzikim zwierzętom.

Frontowe drzwi były zamknięte, na pukanie nikt nie odpowiadał. Szyby były tak brudne, a firanki tak ciemne, że nie sposób było dostrzec, co znajduje się w środku. Mężczyźni obeszli posesję i przekonali się, że na tyłach jedne drzwi są otwarte.

– Ta rudera jest opuszczona, Edling – odezwał się Domański.

Trudno było temu zaprzeczyć.

– Jeśli ktoś tu przebywa, to tylko okoliczne dzieciaki. Albo pijacy.

Kiedy znaleźli się w środku, to raczej ta druga wersja wydała im się bardziej prawdopodobna. Puste butelki trudno było zliczyć, a wyblakłe etykiety świadczyły, że gromadzono je tutaj od lat.

Wszystko pokrywała gruba warstwa kurzu, meble były połamane, a stare książki leżały na podłodze.

– Kiedy ostatnim razem tu byłeś? – spytał Konrad.
– Kilka lat temu. Najwyżej dziesięć.
– I od tamtej pory nie widziałeś Karbowskiego?

Edling nie odpowiedział. Nagle się zatrzymał, wbijając wzrok w jedyną rzecz, która nie pasowała do reszty.

Śnieżnobiałą kopertę leżącą w rogu pokoju.

Wskazał ją prokuratorowi, a potem obaj ruszyli w jej kierunku. Przy prawym górnym wierzchołku znajdował się znaczek pocztowy bez stempla. Wyglądała, jakby trafiła tutaj prosto ze sklepu papierniczego, a kiedy stanęli nad nią, mogli wyraźnie zobaczyć czarny napis.

Była zaadresowana do Edlinga.

– Co to ma znaczyć? – rzucił Domański.

Zanim Gerard zdążył odpowiedzieć, dobiegł ich dźwięk gasnącego silnika. Dopiero teraz obaj uświadomili sobie, że jakiś samochód zatrzymał się przy posesji. Machinalnie podeszli do okna, spodziewając się niebezpieczeństwa.

Z białego SUV-a wyszła około pięćdziesięcioletnia kobieta. Spojrzała najpierw na zaparkowaną obok skodę Domańskiego, a potem na zniszczony budynek. Nie dostrzegłszy mężczyzn w oknie, ruszyła ostrożnie ku wejściu.

– Co tu się dzieje? – spytał Konrad. – Co tu robi ta kobieta?

Edling nabrał tchu.

– Kto to jest? – dodał Domański.

– Małgorzata Rosa – odparł Gerard, uznając, że pewnych rzeczy najwyraźniej nie uda mu się utrzymać w tajemnicy.

Niegdyś
Prokuratura wojewódzka, ul. Reymonta

Prokuratorzy długo głowili się nad rozwiązaniem zagadki, ale w końcu to Gocha wpadła na to, że chodzi o starzenie się. Dzień po tym, jak odkryła napis, zjawiła się u Karbowskiego w gabinecie, gdzie zastała go w towarzystwie Edlinga. Oznajmiła, jaka powinna być prawidłowa odpowiedź, a potem odczekała chwilę, aż oskarżyciele sami dojdą do wniosku, że innej możliwości nie ma.

Uwadze Gerarda nie uszło, że Rosa cały czas rozgląda się, jakby w siedzibie prokuratury wojewódzkiej coś jej groziło. Przełożony również zwrócił na to uwagę.

– Coś nie tak? – spytał zza biurka.

– Nie lubię bywać w takich miejscach – odparła, krzywiąc się.

– Zapewniam was, że tam, gdzie urzędują organy ścigania, nic wam nie...

– Mam na myśli chlew – przerwała mu. – Nikt nie lubi w nim przebywać. Ani obcować ze świniami utytłanymi całym tym wszechobecnym, śmierdzącym gównem.

Bogdan spojrzał pytająco na Edlinga, ale ten nie bardzo wiedział, co odpowiedzieć. Nie znał Gochy przesadnie dobrze, byli przecież raptem na kilku randkach, jeśli nie liczyć przypadkowych spotkań. Zdawał sobie jednak sprawę, że jakakolwiek odpowiedź skończy się wejściem na wojenną ścieżkę.

– Cóż... – odezwał się Karbowski. – Dziękujemy za pomoc. Daliście przykład wzorowego obywatelskiego wsparcia.

– Daję go codziennie w czynie społecznym, szczając na wszystko, co staracie się...

– Odprowadzę cię – uciął Edling, a potem podszedł do Gochy, jakby się spodziewał, że za moment przejdzie od słów do czynów. Bynajmniej nie społecznych.

Domański i Rosa popatrzyli na niego z pewną konsternacją, a on dopiero po chwili zrozumiał, że sam nie potrafi przypomnieć sobie sytuacji, kiedy ostatnim razem komuś przerwał. Odchrząknął niepewnie i otoczywszy Gochę ramieniem, poprowadził ją do wyjścia.

– Naprawdę musisz? – szepnął, gdy szli korytarzem.

– Co? Przecież to zawszony komuch.

– Jak większość.

Posłała mu twarde i stanowcze spojrzenie.

– I co z tego? „Nie musimy się katować nienormalną sytuacją".

– Złota myśl od Brygady Kryzys?

Rosa potwierdziła skinieniem głowy, a Edling nie mógł przejść obojętnie obok tego, że sam zaczyna kojarzyć teksty punkowej, antysystemowej kapeli. Formalnie był członkiem PZPR, jak każdy prokurator, którego znał – i mimo że w istocie chętnie spaliłby legitymację i poszedł na barykady, musiał uważać na takie osoby jak Gocha. Niewiele było trzeba, by przełożeni się nim zajęli. Zapewne sam Karbowski nie popuściłby mu, gdyby okazało się, że Edling od lat podśpiewuje sobie podczas kąpieli, że „mury runą".

Wyszli na zewnątrz, po czym Rosa dobyła paczki ekstra mocnych.

– Schabowego? – spytała, częstując Edlinga.

– Dziękuję, nie trzeba.

Zapaliła, zdmuchnęła płomyczek z zapałki, a potem upuściła ją na ziemię. Wypuściła dym w stronę Gerarda, mrużąc przy tym oczy.

– Nie rozumiem, o co chodzi z tą zagadką – odezwała się.

– Przecież ją rozwiązałaś.

– Nie to mam na myśli.

– A co?

Edling się tego obawiał. Nie trzeba było długo przebywać z Gochą, by zrozumieć, że to dziewczyna głodna wiedzy i niemal obsesyjnie zgłębiająca każdy temat, który choć trochę ją zainteresował.

– Dlaczego zabójca wybrał akurat tę łamigłówkę? – rzuciła.

– Pewnie zrobił to bez większego zamysłu.

– Pewnie nie.

Gerard uśmiechnął się w duchu. Właśnie to cenił w Rosie – w jakiś sposób jednym krótkim zdaniem potrafiła uświadomić rozmówcy, jak bardzo się myli.

– To musi mieć jakiś sens – dodała. – Nie padło akurat na tę zagadkę przypadkowo.

– Więc gdzie tego sensu szukać?

– Na pewno nie tu – odparła, wskazując budynek, przed którym stali. – Kisząc się w swoich gabinetach, do niczego nie dojdziecie. Trzeba działać w terenie.

Edling pokiwał głową, uznając, że może najlepiej będzie, jeśli nie podejmie tematu.

– Kluczowe jest starzenie się – ciągnęła. – Ale nie bardzo wiem, jak to się odnosi do samego zabójstwa. Co on chce przekazać? I po co w ogóle te triki?

– Ma zapędy iluzjonistyczne.

Spojrzała na niego z pretensją o protekcjonalny ton. Upomniał się w duchu, by pilnować się nieco bardziej. Rosa wyczuwała każdy przejaw próby jej zbycia.

– Chce robić przedstawienie, oczywiście dla jak największej publiki – rzuciła. – A to znaczy, że przygotowuje precyzyjnie każdy element. Nie może się pomylić.

– Więc...

– Więc zagadka ma znaczenie – orzekła, a potem zaciągnęła się głęboko. – Może odnosić się do zabójstw albo do ofiar, albo do powodu, dla którego ten człowiek to wszystko robi.

Edling pytająco uniósł brwi.

– Trzeba sprawdzić ofiarę – dodała Gocha, a potem się rozejrzała. – Gdzie stoisz?

– Słucham?

– Gdzie masz kaszlaka?

– Na podwórzu, jednak...

– Jednak co? – ucięła. – Mam adres tego nieszczęśnika.

– Jakiego nieszczęśnika?

– Podjedziemy, popytamy, może uda nam się coś ustalić – ciągnęła, jakby nie usłyszała pytania. – Jak nie, przynajmniej będziesz miał świadomość, że wykazałeś trochę inicjatywy i twój osobisty Stalin w cuchnącym gabinecie poczuje dumę.

Gerard nie bardzo wiedział, jak na to odpowiedzieć. Właściwie cisnęło mu się na usta tylko jedno.

– Masz adres ofiary? – spytał. – Skąd?
– Ze spisu telefonów.

W głosie Rosy była pewna przewrotność sugerująca, że bynajmniej nie czerpała wiedzy z książki telefonicznej.

– A nazwisko skąd? – dopytał Edling.
– Od uprzejmych.
– To znaczy?

Gocha wzruszyła ramionami i uśmiechnęła się w sposób, który sprawiał, że dalsza rozmowa stawała się bezcelowa. Ledwo pojawiał się na jej twarzy, Gerard nie myślał już o niczym poza tym, ile szczęścia potrafią dać komuś dwa uniesione kąciki ust.

Było dla niego oczywiste, że świat drugiego i trzeciego obiegu ma dojścia do ludzi w milicji. Wśród mundurowych sporo było sympatyków, choć większość nie wychodziła przed szereg i zachowywała wszystko dla siebie. Innym pracownikom i osobom z otoczenia milicjantów zdarzało się jednak wyciągać pomocną dłoń.

– Jan Araszkiewicz – odezwała się Gocha. – Lat pięćdziesiąt pięć, wdowiec, z zawodu kuśnierz. Pochodzenie chłopskie. Zamieszkały przy ulicy Mondrzyka. Dzieci brak, a dalsza rodzina niespecjalnie gotowa do rozmowy.

Gerard otworzył usta, by zapytać, skąd ona wie. Szybko uznał, że to pytanie retoryczne.

– Od dawna nie utrzymują z nim kontaktu – dodała. – Ale podobno kumplował się z jednym sąsiadem. Miałam go przepytać, ale pomyślałam, że najpierw podjadę po ciebie.

– Miło z twojej strony.

– Wiem.

Edling potrząsnął głową.

– Ale nie możesz ingerować w śledztwo i tak po prostu wypytywać ludzi.

– Dlaczego nie? – odparowała, ciągnąc go w kierunku podwórka. – To mój dziennikarski obowiązek.

– Nie jesteś dziennikarką. A to dochodzenie jest prowadzone przez organy państwa.

– Publikuję w prasie podziemnej.

– Recenzje płyt.

– Nie tylko – mruknęła, kiedy zatrzymali się pod białym fiatem 126p Edlinga. – Piszę też pod pseudonimem, waląc we władzę i wykazując, że kto przeczytał Marksa, ten komunista, ale kto go zrozumiał, ten antykomunista.

Gerard słyszał ten żart dostatecznie wiele razy, by opuścić na niego zasłonę milczenia. Wsiedli do malucha, a zaraz potem zza pleców dobiegł ich dźwięk silnika.

– Może nie powinnam ci tego mówić – rzuciła Rosa. – W końcu pan władza z ciebie.

– Może rzeczywiście nie powinnaś.

Gocha uśmiechnęła się do niego, a potem zmierzwiła jego starannie ułożoną fryzurę z przedziałkiem.

– Zrobiliście już sekcję? – spytała, kiedy wyjechał na ulicę.

– Tak.

– I co wyszło?

– Nie mogę z tobą o tym rozmawiać.

Kiedy z trudem wbił trójkę, Rosa nagle położyła dłoń na jego kroczu, a potem spojrzała na niego przewrotnie.

– Wielu rzeczy nie możesz ze mną robić – zauważyła. – Ale jakoś niespecjalnie ci to przeszkadza.

Miała rację. Zarówno jeśli chodziło o ich romans, jak i wszystko inne. Byłby gotów rozmawiać z nią na jakikolwiek temat, przekazywać jej jakiekolwiek informacje – związane ze śledztwem lub nie. W jakiś sposób potrafiła sprawić, że chciał się otwierać.

Może właśnie to było magnesem, który nie pozwalał mu nabrać do niej dystansu? Nie potrafił przypomnieć sobie, by jakakolwiek kobieta przebiła się tak głęboko pod jego skorupę.

– Zgon nastąpił wskutek przerwania rdzenia kręgowego – powiedział. – I to dość niecodzienne.

– Dlaczego?

– Bo wymagało sporo zachodu ze strony zabójcy. Nie tak łatwo doprowadzić do takich urazów.

– Więc co? Złamał tego biedaka na kole?

Edling wzruszył ramionami. Właściwie było to wytłumaczenie równie dobre, jak każde inne. Gocha westchnęła, a potem skorzystała z tego, że Gerard zajęty był prowadzeniem, i zaprowadziła na jego głowie jeszcze większy nieład.

– Powinieneś trochę zapuścić. I tapirować jak gość z The Cure.

– Mhm.

– Albo krótko z przodu, długo z tyłu. I wąsik do tego.

Jeśli Edling kiedykolwiek zrezygnowałby z codziennego golenia, to tylko po to, by zapuścić zarost wokół ust. Choć przypuszczał, że tak czy inaczej nigdy się na to nie zdecyduje.

Maluch kołysał się na kocich łbach, a zawieszenie wydawało odgłosy metalicznej katorgi, jakby zaraz miało się urwać. Chwilę później wyjechali na równiejszą drogę prowadzącą w kierunku rynku.

Edling zaparkował pod wskazanym przez Gochę budynkiem, wciąż niepewny, czy dobrze robi, idąc do sąsiada razem z nią. Właściwie nie musiał angażować przełożonego do takich czynności, ale być może lepiej byłoby przeprowadzić je samemu.

Z drugiej strony obecność młodej dziewczyny nie mogła zaszkodzić.

Stanęli przed drzwiami naprzeciw mieszkania Jana Araszkiewicza, a Rosa ustawiła się tak, by tylko ją widać było przez wizjer. Nie musieli czekać długo, aż gospodarz otworzy.

Mężczyzna był w wieku ofiary, choć sprawiał wrażenie, jakby dbał o siebie znacznie mniej. Gerardowi przeszło przez myśl, że Araszkiewicz nawet po śmierci wyglądał lepiej, a jego przyjaciel bardziej nadawałby się na ulicznika niż mieszkańca kamienicy.

– Zbigniew? – spytała Rosa.

– A pani kto?

Omiótł nieprzychylnym spojrzeniem ramoneskę dziewczyny, jej podarte dżinsy i krótko przystrzyżone włosy.

– Znajoma.

– Na pewno nie moja.

– Pana nie – przyznała. – Ale Janka Araszkiewicza. Możemy wejść?

Zbigniew ewidentnie chciał spławić dwójkę natrętów, w ostatniej chwili jednak zatrzymał dłużej wzrok na Edlingu. Stosunkowo dobry garnitur, wyprasowana koszula i krawat sprawiły, że musiał przynajmniej rozważyć pytanie.

– A pan? Co za jeden?

– Asesor Gerard Edling. Prokuratura wojewódzka.

Dwa ostatnie słowa podziałały na mężczyznę jak kubeł zimnej wody. Natychmiast się ożywił, potrząsnął lekko głową, a w jego oczach pojawiła się znana Gerardowi uległość. Wraz z Karbowskim nie budzili w obywatelach takiej grozy jak funkcjonariusze Służby Bezpieczeństwa, ale każdy wiedział, że z prokuratorami lepiej dobrze żyć.

– To jak? – odezwała się Gocha. – Możemy wejść?

– Proszę.

Chwilę później siedzieli w dużym pokoju, a Zbigniew podał im kawę w dwóch przezroczystych szklankach. Proporcja zmielonych ziaren do samego napoju była taka, że właściwie były to fusy z dodatkiem wody. Edling napił się jednak bez słowa.

– Czego państwo u mnie szukają? – odezwał się gospodarz.

Gerard odstawił szklankę, gotów podjąć temat. Ubiegła go jednak Gocha.

– Staramy się zrozumieć, dlaczego pański przyjaciel zginął – oświadczyła.

– A to da się w ogóle zrozumieć? Śmierć?

– Może nie – przyznała Rosa. – I dlatego na nagrobkach nie umieszcza się przyczyny zgonu.

Mężczyzna zmarszczył czoło i pokiwał głową, a jego oczy się zaszkliły. Edling przyglądał się jego reakcjom i jedyne, co mógł stwierdzić, to to, że rozmówca rzeczywiście stracił kogoś bliskiego.

– Wasz przyjaciel był wdowcem, prawda? – odezwał się.

Na dźwięk prokuratorskiego pytania Zbigniew natychmiast się wyprostował.

– Tak.

– Nie miał żadnej kobiety?

– Nie, od śmierci żony właściwie nie widział już sensu w wiązaniu się z kimkolwiek.

– A dzieci? Rodzina?

– Nikogo nie miał.

– Rozumiem – odparł Edling i założył nogę na nogę. – A znajomi z pracy?

– Nie utrzymywał kontaktów poza zakładem.

Wyłaniał się z tego dość pesymistyczny obraz, w dodatku przyjaźń z tym człowiekiem wyraźnie nie pasowała do całokształtu.

– A mimo to z panem trzymał sztamę – odezwała się Gocha.

– To chyba... cóż... z wygody.

– Z wygody?

– Czasem podyskutowaliśmy, wódki się napiliśmy. Często przychodził do mnie na partyjkę brydża. Każdy musi mieć do kogo usta otworzyć.

Edling sięgnął po kubek kawy, ale szybko się rozmyślił.

– O czym dyskutowaliście? – spytał.

— O życiu — odparł Zbigniew i wzruszył ramionami. — Ostatnimi czasy było z nim coraz gorzej. Wpadł w jakiś stupor i utyskiwał na wszystko i wszystkich. A najbardziej na starzenie się.

Rosa i Gerard spojrzeli na siebie, nagle się ożywiając. Dotychczas ta rozmowa była zwykłym błądzeniem we mgle. Teraz trafili na coś, co mogło doprowadzić ich do celu.

— Narzekał na to, że się starzeje? — upewniła się Gocha.

— Nie tylko on. Wszyscy i wszystko wokół.

A zatem dobór zagadki rzeczywiście nie był przypadkowy. Ale czy to możliwe? I czy tyle by wystarczyło, żeby morderca wziął kogoś na celownik?

— Szczerze mówiąc, moi znajomi nie mogli już tego znieść podczas brydża — dodał Zbigniew. — I nikt się nie dziwił, dlaczego Janek jest cały czas sam...

Edling pochylił się i oparł ręce na kolanach. Przyglądając się rozmówcy, układał w głowie następne pytania, ale po raz kolejny Gocha go ubiegła.

— Ilu było tych znajomych? — spytała.

— Tylu, ilu potrzebnych nam do gry.

— Czyli?

— Dwóch. Graliśmy we czterech.

Ciągnięty za język przez Rosę, gospodarz jeszcze przez chwilę opowiadał o szczegółach. Niewiele z tego wynikało — właściwie stanowiło to jedynie potwierdzenie, że Araszkiewicz rzeczywiście działał ludziom na nerwy użalaniem się na otaczający go, starzejący się świat. Nie mógł pogodzić się z tym, że młodość bezpowrotnie mu uciekła i że wszystko, co kilkadziesiąt lat temu imponowało, dziś butwiało i odchodziło w niepamięć.

Zasadniczo Gerard nie dziwił się tym narzekaniom. Poniemieckie miasto zachowało się w znacznie lepszym stanie, alianckie bomby spadły właściwie tylko w kilku miejscach. Na tle wielu zniszczonych rdzennie polskich miejscowości Opole po wojnie musiało sprawiać całkiem dobre wrażenie.

Do czasu, aż w architekturę miejską zaczęła wgryzać się socjalistyczna myśl urbanistyczna. Zamiast dbać o ład przestrzenny, stawiało się budynki tam, gdzie się dało. Władza ani myślała o tym, by dbać o kamieniczki, które ostatnim razem doświadczyły renowacji jeszcze za Niemca.

O tym i o innych rzeczach Araszkiewicz miał rozprawiać podczas gry w karty, ale trudno było sobie wyobrazić, by tyle wystarczyło zabójcy.

Mimo wszystko był to jedyny trop, który miał Edling. Prokurator wyjął ze swojej czarnej teczki niewielki notes, odciągnął gumkę, a potem przyłożył pióro do papieru.

– Nazwiska pozostałych graczy – rzucił tonem, którego nauczył go Karbowski.

Gospodarz bez wahania je podał.

– Miejsca zamieszkania znane?

– Nie wszystkie.

Zbigniew wyjął własny notes i wertował go przez moment. W końcu z pewnym zażenowaniem przyznał, że nie ma adresów ani numerów telefonu Borbacha ani Waseraka.

Więcej Gerardowi nie było w tej chwili potrzebne. Na tym etapie rozmówca być może sobie tego nie uświadamiał, ale nawet najdalej idąca współpraca nie sprawi, że nazajutrz uniknie wizyty milicjantów. Przepytają go na każdą okoliczność, po czym sporządzą niegramatyczne służbowe notatki, z którymi pewien asesor będzie musiał się zmierzyć, zanim trafią wyżej.

Mimo to Edling opuszczał kamienicę przy Mondrzyka zadowolony. Wszystko wskazywało na to, że znalazł początek nitki, po której być może uda się dotrzeć do kłębka.

Kiedy wyszli na ulicę, Gocha wyciągnęła ekstra mocne.

– Emersona? – spytała.

– Nie, dziękuję.

Łypnęła na niego z dezaprobatą.

– Nie potrzebujesz sobie czasem zapalić?

– Człowiek z natury nie potrzebuje niczego. Łaknie tylko tego, co sam sobie wymyśli.

– To kiedy wymyślisz sobie, żeby zaćmić?

Gerard nie odpowiedział, dostrzegając dwóch mężczyzn w długich płaszczach, pod krawatami, którzy przyglądali się jemu i Rosie z wyjątkową uwagą. Nie wyciągając rąk z kieszeni, zdawali się nie robić niczego innego.

– Naprawdę by ci nie zaszkodziło – odezwała się Gocha. – Może byś się trochę wyluzował. I stałbyś się dla innych chociaż trochę taki, jak dla mnie w łóżku.

– Co proszę?

– Nie mam na myśli, żebyś innych rypał. Chodzi mi o to, że tam jesteś jak inny człowiek.

Edling zignorował uwagę. Wbijał wzrok w oczy jednego z mężczyzn i czekał, aż on lub jego towarzysz w końcu zreflektują się, jak dziwnie się zachowują. Zamiast tego jednak wciąż świdrowali go spojrzeniem.

W końcu zerknęli na boki, a potem przeszli przez wąską ulicę. Dostrzegłszy ich, Rosa drgnęła nerwowo i złapała Gerarda za rękę. Nie trzeba było wielkiego obycia z aparatem bezpieczeństwa PRL, by wyczuć, kiedy znalazł się zbyt blisko obywatela.

Starszy z mężczyzn kaszlnął cicho, a potem skinął lekko głową do Edlinga.

– Towarzyszu prokuratorze, zamienimy słówko – oznajmił.

– Słucham?

– Proszę na moment z nami.

– Ale…

– Proszę – powtórzył mężczyzna. W jego głosie dało się jednak słyszeć wyłącznie nutę kategorycznego rozkazu.

Gerard poczuł, że Rosa ściska jego dłoń nieco mocniej. Zmusił się do tego, by posłać jej uspokajające spojrzenie, jakby rzeczywiście nic niepokojącego się nie działo. Poprosił, by chwilę na niego zaczekała, i zapewniwszy ją, że wszystko jest w jak najlepszym porządku, oddalił się z dwoma mężczyznami.

– Kim panowie są? – spytał po kilku krokach.

Starszy zdawał się niewzruszony. Młodszy zaś wyciągnął legitymację służbową, otworzył ją i pokazał rozmówcy.

– Wojciech Stala, Służba Bezpieczeństwa.

Edling skupił wzrok na dokumencie wydanym przez Ministerstwo Spraw Wewnętrznych. Wszystko się zgadzało, choć brakowało informacji o tym, jaki stopień dzierży rozmówca i w którym pionie pełni służbę.

Stala zamknął legitymację i schował ją do kieszeni płaszcza. Był niewiele starszy od Gerarda, być może nawet byli w takim samym wieku. A mimo to właśnie on, a nie starszy kolega, przejął inicjatywę. Świadczyło to dość dobitnie o tym, że ten człowiek szybko zaszedł wysoko – i należało spodziewać się, że pomogły mu w tym bezwzględność i dążenie do celu po trupach.

– Czego panowie ode mnie chcą? – spytał Gerard.

– Przede wszystkim, by zaprzestał pan kontaktów z tą kobietą.

– Mam prawo utrzymywać relacje z...

– Z kim pan chce, oczywiście – uciął esbek. – Oprócz osób prowadzących działalność antypaństwową.

Edling spodziewał się, że prędzej czy później jakiś milicjant zainteresuje się poglądami Gochy, ale nie przyszło mu do głowy, że może to zrobić Służba Bezpieczeństwa. Nie miało to żadnego sensu, ci ludzie zajmowali się wyłącznie sprawami najwyższej wagi.

W zasadzie nie mieli powodu, by w ogóle go nękać.

– Ale to na marginesie – sprostował Stala. – Chcielibyśmy z panem porozmawiać o czymś innym.

– O czym?

– O śledztwie, w którym pan uczestniczy – odparł spokojnie funkcjonariusz, a potem się rozejrzał. – Zrobi pan dla nas kilka rzeczy.

– Jakich rzeczy?

– Wszystko ustalimy.

Nie brzmiało to dobrze. I kazało Edlingowi sądzić, że sprawa iluzjonisty jest bardziej skomplikowana, niż dotychczas mu się wydawało.

Obecnie
ul. Ozimska, Falmirowice

Nie na takie spotkanie po latach liczył Edling. Ledwo razem z Domańskim opuścił budynek, Gocha zgromiła go wzrokiem, w którym widać było jedynie pretensję.

– Niewiarygodne – rzuciła. – Nie sądziłam, że to naprawdę ty.

Gerard uniósł brwi, przyglądając się kobiecie, która niegdyś przewróciła do góry nogami cały jego świat.

Wciąż była piękna, choć wyglądała zupełnie inaczej – w najmniejszym stopniu nie przypominała już znanej mu buntowniczki. Narzuciła na siebie zwężany w pasie, długi płaszcz, włosy miała upięte w kok przywodzący na myśl międzywojenne damy, a wysokie szpilki kazały się zastanowić, jakim cudem Rosa prowadziła samochód.

Nie widział jej przez trzy dekady, ona jego również nie. Mimo to rozpoznali się bez problemu, co w pierwszej chwili go zastanowiło. Potem uświadomił sobie, że widywał przecież jej zdjęcia w internecie – kiedyś nawet poprosił Emila, by pokazał mu ją na Facebooku. Ona też musiała gdzieś na niego trafić, inaczej nie poznałaby go tak szybko.

Ich spojrzenia się spotkały, a Gerard przypomniał sobie wszystko to, co lata temu czuł do tej kobiety.

Z nią zawsze był w domu. W domu bez czterech ścian, ale za to z dwojgiem oczu.

– Masz zamiar się odezwać? – rzuciła Gocha.

– Owszem.

Zbliżyła się do niego w sposób, którego nie znał. Jej chód się zmienił – kiedyś mocno poruszała ramionami, jakby spodziewała się, że będzie się musiała przepychać przez tłum przechodniów i torować sobie drogę barkami. Teraz w jej ruchach był wyraźny powab.

– Więc proszę bardzo – ponagliła go. – Po co mnie tu ściągnąłeś?

– Ja?

Pretensja w jej głosie była tak duża, że właściwie każda odpowiedź mogła tylko pogorszyć sprawę. Edling spodziewał się, że po tylu latach emocje nieco opadną, ale najwyraźniej to, co kiedyś zrobił, nie ulegało przedawnieniu.

– Przysłałeś mi maila – oznajmiła, zupełnie ignorując Domańskiego.

– Ja?

Zatrzymała się przed nim i zmrużyła oczy.

– Przestaniesz się powtarzać?

– Tak, ale…

– Naprawdę myślałam, że po takim czasie będzie cię stać na coś więcej – przerwała mu, a potem pokręciła głową i prychnęła. Poprawiła przewieszoną przez ramię niewielką torebkę, po czym otworzyła usta, jakby chciała się odezwać, ale ostatecznie się rozmyśliła.

Zrobiła krok w tył. Lekko naciągnęła czarne, mocno przylegające do dłoni skórzane rękawiczki z ozdobną stebnówką.

– Analizujesz moje gesty? – spytała oskarżycielsko. – Czytasz mnie?

– Nie.

– A jednak wyglądasz, jakbyś to robił.

– Nie – powtórzył. – Czytanie mowy ciała nie polega na samej analizie gestów, ale zrozumieniu, jak działa umysł badanej osoby. Ja twojego nigdy nie rozumiałem.

Rzucił to bez namysłu i dopiero po chwili zreflektował się, że powinien od razu sprowadzić rozmowę na inne tory.

W domu znajdował się zaadresowany do niego list.

Gochę zaś ściągnął tutaj ktoś, kto się pod niego podszył.

Edling starał się ułożyć to w głowie i przypuszczał, że stojący krok za nim Konrad w milczeniu robi to samo. W końcu jednak prokurator uznał, że moment jest odpowiedni, by włączyć się do rozmowy.

Minął Gerarda i przedstawił się. Kiedy tylko padła informacja o zajmowanym stanowisku, Rosa zdawała się nieco uspokoić.

Wciąż była świetna w zachowywaniu pozorów.

W rzeczywistości musiała się porządnie zdenerwować, świadoma, że Domański i jego ludzie nie mają pojęcia, co tak naprawdę wydarzyło się przeszło trzydzieści lat temu.

– Może pan mi wytłumaczy, co tutaj robię? – spytała.

Konrad skinął głową, uśmiechnął się i zaproponował, by sobie nie panowali. Dawna Gocha z pewnością od razu pominęłaby wszelkie uprzejmości i rozpętała piekło, starając się ustalić, dlaczego została tu ściągnięta.

– Nie wysłałem ci żadnej wiadomości – odezwał się Gerard. – Właściwie nawet nie mam twojego adresu. A gdybym już go znał, zapewniam cię, że…

– Że byś nie napisał.

– Nie. Że umówiłbym się z tobą w innym miejscu.

– Wątpię, że w ogóle – odparowała. – Skoro przez trzydzieści lat nie zdołałeś, to…

– Może zostaniemy przy temacie? – włączył się Domański.

Rosa i Edling wymienili się krótkimi spojrzeniami, a potem skupili się na prokuratorze. Słowna przepychanka zdawała się nie mieć wiele wspólnego z chęcią prowadzenia jakiejkolwiek konwersacji – oboje grali na czas, starając się zrozumieć, co się dzieje.

– Dostała pani maila od Edlinga, tak? – dodał Konrad. – Co w nim było?

Gocha sięgnęła do torebki po telefon.

– Tylko to.

Obróciła komórkę w ich stronę, a oni szybko przebiegli wzrokiem tekst. Nadawca podszywający się pod Gerarda prosił, by Rosa zjawiła się w domu Bogdana Karbowskiego w Falmirowicach. Zapewniał, że to sprawa życia i śmierci, a godzinę spotkania miał podać jej w kolejnej wiadomości.

– Kiedy dostałaś drugą wiadomość? – zapytał Edling.

– Może pół godziny temu.

– I tak po prostu przyjechałaś?

– Założyłam, że to ważne – odparła niechętnie Gocha. – Inaczej nie pisałbyś do mnie po trzydziestu latach.

Ktokolwiek prowadził tę grę, potrafił podszyć się nie tylko pod Iluzjonistę, ale także pod Edlinga. A fakt, że Rosa zjawiła się tutaj właśnie teraz, kazał sądzić, że sprawca ma na oku Gerarda i Domańskiego. Śledzi każdy ich ruch.

– Skurwysyn… – odezwał się pod nosem Konrad. – Musiał wiedzieć, że tu jedziemy.

Edling skinął głową.

– Ale skąd? – dodał Domański. – Słyszał nas na ulicy? Jechał za nami, zobaczył kierunek i wszystko zrozumiał?

Nie było sensu spekulować, uznał w duchu Gerard. Któryś z tych dwóch wariantów mógł okazać się trafiony, ale równie dobrze imitator mógł zorganizować to wszystko w inny sposób. Pewne dla Edlinga było jedynie to, że nie założyłby podsłuchu w prokuraturze.

– Więc kto mnie tu ściągnął? – odezwała się Gocha. – I po co?

– Nie wiemy – odparł Konrad.

– I nie możecie się tego dowiedzieć? Sprawdzić, kto wysłał tego maila?

– Zapewniam, że się postaramy.

Powód, dla którego Rosa się tu zjawiła, rzeczywiście był zastanawiający. Co chciał osiągnąć sprawca? Wyprowadzić Edlinga z równowagi? Nie, zbyt dużo zachodu dla raczej ulotnego efektu. Tego człowieka interesowały tylko trwałe rezultaty.

Gocha powiodła wzrokiem po zniszczonym budynku i westchnęła.

– Kiedy ostatnim razem tu byłaś? – zapytał Domański.

Rosa natychmiast stała się czujna, jakby wychwyciła w pytaniu drugie dno. Całkiem słusznie. Edling przypuszczał, że nie padło bez powodu.

– Dawno – odparła. – Może pół roku przed śmiercią Bogdana.

Gerard poczuł na sobie pytające spojrzenie prokuratora, ale nie wiedział, co odpowiedzieć. Sam był równie zaskoczony jak on.

– Karbowski nie żyje? – spytał Konrad.

– Nie wiedzieliście? Zmarł bodaj trzy lata temu.

– Na co?

– Na to, co chodzi tyłem i dopada głównie pasjonatów tytoniu.

Edling słyszał o tym po raz pierwszy. Owszem, nie utrzymywali kontaktów, a on nigdy nie interesował się losem byłego przełożonego, ale przecież ktoś w prokuraturze z pewnością się z nim widywał.

A może nie? Może cała stara gwardia już odeszła i w budynku przy Reymonta nie pozostał nikt, kto w ogóle pamiętałby o niegdysiejszym prokuratorze wojewódzkim?

– Nie powinieneś wiedzieć takich rzeczy, Edling? – odezwał się Domański.

– Być może powinienem.

– Więc dlaczego nie wiedziałeś?

Gerard przegładził poły płaszcza.

– Jeśli to wydarzyło się trzy lata temu, miałem wtedy… sporo innych rzeczy na głowie. Rzeczy, które wymagały niepodzielnej uwagi.

Edling dopiero teraz uświadomił sobie, że Gocha już ich nie słucha. Wodziła wzrokiem po brudnych szybach, jakby potrafiła wyczytać coś z mętnego szkła.

– Zaraz… – powiedziała. – Czy to ma jakiś związek z tym, co się stało wczoraj na Silesii?

– A co się stało? – spytał Konrad.

– Podobno doszło do jakiegoś wypadku, tak? Mówi się, że to zagadkowa sprawa. I że nie można nic od was wyciągnąć.

– Nie można, bo dla dobra prowadzonego śledztwa nie udzielamy...

– Najpierw tamto zdarzenie, a teraz ktoś ściągnął tutaj mnie, podszywając się pod Gerarda? – kontynuowała tok myśli. – Do domu Karbowskiego, mimo że ten nie żyje od trzech lat?

Potrząsnęła głową, a zaraz potem ruszyła w kierunku wejścia. Prokurator od razu zaoponował i poszedł za nią, Edling zaś trwał w bezruchu. Mógł nie widzieć Rosy przez trzydzieści lat, ale miał świadomość, że prawdopodobnie wciąż jest nie do zatrzymania.

Został na zewnątrz, kiedy dwójka jego towarzyszy weszła do środka. Potrzebował chwili, by przetrawić informację o śmierci dawnego szefa. Nie, więcej niż szefa. W pewnym momencie Bogdan był dla niego jak przyjaciel, opiekun.

Nie było jednak sensu pozwalać sobie na rozrzewnienie. Karbowski zmarł lata temu, na żałobę i smutek było za późno. Teraz należało ustalić, skąd czerpie wiedzę naśladowca Iluzjonisty. I dlaczego ściągnął tutaj Gochę.

Gerard dołączył do pozostałych. Na podłodze w pokoju wciąż znajdował się list.

Kucająca obok Rosa odwróciła się i zerknęła na Edlinga.

– Zaadresowane do ciebie.

– Wiem, widziałem.

– I nie sprawdziłeś, co jest w środku?

– Musimy poczekać na techników.

Uśmiechnęła się z pobłażliwością i oparła ręce na kolanach.

– Nie licząc tego, że nie masz już poczucia humoru, to niewiele się zmieniłeś – rzuciła.

Ona także nie. Jej oczy były dokładnie takie, jak pamiętał. Wokół pojawiło się nieco zmarszczek, skóra nie była tak jędrna, a włosy tak puszyste, ale w niczym nie ujmowało to jej urokowi.

Żałował tego, co zrobił lata temu. Nie tylko jeśli chodziło o Gochę, ale także pozostałe dziewczyny. Edling doskonale pamiętał wyliczenia Kompozytora – przez cały okres studiów miał ich siedem, mimo że był już w tym czasie z Brygidą. Potem nieco się uspokoił, ale statystyka wciąż nie prezentowała się odpowiednio na jego standardy.

Gochę potraktował w sposób karygodny. Nigdy sobie tego nie wybaczył i mógł mieć pewność, że ona jemu także nie.

– Proszę tego nie ruszać – odezwał się Domański.

– Spokojnie. Nie mam zamiaru.

Rosa pochyliła się nad kopertą i przez moment się jej przypatrywała. Konrad drgnął nerwowo, jakby zamierzał siłą powstrzymać ją przed czymś nieroztropnym, ale Edling szybko uspokoił go ruchem ręki. Nie miał już do czynienia z wybuchową punkówą, która za nic miała zasady i reguły rządzące światem.

– Ciekawe... – powiedziała cicho.

– Co takiego? – spytał Gerard, zbliżając się.

– Ten znaczek.

Edling na dobrą sprawę nie miał czasu mu się przyjrzeć. Kiedy tylko znaleźli kopertę, zajął się przyjazdem niespodziewanego gościa.

– Co ze znaczkiem? – bąknął Domański.

– Jest na nim znak zapytania. Taki, jak…

Kiedy urwała, Gerard zrozumiał, że jest już za późno. Szczęście w nieszczęściu, że miała skórzane rękawiczki, choć wartość dowodowa koperty spadła drastycznie, kiedy tylko Gocha ją podniosła. Rozerwała papier, zanim którykolwiek z mężczyzn zdążył zareagować.

Konrad jęknął, jakby ktoś zadał mu fizyczny ból. Edling zaś zbliżył się do Rosy i kucnął obok niej, kiedy wyciągała kartkę papieru. Rozłożyła ją trzęsącymi się dłońmi, a on kątem oka złowił pytajnik na znaczku.

Rzeczywiście wyglądał tak, jak na ciałach ofiar sprzed trzydziestu lat. Dół był smukły, niemal prosty, góra zaś mocno zaokrąglona. Gocha musiała go rozpoznać. Widziała go tyle razy, w takich sytuacjach, że wypalił się na wewnętrznej stronie jej powiek.

– Do kurwy nędzy… – zaklął pod nosem Konrad. – Mówiłem, żebyś nie…

– Co to ma znaczyć? – ucięła Rosa. – Co to za durne gierki?

Głos jej drżał, co potwierdzało, że w liście znajduje się coś, co skojarzyło jej się z Iluzjonistą. Gerard spojrzał na kartkę.

„Co ma cztery palce i kciuk, ale nie ma skóry, kości ani piór?"

Pismo było odręczne, co właściwie stanowiło rzucenie rękawicy śledczym. Autor listu musiał zdawać sobie sprawę, że każda litera zostanie poddana skrupulatnej analizie grafologicznej.

Domański stanął obok i przyjrzał się wiadomości od zabójcy. Potem wyjął z marynarki pęk kluczy i złapał dwoma kawałek kartki. Położył ją na podłodze, spod byka patrząc na Gochę.

– Co to za brednie? – spytała.

– Powinnaś stąd wyjść – oznajmił Konrad.

– Nie wydaje mi się.

Edling pozwolił kącikom ust się unieść. Doskonale pamiętał ten ton głosu i wiedział, że kategoryczność nie jest na wyrost.

– O co tu chodzi? – dodała Rosa.

– O to, że w tej chwili jestem pobłażliwy – odparł Domański. – Za moment jednak będę musiał uznać, że utrudniasz prowadzenie śledztwa.

– Jakiego śledztwa? W jakiej sprawie?

Konrad podniósł się, łapiąc Gochę pod rękę. Natychmiast odtrąciła jego dłoń i posłała mu ostrzegawcze spojrzenie.

– Co się stało na Silesii? – rzuciła. – I co to ma wspólnego z Iluzjonistą?

– Dosyć tego – uciął prokurator, a potem wyciągnął z kieszeni telefon. – Jeśli będziesz stawiać dalszy opór...

– Zadzwonisz po wsparcie, bo nie radzisz sobie z jedną kobietą?

Gocha podniosła się i spojrzała mu prosto w oczy.

– I nie chcesz wiedzieć, jakie jest rozwiązanie zagadki?

– Prędzej czy później...

– Co ma cztery palce i kciuk, ale nie ma skóry, kości ani piór? – wycedziła. – Zastanów się.

– W tej chwili...

– W tej chwili nie wiesz, ale my tak.

Edling postąpił krok w jej kierunku, chcąc powstrzymać ją przed czymś, czego będzie gorzko żałowała. Obawiał się jednak, że jest już za późno. To krótkie stwierdzenie z pewnością zapadnie Domańskiemu w pamięć i prokurator łatwo o nim nie zapomni. Będzie drążył do skutku.

– Za trudne? – dodała Gocha. – Odpowiedź jest całkiem prosta. Wpadłeś już na to?

– Nie.

– Rękawiczki.

Gerard podszedł do niej, a kiedy na niego popatrzyła, odniósł wrażenie, że sama jego bliska obecność ją otrzeźwiła. Zrobiła krok w tył, zapewne uświadamiając sobie, że powiedziała nieco za dużo.

Oboje wiedzieli, co będzie dalej. Konrad wezwie ją do pokoju przesłuchań i będzie naciskał tak długo, aż dostanie odpowiedzi, na którą liczył. Edling uznał, że najwyższa pora działać.

– Powinniśmy stąd pójść – zauważył. – Tylko zacieramy ślady.

– Przed momentem ci to nie przeszkadzało – odparł Domański.

– Bo nie uświadomiłem sobie na dobre, że autor listu musiał przecież tutaj być. – Edling rozejrzał się po zagraconym i zapuszczonym wnętrzu. – Każda drobina kurzu może okazać się kluczowa.

– Ty sobie nie uświadomiłeś?

– Ty chyba również nie.

Złożenie tego na karb zbyt szybkiego rozwoju wydarzeń wydawało się jedynym ratunkiem. Niewystarczającym, ale koniecznym, by Edling mógł choćby się łudzić, że uda mu się uniknąć drążenia tematu.

– Tak czy inaczej, chodźmy stąd – zarządził, jakby to on miał decydujący głos.

Ruszył do wyjścia, a Gocha poszła za nim. Nie miał już wątpliwości, że sama zorientowała się w sytuacji.

Kiedy znaleźli się na zewnątrz, odszedł z Domańskim na stronę. Przez moment przekonywał go, że Rosa łatwo nie odpuści, wywęszywszy całkiem obiecujący temat do „Głosu Obywatelskiego".

– Pojadę z nią do miasta – dodał Gerard. – Dowiem się, co wie, i przekażę ci później informacje.

Konrad nie wyglądał na przekonanego i właściwie nie sposób było mu się dziwić. Nie oponował, zamiast tego rzucił słowo pożegnania, po czym skierował się do samochodu. Edling wiedział, co układa się teraz w jego głowie – chciał znaleźć się wśród swoich ludzi i porozdzielać zadania tak, by dogłębnie zbadano przeszłość Gerarda i Rosy.

Dwoje starych znajomych wsiadło do białego SUV-a, nie odzywając się. Gocha poczekała, aż prokurator okręgowy ruszy, i dopiero wtedy uruchomiła silnik.

– Dokąd? – spytała.

– Obojętnie. Nie jadę z tobą po to, by dotrzeć w konkretne miejsce.

Skinęła głową i bez słowa wycofała. Przejechała kawałek w kierunku drogi łączącej Strzelce Opolskie z Opolem, ale zanim dotarła do dziewięćdziesiątki czwórki, skręciła w prawo, w leśną dróżkę prowadzącą pozornie donikąd.

Przejechali kilkaset metrów, zanim się zatrzymała. W samochodzie zalegla cisza.

– Jest jakiś naśladowca? – spytała Gocha.

– Tak.

– Zabił kogoś na Silesii?

– Kobietę. Wypalił na jej torsie znak zapytania, dokładnie taki, jaki pamiętasz.

Rosa zacisnęła dłonie na kierownicy, jakby spodziewała się jakiegoś wstrząsu.

– Domański nie jest przekonany, czy to ktoś, kto kopiuje tamte morderstwa, czy może sam Iluzjonista.

Gocha gorączkowo potrząsnęła głową i spojrzała na Edlinga.

– Oboje wiemy, że to niemożliwe – powiedziała.

– Tak.

– Ale ten człowiek, ten naśladowca... skąd wiedział o zagadce z rękawiczkami?

– Wiedział także o innych rzeczach.

Zaczęła oddychać nierówno, a kiedy lekko opuściła dłonie, Gerard dostrzegł mokre ślady na kierownicy. Miał ochotę dać Rosie do zrozumienia, że nic jej nie grozi, choćby objąć ją ramieniem, ale zdawał sobie sprawę, że przyniosłoby to efekt odwrotny do zamierzonego.

– To niemożliwe, Gero – powiedziała cicho, z bólem w głosie. – O rękawiczkach wiedzieliśmy tylko my. Bogdan, ty i ja.

– Wiem.

– Jak w takim razie ktoś może teraz powtarzać to wszystko?

– Odpowiedź wydaje się oczywista – odparł Gerard. – Któreś z nas musiało przekazać komuś szczegóły.

Rozedrganie emocjonalne Gochy, jej rozbiegany wzrok i nerwowy oddech kazały sądzić, że tamte zdarzenia wiązały się z traumą dostatecznie dużą, by nikomu o nich nie mówiła.

– Nigdy do tego nie wracałam – powiedziała nieobecnym głosem. – Ani w myślach, ani tym bardziej w rozmowie z kimkolwiek… Nigdy.

– Ja też nie.

– W takim razie zostaje Bogdan – odparła.

Edling nie przypuszczał, by dawny przełożony zdradził coś komukolwiek. Gdyby tak się stało, dawno wyszłoby to na jaw. Żaden człowiek nie byłby w stanie utrzymać takiej tajemnicy.

Ale jak było naprawdę? Teraz nie sposób było już tego ustalić. Karbowski zabrał tę zagadkę ze sobą do grobu.

– Może ktoś dotarł do akt? – podsunęła Gocha.

– Nie ma żadnych dokumentów. Wszystko zniszczone.

– A świadkowie?

– Podobnie.

Ta krótka odpowiedź sprawiła, że temperatura zdawała się nagle spaść o kilka stopni. Rosa naciągnęła mocniej rękawiczki i rzuciła okiem na tylne lusterko, jakby chciała zasugerować, że może czas skończyć tę rozmowę i wracać do miasta.

– Oprócz tego naśladowca wie o kilku sprawach, które… cóż, znane były tylko mnie.

– Jakich?
– Nieistotne.

W każdej innej sytuacji instynkt dziennikarski kazałby Rosie drążyć temat. W tej jednak się zawahała. Edling widział, że powoli się łamie, uznał więc, że powinien dodać coś jeszcze. Przynajmniej tyle, by zaspokoić reporterską ciekawość.

– Sprawca wskazał „Niedźwiednik" – powiedział.
– Co?
– Przy ciele zostawił dla mnie wiadomość, w której...
– Boże – ucięła, a potem opuściła głowę, pochylając się nad kierownicą.

Przez pewien czas trwała w zupełnym bezruchu. W głowie musiało układać jej się to samo, co wcześniej w umyśle Edlinga. Przeszłość wróciła. I miała zdefiniować wszystko, co od tej pory zdarzy się w ich życiu.

– Wiesz, co to znaczy? – spytała w końcu Gocha.

Gerard nie odpowiadał.

– Staniemy się głównymi podejrzanymi – dodała.
– Nie tylko głównymi, ale i jedynymi.
– Zamierzasz coś z tym zrobić?

Wystarczyło, że na nią spojrzał. Zyskała pewność, że już zaczął działać w tym kierunku.

Niegdyś

ul. Sieradzka, Malinka

Tajemnicą poliszynela było, że esbecja ma nie tylko swoich prokuratorów, ale także sędziów. Mimo to Edling nie przypuszczał, że ktoś kiedyś zwróci się do niego z propozycją, by został jedną z takich osób.

Rozmowa z dwoma oficerami Służby Bezpieczeństwa nie należała do komfortowych. Byli uprzejmi, choć każde ich słowo zdawało się podszyte groźbą. Właściwie nie oczekiwali od niego wiele – na tym etapie miał jedynie informować SB o wszystkich postępach w śledztwie.

Dlaczego esbecja interesowała się zabójstwem z amfiteatru, nie miał pojęcia. Podobnie trudno było mu zrozumieć, dlaczego zwrócili się nieformalnie do młodego asesora, zamiast użyć oficjalnych kanałów.

Po raz pierwszy od długiego czasu Gerard z ulgą wrócił do domu. Brygida przygotowała kluski śląskie i powitała go z uśmiechem, jakby wyczuwała, że to jeden z tych rzadkich dni, kiedy mąż zjawia się w mieszkaniu nie dlatego, że musi, tylko dlatego, że chce.

Usiedli przy stole w kuchni i jedli w milczeniu. Edlingowi trudno było stwierdzić, ile żona wie o jego skokach w bok. Coś wiedziała z pewnością, nie była w ciemię bita. Nigdy o tym nie rozmawiali, ale właściwie… w ogóle rozmawiali rzadko.

Tym razem też nie odezwali się słowem w trakcie posiłku. Dopiero po złożeniu sztućców Gerard podziękował, po czym zabrał się do mycia naczyń.

Wieczór spędzili jak zawsze, na czytaniu. Edling kończył *Kamień na kamieniu* Wiesława Myśliwskiego, Brygida zaś zaczynała niedawno wydane *Wrzenie świata* Kapuścińskiego. Zasnęli po dziesiątej, skończywszy dzień dwoma kieliszkami czerwonego wina, a z samego rana Gerard ewakuował się z Sieradzkiej jeszcze przed śniadaniem.

Miał zamiar w spokoju zjeść pomidorową w społemowskim barze, ale szybko stało się jasne, że będzie musiał oddać się rozmowie. Na miejscu już czekał na niego przełożony.

Usiedli przy jednym ze stolików, ale Karbowski nie sprawiał wrażenia, jakby miał zamiar cokolwiek jeść.

– Czytałem twój raport, Gerard – odezwał się.

– Więc wie pan, że Jan Araszkiewicz miał kontakt tylko z trzema osobami. Gospodarzem, u którego grali w brydża, i...

– Czyli Zbigniewem Andyckim.

– Tak – potwierdził Edling i nabrał zupy. – Z nim i dwoma innymi mężczyznami. Nikt inny nie wiedział o tym, że utyskuje na starzenie się świata i wszystkiego innego.

– Spodziewasz się, że któryś z tych trzech zabił?

Pytanie było z pewnością przyczynkiem do kolejnego sprawdzianu umiejętności śledczych, toteż Gerard skupił się bardziej na rozmowie niż na jedzeniu.

– Mam za mało informacji na ich temat – odparł. – Ale przypuszczam, że pan jeszcze wczoraj trochę ich zebrał.

– Zgadza się. Jeden z graczy to Sławomir Waserak, przykładny towarzysz, ale niespecjalnie się wyróżniający. Wygląda tak, jak brzmi jego nazwisko.

– Rozumiem.

– Jest w wieku Zbigniewa, więc nie spodziewam się, że udałoby mu się zabić ofiarę, porwać dziewczynę, pozbawić ją przytomności i umieścić na scenie.

– Dziewczyna coś pamięta?

– Nic.

Edling odłożył łyżkę.

– A kolejny gracz?

– Witek Borbach – powiedział prokurator wojewódzki. – Z nich wszystkich trzyma się najlepiej, ale też odludek. Wygląda na to, że zamknęli się w swoim świecie i raczej rzadko z niego wychodzą.

Gerard pokiwał głową w zamyśleniu. Czterech mężczyzn spędzających czas głównie na grze w karty i zapewne opróżnianiu kolejnych butelek bimbru. Jeden martwy – i to akurat ten, który irytował resztę.

Ale czy to mogło być tak proste?

– Dość homogeniczne środowisko – dodał Karbowski.

– Bez wątpienia.

– Jak w ogóle do niego dotarłeś?

– Zawarłem to w raporcie – odparł służbowym tonem Edling. – Dostałem informacje od źródła.

– Mówisz o źródle mogącym pochwalić się smukłym ciałem i bardzo krótkimi włosami? I noszącym czarną skórzaną kurtkę z ćwiekami i naramiennikami?

– Tę kurtkę nazywają po prostu „ramoneska". Od nazwy pewnego zespołu.

– Doprawdy, Gerard…

Edling obawiał się, że przełożony dokończy myśl, ale chyba wyraził już wszystko, co zamierzał. Nie znaczyło to, że szef odpuści w kwestii samego przepływu informacji między organami ścigania a domorosłymi dziennikarkami – Gerard uznał więc, że najlepiej będzie, jeśli zmieni temat.

Szczególnie że miał istotną rzecz do omówienia z przełożonym.

– Jest jednak coś, czego nie zawarłem w raporcie – oświadczył.

Karbowski zmarszczył czoło i zerknął na pomidorową, której Edling nie miał zamiaru kończyć.

– Po wyjściu z mieszkania Zbigniewa Andyckiego natknąłem się na dwóch oficerów SB.

– Natknąłeś się?

– Czekali na mnie.

Szef wydawał się realnie zaskoczony, co potwierdzało, że nie wiedział o ingerencji służb. Niedobrze. To mogło znaczyć, że Edling wpadł w sam środek jakiejś intrygi, w której miał odegrać rolę pionka.

– Musieli mieć na oku mieszkanie – dodał asesor. – Ściągnęli mnie zaraz po wyjściu z budynku.

Bogdan wciąż wbijał wzrok w talerz.

– Chce pan zupy?

– Nie chcę zupy, Gerard. Chcę odpowiedzi na pytanie, dlaczego bezpieka interesuje się naszą sprawą.

– Nie potrafię jej udzielić.

Karbowski położył dłonie na stole, ale zorientowawszy się, że cerata się lepi, natychmiast otarł je o spodnie.

– Zabójstwo było dość nietypowe, mogło przyciągnąć uwagę, ale z pewnością mają lepsze rzeczy do roboty – ciągnął.

– Niewątpliwie.

– Poza tym powinni zwrócić się do mnie.

– To także nie ulega wątpliwości.

– Czego więc od ciebie chcieli?

– Głównie deklaracji o gotowości do współpracy – wyjawił Edling i nabrał tchu. – Zależało im na tym, bym na razie po prostu przekazywał wszystkie informacje o śledztwie. Z ich zachowania wniosłem, że kolejne… życzenia pojawią się niebawem.

— Co im powiedziałeś?

— Że będę nieugięcie stać na straży władzy ludowej, dochowam wierności Rządowi PRL i w razie potrzeby będę bronił pokoju w braterskim przymierzu z Armią Radziecką.

— Daj sobie spokój z tą wesołkowatością — odburknął przełożony. — Zapewniłeś ich o gotowości do współpracy czy nie?

Gerard potwierdził ruchem głowy i kontrolnie się rozejrzał. Kiedy tylko zaczęli rozmowę na ten temat, odniósł wrażenie, że wszyscy wokół im się przyglądają.

— Uznałem, że tak będzie najlepiej — odparł Edling. — Szczególnie jeśli wtajemniczę w to pana.

— Dobry ruch.

— Na pańskim miejscu jednak nie szedłbym z tym wyżej — dorzucił ostrożnie Gerard. — Nie wiemy, o co tak naprawdę chodzi. Ani kto wydał SB rozkaz zainteresowania się sprawą. Może ktoś po prostu chce trzymać rękę na pulsie.

— Może — przyznał Bogdan. — Ale kto i dlaczego?

Nieobecny wzrok kazał Edlingowi sądzić, że pytanie przełożony kierował do samego siebie. Korzystając z jego głębokiej zadumy, Gerard na powrót zainteresował się zupą. Zjadł kilka łyżek, zanim szef wrócił na ziemię.

— Poczekamy na rozwój wypadków — postanowił. — Spotkasz się z nimi, wybadasz grunt. Jeśli uznamy, że jest zbyt grząski, skontaktuję się z kimś z ministerstwa.

Edling skinął głową i odłożył łyżkę.

– Kazali mi też zerwać kontakty z Rosą – oznajmił.

– Za to trzeba ich pochwalić. Masz fiksum dyrdum na punkcie tej dziewczyny, a ona...

– Ona chyba ma na moim też.

– I co na to twoja żona?

Gerard nie miał zamiaru rozmawiać o Brygidzie ani z przełożonym, ani z kimkolwiek innym. O Gośce tym bardziej nie, szczególnie że za moment konwersacja z pewnością zeszłaby na omawianie działalności wywrotowej ludzi związanych z trzecim obiegiem.

– Musisz prezentować pewien poziom, Gerard.

Edling znów pokiwał głową w milczeniu.

– Jesteś wizytówką władzy ludowej.

– Oczywiście.

Przełożony westchnął głęboko, demonstrując bezsilność.

– Pod każdym innym względem prezentujesz się godnie – zauważył. – Tylko nie pod tym.

Miał rację. I być może właśnie z tego powodu Edling nie był gotów podejmować rozmowy. Zazwyczaj starał się nie myśleć o tym, co robił z Gochą i poprzednimi kochankami, jakby odsunięcie tego od siebie łagodziło poczucie winy. Było to amoralne i niegodne człowieka, którym chciał być, ale jednocześnie pociąg do Rosy był silniejszy niż wszystko inne.

– Ta dziewczyna to kłopoty – dodał przełożony. – Szczególnie biorąc pod uwagę jej rodziców.

– Rodziców? – spytał Edling. – A cóż oni mogli zawinić? To porządni ludzie.

Tylko tyle wiedział, bo nie dała mu więcej informacji. Pamiętał, że mieszkali gdzieś pod Opolem i że wychowywali ją w... dość frywolny sposób. Przez większą część dzieciństwa Gośka robiła, co jej się żywnie podobało.

– Nic nie wiesz? – spytał prokurator wojewódzki.
– O czym?
– O rodzicach. Ale mniejsza z nimi, może tak jest lepiej – odparł. – Będzie chciała, to powie.

Edling uznał, że nie ma sensu drążyć, ci ludzie zapewne mieli poglądy zbliżone do córki i właśnie z tego wynikała awersja szefa. Zresztą sam chętnie zmieniłby temat. Omawianie z przełożonym jakichkolwiek kwestii osobistych wprawiało go w pewien dyskomfort.

– Sprawdzono już ten list do pana? – spytał.

Karbowski przez chwilę milczał, zastanawiając się. W końcu musiał uznać, że w istocie ma lepsze rzeczy do roboty niż zaglądanie do łóżka podwładnemu.

– Sprawdzono – odparł. – Z dużą dozą prawdopodobieństwa napisano go na zwyczajnym łuczniku. Znaczy jeśli chodzi o zaadresowanie, rzecz jasna. Więcej nie ustalimy.

– A na innych frontach?
– Świadków nie było, zabójca musiał ustawić wszystko w amfiteatrze nocą. W dodatku...

Bogdan urwał, kiedy jedna z kucharek wykrzyczała z okienka w kuchni jego nazwisko. Popatrzył ze zdziwieniem na Edlinga, jakby to on miał wyjaśnić, dlaczego ktoś nawołuje Karbowskiego.

– Zamówiłeś coś dla mnie?
– Nie.

– Pan prokurator Karbowski! – wezwała go jeszcze raz kobieta.

Gerard obserwował, jak przełożony ostrożnie zbliża się do kucharki, a potem coś od niej odbiera. Chwilę konwersowali, choć kobieta wydawała się bynajmniej niezainteresowana sytuacją, może nawet zirytowana tym, że coś przeszkodziło jej w pracy.

Karbowski wrócił do stołu z kopertą. Kiedy położył ją na blacie, Edling wbił wzrok w imię i nazwisko. Tym razem była zaadresowana nie tylko do jego przełożonego, ale także do Gerarda.

– Co… – zdołał wydusić.

– Kuchta twierdzi, że znaleźli to rano między butelkami mleka – powiedział równie skołowany rozmówca. – Dostawa jest bladym świtem, mleczarze zostawiają towar przy wejściu. Ktoś musiał wrzucić tam ten list.

Edling natychmiast opanował emocje.

– Nie ktoś, ale zabójca – odparł.

– Zgadza się.

Prokurator wojewódzki powoli i ostrożnie zabrał się do otwierania koperty. Klej zdawał się trzymać jedynie na słowo honoru i już po chwili Karbowski rozłożył kolejny list. Przypatrując mu się do góry nogami, Gerard zauważył, że ponownie jest w nim tylko jedno krótkie zdanie. I znów użyto tej samej czcionki, którą technicy zidentyfikowali jako pochodzącą z rodzimej marki Predom.

– „Nie mam skóry, kości ani ścięgien, mam jednak pięć palców" – odczytał Bogdan. – „Czym jestem?"

Edling czekał na ciąg dalszy.

– To wszystko – oznajmił szef. – Jakaś zasrana zagadka.

– Mogę?

Przełożony podał mu kartkę, a Edling przesunął po niej wzrokiem. Skupiał się na wszystkim poza samą łamigłówką, uznając ją za kwestię drugorzędną. Nijakie, zupełnie bezbarwne pismo i lapidarność przekazu nie pozwalały w jakikolwiek sposób poznać nadawcy. Istniało jednak kilka innych elementów, które mogły powiedzieć coś na jego temat.

– Sprawca zdaje sobie sprawę, że to śledztwo prowadzimy razem – odezwał się Edling. – W dodatku wie, gdzie jadam rano śniadania.

– Ewidentnie.

– Oprócz tego wydźwięk szarady jest dość osobisty.

– W jakim sensie?

– Napisał, co ma, a czego nie ma, a na koniec zapytał, czym jest. Przedstawił to w taki sposób, jakby to on był zagadką.

Prokurator wojewódzki potaknął głową, ale zdawał się być myślami gdzie indziej. Ani chybi zastanawiał się nad rozwiązaniem łamigłówki – i właśnie o to z pewnością chodziło zabójcy. Mieli skupiać się na tym, a nie na innych sprawach.

– Rękawiczki? – rzucił niepewnie Bogdan. – O ile nie są skórzane, pasuje.

– Pasuje – zgodził się Edling. – Ale co w związku z tym?

Karbowski długo milczał, wbijając wzrok w jakiś punkt za oknem.

– Niech mnie chuj, jeśli wiem – rzucił w końcu.

Dwa listy. Dwa elementy, które nie miały ze sobą żadnego związku.

Im dłużej Gerard się nad tym zastanawiał, tym mniej sensu to wszystko miało. Wróciwszy do swojego gabinetu, wyciągnął bloczek kieszonkowy i na żółtych kartkach zaczął wypisywać wszystko, co wiedział.

Nadzieja, że dzięki temu coś ułoży się w jego głowie, okazała się płonna.

Kiedy Karbowski zjawił się u niego, by omówić dalsze posunięcia w śledztwie, Edling nie był w stanie przedstawić mu nic, co mogłoby okazać się pomocne lub choćby trochę znaczące.

Bogdan odsunął sobie krzesło i usiadłszy przed biurkiem, założył nogę na nogę. Wyciągnął papierosy, ale szybko uzmysłowił sobie, że u podwładnego próżno szukać popielniczki.

Z magnetofonu Unitry płynęły skrzeczące dźwięki *Zostawcie Titanica* w wykonaniu Lady Pank. Jedno znaczące spojrzenie przełożonego wystarczyło, by Edling ściszył muzykę.

– Powiedz mi, Gerard, czym był pierwszy list? – odezwał się Karbowski.

Młody asesor zerknął na swoje notatki.

– Skąd ta zagadka ze starzeniem się? – dodał Bogdan.
– Cóż...
– Jaki był cel jej postawienia?

Edling nie miał dla niego odpowiedzi, a przynajmniej nie takiej, z której byłby całkowicie zadowolony.

Nie zamierzał przedstawiać szefowi niepopartych niczym hipotez.

– Chodziło o wytłumaczenie się – kontynuował Karbowski. – Sprawca chciał podać nam motyw.

Spekulacje Gerarda oscylowały wokół podobnych kwestii, ale wciąż zdawały się jedynie strzałami w ciemno.

– Chciał wyjaśnić, dlaczego zabił Araszkiewicza.
– Bo narzekał na swoją i świata starość?
– Starasz się zabrzmieć poetycko, Gerard?
– Od czasu do czasu.
– W tym wypadku daruj sobie lirykę i skup się na tym, po co ten list znalazł się na scenie amfiteatru. To klucz do zrozumienia tego człowieka.

Karbowski mógł słusznie oceniać sytuację. Być może faktycznie było to wyjaśnienie powodu, dla którego szaleniec obrał sobie za cel właśnie Araszkiewicza. Dla takich ludzi każda przyczyna była przecież dobra.

– Araszkiewicz narzekał na życie i otaczającą go rzeczywistość – podjął Edling. – Nie doceniał tego, co miał, i zapadał się coraz bardziej w niebyt.
– Mhm.
– Zabicie go miało być więc afirmacją życia?

Edling obawiał się, że szef znów skarci go za górnolotność. Ostatecznie jednak asesor taki po prostu był i nawet gdyby chciał się zmienić, na nic by się to nie zdało.

– Ukarał go za to, że nie doceniał swojego życia? – dodał.
– Moim zdaniem tak.
– W takim razie co ma oznaczać zagadka z rękawiczkami?

Przełożony wzruszył ramionami z irytacją. Najpewniej przez ostatnie godziny zastanawiał się wyłącznie nad znalezieniem odpowiedzi na to pytanie.

– Może chodzi o symbolikę? – podsunął Gerard. – O ukrycie czegoś, tak jak dłoni? O zachowanie czegoś w tajemnicy? Albo o ochronę przed czymś?

Karbowski nabrał tchu, ale nie zdążył udzielić odpowiedzi. Drzwi gabinetu nagle się otworzyły, a do środka weszła jedna z nielicznych prokuratorek. Była niewiele starsza od Gerarda, ale większość oskarżycieli traktowała ją, jakby dopiero co skończyła studia.

Kobieta wyglądała, jakby wpadła na coś, co pozwoliło jej rozwiązać sprawę. Dopiero po chwili Gerard zrozumiał, że powód jej rozemocjonowania jest inny.

– Przepraszam, że bez pukania, towarzyszu prokuratorze, ale…

– Co się dzieje?

– Chodzi o Iluzjonistę.

Mężczyźni wymienili się niepewnymi spojrzeniami.

– Tak o nim mówią, więc…

– Kto tak mówi? – spytał Karbowski.

– Na korytarzu. Po prostu…

– Mniejsza z tym – uciął Bogdan. – Później zajmiemy się tym, czy przestępcom potrzebne kryptonimy.

Prokuratorka skinęła głową, wciąż uspokajając oddech.

– Przyszła tu pani z jakąś informacją, tak? – dodał Karbowski. – Czy może wygląda pani tak, bo rząd przywrócił kartki na czekoladę?

– Nie, towarzyszu prokuratorze, ja…

– Tak?

– Chciałam tylko poinformować, że jest coś, co powinni panowie zobaczyć.
– Co takiego?
– Nagranie z dzisiejszego pokazu na Zaodrzu.
– Pokazu?
– Trupy wędrownej. Cyrku.

Edling wyłączył radio, kiedy zaczynała się piosenka *Autobusy i tramwaje* T.Love, po czym skupił całą uwagę na prokuratorce.

– W mieście jest cyrk? – spytał Bogdan.
– Zazwyczaj – rzucił Gerard.

Przełożony posłał mu karcące spojrzenie.

– Rozstawił się obok SDH „Za Odrą" – oznajmiła spokojnie prokuratorka, po czym przygładziła szarą spódnicę. – To pierwszy dzień, więc był ktoś z kamerą. Nagrywali występy i… cóż, doszło tam do dość niecodziennej sytuacji. Mamy to na wideokasecie.

Kobieta powoli się rozkręcała, ale Karbowski najwyraźniej nie miał zamiaru pozwolić jej poczuć się całkiem swobodnie. Od razu ruszył do jednego z pokojów, w którym stał nowy, japoński magnetowid – Edling przypuszczał, że zarekwirowany z przemytu. Tych marki Akay czy Sanyo na targach i w transportach zawsze było w bród.

Telewizor też wyglądał na porządny. Z pewnością nie trzeba było przestrajać go do kolorowego standardu VHS. Prokuratorka pochyliła się i przez moment przewijała kasetę. Potem wyprostowała się i stanęła obok dwóch mężczyzn.

Kiedy obraz w końcu ukazał się na ekranie, Gerard wstrzymał oddech. Na niewielkim stanowisku tuż obok cyrku ogłaszał się „Iluzjonista", zachęcając do tego, by za darmo obejrzeć jego przedstawienie.

Nosił niewielką, czerwoną maskę w stylu tych z antycznego teatru greckiego. Przywodziła na myśl złowrogie, wyszczerzone w uśmiechu diabelskie oblicze.

Oprócz tego miał czarne, mocno przylegające do skóry rękawiczki.

– Nie ma dźwięku – odezwała się prokuratorka. – Ale na tym etapie Iluzjonista tłumaczy zebranym, na czym polega trik.

– I? – spytał Bogdan. – Na czym polega?

Pytanie padło akurat w momencie, kiedy mężczyzna w masce podnosił metalowy łańcuch i demonstrował zebranym, że nie różni się niczym od innych, które mogliby znaleźć w sklepie z artykułami metalowymi.

Gapie sprawdzili go dokładnie, przekonując się, że nie jest nigdzie przepiłowany i nie ma żadnych elementów, które pozwoliłyby go przerwać.

– Ma zamiar obwiązać sobie gardło, robiąc pętlę, a potem kazać dwójce ludzi pociągnąć z całej siły z obydwu stron.

Iluzjonista zrobił dokładnie to, co opisała kobieta. Wybrani spośród publiczności początkowo nie byli chętni, by włożyć w zadanie odpowiednio dużo siły, ale w końcu się ugięli. Stojący po obu stronach mężczyźni byli gotowi.

– Uduszą skurwiela – odezwał się Karbowski.

– Niech pan patrzy.

Partycypujący w tym niecodziennym przedstawieniu na znak estradowca z całej siły pociągnęli za oba końce łańcucha. Zamiast zmiażdżyć jego grdykę, pętla zsunęła się z szyi, jakby węzeł nie istniał.

– Co, do cholery...

– Proszę oglądać dalej.

Zebrani byli równie skołowani jak prokurator wojewódzki. Za drugim razem Iluzjonista wybrał innych, ci pociągnęli jeszcze mocniej. Potem wprowadził urozmaicenie, wybierając na swoje miejsce kogoś z publiczności. Nie widać było kogo, bo kuglarz dał wybranej osobie maskę podobną do swojej. Sztuczka znów przebiegła bez problemów, a widzowie byli wniebowzięci.

Przy tym podejściu dwóch postawnych mężczyzn nie miało już żadnych oporów, by pociągnąć najmocniej, jak potrafili. Iluzjonista pochwalił ich, po czym wybrał jakiegoś mężczyznę. Obwiązał mu gardło, a potem odsunął się kawałek.

Wyszedł z kadru i dopiero wtedy musiał dać sygnał do działania.

Łańcuch gwałtownie zacisnął się na gardle nieszczęśnika, a ten nie zdążył wydać z siebie nawet cichego jęku. Krew trysnęła mu z ust, a życie w nim zgasło, kiedy tylko osunął się bezwładnie na ziemię.

Obecnie

ul. Kośnego, Opole

Edling zrobił wieczorne zakupy w pobliskiej Galerii Opolanin, po czym przeszedł przez niewielkie podwórko i skierował się do domu. Syna zastał przed laptopem, skupionego wyłącznie na tym, co widniało na ekranie.

– Dobry wieczór, Emilu – rzucił, jak to miał w zwyczaju.

Chłopak nie odpowiedział. Nawet nie oderwał wzroku od monitora, a Gerard poczuł się, jakby cofnęli się o kilka lat. Okres nastoletniości syna był czasem, kiedy komunikowali się półsłówkami lub wcale. Ostatnio sporo się zmieniło, a od kiedy Edling na stałe wrócił do domu, ich relacje znacznie się poprawiły.

A przynajmniej tak mu się wydawało.

Udał się do kuchni, a potem otworzył szafkę z winami. Z rozrzewnieniem wspominał dni, kiedy miał barek i chłodziarkę. Wtedy wszystko było jak należy, ale teraz powinien cieszyć się, że w ogóle ma sposobność napicia się ulubionego trunku.

Po tak ciężkim dniu nalał sobie jednego z lepszych win, jakie miał w domu. Pochodziło z winnicy Turnau i było krzyżówką winogron regenta i rondo. Tego typu butelki oszczędzał, bo w tej chwili jego zarobki nie pozwalały na zbytnią ekstrawagancję.

Nalał do dwóch kieliszków, ale nie zdążył nawet odłożyć butelki, gdy coś innego przykuło jego uwagę.

– Musisz… – odezwał się cicho syn.

Gerard nie był pewien, czy Emil zwraca się do siebie, czy do niego. Ton był na tyle niepokojący, że tak czy inaczej nie sposób było tego zignorować.

– Mówiłeś coś?

– Musisz to zobaczyć… – dodał trzęsącym się głosem Emil.

– Co takiego?

Edling ruszył z kieliszkami w kierunku stołu. Postawił oba przy laptopie, a potem spojrzał na ekran. Kątem oka dostrzegł, że syn wygląda, jakby zobaczył ducha.

Powód szybko stał się jasny.

Na witrynie otwartej przez Emila znajdował się symbol, który Gerard dobrze kojarzył – nie tylko ze względu na Iluzjonistę.

Czarne tło, biały pytajnik. Górny zawijas wykonany jak zagięta kosa. Z końcówki skapywały krople krwi.

– Widzisz to? – jęknął Emil.

Gerard nie potrafił odpowiedzieć. Wbijał wzrok w obraz, który łudząco przypominał ten od Kompozytora. Ten, który pojawił się podczas „Koncertu krwi", a potem towarzyszył Gerardowi i wielu innym przez kolejne lata.

Poczuł na sobie spojrzenie syna i tyle wystarczyło, by wrócił na ziemię.

– Zobacz adres – dodał Emil.

Spektaklkrwi.pl.

Edling mimowolnie sięgnął po kieliszek wina. Upił duży łyk, na jaki nie pozwoliłby sobie w innych okolicznościach. Potem zrobił jeszcze jeden, opróżniając kieliszek. Odłożył go bezwiednie na stół.

– Co to ma znaczyć? – spytał syn.

Edling milczał. Była to jedna z nielicznych sytuacji, kiedy brakowało mu słów. Chciał wyjaśnić choć trochę, ale prawda była taka, że im mniej wiedział jego syn, tym lepiej.

Boże, ostatnim, czego potrzebował, było to, by temat Kompozytora wrócił.

– To przecież niemożliwe... – podjął Emil.
Gerard odchrząknął i skinął głową.
– To tylko chora rozgrywka kogoś innego – odparł.
– Kogo?
– Jeszcze nie wiem. Ale możesz być pewien, że...
– Czekaj, to dlatego tak długo cię nie było? – przerwał mu syn. – Znowu robisz coś dla prokuratury?

Zanim Edling zdążył zastanowić się nad odpowiedzią, Emil sięgnął po swój kieliszek. Opróżnił go niemal równie szybko jak ojciec, a Gerard nie mógł przejść obok tego obojętnie. Chłopak nie był już nastolatkiem, którego należało chronić przed wszystkim, także samym sobą. Powinien mieć to na względzie.

Powinien także natychmiast skontaktować się z organami ścigania. Jeśli Domański nie wiedział o tym, co pojawiło się w internecie, należało od razu go poinformować. Dla informatyków zapewne nie było czasu do stracenia.

Tyle że Gerard miał w tej chwili inne priorytety.

– Nie ustaliliśmy, kim jest ten człowiek – powiedział. – Ale z jakiegoś powodu wyciąga rzeczy z mojej przeszłości.

– Jakie rzeczy?

Edling westchnął i przysunął sobie krzesło. Spojrzał na monitor, nie było na nim jednak niczego poza krwawym znakiem zapytania.

– Sprawę Iluzjonisty – odparł.

– Nigdy o tym nie słyszałem.

– Bo to jedna z tych rzeczy, które zostały dość skrzętnie pogrzebane ruinami walącego się PRL-u.

Syn uniósł pytająco brwi.

– Nie warto było o tym wspominać – mruknął Gerard. – Śni się po nocach wszystkim zaangażowanym w to osobom, a minęło już ponad trzydzieści lat.

– Tobie też?

– Czasem – przyznał Edling.

Gdyby mógł cofnąć się w czasie i zmienić to, co się stało, zrobiłby to bez wahania. Nie przez wzgląd na siebie – on jakoś przetrawił tamte zdarzenia – ale z powodu tego, jak sprawa Iluzjonisty rzutowała na innych ludzi.

– Co konkretnie się wtedy wydarzyło? – spytał Emil.

– Doszło do serii zabójstw. Wyjątkowo pokrętnych i makabrycznych.

Chłopak pokiwał lekko głową. Widział, że słowa niełatwo przechodzą ojcu przez usta, ale wyraźnie doceniał, że ten próbuje coś mu wyjaśnić.

– Rozwiązaliśmy tamtą sprawę, ale…

Gerard urwał, kiedy na ekranie laptopa nagle coś się zmieniło. Kolory się odwróciły, a krew zaczęła ściekać z kosy coraz szybciej. W czerwonej kałuży pod znakiem zapytania pojawiły się białe cyfry.

Zaczęło się odliczanie.

Dwadzieścia dziewięć minut i pięćdziesiąt dziewięć sekund.

Edling wlepiał wzrok w licznik, doskonale pamiętając ten, który niegdyś tykał podczas „Koncertu krwi". Ktokolwiek naśladował Iluzjonistę, najwyraźniej nie miał zamiaru poprzestać na jednej traumie z życia Gerarda.

– To jakieś szaleństwo… – odezwał się słabo Emil.

Syn miał rację. Było to szaleństwo – w dodatku takie, które wymagało natychmiastowej odpowiedzi.

– Muszę skontaktować się z prokuraturą – rzucił Edling.

– Jasne, idź.

Gerard popatrzył na syna i się zawahał. W końcu na moment położył dłoń na jego plecach, a potem szybko się podniósł. Narzucił płaszcz, dobył swojego starego blackberry i wybrał numer Konrada.

Domański nie miał pojęcia o tym, co się stało. Dopiero stojąc w progu tuż przed wyjściem, Edling uświadomił sobie, że nie zapytał syna, jak w ogóle trafił na stronę „Spektaklu krwi". Obrócił się w kierunku Emila.

– Jak wszedłeś na tę witrynę? – spytał.

Chłopak zmarszczył czoło i potrząsnął głową, zupełnie jakby sam dopiero się zorientował, że powinien się nad tym zastanowić.

– Dostałem maila – powiedział.

Edling rozłączył się z Domańskim i wrócił do pokoju.

– Jakiego maila? Od kogo?

Syn szybko wyświetlił wiadomość. Przyszła z konta na Gmailu, a login będący skrótowcem imienia i nazwiska Jana Araszkiewicza był dostatecznie wymowny. W treści znajdowały się jedynie link i informacja, że to materiał związany z ojcem Emila, który chłopak powinien zobaczyć.

– Wyślij go na mój adres, dobrze?

– Dobrze – zgodził się syn. – I sprawdziłem URL, zanim kliknąłem. Poza tym nie wyglądało na żaden spam, więc...

– Oczywiście – uciął czym prędzej Gerard.

Od kiedy licznik się pokazał, sytuacja się zmieniła. Zegar tykał, a on musiał działać. Na zapewnianie Emila, że wszystko jest w porządku, będzie jeszcze czas.

Pożegnał się z nim raz jeszcze, a potem ponownie wybrał numer Domańskiego i ruszył na korytarz. Prokurator okręgowy odebrał dopiero, kiedy Edling zszedł na dół.

– Widziałem – oznajmił krótko Konrad.

– Mamy dwadzieścia parę minut, więc...

– Nie, Edling, nie mamy.

– Jak to?

– A przynajmniej nie my.

Gerard ruszył w kierunku placu Kopernika, przeklinając się w duchu za to, że nie zamówił taksówki. Bez samochodu czuł się jak bez ręki, ale musiał pozbyć się go jakiś czas temu – potrzebował zastrzyku gotówki.

– O czym ty mówisz? – spytał Edling. – Jestem już w drodze, tylko wyślij po mnie...

– Nie możesz być zaangażowany.

Stanowczość i irytacja w głosie Domańskiego kazały Gerardowi sądzić, że ta rozmowa za moment się skończy.

A więc doszło do tego, czego spodziewała się Gocha. Stali się podejrzanymi. Konrad nie miał zamiaru dłużej dopuszczać go do śledztwa, w dodatku czas naglił. Miał na głowie ważniejsze rzeczy niż zbywanie byłego prokuratora.

– Jestem pewien, że doskonale to rozumiesz.

– Tak – odparł Edling. – Do widzenia.

Jemu także szkoda było czasu. Rozłączył się, a potem zaczął gorączkowo zastanawiać się nad tym, co począć. Musiał działać. Mógł być jedyną osobą, która będzie w stanie rozwiązać tę sprawę.

Nie było sensu przekonywać o tym ani Domańskiego, ani kogokolwiek innego. Był sam. I sam musiał uporać się z tym problemem.

A może niekoniecznie?

Spojrzał na telefon i zawahał się tylko przez moment. Zaraz potem znalazł w internecie numer do redakcji opolskiego oddziału „Głosu Obywatelskiego" i ruszył do jego siedziby.

Szybko udało mu się dobić do Gochy.

– Jestem na tej stronie – rzuciła, rezygnując z powitania.

– Ile minut zostało?

– Dziewiętnaście.

Edling potarł nerwowo kark, czując, że robi mu się gorąco.

– Pojawiło się coś nowego? – zapytał.

– Nic. Tylko odliczanie... ale, Gero, na Boga, do czego?

Gorączkowo poszukiwał odpowiedzi, ale jedyne, co przychodziło mu na myśl, to powtórka z rozrywki. Skoro naśladowca zaczął kopiować Kompozytora, powinien pojawić się dylemat. Publiczność znów stanie przed makabrycznym, niemożliwym wyborem.

Odsunął te myśli.

– Gerard?

– Nie sposób stwierdzić, o co chodzi temu szaleńcowi.
– Najwyraźniej o ciebie.
– Może – przyznał Edling. – Ale wykorzystanie Kompozytora może też być zasłoną dymną.

Gocha milczała, a on usłyszał w tle kakofonię podniesionych głosów. Przypuszczał, że nie tylko w lokalnej redakcji „GO" panuje w tej chwili taka atmosfera.

– Wysłał maila do mojego syna – podjął Gerard.
– Jakiego maila?
– Z linkiem do strony „Spektaklu krwi". Zaraz ci go prześlę.

Podyktowała mu swój adres, m.rosa@glosobywatelski.pl. Edling zatrzymał się, opuścił telefon i potrzebował chwili, by przekazać dalej wiadomość od sprawcy całego poruszenia.

– Masz? – zapytał.
– Czekaj – odparła nerwowo Rosa, a on przypuszczał, że odświeża redakcyjną skrzynkę. – Jest.
– Możesz to dać jakimś informatykom? Może coś ustalą?
– W kilkanaście minut?
– Spróbuj.
– Już wysłałam – odparła Gocha. – Ale nie spodziewajmy się cudów. Co jeszcze możesz mi powiedzieć?
– Że jestem pod siedzibą „GO". Idę na górę, powiedz, żeby mnie wpuścili.

Rosie szybko udało się załatwić, by Gerard bez problemu dotarł na piętro. Spodziewał się, że Gocha ma jakiś gabinet lub choćby wydzielony boks, ale wszyscy w redakcji siedzieli we wspólnej przestrzeni, a biurka ustawione były w niewielkiej odległości od siebie.

Edling rozejrzał się za wolnym krzesłem i nie znalazłszy żadnego, stanął obok Rosy i spojrzał na monitor.

– Nadal nic nowego? – spytał.

– Nic.

Kałuża pod pytajnikiem powiększała się jak kopczyk piasku w dolnej części klepsydry, czasu było coraz mniej. Gocha wymieniała się wiadomościami z kilkorgiem współpracowników, raz po raz odbierała komórkę. Po którejś rozmowie odłożyła ją z impetem na blat i zaklęła.

– Masz coś dla mnie? – odezwała się, patrząc na Gerarda jak na intruza.

– Tylko kilka domysłów.

– To dawaj.

Edling przysiadł na biurku, by nie patrzeć na odliczanie.

– Dotychczas naśladowca powtarzał wszystko, co trzy dekady temu robił Iluzjonista – oznajmił. – Kobieta na Silesii była nawiązaniem do ofiary w amfiteatrze.

– Zgadza się. Zagadki były tam te same.

– Potem listy – ciągnął Edling. – Tym razem z rękawiczkami. Trzydzieści lat temu w społemowskim barze, teraz w ruderze Bogdana.

– I co z tego?

– To, że teraz dojdzie do powtórki trzeciego aktu.

Rosa ściągnęła brwi, jakby miała trudności z przypomnieniem sobie, w jaki sposób Iluzjonista wszedł z nimi w interakcję po raz trzeci.

– Łańcuch... – powiedziała cicho. – Ten facet ze zmiażdżoną grdyką pod SDH „Za Odrą".

– Tak jest.

– Więc jak to powtórzy? Jak do tego nawiąże?

– Zrobi show – odparł Gerard. – Kiedyś Iluzjonista osiągnął to za pomocą kasety VHS i przedstawienia obok cyrku. Dziś może zrobić to gdziekolwiek i transmitować w sieci.

Gocha odwróciła obrotowe krzesło i spojrzała na Edlinga.

– Może nie chodzić o nawiązanie do Kompozytora – dodał Gerard. – Może ten szalenicc po prostu uznał to za…

– Wartość dodaną?

– Tak mi się wydaje.

Żeby wyciągać jakiekolwiek wnioski, Edling musiałby wiedzieć coś o sprawcy. Na temat tego nie miał żadnych informacji, strzelał w ciemno i jedynie na podstawie intuicji. Gdyby był w siedzibie prokuratury, zachowałby większą powściągliwość. Tutaj jednak kilka nawet nietrafionych myśli mogło pobudzić innych do wpadnięcia na coś pomocnego.

– Co nam to daje? – spytała Rosa.

Edling zerknął na licznik. Pozostało niewiele ponad siedem minut.

– Świadomość, że to dopiero początek – odparł Gerard. – Ten człowiek ma zamiar powtórzyć wszystko, co się wtedy wydarzyło. Tyle że używając nowych technologii.

– Hm?

– Przykładowo dostarczył mi kartę SD zamiast papierowego listu. Idzie też dalej w swoich trikach, zanurzając konstrukcję z pleksi zamiast umieszczać ludzi w skrzyniach.

– I? – spytała Gocha, wskazując nerwowo licznik. – Jak to ma pomóc w poradzeniu sobie z tym?

– Nie ma.

– Więc po co mi to mówisz?

– Dzielę się z tobą wszystkim, co wiem. Nie twierdziłem, że mam coś, co pomoże w rozwiązaniu tego konkretnego problemu.

Na to zdaniem Edlinga czas już minął. Ustalenie, co planuje naśladowca i skąd będzie transmitował, było niemożliwe. Znaków zapytania było więcej niż ten, z którego na ekranie skapywała krew. Znacznie więcej.

Rosa pokręciła głową, a potem sięgnęła po telefon. Informatycy potwierdzili to, o czym Gerard myślał. Nie istniał żaden sposób na ustalenie, gdzie znajduje się sprawca.

Kiedy zegar zaczął odliczać od dwóch minut w dół, Gocha w końcu zrezygnowała.

– Nikt o tym nie wiedział, Gero – odezwała się. – To niemożliwe, by ktoś tak dokładnie go kopiował.

Edling przez moment milczał, czując na sobie uważne spojrzenie rozmówczyni.

– Nikt oprócz nas – odparł w końcu.

Przysunęła się do niego, ale nie było w tym ani trochę sympatii.

– Zacząłeś już robić coś, żeby nas nie podejrzewali?

– Nie zdążyłem.

Długo patrzyli sobie w oczy.

– W porządku – odezwała się w końcu Gocha. – W takim razie pozostaje mi zapytać wprost. Podejrzewasz mnie?

– Raczej chciałem zasugerować, że to ty podejrzewasz mnie.

Upłynęły kolejne cenne sekundy, nim Gocha odpowiedziała:

– Nie. Jesteś na swój sposób szalony, ale nie aż tak.

Gerard pozwolił sobie na nikły uśmiech. Nie było sensu, by dalej to rozważali. Oboje dotrwali w milczeniu do momentu, aż licznik w końcu wybił zero. Na witrynie na moment pojawiła się czarna kurtyna, a kiedy się podniosła, odkryła niewielkie okienko z nagraniem wideo.

Na środku pojawił się znak zapytania, który następnie zaczął obracać się niczym symbol informujący o ładowaniu się materiału.

W tle rozbrzmiały dźwięki muzyki klasycznej. Edling przypuszczał, że nikt w redakcji nie ma problemu z natychmiastowym rozpoznaniem utworu. *Kanon D-dur* Johanna Pachelbela był grany, przerabiany i parafrazowany w muzyce współczesnej tak często, że kojarzył go niemal każdy.

Kompozytor także. Użył go w jednej z odsłon „Koncertu krwi", choć korzystał także z innych motywów – Straussa, Czajkowskiego i Bacha.

Muzyka lekko przycichła, ale nadal dało się bez trudu poznać charakterystycznie narastające napięcie oraz kontrastowe zmiany tempa. W końcu na czarnym tle pojawiło się coś, czego Gerard się nie spodziewał.

Obraz był niewyraźny, jakość przypominała stare filmy z kaset VHS.

Nie było to wnętrze żadnej hali, ale scena kojarząca się z największymi teatrami na świecie. Przywodziła

Edlingowi na myśl Liceu przy Rambli w Barcelonie, szczególnie kiedy kamerzysta powiódł po rzędach siedzeń w półkolistej, około trzydziestometrowej sali.

– To... to przecież niemożliwe – odezwała się Gocha.
– Masz rację.
– Ale...

Zawiesiła głos i wbiła wzrok w pustą scenę.

– To green screen – powiedział Gerard. – Ktokolwiek to kręci, robi to w studiu telewizyjnym. A wszystko, co widzisz, to...

– Komputerowo wygenerowana grafika.

Edling skinął głową. Zaraz potem zrobiono zbliżenie na scenę, a zza wysokiej kotary wyłonił się mężczyzna w masce, którą Gerard i Rosa dobrze pamiętali. Dopiero teraz, kiedy prawdziwa postać pojawiła się w kadrze, dało się dostrzec, że wszystko inne to projekcja graficzna.

Mężczyzna zatrzymał się na środku sceny, a potem uniósł ręce. Kiedy kamera się do niego zbliżyła, chwycił za skraj maski i odrzucił ją na bok.

Edling cofnął się o krok, nie mogąc uwierzyć w to, co widzi. Obraz nieco się wyostrzył, jakby osoba kierująca tym wszystkim uznała, że najlepiej by było, gdyby widz mógł dostrzec wszystko wyraźnie.

Każdy element pomieszczenia ewidentnie był sztucznie wygenerowany, ale człowiek stojący na scenie nie.

Edling nie potrafił zrozumieć, jak to możliwe.

Patrzył na siebie. A zaraz potem usłyszał i zobaczył, jak oznajmia wszystkim, że rozpoczął się „Spektakl krwi".

Niegdyś
ul. Niemodlińska, Zaodrze

Drzwi po obu stronach kremowej łady 2103 otworzyły się z impetem. Dwóch mężczyzn wysiadło z samochodu równie szybko. Od razu skierowali się do miejsca, gdzie jakiś czas wcześniej kamerzysta musiał nagrać makabryczne widowisko.

– Kto tu dowodzi? – rzucił Karbowski, rozglądając się po milicjantach.

Jeden z młodszych podrapał się po głowie.

– Major Prokocka – odparł.

– Nie znam.

– To może lepiej, żeby pan nie poznał. Milicja od pokoleń, wyjątkowa rura.

Bogdan zgromił młodzika wzrokiem, a ten natychmiast pożałował, że pozwolił sobie na frywolny komentarz.

– Spierdalajcie stąd – rzucił Karbowski. – I powiedzcie Prokockiej, żeby się tu stawiła.

Edling nie spodziewał się, że będzie to początek udanej współpracy między milicją a prokuraturą, ale w tej chwili było to właściwie nieistotne. Zresztą każdy znał swoje miejsce, ta kobieta z pewnością także.

Na razie wywiązała się ze swoich zadań śpiewająco. Teren, na którym Iluzjonista zorganizował swoje przedstawienie, był odgrodzony, a gapie odsunięci na tyle daleko, by nikt nie mógł zobaczyć, co znajduje się przy cyrkowym ogrodzeniu.

Większość milicjantów również nie była bezpośrednio zaangażowana w oględziny. Major utworzyła pierścień bezpieczeństwa, przez który nie sposób było przejść. W końcu jednak kilku funkcjonariuszy się rozstąpiło, a wysoka kobieta, która zza nich wyszła, skinęła na prokuratorów.

– Co ona sobie wyobraża? – burknął Karbowski.

– Może że chcielibyśmy zobaczyć miejsce zdarzenia.

Bogdan popatrzył na podwładnego rozczarowany, ale dawszy mu znak, ruszył przed siebie. Po chwili wymienili się uściskami dłoni z Prokocką i odebrali meldunek o urządzonej w mieście obławie. Po sprawcy nadal jednak nie było żadnego śladu.

Stanęli nad ciałem nieszczęśnika, któremu łańcuch zmiażdżył grdykę, i na moment zastygli w bezruchu niemal tak całkowitym jak on.

– Śmierć nastąpiła od razu – powiedziała major. – Mechanizm podobny do tego, jaki działa u wisielców. Tylko może tutaj lepiej wymierzono.

Prokuratorzy spojrzeli na leżącego na ziemi mężczyznę. Jeszcze opisywano poszczególne elementy miejsca zbrodni, ciała nie ruszano. Ofiara leżała twarzą w ziemi, a na spodniach dało się dostrzec ślady płynów ustrojowych.

Bogdan wyciągnął paczkę klubowych i poczęstował funkcjonariuszkę. Ta pokręciła głową.

– Zapalcie sobie, do kurwy nędzy – poradził jej.

– Dziękuję. Nie palę cudzesów.

Karbowski pokręcił bezradnie głową i przypalił sobie.

– Jak ten skurwiel to zrobił? – zapytał. – Jak sam wyswobodził się z łańcucha?

– Jeden z cyrkowców twierdzi, że w dość prosty sposób – odparła Prokocka i spojrzała w stronę dużego namiotu. – I że to często wykonywana sztuczka.

– To znaczy?

– Magik zawiązuje łańcuch w taki sposób, by...

– Iluzjonista – poprawił ją Karbowski.

Major skwitowała tę uwagę bezsilnym uniesieniem wzroku.

– Iluzjonista obwiązuje wprawdzie szyję, ale węzeł znajduje się z tyłu. Zawiązuje go w taki sposób, by przy pociągnięciu z obydwu stron się rozsupłał. Wszystko to kwestia treningu.

– Więc na tym nieszczęśniku zrobił po prostu normalny węzeł?

Pytanie było retoryczne, więc kobieta nie odpowiedziała. Skupiła wzrok na milczącym Edlingu, który nadal starał się zrozumieć, po co to wszystko. Czy rzeczywiście chodziło o danie przedstawienia? Czy może o coś więcej?

Kiedy przełożony zaciągnął się głęboko, Gerard spojrzał na milicjantkę.

– Ktoś widział twarz tego człowieka? – spytał.

– Nie. Cały czas nosił maskę, a potem nagle zniknął.

Jak Iluzjonista, oczywiście. Wyjścia ze sceny miał tak samo dopracowane jak wejścia na nią.

– Ktoś z nim rozmawiał? – dodał Edling.

– Przesłuchaliśmy wszystkich świadków, panie prokuratorze – odparła z niezadowoleniem Prokocka. – I zapewniam, że jeśli ustalilibyśmy coś wartego wspomnienia, już by panowie o tym usłyszeli.

– Rozumiem. Niemniej...

– Sprawca miał nie tylko maskę, ale także rękawiczki. Nie zostawił żadnych śladów, nie rozmawiał z nikim o żadnych sprawach niezwiązanych z samym przedstawieniem.

Gerard miał jeszcze kilka pytań, przypuszczał jednak, że nie uda mu się łatwo wyegzekwować odpowiedzi.

– A teraz przepraszam, ale...

– Ale co? – włączył się Karbowski. – Macie lepsze rzeczy do roboty?

– Owszem. Dochodzenie do poprowadzenia.

Bogdan prychnął i uśmiechnął się lekko.

– Śledztwo będziemy prowadzić my – oznajmił. – A wy odpowiadajcie na pytania mojego kolegi.

Skinął na Edlinga, jakby było jasne, że teraz wszystkie odpowiedzi padną bez wahania.

– Kto nagrywał ten materiał? – spytał Gerard.

– Jeden ze świadków. Został o to poproszony przez Iluzjonistę.

– Wcześniej go nie znał?

– Nie – odparła stanowczo Prokocka. – Ale oczywiście będziemy jeszcze go przesłuchiwać.

Edling przypuszczał, że pechowiec zapamięta to na długo – mimo że z pewnością nie miał nic wspólnego ze sprawcą. Iluzjonista był zbyt sprytny, by angażować kogoś, kto mógłby do niego doprowadzić.

– Kto udzielił zezwolenia, by zorganizować tutaj ten pokaz?

– Nikt – odparła milicjantka. – Zanim ci z cyrku zorientowali się, że to samowolka, było już za późno.

Naturalnie. Widząc, co się dzieje, początkowo musieli założyć, że ktoś z administracji wydał zezwolenie. Edling miał jeszcze jedno pytanie, ale nie był do końca pewien, czy powinien je zadawać.

Ostatecznie uznał, że zaryzykuje.

– Dlaczego wygrodziła pani teren? – odezwał się.

– Słucham?

– Uformowała pani dość szczelny bufor i odsunęła gapiów. Czyj to był pomysł?

Major przez moment się namyślała. Z pewnością nie nad odpowiedzią, ale nad tym, czy powinna jej udzielać.

– Dostałam informację, że to może być sprawa gorsząca dla obywateli. I że powinnam zadbać o to, by jak najmniej osób wiedziało, co się zdarzyło.

Bogdan wyraźnie się ożywił. Zbliżył się do Prokockiej, wypuścił dym w bok, a potem popatrzył jej głęboko w oczy. Owszem, trzymanie ludzi na dystans było normalne, ale nikt nie egzekwował tego z taką skrupulatnością. W tym wypadku wszyscy milicjanci zachowywali się, jakby strzegli tajemnicy państwowej.

– Od kogo dostaliście te instrukcje? – spytał.

– Przyszły prosto z Komitetu Wojewódzkiego.

A zatem Edling się nie pomylił. Coś więcej było na rzeczy. Na tyle, by jak najszybciej zaniechać dalszej rozmowy, bo terenowe organy PZPR nie ingerowały w prace śledczych ani milicjantów bez powodu. Jeśli do tego dochodziło, oznaczało to, że najmądrzej jest oddalić się od sprawy.

– To wszystko? – dodała Prokocka.

– Nie – odparł zniecierpliwiony Karbowski, po czym cisnął niedopałek na ziemię. – Odwróćcie tego trupa.

– Technicy jeszcze nie skończyli.

– Skończą sobie później.
– Ale...
– Nie słyszeliście, co mówię? – uciął Bogdan. – Umrzyk w tej konfiguracji już niczego nie powie.

Właściwie nie było powodu, by ofiara nadal trwała w takiej pozycji. Kryminalistycy obfotografowali już zwłoki i dokładnie opisali, teraz przenieśli uwagę na oględziny samego miejsca. Przyglądali się śladom butów i opon, zbierali niedopałki.

Major Prokocka wezwała jednego z nich, a potem wraz z mężczyzną obróciła ofiarę na plecy. Maska, którą dał mu Iluzjonista, musiała spaść przed tym, jak nieszczęśnik runął na ziemię. Wprawdzie plamy opadowe jeszcze nie wystąpiły, ale twarz wyglądała upiornie – była pokryta ziemią i wyraźnie zasiniona.

Mimo to obaj natychmiast poznali ofiarę.

– Proszę go tylko nie ruszać – odezwał się technik. – Będziemy potrzebować jeszcze chwili.

Żaden z oskarżycieli nie odpowiedział, a Prokocka dała kryminalistykowi znać, że zadba o to, by nikt nie pokrzyżował im planów. Zazwyczaj sytuacja była odwrotna – to prokuratorzy karcili milicjantów za nietrzymanie się zasad sztuki. W tej sprawie jednak czas naglił.

Szczególnie gdy wziąć pod uwagę tożsamość człowieka, który leżał na ziemi.

– Zamierzają panowie tak stać? – odezwała się milicjantka.

Wciąż się nie odzywali, ale Bogdan mimowolnie sięgnął po paczkę papierosów.

– Kurwa… – jęknął. – Przecież to jebany Zbigniew… Gospodarz od brydża.
– Kto? – spytała kobieta.
– Zbigniew Andycki.

Karbowski zaciągnął się głęboko i kaszlnął, nie tyle wypuszczając, ile wypluwając dym. Zaległa ciężka cisza, którą przerwała w końcu Prokocka.

– Panowie go znają? – spytała.

Żaden z nich nie miał zamiaru udzielać bezpośredniej odpowiedzi. Prokurator wojewódzki sztachnął się jeszcze raz, po czym skupił wzrok na milicjantce.

– Przede wszystkim wy powinniście go znać – rzucił. – Zleciłem sprawdzenie jego kartoteki i dalej nie mam żadnych informacji.

– Kiedy pan zlecił?

– Wczoraj.

– W takim razie trzeba poczekać. Ktoś na pewno nadał już telegram do pracownika obsługującego kartoteki, a ten…

– Nie mam czasu na takie rzeczy – odparł Bogdan, przykucając obok ciała.

Edling zrobił to samo. Obaj przez moment patrzyli na twarz mężczyzny z niedowierzaniem. Najpierw Araszkiewicz, teraz Zbigniew Andycki. Cokolwiek się działo, nie było przypadkowe.

– Musimy sprawdzić jego przeszłość – odezwał się Gerard.

– Sprawdzimy.

– Bo wątpię, żeby jakieś niesnaski podczas partyjek w karty były powodem zabójstw.

Karbowski pokiwał głową, nie odrywając wzroku od martwego oblicza. Edling nie miał zamiaru prawić komunałów, ale wyglądało na to, że bez nich przełożony nie odezwie się słowem.

– Coś większego jest na rzeczy – dodał więc.
– Wiem.
– Powinniśmy więc zająć się pozostałymi graczami.

Bogdan w końcu się otrząsnął.

– Racja – przyznał. – Wiesz, gdzie mieszkają ci dwaj pozostali? Borbach i Waserak?
– Nie. Ale znam kogoś, kto na pewno już to ustalił.

Karbowski rozejrzał się za telefonem i dostrzegłszy budkę nieopodal przystanku autobusowego, szybko ruszył w jej kierunku. Edling zdążył jeszcze pożegnać milicjantkę, zanim poszedł za przełożonym.

Z czarnej, klejącej się słuchawki odchodziła farba, ale Gerard zrezygnował z przetarcia jej, nie chcąc tracić czasu. Bóg jeden wiedział, czy coś nie groziło dwóm pozostałym mężczyznom, którzy spotykali się u Zbigniewa.

Centrala szybko połączyła Edlinga z numerem, który go interesował. Obawiał się wprawdzie, że Gocha jest zajęta swoimi zwyczajowymi akcjami przeciwko aparatowi państwa, ale udało mu się ją zastać. Odebrała po kilku sygnałach.

– Tak? – rzuciła.
– Dzień dobry, Gerard z tej strony.

Prychnęła prosto do słuchawki, jakby nadal nie mogła uwierzyć, że za każdym razem słyszy z jego ust takie samo powitanie.

– Potrzebuję twojej pomocy – dodał Edling.

– W zostawieniu żony?
– Słucham?
– Masz pietra, Gero? Spokojnie, tylko się droczę.

Edling spojrzał na stojącego obok prokuratora, zastanawiając się, ile z tej rozmowy usłyszy. Dźwięk był cichy, nieco trzeszczący, ale kilka słów z pewnością można było wyłapać.

– Wiesz, gdzie mogę znaleźć Witka Borbacha i Sławomira Waseraka?

Przez moment obawiał się, że nazwiska nic jej nie powiedzą. Tylko przez moment.

– A na co ci oni?
– Mogą być w niebezpieczeństwie.

Mogli być też sprawcami, ale tę myśl Gerard zachował dla siebie.

– To naprawdę ważne – dodał. – Znasz ich adresy?
– Może.
– Gocha, posłuchaj…
– Dobra, już dobra – ucięła. – Wiem, gdzie mieszka Waserak. Tego drugiego jeszcze nie znalazłam.

Podała mu odpowiednie dane, a on czym prędzej podziękował i ustąpił miejsca Karbowskiemu. Jeden krótki telefon przełożonego powinien sprawić, że milicjanci będą mieli na oku Waseraka i zaczną szukać jego towarzysza.

Prokuratorzy wyszli z budki i w jednym momencie głośno wypuścili powietrze.

– Jedziemy tam? – odezwał się Gerard.
– Oczywiście. Trzeba przepytać tego człowieka.

Edling zerknął w stronę miejsca, gdzie Iluzjonista wystawił swoje ostatnie przedstawienie.

– A co ze zwłokami?

– Pojedziemy na sekcję. Tutaj i tak niczego nie ustalimy.

Gerard najchętniej zostałby i przyjrzał się pracy kryminalistyków, ale być może rzeczywiście lepszym posunięciem było rozmówienie się z Waserakiem. Cokolwiek się działo, ten człowiek mógł mieć dla nich jakieś odpowiedzi.

Wsiedli do łady, a gaźnik zaskoczył natychmiast. Edling nie obraziłby się, gdyby jego maluch działał równie sprawnie jak samochód przełożonego. I gdyby uszczelki w drzwiach nieco lepiej spełniały swoją funkcję.

Po kilkunastu minutach zaparkowali przed budynkiem, którego adres podała im Gocha. Nie dostrzegli żadnego wozu milicyjnego, ale spodziewali się, że funkcjonariusze albo czekają przed mieszkaniem Waseraka, albo pilnują go już w środku.

Niemal od razu po naciśnięciu dzwonka drzwi się otworzyły, jakby ktoś tylko czekał na ich przybycie. Człowiek ten nie miał jednak nic wspólnego z gospodarzem.

– Wchodźcie – rzucił mężczyzna w garniturze.

– A wy coście za jedni? – odparł Bogdan.

Rozmówca skinął głową do Edlinga i uśmiechnął się lekko. Gerardowi bynajmniej do śmiechu nie było.

– Wojciech Stala – powiedział Gerard. – Służba Bezpieczeństwa.

– Raz jeszcze: wchodźcie – polecił im mężczyzna, a potem wskazał jeden z pokoi.

Prokuratorzy niespiesznie weszli do środka. W stołowym zastali siedzącą na kanapie Gochę, obok niej miejsce zajmował drugi esbek. Na fotelu naprzeciwko nich znalazła się jakaś kobieta, która zdawała się grać tu pierwsze skrzypce, a po człowieku, którego szukali, nie było śladu. Rosa milczała, wyraźnie skołowana.

– Gdzie Waserak? – odezwał się Karbowski.

– Siadajcie – poleciła kobieta na fotelu.

Edling spojrzał niepewnie na przełożonego i przekonał się, że ten bez gadania wykonuje polecenie. Dopiero wtedy Gerard rozpoznał kobietę. Nie pamiętał jej nazwiska, ale wydawało mu się, że kojarzy twarz.

– Pani z Komitetu Wojewódzkiego? – spytał.

Lekko skinęła głową, jakby urażona, że ktokolwiek musi o to pytać. Dopiero teraz zrozumiał, że to sama pierwsza sekretarz. Krystyna Lisicka. Najważniejsza z lokalnych przedstawicieli PZPR. I osoba, która w mieście mogła z pewnością najwięcej.

Nie wyglądało to najlepiej. Jeśli aparat polityczny tak dalece ingerował w śledztwo, by znaleźć się w mieszkaniu osoby będącej obiektem zainteresowania, mogło znaczyć to tylko jedno. Edling i jego znajomi władowali się w sprawę, która mogła skończyć się dla nich wyłącznie niedobrze.

– Siadajcie na dupie, asesorze – powtórzyła pierwsza sekretarz.

Gerard spojrzał na Rosę, a potem zrobił, co mu kazano. Komu jak komu, ale partii się nie odmawiało.

– A teraz słuchajcie uważnie, cała trójka – dodała Lisicka. – Waseraka nie ma, zbiegł.

Nikt się nie odzywał, choć Edling miał ochotę zrugać Gochę za to, że zjawiła się tutaj sama, zanim on przybył na miejsce. Szczególnie że koniec końców wpadła w ręce ludzi, którzy doskonale zdawali sobie sprawę z jej wywrotowej działalności.

– Borbach też zniknął – kontynuowała Krystyna. – Albo się boją, albo mają coś na sumieniu. Tak czy inaczej, macie ich znaleźć.

– My? – odezwała się Rosa.

– Wy nie – odparła rozmówczyni i westchnęła.

Był to niewątpliwie jeden z tych momentów, kiedy odnoszenie się w liczbie mnogiej do kogoś znajdującego się niżej w hierarchii społecznej nastręczało pewnych kłopotów.

– Wy odpuścicie, Rosa – sprecyzowała pierwsza sekretarz. – I będziecie czekać na dalsze polecenia.

– Nie przyjmuję poleceń od...

– To zaczniecie – ucięła Lisicka, a jeden z esbeków zrobił krok w kierunku Gochy. Tyle wystarczyło. – A wy, Karbowski, razem ze swoim podopiecznym macie znaleźć tych ludzi. I poinformować Służbę Bezpieczeństwa, kiedy tylko traficie na ich trop. Kapewu?

– Tak jest, pani sekretarz – odparł Bogdan.

– Nie robicie nic bez zgody mojej lub kogoś z SB.

– Rozumiem.

– I meldujecie mi co wieczór o postępach.

Najwyraźniej władza nie miała zamiaru bawić się w półśrodki. Wcześniej chcieli jedynie nieformalnej pomocy ze strony Edlinga, teraz sięgnęli po znacznie większy kaliber.

Jedno było pewne – sprawa musiała być wagi państwowej. Gerard nie miał pojęcia, czego konkretnie dotyczyła, ale wiedział doskonale, że odmowa współpracy będzie równoznaczna z problemami dalece poważniejszymi niż tylko służbowe. Fakt, że SB zjawiła się tutaj jeszcze przed prokuratorami, był dostatecznie jasny.

– Jeszcze jedna rzecz – dodała Krystyna. – Na torsie tej ofiary z cyrku jest wypalony znak zapytania.

– Co takiego? – wyrwało się Bogdanowi.

– Macie ustalić, jak to, do cholery, możliwe. Bo ja tego nie rozumiem.

Obecnie
Redakcja „Głosu Obywatelskiego", ul. Krakowska

Obraz na ekranie wydawał się równie realny jak wszystko, co działo się wokół. Mimo to nie mógł być prawdziwy. Gerard patrzył na siebie i szukał jakichkolwiek znaków świadczących o tym, że to sztucznie wygenerowana grafika. Na próżno.

W redakcji powoli zaczynały podnosić się zdezorientowane głosy. Dziennikarze „GO" spoglądali na Edlinga, jakby ten w ich oczach nagle stał się sprawcą. Kiedy zaś rozległ się jego głos, zaczęli wyglądać na gotowych, by dokonać obywatelskiego zatrzymania.

– Co to ma znaczyć? – odezwała się Gocha.

Gerard szukał odpowiednich słów, ale wciąż nie mógł ich ułożyć. Zwykłe zaprzeczanie nie wystarczy, uznał w duchu. Należało jak najszybciej zaangażować zebranych i uruchomić ich instynkt dziennikarski.

– A jednak to ja – powiedział. – Czy raczej ktoś, kto wygląda tak samo jak ja.

Rosa pokręciła głową, a Edling powiódł wzrokiem po pracownikach „Głosu".

– Z pewnością istnieje racjonalne wytłumaczenie – rzucił. – Ja go nie znam, ale przypuszczam, że ktoś z państwa może je przedstawić. Choćby roboczą hipotezę.

Szukał tej jednej osoby, w której oczach udałoby się dojrzeć błysk zrozumienia. Tej, która z jakiegoś powodu być może się nie odzywała.

W końcu wypatrzył niskiego chłopaka. Jako jeden z nielicznych nie wstał zza biurka. Skupiał się głównie na monitorze, ale raz po raz podnosił wzrok, wyraźnie zaciekawiony.

Informatyk? Z pewnością był w redakcji przynajmniej jeden, bo Rosa niedawno korzystała z jego pomocy. Teraz wyglądało na to, że ten potrafi udzielić jej Edlingowi.

– Kto może mieć o tym pojęcie, jeśli nie wy? – dodał Gerard, tym razem wbijając w chłopaka spojrzenie tak długo, aż ten nerwowo poprawił się na krześle. – Już nie takie manipulacje widzieliście. I jestem przekonany, że przynajmniej jedno z was potrafi wpaść na logiczne wyjaśnienie.

Chłopak odchrząknął. Odsunął się lekko od biurka, ale się nie podniósł.

– *Deepfake* – powiedział.

– Co takiego? – odezwała się Gocha.

Edling usiadł na krześle i kilka razy przelotnie zerknął na informatyka. Nie na tyle długo, by wywierać na nim presję, ale dostatecznie, by uświadomić mu, że coś od niego zależy. Chłopak w końcu wziął się w garść.

– Technologia, dzięki której możesz sprawić, że dowolna osoba powie to, co chcesz – oznajmił, ewidentnie nie radząc sobie ze skupionymi na nim spojrzeniami. – Nie widziałaś tego filmiku z Obamą?
– Nie.
– Gadał zupełnie od rzeczy, była z tego afera.

Gerard również nie kojarzył tego zdarzenia, ale mogło mieć miejsce w czasie, kiedy jego jedyny kontakt ze światem ograniczał się do książek wypożyczanych z niewielkiej, zamkniętej dla ogółu biblioteki.

– Dopiero potem okazało się, że to sztuczna inteligencja.
– Sztuczna inteligencja? – spytał ktoś.

Chłopak pokiwał głową i nerwowo przesunął dłonią po brodzie, jakby przez kilka ostatnich minut jego zarost wydłużył się do stanu charakteryzującego mędrca.

– Uczący się algorytm, który sprawia, że potem da się osiągnąć efekt takiego ruchu ust i mimiki, jakby słowa wypowiadała prawdziwa osoba – wyjaśnił informatyk i nabrał tchu. – Dzięki temu możecie zobaczyć dość… niecodzienne rzeczy mówione przez Jennifer Lawrence, Putina, Taylor Swift, Beyoncé i tak dalej. Materiały dla dorosłych oczywiście też łatwo znaleźć.

Dziennikarze skupiali się na mówiącym, ale większość kątem oka kontrolowała, co robi Edling. Zupełnie jakby się spodziewali, że za moment zdecyduje się na ucieczkę.

– Zaaranżować coś, co właśnie odstawił Iluzjonista, to żaden problem – dodał chłopak.
– Naśladowca – poprawił go Edling.
– Hm?

– Ten człowiek to nie Iluzjonista.
– No to Iluzjonista Dwa. Albo Magik, obojętne. W każdym razie wystarczyło, że stanął na green screenie i zaczął mówić. Algorytm zrobił resztę.
– I tak dobrze to wypadło? – włączyła się Gocha.

Informatyk wzruszył ramionami.

– Ta AI robi coraz lepsze rzeczy. Niekiedy nie poznasz nawet, że to *fake*, a w tym wypadku kamera jest dość daleko od obiektu. Może przy zbliżeniu dałoby się zobaczyć jakieś nienaturalne ułożenie ust czy coś.

Gerard znów skupił się na monitorze. Po tym, jak morderca oznajmił wszem wobec, że czas rozpocząć „Spektakl krwi", zniknął z wizji. Widać było jedynie scenę przypominającą barceloński teatr, a pośrodku coś wysokiego, przysłoniętego czarną płachtą.

Kształt sugerował, że to jakiś pal umocowany do sceny, ale pod materiałem znajdować mogło się właściwie wszystko.

Zanim Edling zdążył się zastanowić, co to wszystko ma oznaczać, naśladowca wrócił. Tym razem miał na sobie czerwoną antyczną maskę – identyczną jak ta, którą Gerard pamiętał sprzed trzydziestu lat.

Nie odzywał się. Sprawnym ruchem zsunął czarną narzutę, ukazując metalową konstrukcję przypominającą maszt. Była niewysoka, ale z solidną podstawą, zupełnie jakby miała wytrzymać niemały ciężar. Mężczyzna ściągnął z wierzchołka niewielką osłonę, która skrywała duży szpikulec.

Mężczyzna stanął przy ostrym końcu, a potem schylił się i spomiędzy metalowych nóg, przypominających odnóża pająka, wyciągnął sporych rozmiarów arbuza. Delikatnie umieścił go na czubku, a kiedy puścił owoc, ten natychmiast został przebity.

Zaraz potem kuglarz podniósł drewnianą deskę, zamachnął się z góry i wbił ją w konstrukcję.

– Co on robi? – odezwała się niepewnie Gocha.

– Udowadnia, że ostrze na końcu tego pala jest jak brzytwa – odparł Edling. – I że jest w stanie wytrzymać duży ciężar.

– Po co?

– Zamierza nabić na nie siebie albo kogoś.

Stary numer, powtarzany wielokrotnie i opanowany do perfekcji przez największych iluzjonistów.

Ten, który transmitował show w internecie, skinął ręką na boki, a po chwili dołączyły do niego dwie inne osoby. Ich twarze również były zasłonięte, a maski przypominały te z greckich tragedii.

– Niech go chuj – rzuciła Rosa, a Gerard poznał w jej głosie ton, którego nie słyszał od dawna. – Ma dwóch współpracowników.

– Albo dwoje – odparł Edling. – Ta osoba z prawej może być kobietą.

Pomocnicy nosili brązowe tuniki, które właściwie uniemożliwiały rozpoznanie figury, a co dopiero płci. Sam zabójca również miał luźny strój z materiałowych koszuli i spodni, ale szerokość barków i budowa ciała nie pozostawiały wątpliwości, że to mężczyzna.

– Skąd wiesz? – rzuciła Gocha.

– Podchodziła nieco wolniej, ma delikatniejsze ruchy. To kwestia genetyki.

Rosa zerknęła na niego z powątpiewaniem.

– Chcesz powiedzieć, że faceci chodzą szybciej, bo ileś wieków temu musieli polować na zwierzynę?

– Nie – odparł Gerard. – Kobiety chodzą wolniej, bo myślą w trakcie. Faceci są bezrefleksyjni, skupiają się tylko na przemieszczaniu się.

Rezerwa na jej twarzy odmalowała się jeszcze wyraźniej. Z naukowego punktu widzenia wszystko sprowadzało się do tego, że mężczyźni rywalizują ze sobą nawet podczas chodzenia po mieście. Już w trakcie pierwszych etapów socjalizacji mimowolnie przyspieszają, widząc innego osobnika tej samej płci, i robią tak właściwie przez całe życie. Kobiety zaś wydają się ponad to.

– To wytłumaczenie bardziej do ciebie przemawia, prawda? – spytał Gerard.

– Prawda, ale…

Gocha nie dokończyła, bo nagle z głośników jej komputera dobiegły ich dźwięki świadczące o tym, że przedstawienie przechodzi w kolejną fazę. Także tym razem Edling bez trudu rozpoznał utwór.

Toccata i fuga d-moll Jana Sebastiana Bacha. Już pierwsze takty sugestywnie dawały do zrozumienia, że dzieje się coś niepokojącego. Potem upiorne napięcie tylko się potęgowało.

Był to utwór tyle monumentalny, co złowieszczy. I Gerardowi wydawało się, że doskonale oddaje to, co naśladowca Iluzjonisty ma zamiar zrobić.

Dwoje pomocników stanęło za nim, a on obrócił się tak, by mogli wziąć go na ręce. Jedna osoba złapała za nogi, druga za kark. Unieśli go bez trudu, a jego ciało trzymało się niemal idealnie prosto, jakby mięśnie brzucha miał ze stali.

Współpracownicy umieścili go nad ostrzem, a on rozłożył ręce.

Nikt w redakcji się nie odzywał, kiedy dwoje pomocników chwyciło magika, a potem z impetem opuściło go na sztych. Ostrze przebiło ciało na wylot, z brzucha trysnęła krew, a rozstawione ręce zabójcy opadły bezwładnie po obu stronach pala.

– Co jest, do kurwy... – rzuciła mimowolnie Gocha.

– Poczekaj – odparł spokojnie Edling.

W istocie nie musieli czekać długo. Ciałem nagle targnął spazm, z ust kuglarza wytrysnęła mgiełka krwawej śliny, a on uniósł ręce, jakby starał się złapać Boga za nogi i wybłagać go, by pozwolił mu zostać na tym świecie.

Obrócił głowę w kierunku kamery, a potem spojrzał na swoich pomocników. Podeszli do niego, ujęli ciało od spodu, a potem wyrwali je z pala.

Kiedy postawili go na ziemi, otrzepał się, a potem obrócił przodem w stronę obiektywu. Na koszuli widniała czerwona plama. Po ostrzu ściekała krew. Mimo to mężczyzna był cały i zdrowy.

– Jezu... – jęknął ktoś.

Gerard przypuszczał, że podobne reakcje można było zaobserwować teraz w siedzibie prokuratury przy Reymonta. Śledczy powoli uświadamiali sobie, że tym razem mają przeciwko sobie wyjątkowo kłopotliwego przestępcę.

– Jak on to zrobił? – zapytał informatyk.

Nikt nie odpowiedział, a kiedy w kadrze pojawiła się kolejna osoba, wszyscy skupili się już wyłącznie na niej.

Była to około czterdziestoletnia kobieta. Nie miała zasłoniętej twarzy, nosiła nieco mniejszą i jasną tunikę.

– Niech mi ktoś natychmiast ją sprawdzi! – krzyknęła Rosa. – Potrzebuję czegokolwiek!

Kilkunastu młodych ludzi natychmiast przystąpiło do dzieła, co uświadomiło Edlingowi, jakim szacunkiem w redakcji cieszy się Gocha. A przynajmniej taka była jego pierwsza myśl. Druga sprowadzała się do tego, że młodzi natychmiast zrozumieli to samo, co ich szefowa.

Ta kobieta była kolejną ofiarą.

– On ją zabije – odezwała się cicho Rosa.

– Wiem.

Nie było sensu ani poddawać się emocjom, ani zaprzeczać sprawom w pełni oczywistym. Ten człowiek powtarzał dokładnie to, co Iluzjonista. Za pierwszym razem trik działa, za drugim też musi – był to najprostszy sposób, by ofiara sama zgodziła się na to, co dla niej zaplanował.

Kompozycja Bacha się skończyła. Jej miejsce zajęły *Metamorfozy na 23 solowe smyczki* Straussa. Znów utwór z repertuaru Kompozytora.

Kobieta nie mogła go słyszeć. Gdyby dotarły do niej tak nostalgiczne, dojmujące dźwięki, zapewne zastanowiłyby się dwa razy. Tymczasem posłusznie podeszła do ostrza, ciesząc się na to, co miało nastąpić.

Nieświadomość zbliżającej się śmierci i szeroki uśmiech kobiety dodawały sytuacji makabrycznej grozy. Kilka osób zbladło, myśląc już o tym, co za moment się wydarzy. Reszta gorączkowo starała się dzięki zrzutom ekranu z nagrania ustalić tożsamość nieszczęśniczki.

– Dawać, dawać! – ponagliła ich Gocha. – Ta kobieta ma jeszcze szansę!

– Nie ma – odparł cicho Edling.

– Słuchaj...

Rosa nie skończyła. Płaczliwe dźwięki smyczków zdawały się wypełnić całą redakcję, kiedy pomocnicy iluzjonisty unieśli kobietę. Umieścili ją dokładnie w tym samym miejscu, co wcześniej twórcę tego przedstawienia. Na jego znak opuścili ją na ostrze.

Przebiło ciało bez trudu, krew znów trysnęła z brzucha. Tym razem jednak ofiara nie spoczęła bezwładnie, ale zaczęła rzucać się na boki, starając się ratować. Krew wylewała się z otwartej rany, kobieta krzyczała wniebogłosy, młócąc rękoma na oślep.

W końcu złapała za wystające jej z ciała ostrze. W dzikim amoku starała się podnieść, w efekcie jednak tylko poraniła sobie dłonie. Krzyczała jeszcze przez chwilę, szarpiąc się i pogarszając swoją sytuację.

Edling nie miał wątpliwości, że ostrze dokonuje w ten sposób jeszcze większego spustoszenia.

W końcu ciało ofiary zwiotczało. Głowa opadła na bok, krzyk ustał.

Redakcję „GO" spowiła kompletna niemoc. Wszyscy zamarli w bezruchu, wbijając wzrok w monitory, zupełnie jakby mogło się okazać, że tym razem to również tylko magiczna sztuczka.

Jako pierwsza ocknęła się Gocha. Popatrzyła na Edlinga, właśnie u niego szukając wyjaśnienia, a może nawet ratunku.

– Wiesz, jak on to zrobił?

– Wiem – odparł Gerard. – Wiem też, że to dopiero początek.

Ledwo to powiedział, muzyka nieco ucichła. Zabójca zbliżył się do kamery, stanął w tym samym miejscu co poprzednio, a potem ściągnął maskę.

Widzom znów ukazała się twarz Edlinga.

– Zadowoleni? – spytał kuglarz. – A może nienasyceni? Jeśli chcecie więcej, bądźcie spokojni. Zapewnię wam rozrywkę, jakiej nigdy nie widzieliście.

Uniósł ręce, a dźwięki utworu Straussa rozbrzmiały tak głośno, że wszyscy natychmiast musieli ściszyć. Ledwo to zrobili, obraz zniknął z monitorów.

Na całym piętrze zapadła grobowa cisza. Wszyscy czekali, choć nikt tak naprawdę nie wiedział na co.

– Gero... – odezwała się cicho Rosa. – Jak? Jak on to zrobił?

Edling uznał, że skupienie się na tym może okazać się najwłaściwszym posunięciem. Odciągało uwagę od bezsilności, jaką musiał czuć teraz każdy, kto mógł pochwalić się choćby minimalną empatią.

– To dość proste – powiedział Gerard.

– A pan skąd to wie? – mruknął jeden z młodszych dziennikarzy.

Edling spojrzał bez wyrazu na chłopaka. Nie dziwił się pytaniu, było całkowicie zasadne.

– Od kiedy miałem do czynienia z Iluzjonistą, zadaję sobie trud, żeby wiedzieć, jak wykonywane są takie rzeczy.

– Więc? – włączyła się Rosa.

– W tym wypadku kuglarz ma pas z wytrzymałego materiału, który biegnie wokół talii i wzdłuż pleców.

– Coś jak egzoszkielet? – spytał chłopak.

– Raczej dwie jego części. Ta w pasie ma na środku uchwyt, w który należy trafić, opuszczając iluzjonistę na pal. Ostrze wówczas się chowa i stanowi jedynie podporę dla ciała.

– Ale wychodzi z drugiej strony.

– Nie – odparł Edling. – To wysuwane ostrze z pasa. Krew oczywiście nie jest krwią, tylko czerwonym płynem umieszczonym w niewielkim zbiorniku.

Gerard powiódł wzrokiem po słuchających go dziennikarzach.

– Ostrze z pasa chowa się, kiedy pomocnicy opuszczają kuglarza z powrotem na ziemię.

– Ale co z tym na końcu pala? – zapytał chłopak.

Edling ruszył powoli w kierunku tego, który wcześniej mówił o deepfake'ach, i stanął przed jego stacją roboczą.

– Słusznie mniemam, że nagrałeś to zabójstwo?

Na usta cisnęło mu się słowo „przedstawienie", ale zdawał sobie sprawę, że wypowiadając je na głos, zrobiłby dokładnie to, do czego dążył morderca.

To także było dla niego jasne. Jego motywacje, jego cel. Wszystko, co tamten zamierzał.

– Tak – odparł informatyk, potrząsnął głową, a potem wyświetlił film.

– Cofnij, proszę, do momentu, zanim współpracownicy podnieśli zabójcę.

Chłopak zrobił, co trzeba, a Edling wskazał na rękę kobiety, kiedy ta zbliżyła się do metalowej konstrukcji.

– Można to przegapić, bo wszyscy skupiają się na tym, co dzieje się z kuglarzem, ale jego pomocniczka przełącza niewielki przycisk. Blokuje on ostrze lub włącza mechanizm jego chowania. Kiedy iluzjonista chce dokonać inscenizacji z deską lub owocem, włączona jest blokada. Kiedy on opada na ostrze, ono się chowa. Ot i cała tajemnica.

Po redakcji rozszedł się cichy szmer, ale natychmiast ustał, kiedy otworzyły się drzwi do przestrzeni wspólnej. Wszyscy zebrani powoli się podnieśli i skierowali wzrok na grupę uzbrojonych policjantów.

Nie mieli na sobie mundurów, ale kamizelki kuloodporne. I nie sprawiali wrażenia, jakby przyszli prosić o cokolwiek.

Gerard zapiął guzik marynarki, skłonił się Rosie, po czym ruszył w stronę funkcjonariuszy.

– Pójdzie pan z nami – rzucił jeden z nich.

– Owszem, pójdę – odparł spokojnie Edling. – Bo mam wam całkiem sporo do powiedzenia.

?

Akt drugi

Niegdyś
pl. Lenina, Opole

Nawet kilkakrotne zbliżenie z Gochą nie mogło sprawić, by Edling przestał myśleć o sprawie. Po ostatnim razie podciągnął się w kierunku wezgłowia, a potem podniósł popielniczkę z taboretu przy łóżku i postawił ją na kołdrze.

– Dzięki – rzuciła Rosa.

Żadne z nich jeszcze nie uspokoiło oddechów, ale papieros był dla niej obowiązkowym punktem programu. Zapaliła, zaciągnęła się płytko, a potem odłożyła „schabowego" do popielniczki. Gerard niespecjalnie wiedział, dlaczego ekstra mocnym ktoś nadał takie określenie, ale wydawało się adekwatne.

– Byłeś daleko myślami – odezwała się Gocha.

– Teraz?

– Teraz, wcześniej. Cały czas. Niby we mnie, ale gdzieś obok mnie.

Uśmiechnął się lekko i skinął głową. Po chwili kąciki ust mu opadły, a Gerard uznał, że nie ma sensu zaprzeczać. Kochanie się z tą dziewczyną z pewnością przenosiło go w inny świat, problem polegał na tym, że ten realny nie chciał dać za wygraną.

– Nie mów tylko, że myślisz o Iluzjoniście, kiedy to robimy – bąknęła.

Nie odpowiedział, więc szturchnęła go w żebra.

– Są jakieś postępy? – spytała nieco poważniej, sięgając po papierosa.

– Niespecjalnie.

– Ale wiecie już, w jaki sposób wypalił znak zapytania na torsie tego... no...

– Zbigniewa Andyckiego.

– Tak – mruknęła Rosa i wypuściła dym prosto w twarz Edlinga.

Nawet to robiła w sposób, który go uwodził. Były w tym kokieteria, gracja i pewna zmysłowość. Sama Gocha być może nigdy by tego nie przyznała, wszak godziło to w wizerunek punkówy.

Spodziewał się, że zastanawiała się nad kwestią pytajnika, od kiedy tylko pierwsza sekretarz KW przekazała im informację o wypalonym znaku. Wydawało się to absolutnie niemożliwe. I nie tylko to.

Po pierwsze, skąd Andycki w ogóle wziął się pod SDH? Iluzjonista wyłowił go z tłumu jako przypadkowego widza, przynajmniej pozornie. W istocie musiał wcześniej zadbać o to, by Zbigniew się tam pojawił.

Po drugie, nawet jeśli znalazł sposób, by to osiągnąć, jakim cudem umieścił znak zapytania na jego ciele? Po tym, jak Andycki upadł ze zmiażdżoną grdyką, skupiała się na nim uwaga zgromadzonych.

Wydawało się to kolejną iluzją, a mimo to pytajnik rzeczywiście był tam, gdzie twierdziła sekretarz. Edling i Karbowski przekonali się o tym w trakcie sekcji. I dopiero wtedy Gerard zaczął rozumieć, w jaki sposób Iluzjonista osiągnął zamierzony efekt.

– A więc? – ponagliła go Gocha. – Masz odpowiedź czy nie?

– Mam.

– To udziel mi jej, bo zgaszę ci emersona na tym, co przed chwilą dostarczyło mi niemałej przyjemności.

Uniosła kołdrę i spojrzała w dół. Edling trwał niewzruszony, choć najchętniej szybko by się zakrył.

– Nie domyślisz się? – spytał.

– Nie. Ale chętnie posłucham. Teraz.

Gerard tym razem uśmiechnął się w niewymuszony sposób, a potem nabrał tchu.

– Wiedzieliśmy, że pytajnik musiał już znajdować się na ciele – powiedział. – Po zabójstwie nie było żadnego sposobu, by Iluzjonista go tam umieścił.

– No tak – mruknęła Rosa. – Czyli Zbysio wiedział, co nosi pod koszulą? I nie zastanowiło go to?

– Hipotetycznie możliwe – przyznał Edling. – Ale mało prawdopodobne.

– Chyba dałby wam znać, prawda?

– Gdyby ktoś wypalił mu znak zapytania na piersi? Z pewnością. Ale jeśli zrobił to sam lub pozwolił na to komuś, nie odezwałby się do nas.

– Dlaczego nie?

– Bo nie wiedział, że ten znak znalazł się na ciele pierwszej ofiary.

– Racja. Zresztą w sumie mógł go nosić od lat.

Edling rozgonił dłonią chmurkę dymu.

– Nie – odparł. – Rana jest dość świeża.

– To o co chodzi? Sam sobie to zrobił?

– Nie, to bez sensu.

Gocha ponagliła go ruchem dłoni.

– Jedynym logicznym wyjaśnieniem jest to, że znak został umieszczony na torsie bez wiedzy ofiary.

– W jaki sposób?

– Za pomocą jakichś chemikaliów – odparł Gerard. – Wydaje się możliwe, że użyto środka żrącego, który aktywował się dopiero po czasie i wywołał oparzenie chemiczne. Potencjalnych substancji dających taki efekt jest dość dużo, zarówno jeśli chodzi o kwasy, zasady, jak i inne toksyczne płyny.

Gocha zaciągnęła się głęboko, osunęła się niżej i wlepiła wzrok w sufit.

– I kto miałby to zrobić? – spytała.

Edling miał kilka teorii, ale jedna wydawała mu się najbardziej prawdopodobna.

– Możliwe, że jakaś dziewczyna – rzucił. – Zbigniew raczej nie wzbraniałby się przed wpuszczeniem jej do łóżka. A ona mogła nocą zrobić to, po co przyszła.

Gośka skinęła głową.

– Biegły postara się ustalić, czego dokładnie użyto i w jakim stężeniu. Musi przeprowadzić kilka eksperymentów.

– To w ogóle możliwe? – spytała Rosa. – Powtórzenie tego procesu?

– Chemik twierdzi, że tak. Podobno każda substancja działa inaczej, kwas solny tworzy strupy w kolorze białym, kwas siarkowy czarne. Po kontakcie z zasadami powstają zaś jątrzące się, wilgotne…

– Więcej mi nie potrzeba.

– Rozumiem – odparł Edling, kiedy Gocha gasiła ekstra mocnego.

Podniosła się, a potem ruszyła do łazienki. Wróciła po chwili owinięta w ręcznik i zatrzymała się przy telewizorze. Włączyła go na moment, a Edling uświadomił sobie, że jest pora „Dziennika Telewizyjnego".

Doniesień o polepszającej się sytuacji gospodarczej i planach na rozpoczęcie produkcji polskich wież stereo słuchali piąte przez dziesiąte. Na moment skupili się, kiedy przedstawiano materiał o kolejnych planach Jerzego Kukuczki. Alpinista miał zamiar wybrać się niebawem z Arturem Hajzerem na Annapurnę i zdobyć tę górę nową trasą.

Po tym materiale Rosa wyłączyła telewizję.

– O Iluzjoniście ani słowa – bąknęła.

– I dobrze.

– Nie wolelibyście, żeby ludzie o tym mówili? Przynajmniej byliby czujni, może ktoś by coś zobaczył.

– Niejeden by coś zobaczył – odparł Edling. – I niejeden zgłosiłby się z tym do nas, chcąc donieść na sąsiada, kochanka żony albo teścia. Poza tym niepotrzebna nam panika.

Tak naprawdę nie chodziło o żadną z tych rzeczy. Służba Bezpieczeństwa postawiła sprawę jasno – wszyscy mają milczeć jak grób na temat Iluzjonisty, a oni musieli się tego trzymać. O ofierze z amfiteatru miało wiedzieć jedynie wąskie grono. Śmierć tej spod cyrku złożono na karb pecha i nieudanego przedstawienia.

— Ludzie powinni wiedzieć — dorzuciła Gocha.

— Wiedzą tyle, ile muszą.

— Brzmisz, jakbyś zaciągnął się do Komitetu Centralnego.

Edling posłał jej skwaszone spojrzenie.

— Na razie mam kontakt tylko z wojewódzkim — odparł. — I doskonale wiesz, że to stamtąd poszedł prikaz.

— Wiem. Nie rozumiem tylko dlaczego.

— Nie musisz rozumieć. Wystarczy, że zawierzysz przewodniej sile narodu.

— A spierdalaj — rzuciła z uśmiechem i znów szturchnęła go w bok. — Puszczę ci płazem tę gadaninę tylko dlatego, że niedługo wszystko się rypnie.

Gerard sprawdził sprężyny łóżka.

— Mam na myśli komunę.

— W takim razie wątpię.

— Bo wierzysz w to, że socjalizm jest gwarancją siły i pomyślnego rozwoju ojczyzny?

— Dobrze wiesz, że nie — odparł Edling i westchnął. — Potrafię jednak chłodno ocenić sytuację.

— I co ci z tej oceny wynika?

— Że prędzej upadnie mur w Berlinie niż socjalizm u nas. A i to niemożliwe.

Edling nie miał ochoty prowadzić z nią takich dysput. Rosa zdawała się wbrew faktom i opiniom wszystkich wokół upierać się dla samego upierania, że PRL chyli się ku upadkowi. Były to oczywiste fantazje i nikt przy zdrowych zmysłach nie byłby gotów jej przytaknąć.

– Te mury runą, Gero – odparła. – I ty też masz tego świadomość.

Co innego podśpiewywać to sobie przy porannej toalecie, co innego naprawdę w to wierzyć, uznał w duchu Edling.

– Być może w środowisku punkowców optymizm i potrzeba buntu przesłaniają racjonalność, ale...

– Ale co? Wśród poważnych ludzi te dwie cechy nie mają racji bytu?

– Nie, nie mają – odparł spokojnie Gerard. – Bo wystarczy jeden niepewny ruch z naszej strony, a zjadą się tutaj czołgi z całego ZSRR. I będzie powtórka z tego, co działo się w Czechosłowacji.

– E tam.

– To twoja odpowiedź?

– Tak. I jest całkiem dobra.

Edling przez moment przyglądał się Gośce i dopiero kiedy pokręciła bezradnie głową, uświadomił sobie, że znów się uśmiecha. Bez niej właściwie tego nie robił – przy niej zaś radość wydawała się stanem permanentnym.

Było to tyle osobliwe, co cudowne uczucie. Do tej pory właściwie nie miał z nim do czynienia.

W porzuceniu tematu, którego nie chciał drążyć, pomógł mu brzęczący w przedpokoju telefon. Gocha niespiesznie podeszła do stojącego na stoliku aparatu i podniosła słuchawkę. Skinęła głową, słuchając rozmówcy, a potem jakby nigdy nic skinęła ręką na Edlinga.

– Do ciebie.

– Do mnie? Kto?

– Brygida.

Niemożliwe. Nie mogła wiedzieć, gdzie ani z kim jest. Owszem, domyślała się, że na przestrzeni lat miał kochanki, ale nigdy nie odkryła tożsamości choćby jednej z nich. Sprawiała wrażenie, jakby akceptowała to wszystko – pod warunkiem, że może negować ich istnienie.

Co teraz się zmieniło?

Gerard zerwał się na równe nogi, w ostatniej chwili uświadamiając sobie, że jest nagi. Szybko naciągnął na siebie kołdrę i ruszył w stronę aparatu. Zanim jednak zdążył odebrać słuchawkę od Gochy, ta zerwała z niego pościel.

– Będziesz gadał tak – oznajmiła z satysfakcją.

Edling nie miał zamiaru tracić czasu na dyskusje. Przyłożył słuchawkę do ucha i przełknął ślinę.

– Tak? – zapytał niepewnie.

– W końcu cię, kurwa, znalazłem – rozległ się męski głos.

Gocha zaśmiała się pod nosem i poklepawszy Gerarda po plecach, wróciła z kołdrą na łóżko.

Edling odetchnął.

– Gdzie ty się łajdaczysz? – dodał przełożony.

– Dzień dobry, panie prokuratorze. Najmocniej…

– Nie wątpię, że najmocniej – uciął Karbowski. – Ale skończysz w tej chwili i stawisz się w prokuraturze. Mamy przełom.

– Jaki przełom?

– Nie przez telefon – rzucił nerwowo szef. – A teraz zapierdalaj tutaj.

– Tak jest – odparł Gerard i nie zdążył pożegnać rozmówcy, gdyż ten od razu się rozłączył.

Edling odłożył telefon na widełki i posłał Rosie długie spojrzenie.

– Bardzo zabawne – burknął.

– Dla twojej miny było warto.

– Na wiele takich niewybrednych figli mam być jeszcze gotowy?

– O tak – odparła Gocha, a potem wierzgnęła nogami pod kołdrą i się uśmiechnęła. – Na bardzo wiele.

Inna kobieta z pewnością skorzystałaby z okazji, by poruszyć kłopotliwy temat trwania w małżeństwie z kimś, kogo się nie kocha. Rosa jednak robiła to wyłącznie w żartach, a zaraz potem kierowała rozmowę na inne tory. Tak czy inaczej, musiała się nad tym zastanawiać. Każdy dowcip padał wszak w kontekście poważnych spraw.

Edling podniósł zegarek z taboretu przy łóżku i z niedowierzaniem spojrzał na białą tarczę. Nie miał co się dziwić nerwowości przełożonego – od godziny powinien być w prokuraturze.

Jak to możliwe? Nigdy nie zaspał do pracy, nigdy nie stracił rachuby czasu. Zawsze miał wszystko pod kontrolą i nie wyobrażał sobie, by choćby na moment ją stracił.

– Coś nie tak? – odezwała się Gocha.

Dobre pytanie, skwitował w myśli.

– Nie – odparł po chwili. – Właściwie to wszystko jest chyba akurat tak, jak powinno być.

Powinien czym prędzej się ubrać i wyjść, licząc na to, że przełożony ten jeden raz mu odpuści. Mimo to pochylił się i pocałował Rosę, a potem przez moment patrzył jej w oczy.

– Co masz na myśli? – dopytała.

– To – odparł i przesunął dłonią po jej policzku.

Zanim zdążyła dodać coś jeszcze, skierował się do niewielkiej łazienki. Przyjrzał się sobie w lustrze otoczonym białymi, kwadratowymi kafelkami, a potem sam się do siebie uśmiechnął. Działy się z nim doprawdy dziwne rzeczy.

Chwilę później jechał maluchem w kierunku Reymonta. O zakupieniu „Trybuny Ludu" czy zjedzeniu śniadania w społemowskim barze nie było mowy – właściwie tylko cudem zdążył zawiązać jeszcze krawat przed wyjściem.

Kiedy wszedł do gabinetu przełożonego, ten powoli podniósł wzrok, a potem pociągnął nosem.

– Na kąpiel nie było czasu? – rzucił.

– Byłem już spóźniony.

– Tak, zauważyłem, Gerard. A teraz czuję także powód tego spóźnienia.

Edling chrząknął nerwowo i przesunął dłonią po sztruksowej marynarce. Jeszcze niedawno przez myśl by mu nie przeszło, by prosto z łóżka stawiać się przed obliczem szefa. Usprawiedliwiał się jednak tym, że jego obecność była wymagana natychmiast.

Bogdan westchnął, a potem zapalił papierosa.

– Dzwoniłem najpierw do twojego domu – oznajmił. – Rozmawiałem z Brygidą.

– Rozumiem.

– Wie tylko, że cię szukałem i że nie było cię w pracy, więc ewentualne alibi z robotą w nocy odpada – dodał ciężko Karbowski. – W razie czego możesz powiedzieć, że byłeś w terenie i sprawdzałeś jakieś rzeczy. Potwierdzę.

Gerard skinął lekko głową i nie skomentował.

– W gruncie rzeczy nie miniesz się z prawdą. Na placu Lenina sprawdzałeś przecież wytrzymałość łóżka i odporność sąsiadów na hałas. Czy się mylę?

Edling wciąż nie wiedział, co odpowiedzieć. Rozmowy z szefem na ten temat nie należały do najwygodniejszych.

– Może powinieneś się zastanowić nad tym, co robisz?

– Zastanawiam się.

– I co z tego wynika?

Właściwie wynikało całkiem sporo. Gerard po raz pierwszy w życiu czuł się naprawdę beztroski, realnie szczęśliwy. Nie miało to nic wspólnego z fizycznością – rzeczy te wynikały z samego przebywania w obecności Gochy. Nie był na to gotowy, niespecjalnie wiedział, jak powinien na to odpowiedzieć. Pewne było jednak, że nie może zignorować tych uczuć.

– Wciąż czekam – bąknął Karbowski. – Doszedłeś do jakichś wniosków czy tylko do orgazmu?

– Cóż...

Bogdan odczekał chwilę w nadziei, że w końcu padnie odpowiedź. Kiedy stało się jasne, że nie ma sensu na to liczyć, podniósł się, obszedł biurko i przysiadł na skraju. Rzucił Edlingowi spojrzenie, które ten znał jedynie z relacji z ojcem.

– Jesteś rozsądnym człowiekiem, Gerard – zaczął Karbowski.

– Więc powinienem to zakończyć?

– Nie. Powinieneś zastanowić się nad tym, co ty w ogóle robisz z Brygidą.

Tego się nie spodziewał. Abstrahując od tego, że Gośka w oczach szefa stanowiła element wywrotowy, Bogdan zdawał się podchodzić raczej chłodno do jego wyskoków. Może jednak po prostu czekał, aż zobaczy w oczach podwładnego realną przemianę.

– I oczywiście pozostaje kwestia rodziców tej dziewczyny – dodał.

– Wciąż nie wiem, co z nimi, panie prokuratorze.

– Nadal ci nie powiedziała?

– O czym miałaby mi mówić? Wiem, że to porządni ludzie.

– Ci, którzy ją wychowują, to nie jej biologiczni rodzice. Została adoptowała po tym, jak tamci zmarli.

– Zmarli?

– Zaraz po jej narodzinach, tak.

Bogdan nabrał głęboko tchu, wyraźnie nie mając ochoty o tym rozmawiać.

– Który to mógł być... – odezwał się pod nosem. – Sześćdziesiąty ósmy?

Protesty studenckie, narastające napięcie między władzą a społeczeństwem, a w końcu eskalacja konfliktu i nagonka antysemicka. Jeśli gdzieś w tym kotle znaleźli się rodzice Gochy, nic dziwnego, że nie była traktowana przez władzę ludową z sympatią.

– Resztę sam możesz sobie dopowiedzieć – uciął temat Karbowski, a potem wskazał ręką drzwi. – Chodźmy. Mamy robotę do wykonania.

Dopiero teraz Edling na dobrą sprawę uświadomił sobie, że został naprędce wezwany przez szefa, bo trafiono na coś nowego. Prokuratorzy ruszyli korytarzem w kierunku wyjścia, mijając kilku milicjantów prowadzących jakiegoś nieszczęśnika w pastelowym ortalionie. Nosił sofixy, ewidentnie nówki, więc pewnie zwinęli go prosto z jakiegoś bazaru.

– Wspominał pan, że doszło do przełomu – odezwał się Edling.

– Bo doszło. Przesłuchaliśmy wszystkich mieszkańców kamienicy przy Mondrzyka.

– Coś z tego wynikło?

– Potwierdzili, że Araszkiewicz, Andycki, Waserak i Borbach obracali się w swoim gronie. Rżnęli w karciochy, pędzili bimber receptury grunwaldzkiej i tak dalej.

– Grunwaldzkiej?

– Błagam cię, Gerard – odparł przełożony i westchnął. – Od proporcji. 1410.

Oczywiście. Znał ją każdy, kto w sytuacji pustych półek sklepowych chciał nieco urozmaicić sobie życie alkoholem. Jeden kilogram cukru, cztery litry wody i dziesięć deko drożdży. 1410.

– Rzadko pijasz samogony, co?

– Bardzo rzadko. Raczę się głównie winem.

Karbowski zaśmiał się krótko, kiedy wyszli na nierówny chodnik. Ulicą przed nimi przemknął motocykl junak, zaraz za nim telepał się powoli oblepiony brudem, dostawczy żuk. Zapach spalin i dźwięk silnika tego drugiego sprawiły, że prokuratorzy na moment przerwali rozmowę.

Bogdan podjął ją dopiero, kiedy wsiedli do łady.

– Mówisz, jakby to było prawdziwe wino, a nie alpaga – zauważył.

– Nie pijam alpagi.

– Słusznie. Jej się nie pija, tylko wali się ją na hejnał – odparł rozbawiony Karbowski. – I co w takim razie? Bełt?

– Nie gustuję w jabolach, panie prokuratorze.

– Ale ta twoja Gocha z pewnością gleborzutami nie gardzi. Po ile teraz chodzi butelka? Sześćset, siedemset złotych?

Gerard doskonale znał odpowiedź, bo Rosa rzeczywiście nie miała nic przeciwko takim trunkom. Ostatnio kupował dla niej jabcoka za sześćset dwadzieścia pięć złotych.

– Możliwe – odparł.

Edling miał nadzieję, że dobry humor przełożonego wynika z tego, że faktycznie udało się trafić na coś w sprawie Iluzjonisty. Wszystko, co ten człowiek robił do tej pory, kazało sądzić, że dopiero się rozkręca. A jednocześnie wciąż było niejasne, dlaczego w ogóle zaczął swoją makabryczną serię.

– To co pijesz? – nie dawał za wygraną Bogdan.

– Cokolwiek, co oprócz nazwy „wino" charakteryzuje się tym, że wytwarzane jest z winogron, a nie jabłek czy porzeczek.

– To za dużo nie popijesz. Egri Bikaver?

– Jeśli muszę, to otworzę i bułgarską Gamzę.

– To też siki, tyle że gronowe.

Edling odchrząknął i obrócił się w stronę kierowcy.

– Dokąd jedziemy, panie prokuratorze?

– Na wizytę. Do Szczepanowic – odparł ciężko Bogdan, nieco zawiedziony tym, że muszą wrócić do tematów służbowych. – Z przepytywania sąsiadów wyłoniły się nowe fakty.

– Jakie?

– Przede wszystkim to, że zanim nasz męski kwartet uformował się w znanym nam kształcie, był tercetem.

– Owszem – potwierdził Edling. – Araszkiewicz dołączył do nich później.
– Ale musieli jakoś grać w brydża. We trzech by nie zdołali. I to dało mi do myślenia.
– Więc był w tym gronie ktoś jeszcze?
– Tak – odparł Karbowski i zatrzymał się na czerwonym świetle. Ulice były puste, nikt nie skorzystał z wolnego przejazdu przez skrzyżowanie. – Pewna stara panna, która mieszkała przy Mondrzyka. Potem znalazła jakiegoś gacha i przeniosła się do niego, do Szczepanowic.
– Jak się nazywa?
– Grażyna Oblewska. Czeka już na nas na miejscu, dzwoniłem do niej chwilę przed wyciągnięciem cię z dziupli rozkoszy przy placu Lenina.

Bogdan niecierpliwie spojrzał na sygnalizację, po czym opuścił nieco szybę i zapalił klubowego. Tym razem nawet delikatnie nie zasugerował, by Gerard się poczęstował.

– I to jest ten przełom, panie prokuratorze? – spytał z powątpiewaniem Edling. – W takim razie mniemam, że po Waseraku i Borbachu nie ma śladu.
– Nie ma – przyznał przełożony, wypuszczając dym przed siebie. – Ale kobieta może coś wiedzieć.
– Skąd to przypuszczenie?
– Stąd, że tak mi powiedziała przez telefon. Twierdzi, że ma informacje prima sort.
– Nie brzmi to najlepiej.

Karbowski zignorował defetyzm młodego asesora, w końcu dostrzegając, że światło się zmieniło. Wdusił sprzęgło, z niejakim trudem wbił jedynkę i ruszył naprzód.

Przejazd przez miasto nie zajął im wiele czasu. Po nieco ponad dziesięciu minutach Bogdan zaparkował przy niewysokich budynkach opodal szpitala wojskowego, a potem poprowadził Edlinga do właściwego domu.

Grażyna Oblewska otworzyła od razu, ale z wyraźną ostrożnością. Gerard nie mógł się dziwić, sam na jej miejscu również niechętnie wpuszczałby dwóch prokuratorów do domu.

– To pan do mnie dzwonił? – spytała, patrząc na Edlinga.

Gerard nie zdążył sprostować, bo inicjatywę od razu przejął szef. Przedstawił ich, podał stanowiska służbowe, a potem wymownie popatrzył w głąb przedpokoju.

– Wpuścicie nas czy mamy tutaj rozmawiać? – spytał.

– Tak, oczywiście, niech panowie wchodzą.

Kobieta była dość przysadzista, nawet nie wiązała poplamionego fartucha, który w tej chwili niekorzystnie uwydatniał jej brzuch. Kiedy wprowadziła ich do kuchni, Edling potrzebował chwili, by przyzwyczaić się do gryzącego zapachu gotowanej kapusty.

Zajęli miejsca przy stole, a zaraz potem Oblewska podała im kawę po turecku. Tygielek ściągnęła z kuchenki Ewa w dobrym momencie – kiedy już pojawiła się piana, ale wywar jeszcze się nie zagotował.

Gerard napił się i skinął głową z uznaniem.

– Dobra kawa – skwitował Karbowski. – Nasza?

– Oczywiście.

– Jaka marka? Extra Selekt? Dobrzynka? – spytał, po czym wyciągnął paczkę papierosów, uderzył od spodu i pewnym ruchem umieścił klubowego w ustach.

– Cóż...

– Nie wiecie?

Edling miał nadzieję, że przełożony szybko odpuści. Nie było sensu straszyć kobiety, która skontaktowała się z nimi z własnej woli i bez konieczności sięgania po przymus zgodziła się, by weszli do jej domu.

– Może Amino. To mąż kupuje...

– Chyba w Pewexie – uciął Bogdan. – Smakuje jak zagraniczna, jakiś Jacobs lub coś takiego. Skąd macie dewizy?

– Ale ja...

– Przecież czuję, że nie polska. Pytam się, skąd macie zagraniczne, kurwa, środki płatnicze?

Kobieta przesunęła dłońmi po fartuchu, a jej skóra okazała się tak wilgotna, że zebrała z materiału drobinki mąki.

– Czasem mu przysyłają... to znaczy kuzyn przysyła.

– Skąd ten kuzyn? Z drugiego obszaru płatniczego?

– Tak, ze Stanów Zjednoczonych, ale mąż wymienia wszystko na bony...

Karbowski się zaciągnął.

– Na razie mniejsza z tym – uciął. – Kawę daliście dobrą, to ewentualnie przymkniemy oko na to i owo. Prawda, Gerard?

– Prawda – potwierdził niechętnie Edling.

– Ale w zamian powiecie nam wszystko, co wiecie na temat interesującej nas sprawy.

– Oczywiście, panie towarzyszu prokuratorze – odparła kornie Oblewska. Była tak spięta, że sama chyba nie wiedziała, co plecie. – Przecież po to dzwoniłam.

Bogdan rozsiadł się wygodniej, zakładając nogę na nogę. Sprawiał wrażenie, jakby był u siebie, ale było to stanowczo zbyt nachalne, by mogło uchodzić za niewymuszone.

– Mówcie – ponaglił ją Bogdan. – Rżnęliście w karty z Borbachem, Andyckim i Waserakiem, tak?

– Tak. Tego czwartego nie znałam, dokooptowali go dopiero potem na moje miejsce. Po tym, jak się wyprowadziłam.

Tak rzeczywiście było, choć zgodnie z dotychczasowymi ustaleniami brydżowy tercet zrobił to raczej niechętnie. Jan Araszkiewicz został dołączony z musu, z pewnością nie czuł się dobrze w tym towarzystwie. I ostatecznie całkiem możliwe, że przypłacił to życiem.

– Zbigniew był zawsze…

– Andycki nas nie interesuje – przerwał jej Karbowski. – Teraz na głowie mają go ci w zaświatach.

Grażyna spuściła wzrok, a Edling napił się kawy z niewielkiej, podłużnej filiżanki.

– Opowiadajcie o Borbachu i tym drugim.

– Z nich dwóch więcej mam do powiedzenia o Waseraku.

– Nie krępujcie się.

Szybko stało się jasne, że Oblewska ma całkiem niemało wiadomości, bo dobrze poznała trzech kompanów do gry. Opowiadała w szczegółach o obydwu mężczyznach, których w tej chwili szukali milicjanci, ormowcy i esbecy w całej okolicy.

Przez moment Edling miał nawet wrażenie, że kobieta mówi nie o kolegach, ale o kochankach. A im dłużej snuła swoją opowieść, tym bardziej stawał się co do tego przekonany.

Nie było to właściwie tak trudne do uwierzenia. Samotna, starzejąca się kobieta i trzech mężczyzn w identycznej sytuacji.

– Sławek, to znaczy Waserak, zawsze radził sobie w karty najlepiej z nich wszystkich. Nie chodziło zresztą tylko o brydża.

Edling zmrużył oczy. Uznał, że to dobry moment, by lepiej wybadać grunt. Jeśli między tymi ludźmi zawiązała się bardziej zażyła relacja, mogło to rzucić inne światło na to, co robił Iluzjonista.

– Co was z nim łączyło? – spytał.

Oblewska wbiła wzrok w oczy Gerarda, a potem szybko uciekła spojrzeniem w bok.

– Co proszę? – odparła.

– Towarzysz zadał wam pytanie, to odpowiadajcie.

Karbowski włączył się tak stanowczym i chłodnym głosem, że kobieta natychmiast zrozumiała, w jak niewygodnej sytuacji się znalazła.

– Ale jak to, co mnie łączyło…

– No, co robiliście z Waserakiem? Widać przecież, że coś. Z Borbachem może też? Albo z Andyckim? Jak było?

Obaj prokuratorzy nachylili się nad stołem i przez chwilę wpatrywali się w oczy rozmówczyni. Żaden z nich się nie odzywał, niemal się nie poruszali. Była to najbardziej prymitywna, ale też najskuteczniejsza technika śledcza.

W takiej sytuacji druga strona czuła się na tyle nieswojo, że zwyczajnie miała potrzebę się odezwać. Tyle wystarczyło. Każdy w końcu mówił więcej, niż chciał.

Grażyna Oblewska nie stanowiła wyjątku. Meandrowała przez moment, po czym przyznała, że faktycznie zabawiała się z kompanami do gry.

– Proszę panów towarzyszy, nie mówcie mężowi... On nic nie wie, nie zna tamtych czasów. Nie zrozumie.

Tamte czasy nie były tak odległe, ale Edling zachował tę uwagę dla siebie.

– Jak często to robiliście? – spytał Karbowski. – Za każdym razem?

Kobieta skinęła głową, wyraźnie zakłopotana.

– Zaczęło się niewinnie, tylko ze Zbigniewem... Potem jakoś poszło i...

– I co? Więcej było gry w łóżku niż w karty, tak?

– Tak – przyznała Grażyna.

To mogło mieć znaczenie. Nie, więcej, to prawdopodobnie miało niebagatelne znaczenie.

Wszystko, co robił Iluzjonista, wiązało się z tymi ludźmi. I niewykluczone, że był on tak naprawdę jednym z nich.

Oprócz tego Edlingowi wydawało się, że kobieta zaczęła mówić o czymś istotnym, kiedy jej przerwał. Ale co to było? Starał się wrócić myślami do tamtego momentu, prawda była jednak taka, że skupiał się już wówczas na czymś innym.

– Co mówiliście, zanim was zapytałem o relacje z graczami? – odezwał się Gerard.

Oblewska otworzyła usta i podrapała się po ramieniu. Gorączkowo poszukiwała odpowiedzi, świadoma, że to może odwieść prokuratorów od dalszego wypytywania o sprawy łóżkowe.

– Ach – powiedziała w końcu. – Wspomniałam o tym, że Waserak dobrze radził sobie z kartami.

Bingo. Właśnie o to chodziło.

– Znaczy w innych grach niż brydż też przodował? – spytał Karbowski.

– Nie, raczej nie. Chodziło mi o to, że znał różne sztuczki.

Prokuratorzy wymienili się spojrzeniami.

– Sztuczki? – zapytał Edling.

– Tak. Potrafił na przykład sprawić, że jakaś karta znika, a potem pojawia się u kogoś za kołnierzem... Potrafił odgadywać, jaką kartę wybraliśmy. Takie tam, magiczne iluzje. Tak je nazywał.

Obecnie

ul. Reymonta, Opole

Pod obstawą uzbrojonych funkcjonariuszy Edling wszedł do siedziby prokuratury, a potem został poprowadzony do jednego z pokojów, gdzie wykonywano czynności procesowe. Usiadł przy stole i czekał.

Pokój właściwie nie przypominał tych, w których na komendach i komisariatach przesłuchiwano podejrzanych. Znajdowały się tutaj stół z jasnego drewna, cztery krzesła, a obok zbiornik z wodą i plastikowymi kubkami.

Za miejscem dla przesłuchującego znajdowało się lustro – to Edling swego czasu kazał je zamontować. Dzięki temu osoba przesłuchiwana widziała swoje odbicie i trudniej było jej konfabulować. Gerard przypuszczał, że teraz nikt nie zdaje sobie sprawy z powodu, dla którego lustro wisiało, ale grunt, że nikt go nie usunął.

Przy ścianie stała niewielka kanapa, z której Edling skorzystał po półgodzinie oczekiwania. Wiedział, że szybko go stąd nie wypuszczą – i że przesadnie szybko nie pojawi się nikt, z kim mógłby zamienić kilka słów. Taktyka sprowadzała się do tego, by trwał w nerwowym oczekiwaniu i by jego napięcie stopniowo rosło.

Ułożył się więc wygodnie na kanapie, a potem postarał się wyciszyć. Kilkakrotnie przysnął, ale nie drzemał długo. Wróciło uczucie, które towarzyszyło mu w podobnych okolicznościach przez ostatnie lata – utrata kontroli i przeświadczenie o grożącym mu niebezpieczeństwie.

Mimo to czuł się całkiem nieźle, kiedy w końcu drzwi się otworzyły. Od momentu, kiedy wprowadzono go do pokoju, minęły cztery i pół godziny.

Spodziewał się, że nie zobaczy Konrada. Domański z pewnością wyznaczył kogoś, co do kogo nie zachodziły ustawowe „uzasadnione wątpliwości co do bezstronności". Edling przypuszczał, że zaraz pojawi się przed nim jakiś butny młodzik, który trafił do prokuratury już po tym, jak on się z nią pożegnał.

Stało się jednak inaczej.

Gerard podniósł się z kanapy, kiedy tylko usłyszał dźwięk otwieranego zamka. Poprawił koszulę w spodniach, pociągnął za poły marynarki i wbił wzrok w łysego mężczyznę stojącego w progu.

Hubert Korodecki sprawiał wrażenie, jakby wybierał się prosto do studia telewizyjnego. Miał lekki make-up, dobrze skrojony garnitur i prosty windsor zawiązany pod szyją.

Po wydarzeniach związanych z wyniesieniem do władzy dwójki polityków UR Korodecki został przewodniczącym swojej partii, Pedepu – i w zamian za to, co zrobił, otrzymał całkiem dobrą propozycję koalicyjną. Gerard śledził doniesienia i bynajmniej nie zdziwiło go, kiedy oznajmiono, że Hubert dostał tekę wicepremiera i ministra sprawiedliwości.

Celował z pewnością jeszcze wyżej. Jak każdy polityk.

– Dzień dobry, panie premierze – odezwał się Edling.

– Dzień dobry.

Po jego głosie i zachowaniu trudno było cokolwiek wnieść. Nic nowego, Korodecki zazwyczaj był wprawdzie uprzejmy, ale dość opanowany. Usiadł przy stole, rozpinając marynarkę, a potem wskazał Edlingowi miejsce po drugiej stronie.

– Rozmawiamy głównie w pokojach widzeń – zauważył Gerard, siadając na krześle. – To trochę niepokojąca tradycja.

– Bardziej powinna niepokoić cię moja obecność w mieście.

– To akurat uznaję za dobry prognostyk.

– Dla siebie?

– Nie, dla dobra ogólnego – odparł Edling, przypatrując się rozmówcy. Z mowy jego ciała niewiele wynikało, za bardzo się pilnował. – Skoro tu jesteś, oznacza to, że traktujecie sprawę odpowiednio poważnie.

Hubert obrócił się bokiem do Edlinga i założył nogę na nogę. Wreszcie jakiś ruch, na który czekał Gerard. W przypadku akurat tego człowieka niewiele mówił, ale pozwolił Edlingowi przygotować sobie grunt pod rozmowę.

– Trudno traktować ostatnie wydarzenia inaczej. Ten człowiek urządził sobie makabryczny show.

– I z pewnością będzie się rozkręcał – zauważył Gerard.

To, co mówił Edling, nie miało najmniejszego znaczenia. Prowadził rozmowę tylko po to, by rozmówca nie zorientował się, że on również lekko się obrócił i założył nogę na nogę. Zrobił to na tyle powoli, by nie wypadło sztucznie.

Kopiowanie gestów drugiej strony. Podstawowa technika manipulacyjna, która sprawia, że rozmówca staje się przychylniejszy i jest gotów działać tak, jak sobie tego życzymy. Wynikało to z prostego faktu, że każdy w gruncie rzeczy po prostu lubi samego siebie. A zatem widząc się w innym człowieku jak w lustrze, od razu obdarza go większą sympatią.

– Przejdźmy może do rzeczy – zaproponował Hubert, podciągając lewy mankiet. – Nie mam wiele czasu.

– Jakieś wystąpienie publiczne?

Edling skopiował gest.

– Krótka rozmowa dla NSI.

– Na Silesii? W miejscu przestępstwa?

– Daj spokój, Gerard – mruknął Korodecki i przesunął dłonią po ogolonej na łyso głowie. – Nie przyjechałem tutaj, żeby robić cyrk.

– A zatem po co?

– Po pierwsze, żeby się z tobą rozmówić – odparł spokojnie Hubert. – Po drugie dlatego, że chcę sam dopilnować kilku rzeczy. Jestem w końcu przełożonym wszystkich tutaj.

– Czyli obawiasz się, że miejscowi prokuratorzy nie podołają.
– Tego nie powiedziałem.
– Ale? – spytał Edling, patrząc prosto w oczy rozmówcy.

Robiłby to tak długo, aż uzyskałby odpowiedź. Zwykle było to wystarczające. Wiedział jednak, że na Hubercie nie musi stosować tej taktyki – polityk Pedepu przyszedł tutaj gotów na ustępstwa.

– Premier Hauer obawia się, że ktoś z tutejszej ekipy może być w jakiś sposób zamieszany.
– Skąd to podejrzenie?
– Stąd, że zaginęły akta sprawy sprzed trzydziestu lat.
– Była powódź.
– Która wymiotła też wszystkie szczegóły z pamięci ludzi?

Edling lekko wzruszył ramionami.

– Przez trzy dekady sporo można zapomnieć – odparł.
– Nie żyje też jego obrońca. Znany prawnik, który bronił Iluzjonisty tak zaciekle, jakby chodziło o jego własne życie.
– Nie wiedziałem, że zmarł. Spotkałem go tylko podczas procesu.
– Jest akt oskarżenia, są pełnomocnictwa, wezwania świadków, ale nic poza tym – ciągnął Hubert. – Brakuje nawet przemówień obrońcy czy mów prokuratorskich. Nie wspominając już o przesłuchaniach sądowych.

Edling wzruszył ramionami.

– Tam powinno być kilkadziesiąt tomów.
– Woda nie wybiera. Jak każdy żywioł.

Tym razem to Korodecki długo na niego patrzył. Chciał wywrzeć presję i sprawić, że rozmówca poczuje się na tyle nieswojo, by przerwać ciszę. Dopiero po chwili pokręcił głową i prychnął, zapewne przypominając sobie, z kim ma do czynienia.

– Dobra – rzucił. – Przejdźmy do konkretów.

– Chętnie. Jestem o coś podejrzany?

– Cóż, byłeś na filmie.

– Nie ja, ale moja projekcja.

Hubert podniósł się, zasunął krzesło, a potem przeszedł się po pokoju. Było to dość wymowne, może nadto.

– *Deepfake* – rzucił Korodecki. – Wiemy.

– Domyślam się. W polityce sięga się po tę metodę chyba nawet częściej niż w pornografii.

– Może – przyznał Hubert i zatrzymał się przy ścianie. Oparł się o nią, skrzyżował ręce na piersi i popatrzył na Edlinga. – Ale dlaczego padło akurat na ciebie?

– Bo prowadziłem sprawę Iluzjonisty.

– Razem z ówczesnym prokuratorem wojewódzkim, tak?

– Który nie żyje – odparł spokojnie Gerard. – I doskonale o tym wiesz, bo po drodze z Warszawy z pewnością dostałeś brief ze wszystkimi informacjami.

Edling również wstał, okrążył stół i przysiadł na skraju.

– Dostałem. Tyle że niewiele z niego wynikało.

– Co chciałbyś wiedzieć?

– Wszystko – odparł stanowczo Korodecki.

Edling pokiwał głową, a potem streścił to, co na temat sprawy Iluzjonisty znajdowało się w ocalałych aktach sądowych. Materiały dotyczyły głównie samego rezultatu śledztwa, przebiegu procesu i osądzenia sprawcy.

I nie miały nic wspólnego z prawdą.

– To tyle? – zapytał Hubert.

– Może przypomniałbym sobie więcej, gdybym nie siedział tu przez kilka godzin, czekając na ciebie.

– Wybacz, jechałem z Warszawy – odparł Korodecki i opuścił ręce. – Powiedziałem im po prostu, żeby cię ściągnęli. Nie wiedziałem, że sięgną po esbeckie metody.

Edling nie miał powodu nie ufać rozmówcy. Przypuszczał zresztą, że nadgorliwy okazał się któryś z prokuratorów, którzy pamiętali, ile problemów Gerard narobił w przeszłości opolskim organom ścigania.

– Jest dla mnie oczywiste, że nie masz z tym nic wspólnego – dorzucił Hubert.

– Dziękuję.

Wyrazy wdzięczności nie były przesadzone, Edling był mu autentycznie zobowiązany. Ten jeden raz ktoś udzielił mu kredytu zaufania, a mogło być przecież inaczej. Odgrywanie sprawy sprzed lat, której szczegóły znali tylko on i kilka osób, rzucało na niego cień podejrzeń.

– Ale musisz mi powiedzieć więcej – ciągnął Korodecki. – Same suche fakty nie wystarczą.

– Nie wiem, co miałbym dodać.

– Chociażby to, dlaczego sprawa została utajniona.

– A została?

– Kurwa mać, Gerard...

Rozmówca poniewczasie uświadomił sobie, że przy Edlingu lepiej nie kalać języka. Uniósł przepraszająco dłonie, a potem wsunął je do garniturowych spodni.

– Wiem, że bezpieka zakopała tę sprawę – dodał. – A po osiemdziesiątym dziewiątym akta zaginęły. Nikt o tym nie mówił, nikt do tego nie wracał. Dlaczego?

– Bo sprawa była zamknięta.

– Inne też są pozamykane, a jednak można się czegoś o nich dowiedzieć.

– Nie o wszystkich – odparł z przekonaniem Gerard. – Jest sporo takich, których detale przepadły. Wystarczy pożar czy powódź w czasach, kiedy zbiory nie były zdigitalizowane.

Hubert mruknął coś niezrozumiałego pod nosem, po czym znów zaczął przechadzać się po pokoju. Teraz zdawało się to już nieudawaną, wynikającą z bezradności reakcją.

– Nie mamy żadnego tropu – odezwał się w końcu, a potem zatrzymał się i obrócił do Edlinga. – Liczyłem na to, że jakiś znajdziemy w przeszłości.

– Nie znajdziecie.

– Jesteś pewny?

Gerard pokiwał głową.

– I mogę ci ufać?

– Wcześniej nie miałeś z tym problemu.

Edling nie był pewien, czy rozmówca zwróci uwagę na typowo wymijającą odpowiedź. Po chwili stało się jasne, że nie dostrzegł jej wagi – być może dlatego, że na co dzień przebywał w środowisku, które porozumiewało się w podobny sposób.

– W porządku... – bąknął w końcu Hubert. – Ale bierzesz to na siebie.

– Co konkretnie?

– Ciężar tego, co trzymasz w tajemnicy.
– A trzymam cokolwiek?
Korodecki spojrzał na niego spode łba.
– Jeśli dowiem się, że w jakikolwiek sposób mogło nam to pomóc, a ty postanowiłeś się tym nie dzielić, spotkają cię konsekwencje – oznajmił.
W końcu przestał krążyć, opadł ciężko na kanapę i odchylił głowę na oparcie.
– Rozumiesz? – spytał.
– Tak.
– W takim razie pomożesz im znaleźć tego człowieka.
Gerard spodziewał się, że po tym, co zrobił dla Hauera i reszty ostatnio, taka propozycja padnie. Ci ludzie z jakiegoś powodu mu ufali, choć nie potrafił przesądzić, czy świadczy to o nim dobrze, czy może wręcz przeciwnie.
– Przyjechała ze mną śledcza, która wami pokieruje.
– Nami?
– Tobą, Domańskim i kogo tam jeszcze macie – odparł z westchnieniem Hubert i potarł mocno skronie. Dopiero po chwili uświadomił sobie, że ma na twarzy puder, i kontrolnie spojrzał na palce. – Formalnie pełnisz funkcję doradczą, tak jak poprzednio przy naszej sprawie. Tym razem jednak dowodzi moja śledcza.
– Kim ona jest?
– Fachowcem z prokuratury krajowej. Tyle powinno ci wystarczyć.
– Jak się nazywa?
– Karolina Siarkowska – odparł Hubert. – Znana jako Siarka. Z Poznania, pewnie o niej nie słyszałeś.

Edling zmarszczył czoło.

– Słyszałem – powiedział. – Ostatnimi czasy było o niej głośno, próbowała dorwać Piotra Langera.

W mediach narracja dotycząca Siarkowskiej zmieniała się szybciej niż kobiety Micka Jaggera, ale wśród prokuratorów konsensus wydawało się, że Karolina zawsze stawała na wysokości zadania. Była jedną z tych osób, które parały się prawem karnym z powołania, a nie konieczności.

– Zatrudniłem ją u siebie – dodał Korodecki. – Brakuje takich osób.

– A zatem formalnie to ona będzie prowadzić śledztwo?

– Nie. Formalnie jest ono w rękach Domańskiego.

– W takim razie nieformalnie w jej.

– Zgadza się – przyznał Hubert. – Ale mniejsza z nią. Interesuje mnie to, co ty masz do powiedzenia.

– Na jaki temat?

Korodecki na moment podniósł głowę i rzucił Edlingowi spojrzenie, którym zazwyczaj musiał raczyć swoją żonę lub partnerkę, gdy ta czymś go osłabiała.

– Funkcjonariuszom, którzy cię zatrzymali, oznajmiłeś, że będziesz gadać.

– Ach. O to chodzi.

– Tak, o to, Gerard.

Edling podszedł do butli z wodą i nalał jej do dwóch kubków. Potem usiadł na kanapie obok Huberta.

– Zasadniczo wszystko sprowadza się do tego, że ten człowiek dopiero zaczyna – powiedział.

– Tak, wiem.

– Wszystko, co działo się do tej pory, było jedynie wstępem… czy może raczej wyjaśnieniem.

Korodecki wyprostował się i wziął kubek od Gerarda.

– Wyjaśnieniem? – spytał.

– Sprawca tłumaczy nam, dlaczego stał się tym, kim jest. I dlaczego robi to, co robi. Wskazuje nam osoby, które go do tego… natchnęły.

– Osoby? Kopiuje przecież tylko Iluzjonistę.

– Ale odnosi się też do Kompozytora. Urządza transmitowane w internecie przedstawienia.

– Więc może chodzi o ciebie? Może ty mu czymś zawiniłeś?

– Nie wykluczam takiej możliwości.

Hubert mruknął potwierdzająco i opróżnił plastikowy kubek jednym haustem.

– Tak czy inaczej, teraz jego *modus operandi* ulegnie zmianie – ciągnął Gerard. – Świadczy o tym zarówno ścieżka dźwiękowa, jak i…

– Ścieżka?

Edling milczał.

– Sorry – rzucił Hubert. – Cały czas zapominam, że nie można ci przerywać, bo się zawieszasz.

– Nie zawieszam się, tylko…

Więc co to za soundtrack?

Gerard uznał, że nie ma sensu kwitować tego zachowania. Politycy z natury rzeczy byli przecież niereformowalni.

– Wybór *Metamorfoz…* Straussa dowodzi, że sprawca przeszedł pewną przemianę. To samo wynika z tego, co powiedział.

— A co powiedział?

— Że będzie dostarczał rozrywki — odparł Edling. — To *novum*. Jego autorski projekt. Nie odnosi się już ani do działań Iluzjonisty, ani Kompozytora. Ten pierwszy zaspokajał swoje chore żądze, ten drugi chciał dokonać przewrotu w umysłach ludzi. Nasz zbrodniarz po prostu chce cieszyć gawiedź, przypuszczalnie także pokazać, jak niskie instynkty nami kierują.

Hubert milczał.

— Poza tym skopiował już wszystko, co mógł — dodał Gerard. — Więcej zabójstw w osiemdziesiątym ósmym nie było.

— Zginęli tylko Araszkiewicz i Andycki?

— Zgadza się.

Znów chwila ciszy. Niepokojąca i przepełniona nie tylko milczeniem, ale także pewnym napięciem.

— Jesteś pewien? — odezwał się w końcu Korodecki.

Pytanie było tak niespodziewane, że Edling nie za bardzo wiedział, jak odpowiedzieć. Kazało mu sądzić, iż rozmówca wie więcej, niż gotów był przyznać. Ale skąd? Prawdy z pewnością nie mógł poznać, została zakopana zbyt głęboko i zbyt starannie.

Gocha. Ona jedyna mogła zdradzić mu, że ofiar tak naprawdę było więcej.

— Tak — powiedział po chwili Gerard. — Jestem pewien.

— Rozumiem.

To także niewiele mówiło. Edling uznał jednak, że gdyby wicepremier rzeczywiście miał solidne dowody na to, że Gerard mija się z prawdą, nigdy nie powierzyłby mu doradczej roli w śledztwie.

– Wiesz, że ciała zniknęły? – odezwał się po chwili Korodecki.

– Nie. Jak to zniknęły?

– Właściwie to nawet nie ciała, ale całe groby. Nie wiadomo, gdzie leżą Andycki i Araszkiewicz. Dziwna sprawa.

– Rzeczywiście, dziwna – przyznał Edling, licząc na to, że uda mu się uciąć temat. – Tak czy inaczej, musimy działać. Sprawca nie będzie długo próżnował. Poczuł krew i teraz zrobi wszystko, by zaspokoić rosnący głód.

Hubert zdawał się co do tego równie mocno przekonany. Znów zerknął na zegarek, a potem podrapał się po karku.

– Dlaczego go tak nazywasz? – spytał. – Okrężnie?

– Bo nie jest Iluzjonistą.

– Masz pewność?

– Stuprocentową.

Korodecki wiedział, że stanowczość w głosie Edlinga nigdy nie jest na wyrost. Nie dopytywał.

– Za moment zacznie zupełnie nową odsłonę – kontynuował Gerard. – Określi się na nowo nie za pomocą tego, co było, tylko tego, co będzie.

Kiedy Edling wygłaszał te słowa, była to jedynie robocza hipoteza – choć poparta wszystkim, co udało mu się ustalić na temat sprawcy. Nie minęło jednak wiele czasu, a mógł zweryfikować swoje ustalenia.

Kilka godzin po tym, jak Korodecki udzielił wywiadu NSI na opolskim rynku, w internecie pojawiła się kolejna transmisja. Na czarnym ekranie ukazały się obracające się karty do gry, a tuż pod nimi licznik.

Cokolwiek planował naśladowca, miało rozpocząć się za godzinę.

Niegdyś
Wyspa Bolko, Opole

Niewielka wyspa na Odrze była właściwie rajem dla zakochanych. Znajdowały się tu nie tylko stawy i długie ścieżki między drzewami, ale także skrzętnie skrywane przez naturę ławki, z których ochoczo korzystały rozliczne pary. Dobrych miejsc na spotkanie z Gochą było w bród, mimo to Edling zdecydował się na okolicę starego, zaniedbanego budynku nieopodal mostu. Przed pożarem znajdował się tu bar „Neptun", teraz przechodniów straszył jedynie szpetny szkielet lokalu. Jego niewątpliwym atutem było to, że zapewniał nieco prywatności – a właśnie jej do rozmowy z Rosą potrzebował Gerard.

Szli niespiesznie mostem nad Odrą, kiedy Gocha obróciła się i zerknęła na nowy samochód Edlinga. Niebieska zastava 101 prezentowała się dumnie i wyróżniała spośród innych aut na niewielkim parkingu.

– Niezłe cacko, Gero – rzuciła Rosa. – Musiałeś się trochę wykosztować, ale było warto.

– Mhm.

– I dobrze, że takiego tempa nie masz w łóżku. Ile ci zajęło kupno? Kilka dni?

Gerard nie miał przesadnej ochoty rozmawiać na ten temat, szczególnie że doskonale zdawał sobie sprawę z kierunku, w którym dziewczyna zmierzała.

– Musiałeś wyjątkowo szczerze się do kogoś uśmiechnąć – ciągnęła. – Albo zrobić użytek ze swojego osprzętu, który, owszem, potrafi załatwić wiele rzeczy.

– Daj spokój.

— Dlaczego? — spytała Rosa z pozorowaną ciekawością. — Czyżbyś się czegoś wstydził?

Zarówno dla niej, jak i dla wszystkich innych było jasne, że ktoś wysoko postawiony w strukturach partii pomógł mu z zakupem. A Gocha miała dostatecznie dużo wiedzy, by bez trudu domyślić się, kim był dobroczyńca.

— Załatwiła ci to ta wywłoka z komitetu, tak?

Edling rozejrzał się kontrolnie, a potem zerknął ostrzegawczo na rozmówczynię.

— No co? — spytała. — Przecież nas tu nie usłyszy. Przepchnęła cię przez zapisy?

— Tak.

Dodatkowo załatwiła mu dość duży rabat, ale o tym nie miał zamiaru wspominać. Sam fakt, że mógł szybko kupić auto, był wystarczająco wymowny.

— Nie warto przyjmować od nich takich prezentów — odparła Gocha.

— To nie prezent. Dała mi tylko możliwość zakupu. Pieniędzy nikomu z kieszeni nie wyjąłem.

— Tak czy owak, na coś takiego czeka się latami. To niemała przysługa i będą chcieli, żebyś się odwdzięczył.

Gerard przypuszczał, że dla pierwszej sekretarz nie była to wielka sprawa. Z punktu widzenia przeciętnego obywatela — być może. Z perspektywy kogoś, kto bez trudu mógł załatwić znacznie cenniejsze rzeczy, z pewnością stanowiło to normę.

Doszli w milczeniu pod dawny bar, a potem usiedli na kamiennym podeście z boku, by nie rzucać się w oczy. Gerard obrócił się do Gochy, zamierzając skierować rozmowę na konkretne tory, ale zanim zdążył się odezwać, przyciągnęła go do siebie i zaczęła całować.

Zniknęli na moment ze świata niczym dwójka zakochanych nastolatków. Kiedy wreszcie się od siebie oderwali, oboje musieli poprawić włosy i ubranie.

Edling odchrząknął, upychając koszulę w spodnie. Zaczął od tego, że razem z przełożonym byli u kobiety, która grała w brydża przy Mondrzyka z Andyckim, Waserakiem i Borbachem. Pokrótce opisał najważniejsze rzeczy, które powiedziała im Grażyna Oblewska, i zatrzymał się na sztuczkach karcianych.

– Żartujesz – przerwała mu Gocha.

– Nie. Według niej Waserak naprawdę znał się na rzeczy.

Sztuczek wspomnianych przez Oblewską było wcale niemało. Większość sprowadzała się do tego, że jeden z graczy wybierał kartę tak, by Sławek Waserak jej nie widział, potem następowało niekończące się tasowanie. Ostatecznie wybrana karta pojawiała się w najmniej spodziewanym miejscu.

Słuchając wywodów Grażyny, Edling nie mógł wpaść choćby na jeden sposób, dzięki któremu domorosły magik osiągał zamierzony efekt. Od tamtego momentu Gerard jednak nieco się wyedukował.

Na tyle, że mógł teraz zademonstrować Gośce jeden z łatwiejszych trików. Wyjął świeżą talię kart z kieszeni sztruksowej marynarki i sprawnie ją przetasował.

– Wybierz jedną i mi nie pokazuj – powiedział.

Rosa dokonała wyboru, oddała kartę Gerardowi, a ten wsunął ją w środek talii. Przetasował, przełożył, znów przetasował, a potem położył talię na betonowym podeście. Ściągnął kilka kart z góry, resztę odsunął.

– Jedna z tych pięciu kart będzie twoją – powiedział, a potem uniósł dłonie. – I właściwie już możesz mi powiedzieć, co wybrałaś, bo nie będę ich już dotykać.

– Dama pik.

– Dobry traf. Jak u Czajkowskiego.

Zachęcił ją ruchem ręki, by odkryła po kolei karty. Obracała jedną za drugą, ale żadna z nich nie była tą, o której wspomniała.

– Nie ma – powiedziała. – Poza tym są tylko cztery.

– Widocznie piąta się gdzieś zawieruszyła.

– Świetny trik, Gero – mruknęła z lekkim uśmiechem.

– Rozsuń talię, może się znajdzie.

Gocha zrobiła z niej wachlarz, rozsuwając karty po podeście, a spośród wszystkich obróconych tyłem jedna leżała odwrotnie. Dama pik.

– Ale jak…

– To bardzo prosta sztuczka. Może nawet najbanalniejsza ze wszystkich – powiedział Edling, podnosząc damę. – Grunt, żeby talia była w miarę nowa. Kiedy oddajesz mi swoją kartę, wyginam ją kciukiem w łuk, żebym mógł kontrolować jej położenie. Umieszczam ją na samym dole partii, a potem przekładam tak, by zawsze była w określonym miejscu. Ani na moment nie tracę jej z oczu. W ostatniej fazie tasowania obracam ją i wsuwam w środek talii obróconą, a potem ściągam cztery karty z góry.

– Ściągnąłeś pięć.

– Nie, cztery. Powiedziałem ci, że ściągam pięć, i zrobiłem to na tyle szybko, żebyś nie zauważyła.

– Krętacz.
– Potem wystarczy, że rozsuniesz talię, i *voilà*.
Gocha wyciągnęła paczkę ekstra mocnych i przez moment obracała ją w dłoni. W końcu zapaliła.
– I mówisz, że takich trików Waserak trochę znał?
– Oblewska twierdzi, że bardzo dużo.
– Skąd?
– Nie skąd znał, ale od kogo się ich nauczył. Nie ma żadnych szkół, technika jest przekazywana od jednego szulera do drugiego. Sztafeta.
– Co?
– Nie oglądałaś *Wielkiego Szu*?
Rosa popatrzyła na niego z powątpiewaniem, a potem zaciągnęła się głęboko i wypuściła dym w stronę Edlinga.
– Jedyne, co oglądam, to „Wzrockowa Lista Przebojów Marka Niedzwiedzkiego". W piątki na Dwójce o dziewiętnastej. Sprawdź sobie.
– Sprawdzę.
Gocha skinęła głową zadowolona.
– Więc Waserak był kanciarzem?
– Był albo nadal jest, nie sposób stwierdzić – odparł Edling i dmuchnął przed siebie, by rozgonić dym. – W każdym razie według Oblewskiej kiedyś obracał się w towarzystwie przedwojennych szulerów, którzy przenieśli się na Ziemie Odzyskane i tutaj mieli prawdziwe eldorado. Nauczyli go nie tylko przekrętów i gry w karty, ale też pewnych sztuczek.
Rosa przez moment trwała w bezruchu, z pewnością myśląc o tym, jak mogłaby wykorzystać te informacje w podziemnej prasie. Gerard nie miał złudzeń, że w końcu

spróbuje to zrobić – ale zanim będzie miała okazję zniszczyć sobie życie, Edling zadba o to, by odpuściła.

– Jest jeszcze coś – dodał. – W mieszkaniu Waseraka esbecja znalazła łucznika. Znaczy maszynę marki Predom.

– Domyślam się, że nie sportowca celującego do tarczy, Gero.

Edling mruknął potwierdzająco.

– To na takim sprzęcie zaadresowano list do Karbowskiego i napisano do mnie – wyjaśnił.

– Więc macie go?

– Nie mamy. Nie wiadomo, gdzie jest, nie ma po nim żadnego śladu.

Gocha zaciągnęła się ostatni raz, a potem zgasiła papierosa. Podniosła się i skinęła głową na Edlinga, najwyraźniej uznając, że najwyższa pora na spacer.

– Bezpieka dała ci zastavkę, to da ci i środki na znalezienie skurwiela – oceniła, wyciągając do niego dłoń.

Gerard podniósł się, a potem ruszyli za rękę niewielką alejką między drzewami, w kierunku stawu. Edling nie potrafił skupić się na rozmowie, większą uwagę poświęcając wszystkiemu wokół. Nerwowe rozglądanie się nie uszło uwagi Gośki.

– Tak… – odezwała się pod nosem. – Ktoś z pewnością nas zobaczy. A potem doniesie o tym twojej żonie.

– Niewykluczone.

– Boisz się tego jak cholera, a mimo to nie puszczasz mojej ręki – rzuciła, wpatrując się przed siebie. – To całkiem nieźle podsumowuje ciebie jako człowieka.

– W jakim sensie?

– W takim, na jaki wpadniesz – odburknęła.

Po kilkuset metrach dotarli do jednej z ławek na uboczu. Rosa pociągnęła go mocno za rękę, posadziła, a potem sama usiadła na jego kolanach. Ujęła twarz Edlinga w dłonie i popatrzyła na niego spod byka.

– Co ty w ogóle planujesz, Gero?

– W najbliższym czasie? – odparł, nieco skołowany. – Załatwić nieco więcej kartek na benzynę, bo ta zastava pali znacznie...

– Mam na myśli inne sprawy.

– W takim razie... Zamierzam znaleźć człowieka, który zamordował dwie osoby i pozostaje bezkarny.

– Wacha i robota – skwitowała Gocha, przesuwając ręce na jego szyję. – A coś poza tym?

– Poza tym jestem bezrefleksyjny.

– Ty tak – przyznała, a potem opuściła wzrok na jego krocze. – Ale on chyba nie.

Gerard poruszył się, jakby miał zamiar się wyswobodzić. Rosa jednak szybko zareagowała, ściskając mocniej jego szyję. Świdrowała go spojrzeniem tak intensywnie, że w końcu uznał poddanie się za najlepsze wyjście.

– Co chcesz wiedzieć? – spytał.

– Sporo rzeczy. Możemy zacząć od tego, dlaczego dalej jesteś z Brygidą. Nie macie żadnych wspólnych zobowiązań, dziecka, pożycia... Kiedy ostatnio się dupczyliście?

– Cóż...

– Czyli tak dawno, że nawet nie pamiętasz – oceniła. – Więc o co chodzi?

Było to dobre pytanie, od którego Gerard uciekał już od długiego czasu. Emocje, które początkowo towarzyszyły temu związkowi, dawno opadły. To, co działo się potem, było tylko nieustającą próbą pozostania razem.

Edling starał się nad tym nie zastanawiać, ale doskonale wiedział, co sprawiało, że nie odszedł od żony.

– No? – dodała Gocha. – Po kiego grzyba z nią jesteś?

– Bo nie mogę jej zostawić.

Przewróciła oczami i poklepała go po szyi.

– Wyobraź sobie, że tyle zdążyłam sama ustalić. Ale dlaczego?

– Sporo przeszła. W dzieciństwie.

Rosa ściągnęła brwi, a on przez moment obawiał się, że zacznie drążyć. Nie chciał o tym mówić. Ani z Gochą, ani z kimkolwiek innym. Wydawało mu się to większym aktem zdrady niż fizyczne zbliżenie z inną kobietą.

– Więc nie możesz jej zostawić, bo twoim zdaniem sobie nie poradzi? – spytała Gośka.

– Tak.

– To trochę aroganckie.

– Może – przyznał. – I może nie znam do końca piekła, przez które przeszła, ale wiem, jak niewiele trzeba, żeby znów się w nim zagubiła.

Rosa przez moment milczała.

– I to uzasadnia bycie razem na siłę?

– W tej chwili tak.

Kiedy odwróciła wzrok, po raz pierwszy zdał sobie sprawę z tego, że chciałby udzielić innej odpowiedzi. Podobną rozmowę w końcu odbywał z każdą kobietą, z którą sypiał, ale nigdy nie towarzyszyła temu taka refleksja, jak teraz.

Gocha podniosła się, a potem usiadła obok niego i wyciągnęła papierosy.

– Nie proponuję – powiedziała, zapalając. – Zresztą gdybyś palił, w grę wchodziłyby pewnie tylko amerykany.

Edling niespecjalnie wiedział, co odpowiedzieć. Zmiana tematu była jak najbardziej na miejscu, ale przejście od kwestii tak istotnych do zupełnie prozaicznych wydawało się niewłaściwe.

– Nie cykaj się – rzuciła Rosa. – Rozmowa dla mnie skończona.

– Ale...

– Ale co? – spytała, spokojnie strzepując popiół. – Od początku oboje wiedzieliśmy, że to tylko seks. Nic więcej.

Pierwotnie rzeczywiście tak było, a żadne z nich nie musiało nawet tego werbalizować. Umowa była dorozumiana – i zadowalająca dla obu stron.

Przynajmniej wtedy. Teraz Edling powoli zaczynał rozumieć, że akt fizycznego zbliżenia daje mu satysfakcję nie tyle erotyczną, ile egzystencjalną. Po raz pierwszy w życiu czuł, że bycie z kobietą to coś wykraczającego poza sferę cielesną.

Otworzył usta, chcąc rzucić uwagę, która sprowadzi rozmowę na odpowiednie tory, ale nie zdążył. Nagle dostrzegł zatrzymującego się obok ławki chłopaka. Miał może dziewięć lat, żadnych opiekunów Gerard nie zauważył.

– Zgubiłeś się? – odezwała się Gocha, obracając się do dziecka.

– Nie, pse pani.

Rosa rozejrzała się, a potem pochyliła do małego.

– To gdzie są twoi rodzice?

– W zoo – wyjaśnił, ale zanim zdążyli zapytać o coś jeszcze, młody sięgnął do kieszeni i wyjął złożoną wpół kopertę. – To do pana – powiedział, podając ją Edlingowi.

Zrozumienie, co się dzieje, zajęło Gerardowi jedynie okamgnienie. Potem raptownie zerwał się na równe nogi, a chłopczyk cofnął się ze strachem.

– Co się dzieje? – spytała Gocha, również wstając. – Co to jest?

Edling przeczesywał wzrokiem okolicę, jakby gdzieś mógł odnaleźć człowieka, który postanowił sobie po raz kolejny z nim pogrywać. W oddali przechodziła kobieta z wózkiem, kawałek dalej para młodych ludzi. Żadnego mężczyzny w wieku Waseraka.

Gerard popatrzył na chłopca, który w wyciągniętej dłoni trzymał kopertę.

– Kto ci to dał?

– Pan.

– Jaki pan? – dopytał Edling. – Gdzie? Kiedy?

Odebrał od małego list, a ten odwrócił się i wskazał w kierunku bocznego wejścia do ogrodu zoologicznego. Nie namyślając się długo, Gerard szybko ruszył w tamtą stronę. Widział jeszcze, że Gocha bierze chłopczyka za rękę, po czym stracił ich z oczu, przyspieszając kroku.

Po chwili zaczął biec. Od momentu, kiedy Iluzjonista wręczył młodemu list, nie mogło minąć wiele czasu. W przeciwnym wypadku jego rodzice z pewnością podnieśliby larum, nie mogąc znaleźć syna.

Gerard biegł przed siebie, a poły marynarki uderzały na przemian o jego ciało. Rozglądał się z nadzieją, że gdzieś dostrzeże kogoś, kto zareaguje nerwowo na jego obecność. Wszyscy mijani przechodnie jednak po prostu patrzyli na niego z konsternacją.

Dotarł pod wejście do zoo i dostrzegł parę, która rozglądała się z wyraźnym przestrachem. Szybko pomiarkował, że to rodzice chłopca. Zatrzymał się przed nimi, nieco zziajany.

– Koleżanka już prowadzi tu państwa syna – rzucił.
– Co takiego? – zaczęła kobieta.
– Ale co pan... – dorzucił mężczyzna. – Kim pan jest?
– Gdzie jest nasz synek?

Edling sięgnął do kieszeni marynarki i wyjął legitymację. Ledwo się przedstawił, miny rozmówców natychmiast się zmieniły.

– O Boże... – jęknęła matka chłopaka. – Co się stało?
– Nic, wszystko z nim dobrze – uciął Gerard. – Mówcie, kiedy straciliście go z oczu.
– My... my naprawdę... zagapiliśmy się, takie rzeczy nam się nie zdarzają i...

Edling obrócił się i powiódł wzrokiem dookoła. Czy Waserak mógł jeszcze gdzieś tutaj być? Z pewnością byłoby go stać na takie ryzyko, szczególnie jeśli chciał czerpać przyjemność z niemocy Gerarda.

– To teraz nieistotne, zaraz do was wróci – oznajmił Edling. – Kiedy wam znikł?
– Minutę, może dwie temu – odparł mężczyzna.

Oznaczało to, że nadal była szansa. Gerard nie miał zamiaru tracić więcej czasu – puścił się biegiem w kierunku mostu, wychodząc z założenia, że Iluzjonista będzie próbował jak najszybciej opuścić wyspę.

Przebiegł przez parking po drugiej stronie rzeki, a potem rozejrzał się nerwowo. Jego wysiłki były daremne.

Na cokolwiek zdecydował się Waserak, nie miało to nic wspólnego z przypuszczeniami młodego asesora. Dróg ucieczki było sporo. Nie opłacało się sprawdzanie którejkolwiek z nich, bo Iluzjonista zapewne był już daleko stąd. Podobnie bezproduktywne byłoby zamykanie wyspy i wzywanie tutaj milicji.

Należało odpuścić.

Edling poczekał na Gochę przy zastavie, wychodząc z założenia, że jeśli wróci na Bolko, mogą się minąć. Nim dziewczyna się zjawiła, zdążył ochłonąć, ale wciąż nie otworzył listu. Obawiał się tego, co zobaczy w środku.

– Odstawiłaś chłopaka? – spytał.

– Tak. Rodzice nie mogli się nadziękować – odparła głosem bez wyrazu. – Waserak odciągnął młodego, kiedy ci zajmowali się sobą.

– Daleko są?

– Nie. Zaraz powinni wychodzić – oznajmiła Rosa, zerkając w kierunku niewielkiego mostu. – Ale nie wiem, czy przesłuchiwanie ich cokolwiek ci da.

– Oni mnie nie interesują, tylko chłopak. Pomoże nam sporządzić rysopis i przy odrobinie szczęścia ustalimy, na ile Iluzjonista zmienił wygląd.

– A zmienił?

– Jestem tego pewien. W przeciwnym wypadku nie ryzykowałby pojawienia się w miejscu publicznym.

Gocha westchnęła i podeszła do Edlinga, jakby miała zamiar go pocieszyć.

– Chłopczyk powiedział, że pan był wysoki. I że wyglądał jak cyrkowiec, a więc pewnie był ucharakteryzowany.

– Mimo wszystko rysownik z nim popracuje.

– Cudów nie zdziała – skwitowała Gocha, a potem wskazała na kopertę, która leżała za przednią szybą w zastawie. – To lepszy trop.

Miała rację, nie było sensu się oszukiwać. Waserak z pewnością zadbał o to, by dziecko widziało go jedynie przelotnie.

Edling otworzył drzwiczki i wyjął list z koperty. Nabrał tchu, a potem odczytał to, co było w nim napisane. Momentalnie zdrętwiał, choć właściwie powinien spodziewać się tego, że Iluzjonista przygotuje coś specjalnie dla niego.

– Gero? – odezwała się Rosa. – Co tam jest?

– Zagadka.

– Jaka?

Młody asesor odchrząknął, a potem rozprostował kartkę i zaczął czytać na głos.

– „Pewnego wieczoru Gerard zabrał swoją wybrankę, Małgorzatę, na kolację do dobrej restauracji. Wykosztował się i zamierzał jej się oświadczyć, choć ona nie miała o tym pojęcia".

– Co takiego? Tak jest napisane?

Edling podniósł na moment wzrok, skinął głową, a potem wrócił do listu.

– „Spędzali miło czas przy winie, zjedli dziczyznę, a na deser zamówili sobie po kawałku tortu".

Gocha rozejrzała się nerwowo, jakby Iluzjonista miał czaić się gdzieś obok i obserwować rozwój wypadków.

– „Gerard nigdy się nie oświadczył" – ciągnął Edling. – „Zamiast to zrobić, zabił Małgorzatę. Dlaczego?"

Ona wciąż się rozglądała, on trwał w bezruchu. Z boku musieli sprawiać dość osobliwe wrażenie.

– To tyle? – zapytała Rosa.

– Nie – odparł Edling i zerknął na koniec wiadomości. – Mam pół godziny od momentu otrzymania listu, żeby znaleźć odpowiedź i zadzwonić pod numer zapisany na końcu. Inaczej ktoś zginie.

Obecnie

Redakcja „Głosu Obywatelskiego", ul. Krakowska

Gerard nie miał zamiaru przez godzinę siedzieć bezczynnie i patrzeć na obracające się karty do gry. Wiedział, że w sprawie naśladowcy nie jest w stanie niczego zrobić, mając zero tropów i domysłów, ale mógł uporać się z niedokończonymi sprawami z przeszłości.

Wrócił do siedziby „GO", a potem skierował się prosto do stanowiska Gochy. Zastał ją przy komputerze, kiedy odliczanie wskazywało na rozpoczęcie transmisji za pół godziny.

– Nie zamknęli cię? – powitała go Rosa.

– Nie tym razem.

Spojrzała na niego niepewnie, nie podnosząc się z krzesła.

– I postanowiłeś wykorzystać czas na wolności, żeby wrócić tu i oglądać dalszy ciąg ze mną?

- Właściwie to nie. Chciałem z tobą porozmawiać.
- O czym?
- O tym, co zostawiliśmy za sobą.

Zerknął znacząco w kierunku wyjścia, ale odniósł wrażenie, że Rosa nie odnotowała niewypowiedzianej propozycji. Wokół było stanowczo zbyt wielu dziennikarzy, by mogli rozmawiać o ich wspólnej tajemnicy.

- W porządku - odparła w końcu Gocha i otworzyła szufladę. - Przerwa na papierosa nigdy nie zaszkodzi. Mamy jeszcze niecałe pół godziny do rozpoczęcia „Spektaklu krwi".

Gerard unikał stosowania tej nazwy nawet w myślach. Niepokoiła go być może nawet bardziej niż to, co swego czasu wymyślił Kompozytor. On zdawał się realizować jakiś wynaturzony cel, który w jego mniemaniu był wzniosły. Naśladowca Iluzjonisty chciał po prostu zabijać.

- Idziesz? - spytała Gośka, ruszając w kierunku schodów.

Edling potwierdził, kiwając głową.

- Nie rzuciłaś przypadkiem? - spytał.
- Razem z tobą do mojego życia wracają też inne złe rzeczy, Gero.

Nie odpowiedział, bo minęli grupę reporterów, którzy wylewnie powitali Rosę. Nie sprawiali wrażenia, jakby obchodziło ich to, co miało wydarzyć się za pół godziny. Być może nie mieli pojęcia, do czego zdolny jest zabójca.

Gocha i Edling wyszli na Krakowską, przeszli kilkadziesiąt kroków w stronę rynku, a potem przysiedli na jednej z ławek.

Rosa zapaliła i popatrzyła pytająco na towarzysza.
– Nie, dzięki.
– Pewne rzeczy się nie zmieniają.
– Pewne nie – przyznał Gerard. – Inne tak, jak choćby podejście ludzi do rzeczy, które przysięgli trzymać w tajemnicy.

Wypuściła dym przed siebie, a potem gwałtownie obróciła się w stronę Edlinga.
– Coś sugerujesz? – rzuciła z pretensją. – Jeśli tak, wyrażaj się jaśniej.

Uznał, że kluczenie nie ma sensu. Trzy dekady temu mógł z Gochą rozmawiać na każdy temat wprost – i zawsze to ceniła. Tego upływ czasu z pewnością nie zmienił.
– Podczas przesłuchania w prokuraturze stało się dość jasne, że śledczy wiedzą o sprawie Iluzjonisty więcej niż wcześniej – powiedział. – Ja nic im nie wyjawiłem, a ponieważ oprócz mnie tylko jedna osoba ma tę wiedzę…

Zawiesił głos, licząc na to, że nie będzie musiał kończyć.
– Nic nikomu nie powiedziałam, Gero.
– Rozumiem.
– Rozumiesz, ale nie wierzysz – mruknęła i znów się zaciągnęła. – Ale może to dobrze. Może nie powinieneś wierzyć, bo ostatnimi czasy zaczynam mieć wątpliwości, czy dobrze postąpiliśmy.
– Wątpliwości nie zmienią tego, co się wydarzyło.
– Nie – przyznała. – Ale mogą zmienić inne rzeczy.
– Jakie?
– Choćby to, co ludzie uważają za prawdę.

Przytrzymała dym w płucach, a Gerard zerknął na papierosa. Dopiero teraz zobaczył, że nie jest fabrycznie skręcony. I że w bibułce bynajmniej nie ma tytoniu. Wciągnął zapach nosem i pokręcił głową.

– Spokojnie – rzuciła Gocha. – To tylko wino bez kalorii.

– Oczywiście.

– W dodatku całkowicie legalne w dziesięciu amerykańskich stanach, do celów *stricte* rekreacyjnych.

– Nie jesteśmy w Stanach.

– Więc doniesiesz na mnie?

– Niewykluczone – odparował, obracając się do niej. – W końcu ty rozważasz doniesienie na mnie, prawda?

Prychnęła, a potem rzuciła skręta na chodnik i zadeptała go. Przez moment oboje milczeli.

– Żadne z nas nie poniosło konsekwencji tego, co zrobiliśmy trzydzieści lat temu, Gero.

– Polemizowałbym.

– To rób do woli – odbąknęła. – Ale prawda jest taka, że powinniśmy trafić za kratki.

Poniewczasie zorientowała się, że on być może odpokutował już to, czego się wtedy dopuścili. Gerard jednak nie rozpatrywał tego w podobnych kategoriach. Karę odsiadywał za coś zupełnie innego – jedno nie zmazywało drugiego.

– Nic im nie powiedziałam – powtórzyła po chwili Rosa. – Ale nie mogę ci obiecać, że będę dalej milczeć.

Popatrzył na nią badawczo, starając się ocenić, na ile jest poważna. Może rzeczywiście obudziło się w niej poczucie winy, które w połączeniu z dziennikarską naturą kazało ujawnić ich tajemnicę?

Jeśli tak, Edling znów znajdzie się w miejscu, z którego w ostatnim czasie zdołał się oddalić. Zrehabilitował się, a dzięki Hauerom udało mu się nawet odbudować część swojej renomy. Gdyby miał trochę więcej czasu, być może nadrobiłby to, co stracił.

– Chcę to kiedyś opisać – powiedziała.
– Co konkretnie?
– Fakty. Są dość proste.
– Są proste po to, by łatwo się je naginało. Tak powstaje historia.

Gocha milczała.

– Kiedy chcesz to zrobić? – dodał.

Ona także obróciła się w jego kierunku.

– Nie potrafię ci tego powiedzieć – zaznaczyła. – I nie chcę robić niczego, co wpłynie na ciebie negatywnie.
– Mną się nie przejmuję – odparł. – Tylko moim synem.

Uciekła wzrokiem, jakby dopiero teraz przypomniała sobie, że przez cały ten czas oboje ułożyli sobie życie, o którym nawzajem nie wiedzieli.

Przez moment Edling obawiał się, że temat Emila szybko doprowadzi do rozmowy o tym wszystkim, co należałoby omówić, gdy spotkało się dwoje starych, dobrych znajomych. Znajomych, którzy niegdyś nieomal zdecydowali się na spędzenie ze sobą reszty życia.

Gerard był wówczas pewien, że z nikim innym nie chce się związać. Gocha również.

To, co wtedy zrobił, kazało jej jednak sądzić, że jest wprost przeciwnie. Zachował się w najgorszy możliwy sposób, ale prawda była taka, że sytuacja tego wymagała. A przynajmniej to powtarzał sobie po dziś dzień.

Rosa nabrała lekko tchu, jakby miała zamiar powiedzieć coś, co długo dusiła w sobie. Zanim jednak miała ku temu okazję, rozległ się standardowy dzwonek blackberry. Gerard przeprosił i sięgnął po telefon.

– Gerard Edling – powiedział. – Słucham?

Po drugiej stronie nikt się nie odzywał.

– Halo?

– To dość niecodzienny sposób na odbieranie – usłyszał kobiecy głos. – Zazwyczaj osoba dzwoniąca wie, z kim próbuje się skontaktować.

– W istocie – przyznał Edling. – Ktoś kiedyś nawet zwrócił mi na to uwagę.

Znów cisza.

– Ale pani chyba nikt nie upomniał, że wypadałoby się przedstawić.

– Przepraszam – rzuciła kobieta. – Karolina Siarkowska, prokuratura krajowa.

– Miło mi.

– Mnie też – odparła bez emocji i wyraźnie z obowiązku. – Choć jeszcze milej mi będzie, jeśli się spotkamy i wyjaśni mi pan parę rzeczy.

Edling podniósł się z ławki i odszedł kawałek. Obejrzał się przez ramię, ale Gocha zdawała się bardziej zajęta oglądaniem znajdujących się przed nimi kamieniczek niż rozmową prowadzoną przez Gerarda.

– Oczywiście – powiedział. – Przekażę pani wszystko, co wiem.

– W takim razie musimy się spieszyć.

– Sądzi pani, że jest jeszcze szansa, by zdążyć przed upłynięciem czasu?

– Nie – odparła stanowczo. – Źle mnie pan zrozumiał. Musimy się spieszyć, bo wszyscy ci, którzy wiedzą coś o sprawie z osiemdziesiątego ósmego, padają jak muchy.

– Słucham?

– Krystyna Lisicka. Dawna pierwsza sekretarz Komitetu Wojewódzkiego, która swego czasu interesowała się Iluzjonistą, miała wczoraj wieczorem wypadek samochodowy. Śmiertelny.

Gerard poczuł nieprzyjemne ciarki na plecach.

– Wie pan coś o tym?

– Nie.

– A jednak nie wydaje się pan zdziwiony.

– Nie widzi mnie pani – zauważył. – Nie wie pani, jak reaguję. Poza tym zazwyczaj udaje mi się zachować jaki taki stoicyzm.

– Tak, słyszałam. Dlatego jestem pana ciekawa.

– Ale jeszcze bardziej tego, co ukrywam?

– A ukrywa pan coś?

– W pani przekonaniu tak.

Edling znów się obejrzał, uświadamiając sobie, że chce jak najszybciej skończyć tę rozmowę i wrócić do Gochy. Ledwo ta myśl nadeszła, zrozumiał, że sytuacja między nim a Rosą znów robi się niebezpieczna.

Na potwierdzenie tego Gośka posłała mu długie spojrzenie. Żadne z nich nie odwróciło wzroku, a ich oczy zdawały się czymś mocno ze sobą związane.

– Pański przełożony zmarł, polityk zajmująca się sprawą również, a akta sprawy zaginęły. Nie wiem nawet, kto sądził w tej sprawie.

– Z pewnością sąd wojewódzki.

– Mam na myśli konkretnych sędziów.

– Jeśli wszyscy związani ze sprawą giną, może warto śledzić nekrologi.

Siarkowska przez moment się nie odzywała.

– Ten rodzaj humoru doceniam – oznajmiła w końcu.

– Dziękuję. Ale przypuszczam, że sprawniej pójdzie nam rozmowa twarzą w twarz. Jest pani już w Opolu?

– Jestem już nawet w prokuraturze.

– Mam się tam stawić?

To, jak Siarkowska odpowie na pytanie, stało się dla Edlinga kluczowe. Była to prosta deklaracja podporządkowania z jego strony – i równie dobry test na to, czy powinien uważać na poznańską prokurator, czy nie.

– A więc uznajemy, że mogę wydawać panu polecenia służbowe? – odparła. – Ciekawe.

Zdecydowanie powinien na nią uważać.

– Proszę przyjść, kiedy panu odpowiada – dodała. – Będę tutaj cały czas.

W to nie wątpił. Do rozpoczęcia transmisji nie pozostało już wiele czasu i Siarkowska z pewnością będzie śledziła ją na bieżąco razem z całym zespołem informatyków. Edling i Gocha również powinni skierować się do redakcji.

Gerard pożegnał prokurator, a potem podszedł do ławki. Uznał, że nie ma sensu siadać.

– Pamiętasz tę pierwszą sekretarz, która…
– Która załatwiła ci niebieską zastavkę? – dokończyła za niego i się zaśmiała. – Jak mogłabym zapomnieć? Brałeś mnie na tylnej kanapie tak, że zawieszenie prawie odpadło.
Edling chrząknął i przestąpił z nogi na nogę. Gocha wciąż miała zdolność uświadamiania mu, że nikt nigdy do końca nie pozna samego siebie.
– Nie żyje – odezwał się.
– Zastava? Przetrwała tamte harce, powinna przetrwać wszystko inne.
– Pierwsza sekretarz – sprecyzował Gerard. – Zginęła wczoraj wieczorem w wypadku samochodowym.
Rosa podniosła się z ławki. Stanęła tak blisko Edlinga, że mimowolnie się cofnął. Ona także sprawiała wrażenie skonfundowanej, jakby ta niespodziewana bliskość była przekroczeniem jakiejś granicy.
– Żartujesz?
– Nie.
– Ten timing jest… niepokojący – powiedziała i lekko ściągnęła ramiona, mimo że temperatura była stała. – To nie może być przypadek.
Nie było sensu zaprzeczać. Gocha rozumiała to równie dobrze jak on.
– Ktoś usuwa świadków tamtych wydarzeń? – spytała. – Kto? I w jakim celu?
– Nie wiem. Oprócz tego jest jeszcze jedno pytanie…
– Czy zamierza usunąć też nas?
– Otóż to – potwierdził Edling. – Jakkolwiek by było, musimy się pilnować.

Przez moment milczała, wciąż utrzymując nieprzerwany kontakt wzrokowy. Gerard w pewnym momencie chciał odwrócić oczy, ale zwyczajnie nie mógł. Potrzeba zbliżenia z tą kobietą, choćby w tak powierzchownej formie, była silniejsza od niego.

Tak teraz, jak i trzydzieści lat temu. I być może to świadczyło najwymowniej o uczuciu, które ich łączyło. O uczuciu, które oboje zanegowali.

– Wypadałoby przyjrzeć się bliżej śmierci Karbowskiego – podsunęła Rosa.

– Też tak sądzę.

– I sprawdzić innych. Prokuratura nie dotrze do nich bez akt, ale my zrobimy to bez trudu.

Nie myliła się. Edling wciąż miał w pamięci nazwiska wszystkich osób zaangażowanych w tamtą sprawę.

– Zajmiemy się tym – zapewnił, a potem podciągnął lewy mankiet marynarki. – Ale na razie mamy inne rzeczy na głowie.

Zorientowawszy się, jak niewiele czasu pozostało, Gocha ruszyła szybkim krokiem w kierunku redakcji. Wyciągnęła rękę do Edlinga, zapewne w bezwarunkowym odruchu, ale tyle wystarczyło, by atmosfera ocieplila się jeszcze bardziej.

Po chwili znaleźli się na piętrze niewielkiego biurowca i stanęli przed największym z telewizorów. Obok znajdowali się reporterzy, researcherzy i inni pracownicy „Głosu Obywatelskiego". Wszyscy oczekiwali w milczeniu i napięciu.

W końcu karty przestały się obracać, a odliczanie się zakończyło. Obraz podzielił się na dwie części – ta po lewej zajmowała jakieś dwie trzecie ekranu, po prawej jedną trzecią.

W większym bloku pojawiło się okienko odtwarzania materiału wideo, w mniejszym czat.

– Co to ma znaczyć? – zapytał ktoś.

Edling zobaczył, że wystarczy wpisać nick, by wziąć udział w tym, co się działo. Pierwsi ludzie już się logowali. Kilka sekund później na czacie pojawiły się pojedyncze wiadomości.

W gruncie rzeczy były to próby ustalenia, o co w tym wszystkim chodzi. Zaraz potem jednak zrobiło się dużo gorzej. Czat zalała fala użytkowników, a wraz z nią nadeszło tyle wiadomości, że nie sposób było nadążyć.

Nie musiało minąć wiele czasu, by internetowa anonimowość po raz kolejny wyciągnęła z niektórych prawdziwą naturę. Wśród użytkowników znalazło się wielu takich, którzy mieli już teorie co do rozwoju sytuacji – i zagrzewali naśladowcę do tego, by dał upust wszystkim swoim żądzom.

– Brakuje tylko możliwości robienia wpłat… – mruknął jeden ze speców komputerowych.

– Słucham? – spytał Edling.

Młodzik wskazał telewizor.

– To jak Twitch. Taki serwis, gdzie ludzie streamują… no, w sumie sporo rzeczy, ale przede wszystkim gameplaye, jakieś swoje mądrości, grają covery znanych kawałków, wchodzą w interakcje z widzami…

– Ten na pewno wejdzie w interakcję – zauważyła Gocha, wskazując monitor.

Wszyscy skupili się na tym, co pokazało się w okienku wideo. Dotychczas widniejącą tam czerń zastąpiło wnętrze pokoju rodem z najbardziej siermiężnych lat PRL-u.

Tapeta we wzorki była właściwie nieokreślonego koloru, ale gdyby Edling miał któryś do niej przypisać, wybrałby chyba barwę zdrowego moczu. Perski dywan zdawał się wręcz napompowany kurzem, z meblościanki odchodził lakier.

Firanki w oknach były tak grube, że nie można było dojrzeć, co znajduje się za oknem. W kadrze widać było stary telewizor Jowisz, a na szafce obok niego stało radio Jowita z wyprostowaną anteną.

Centralne miejsce zajmowały dwa fotele, a pomiędzy nimi niski drewniany stolik. Oba miejsca były zajęte. Na jednym siedział zabójca w antycznej masce, na drugim tęgi, łysiejący mężczyzna, po którego twarzy spływały krople potu.

W okienku czatu wciąż trwał chaotyczny wielogłos, z którego trudno było już cokolwiek wyłowić. Nigdzie nie było licznika informującego o liczbie zalogowanych osób, ale frekwencja musiała być rekordowa.

– Pozwól, że przedstawię ci pewną sytuację – odezwał się morderca.

Głos był modulowany, być może przez jakieś urządzenie w masce. Edling przypuszczał, że nie udałoby się go oczyścić, bo brzmiał, jakby nie pochodził z ludzkich, ale zwierzęcych strun głosowych.

– A potem cię o coś zapytam – dodał zabójca.

Mężczyzna trząsł się ze strachu. Nie był przywiązany i pozornie mógł w każdej chwili wstać i odejść.

W rzeczywistości organizator tego spektaklu z pewnością zadbał o to, by ofiara nie mogła się ruszyć.

On i dwoje współpracowników, którzy ujawnili się na poprzednim nagraniu. Edling wciąż musiał sobie przypominać, że w istocie cały ten makabryczny pokaz jest dziełem trzech osób.

– Jesteś gotów? – spytał zabójca.

Mężczyzna skinął głową, a człowiek w masce obrócił się w kierunku kamery.

– A wy jesteście?

Czat zalała fala wiadomości. Kuglarz odczekał chwilę, po czym skinął lekko głową, przenosząc wzrok na mężczyznę.

– W takim razie słuchaj – podjął. – Pewnego wieczoru Gerard zabrał swoją wybrankę, Małgorzatę, na kolację do dobrej restauracji. Wykosztował się i zamierzał jej się oświadczyć, choć ona nie miała o tym pojęcia. Spędzali miło czas przy winie, zjedli dziczyznę, a na deser zamówili sobie po kawałku tortu. Gerard nigdy się nie oświadczył. – Mówca zrobił pauzę. – Zamiast to zrobić, zabił Małgorzatę. Dlaczego?

Mężczyzna na wizji zaczął lekko się trząść, Edling zaś kompletnie zamarł. Nie potrafił nawet spojrzeć na Gochę i poszukać w jej oczach czegoś, co pozwoliłoby mu odzyskać równowagę.

Naśladowca nie miał prawa znać tego listu.

Wszystko, co wydarzyło się w osiemdziesiątym ósmym po spotkaniu z pierwszą sekretarz, było utrzymywane w tajemnicy. Nikt nie znał szczegółów.

A mimo to zabójca powtórzył łamigłówkę co do słowa. W dodatku przedstawił ją jako swoją – jako część nowej odsłony spektaklu, który wystawiał. Własnego, autorskiego. Tylko on, Gocha i Edling zdawali sobie sprawę z tego, że w istocie powiela to, co już miało miejsce ponad trzy dekady temu.

– Masz siedem minut na odpowiedź – powiedział do mężczyzny siedzącego naprzeciw.

Analogowy zegar pojawił się w prawym górnym rogu okienka i zaczął odmierzać czas.

– Jeśli udzielisz poprawnej, daruję ci życie. Jeśli nie, zabiję cię na oczach widzów.

Nieszczęśnik otworzył usta, ale prowadzący to przedstawienie natychmiast uniósł otwartą dłoń.

– Oszczędzaj słowa – oznajmił. – Im mniej ich wypowiadasz, tym większe mają znaczenie.

Mężczyzna z trudem przełknął ślinę. Nie poruszał się, choć z pewnością czuł potrzebę, by zetrzeć pot z czoła.

– Masz tylko jedną szansę na odpowiedź. Skorzystaj z niej rozsądnie.

Morderca rozsiadł się wygodniej, a dotychczasową ciszę zastąpiły elektroniczne dźwięki przywodzące na myśl muzykę z lat osiemdziesiątych.

– Synthwave? – rzucił ktoś nieobecnym głosem.

Było to ostatnie, co w tej chwili interesowało Edlinga, choć dobór ścieżki dźwiękowej z pewnością nie był przypadkowy. Miał być kolejnym elementem potwierdzającym, że sprawca przestaje naśladować innych i odgrywa własną melodię.

Syntezatory i automaty perkusyjne w połączeniu z dźwiękami imitującymi wchodzący na wysokie obroty silnik zdawały się obezwładniać, ale jednocześnie tworzyć wrażenie przestrzeni.

– Znam to – odezwał się młody informatyk. – To Lazerhawk. A konkretnie kawałek *Redline*.

Gerard odniósł wrażenie, że tylko on w ogóle słucha, co mówi chłopak. Cała reszta gorączkowo zastanawiała się nad właściwą odpowiedzią na łamigłówkę. Cała, z wyjątkiem Gochy.

– Gero… – szepnęła, obracając się do niego.

– Też tego nie rozumiem – uciął od razu.

– Ale…

Czekał, aż dokończy, jednak Rosa umilkła. Spojrzała na ekran. Po twarzy mężczyzny ściekało coraz więcej kropel potu i nie ulegało wątpliwości, że w takim stanie nie uda mu się rozwikłać zagadki.

– Zabił ją, bo odmówiła – odezwał się ktoś.

– Nie. Przecież się nie oświadczył – odparła jakaś kobieta.

– Może zrozumiał, że mu odmówi.

– I dlatego by ją zabił? To bez sensu.

– Może była na coś uczulona. Na coś, co zjedli, a on o tym nie wiedział.

– I ona też nie? Poza tym wtedy nie można byłoby powiedzieć, że to on ją zabił.

Rozmowa trwała w najlepsze, coraz więcej osób zaczynało dodawać coś od siebie, ale emocje były tak duże, że nikt nie wpadł na właściwe rozwiązanie.

Mężczyzna siedzący naprzeciw zabójcy również nie.

Kiedy czas upłynął, syntetyczny kawałek Lazerhawka ucichł, a jego miejsce zajął podobny, ale znacznie spokojniejszy utwór. Ten przywodził na myśl parny, letni wieczór w mieście, kiedy spaliny powoli osiadają na pustych już ulicach.

– Twój czas dobiegł końca – odezwał się zabójca.

Mężczyzna sprawiał wrażenie, jakby chciał zerwać się z fotela. Nie ulegało wątpliwości, że nie widział zegara, w przeciwnym wypadku z pewnością udzieliłby jakiejkolwiek odpowiedzi, szukając ratunku.

– Zaraz... proszę... – zaczął. – Zabił ją, bo...

Nie dane mu było dokończyć. Morderca podniósł rękę i na ten znak na ofiarę spadło podwieszone u sufitu, czarne ostrze. Wbiło się w sam środek głowy, utrzymując ją w pozycji pionowej.

Krew spłynęła najpierw na otwarte szeroko oczy, a potem na rozwarte w niemym krzyku usta.

– Jezu... – odezwał się ktoś.

– Powinni przerwać tę transmisję.

– Kto? – spytał informatyk. – I w jaki sposób?

Większość zebranych odwróciła wzrok. Edling wpatrywał się jednak nieruchomo w ekran, starając się wyczytać cokolwiek z ruchów mordercy. Maska nieco drgnęła, co świadczyło, że oddech mężczyzny przyspieszył. Był podniecony tym, co zrobił. Tym, co zaprojektował.

Całe to pomieszczenie mogło nie być pokojem, ale w istocie sceną.

Gerard spojrzał na ofiarę. Nie potrafił opędzić się od myśli, że mężczyzna w ostatniej chwili mógł wpaść na to, co on zrozumiał trzydzieści lat temu.

– Dziękuję za uwagę – odezwał się morderca i wstał z fotela. Skłonił się w stronę obiektywu. – I do zobaczenia niebawem.

Obraz zniknął, okienko czatu było jednak jak rozgrzane do czerwoności. Komentarze zdawały się pojawiać już we wszystkich językach świata.

Obserwując to, Edling po raz pierwszy na dobre zrozumiał, z czym ma do czynienia. Położył dłoń na ramieniu Gochy, a kiedy ta się ocknęła i spojrzała na niego, wskazał jej drzwi.

– Chodźmy – powiedział. – Czekają na nas w prokuraturze.

Niegdyś
Wyspa Pasieka, Opole

Pędząc na złamanie karku w kierunku centrum, Gerard nie miał pojęcia, czy Gocha wciąż za nim biegnie. Wiedział jednak, że musi jak najprędzej dopaść do budki telefonicznej. Miał rozwiązanie, było dość proste. Obawiał się jednak, że nie uda mu się w porę wybrać numeru i przekazać odpowiedzi.

W końcu wypatrzył nową, białą półkabinę umocowaną do elewacji jednego z budynków. Zatrzymał się pod muszlą, niemal zerwał słuchawkę z widełek, a drugą ręką nerwowo sprawdzał kieszenie marynarki.

Żadnych drobnych.

Niemożliwe, dbał o to, żeby zawsze mieć przy sobie choćby trochę monet na awaryjne sytuacje. Sprawdził kieszenie spodni, ale tam również nie znalazł żadnych. Przypuszczał, że musiały mu wypaść, kiedy pędził po wyspie.

Rozejrzał się, zziajany. Dostrzegł biegnącą ku niemu Gośkę i wymownie rozkładając ręce, oznajmił jej, że nie ma drobnych.

Gocha zatrzymała się przed nim i natychmiast sama zaczęła sprawdzać kieszenie. W końcu podała mu kilka dwudziestozłotówek. Edling natychmiast wrzucił je do aparatu i wybrał numer.

Cisza. A zaraz potem przerywany sygnał, jakby było zajęte.

Mogło to oznaczać tylko jedno – spóźnił się.

Zerknął na zegarek i przekonał się, że ma rację. Dwie minuty temu mógłby jeszcze uratować człowieka, którego Iluzjonista postanowił wykorzystać do tej chorej rozgrywki.

Edling przez moment stał bez ruchu. Potem powoli odłożył słuchawkę i oparł głowę o białą muszlę budki telefonicznej. Zamknął oczy.

– Nie odbiera? – odezwała się zasapana Rosa.

– Za późno.

Podniosła jego lewą rękę, podciągnęła mankiet i sprawdziła godzinę.

– Kurwa – syknęła. – Dwie minuty?

– Czasem wystarczą dwie sekundy.

Spuściła głowę, wciąż starając się uspokoić oddech. Kiedy na powrót podniosła wzrok, zbliżyła się do Edlinga i weszła pod muszlę. Oparła się po drugiej stronie.

– Spróbuj jeszcze raz – powiedziała.

– Nie ma sensu. Ten człowiek jest zbyt precyzyjny, żeby...

– Po prostu spróbuj. Dla mojego spokoju.

Zrobił to, ale tym razem również usłyszał jedynie szybki, przerywany sygnał, jakby ktoś ściągnął telefon z widełek i położył obok. Gerard odwiesił słuchawkę, a Gocha zapaliła papierosa.

– Myślisz, że naprawdę kogoś zabił? – spytała, wypuszczając dym na zewnątrz.

– Tak.

Wzdrygnęła się, ale nie było sensu odpowiadać wymijająco. Przez moment znów oboje milczeli.

– Jakie było rozwiązanie? – odezwała się w końcu Gocha.

– Pierścionek.

– Co?

– Zabił ją pierścionkiem – powiedział Edling i nabrał tchu. – Zamierzał się oświadczyć, więc kazał ukryć go w kawałku tortu. Ona go nie zobaczyła i zadławiła się.

Rosa zaciągnęła się głęboko.

– To jedyne logiczne rozwiązanie – dodał Gerard. – Ale bardziej od niego interesuje mnie, dlaczego Iluzjonista ułożył akurat taki scenariusz.

– Bo się nami interesuje?

– Ale dlaczego?

– To chyba oczywiste. Jesteśmy na jego tropie.

Gerard popatrzył na usta Rosy i papierosa między nimi. Przez moment miał ochotę poprosić ją o jednego emersona. Szybko jednak zrezygnował.

– Karbowski jest na jego tropie – sprostował. – Ja tylko mu pomagam, a ty formalnie w ogóle nie uczestniczysz w śledztwie.

– Formalnie nie. Faktycznie tak, bo mówisz mi o wszystkim. I gdybyś nie zauważył, pomagam wam.

– Zauważyłem.

– Iluzjonista też – odparowała, a potem się zaciągnęła. – Tak czy inaczej, szkoda czasu. Będziemy tyle myśleć, zostaniemy myśliwymi, a ja mam inne plany życiowe.

Edling skinął głową, a potem sięgnął po słuchawkę telefonu. Otarł ją rękawem marynarki, przyłożył do ucha i wystukał numer, który znał na pamięć.

– Gdzie dzwonisz?

– Do prokuratury. Chcę ich uprzedzić, że powinni spodziewać się kolejnej ofiary.

– Mieliśmy nikogo nie informować – przypomniała Gocha.

Gerard zawahał się, ale tylko przez moment. Kiedy połączono go z centralą na Reymonta, poprosił o bezpośrednią rozmowę z przełożonym. Rosa miała rację, od tej pory powinni trzymać wszystko dla siebie.

Chwilę zajęło Edlingowi wytłumaczenie, co się wydarzyło. Szef nie mógł uwierzyć, że tak po prostu dali Iluzjoniście uciec. Człowiek, który zginął przez nierozwiązanie zagadki, zupełnie zaś go nie interesował.

– Widziałeś go? – rzucił.

– Nie. Nie udało mi się go dogonić.

– Skurwysyn...

– Normalnie oponowałbym wobec kalania języka, ale w tym wypadku chyba nie powinienem.

– Nie, nie powinieneś – burknął Bogdan. – Wracaj na Reymonta. Pomyślimy, co dalej.

Gocha pojechała z nim, a po drodze zastanawiali się, kogo Iluzjonista mógł wybrać na kolejną ofiarę. Oboje zgodni byli wyłącznie co do tego, że nie mogła to być przypadkowa osoba.

Edling zatrzymał zastavę nieopodal wejścia, a potem wyszedł z auta i obszedł je od tyłu, by otworzyć drzwi Rosie. Zanim jednak zdążył to zrobić, z budynku szybkim krokiem wyszedł Karbowski.

– Jesteś! – krzyknął, widząc podwładnego.

– Zgodnie z…

– To ta nowa zastavka?

– Tak, ale…

– Wsiadaj – rzucił Bogdan. – Mamy tego trupa.

Gerard nie zwlekał. Szybko zajął miejsce za kierownicą, kiedy przełożony niechętnie usadził się na tylnej kanapie. Przywitał Gochę zdawkowo, wyraźnie nie mając nic przeciwko jej obecności. Z pewnością zaważył fakt, że w Komitecie Wojewódzkim nikomu nie przeszkadzała.

– Jedź na Mondrzyka, Gerard.

Edling zerknął w lusterko.

– Ofiara jest w mieszkaniu Andyckiego?

– Nie – odparł szef. – Waseraka.

– Nie było pod obserwacją milicji?

– Było – przyznał przez zaciśnięte usta Karbowski. – Ale najwyraźniej Iluzjonista jest iluzjonistą nie tylko z tytułu swojego pierdolonego pseudonimu. Jedź!

Kiedy zjawili się na miejscu, było jasne, że zgromadzeni tu funkcjonariusze nie mają pojęcia, co się stało.

Najwyższy stopniem oficer pilnował, by nikt nie wszedł do budynku, a tuż obok niego stał oparty o ścianę Wojciech Stala.

Esbek skinął ukradkowo głową trójce nowo przybyłych, po czym zaprowadził ich do mieszkania Waseraka. Drzwi były zaplombowane.

– Nikt nie wchodził – powiedział.

– Skąd w takim razie wiadomo, że w środku jest ciało? – zapytała Gocha.

Oficer od początku ją ignorował, teraz także nawet na nią nie spojrzał.

– Otrzymaliśmy anonimowy telefon – wyjaśnił, a potem włożył klucz do zamka.

– Anonimowy? – dopytała Rosa.

– Dzwonił jakiś mężczyzna. Staramy się ustalić dalsze szczegóły.

Oznaczało to ni mniej, ni więcej, że Iluzjonista po raz kolejny stanął na wysokości zadania i skutecznie utrudnił ścigającym go pracę. Jeżeli nawet Służba Bezpieczeństwa miała problem z namierzeniem go, musiał doskonale znać się na robocie.

Weszli do środka za Wojciechem Stalą, spodziewając się, że od razu uderzy ich smród śmierci. Nic takiego jednak się nie stało, a w mieszkaniu nie unosiły się żadne nieprzyjemne zapachy. Przeciwnie, pachniało jak w cukierni.

Edling od razu zrozumiał.

Skierował się do kuchni i na stole dostrzegł dwa talerzyki z kawałkami tortu. W jednym, rozpołowionym, znajdował się metalowy pierścionek. Oprócz tego zobaczył lampki do wina i pudełko z tortem stojące na podłodze.

Trzeba będzie sprawdzić, gdzie i kiedy został kupiony, ale nie spodziewał się, by w jakikolwiek sposób im to pomogło. Podobnie jak numer telefonu, na który sam miał zadzwonić z rozwiązaniem zagadki. Wszystko ślepe uliczki.

– Gero… – odezwała się niepewnie Rosa.

Edling skierował się w stronę, z której dochodził jej głos, i zastał Gochę w pokoju stołowym. Na obróconym tyłem fotelu siedziała ofiara Iluzjonisty. Widać było jedynie ręce mężczyzny na oparciach oraz jego głowę.

W zupełności wystarczało to do zrozumienia, co się stało. Zabójca wbił ostrze w sam czubek czaszki. Głowa opadła na lewą stronę, krew wciąż z niej skapywała. Nie było sensu nawet sprawdzać, czy mężczyzna żyje.

Gocha odwróciła się i wyszła, a jej miejsce szybko zajęli Stala i Karbowski.

– To jest, kurwa, niepojęte – syknął Bogdan. – Jak on zaciągnął tutaj ciało?

– Może zabił go na miejscu – podsunął oficer SB.

Powoli zbliżyli się, by przyjrzeć się kolejnej ofierze Waseraka. Kiedy jednak okrążyli fotel, natychmiast uświadomili sobie, jak bardzo się pomylili.

Siedział na nim nie kto inny, tylko sam gospodarz.

– Co to ma znaczyć? – rzucił Karbowski, patrząc to na Gerarda, to na denata. – To on?

– On – potwierdził Stala. – Sławomir Waserak.

– Jesteś pan pewien?

Esbek skinął głową, a potem rozejrzał się z czujnością właściwą jedynie ludziom w jego fachu.

– Zabił się? – dodał Bogdan.

– Wbijając sobie nóż w głowę? – dopytał z powątpiewaniem Stala.

– Więc to nie on. Pomyliliśmy się.

– Najwyraźniej.

Edling przyglądał się nieboszczykowi, zastanawiając się nad tym, czy faktycznie tak łatwo dali się zwieść. Właściwie ani on, ani nikt inny nie widział Waseraka. Przyjęli, że to on jest Iluzjonistą, bo na to wskazywały dowody.

Powinni mieć jednak na uwadze, że nie były niezbite. Stanowiły raczej serię poszlak, które prowadziły do tego człowieka.

– Okantował nas – dodał Karbowski. – Pozwolił nam wierzyć, że to Waserak. Skurwiel po prostu zrobił nas w chuja.

– Spokojnie – włączył się Wojciech Stala. – Nie ma sensu się unosić.

Bodaj po raz pierwszy Gerard był gotów zgodzić się ze Służbą Bezpieczeństwa. Przez chwilę siedział w kucki, analizując każdy kawałek ciała ofiary. Potem nabrał tchu i zaczął rozpinać koszulę nieboszczyka. Ktoś musiał w końcu to zrobić.

Zgodnie z tym, co każde z nich przypuszczało, na klatce piersiowej znajdował się wypalony pytajnik. Edling obejrzał go dokładnie, po czym skupił się na scenografii. Nie dostrzegł jednak niczego, co mogłoby okazać się pomocne.

Dopiero po chwili zorientował się, że w łuczniku, na którym Waserak miał rzekomo pisać listy do niego i Karbowskiego, znajdowała się kartka. Edling nie miał wątpliwości, że to wiadomość od prawdziwego Iluzjonisty.

Nie on jeden.
– Co pisze? – odezwała się Gocha, stając obok niego.
– O rozwiązaniu z pierścionkiem – odparł cicho Gerard. – I o tym, że zawiódł się na mnie.
– Spodziewał się, że zdążysz w porę?
– Wątpię. Raczej chce, bym ja tak sądził.
– Po co?
– Żebym czuł, że los ofiar zależy ode mnie.

Gośka ściągnęła poły skórzanej katany i skrzyżowała ręce na piersi.
– Więc myślisz, że będą kolejne?
– Jestem tego pewien.

Powoli zaczynało to wyglądać nie na rozgrywkę między Iluzjonistą a śledczymi, ale nimi dwoma. Być może Gośka miała rację, kiedy mówiła, że ta sprawa staje się coraz bardziej osobista.

– O ile wcześniej go nie znajdziemy – włączył się Karbowski, podchodząc do nich. Oboje odwrócili się w tym samym momencie.
– Jak niby mamy to zrobić? – odparła Rosa. – Ma pan jakiś trop, o którym nie wiem?

Bogdan nie odpowiedział.
– A może zna pan sposób, żeby przechytrzyć człowieka, który do tej pory ogrywał nas, jak mu się podobało?
– Wszystko do czasu.

W głosie przełożonego wyraźne brakowało optymizmu, ale nie sposób było się dziwić. Ucięli rozmowę, kiedy w pokoju zjawił się Stala i oznajmił, że ciało zostanie zaraz przewiezione do odpowiedniego zakładu pogrzebowego, a technicy, którzy stawią się na miejscu, nie zostaną poinformowani o naturze sprawy.

Wszystko to na nic, uznał w duchu Edling. Śladów żadnych nie znajdą.

Godzinę później odwiózł Gochę na plac Lenina. Zatrzymał się pod jej blokiem, ale nie zgasił silnika.

– Nie wejdziesz? – spytała. – Mam mleko w kartonie.
– Hm? – mruknął.
– Dopiero co wypuścili. Podobno na Zachodzie tak się pije.
– Z kartonu? To absurdalne.

Wzruszyła ramionami, a potem położyła dłoń na jego udzie. Po tym, co zastali na Mondrzyka, potrzebowała zwykłej ludzkiej bliskości. Gerard nie mógł jednak jej zaoferować. Nie tego wieczoru.

– To jak? – spytała. – Wchodzisz?
– Nie mogę.
– Bo musisz wracać do domu?

Patrzył na nią długo i intensywnie, jakby miał ją stracić.

– Jestem w domu zawsze, kiedy jesteś obok – odparł.

W samochodzie zaległa cisza, a Edling zaczął się obawiać, że przeholował. Gocha nie należała do dziewczyn, które doceniałyby takie sentymentalne wynurzenia. Spodziewał się, że zobaczy na jej twarzy powoli rysujący się uśmiech, a potem usłyszy gromki śmiech.

Zamiast tego nachyliła się i go pocałowała. Długo i delikatnie, mimo że zazwyczaj ich pocałunki były zupełnie inne. Wyszła z zastawy bez słowa, ale posłała mu jeszcze spojrzenie, które mówiło, że ona przy nim również była w domu.

Gerard wycofał, a potem skierował się prosto na Reymonta. Nie miał zamiaru wracać do mieszkania, nie kiedy były naglące rzeczy do zrobienia.

Zamknął się w gabinecie, nie zważając na porę ani fakt, że nie pamiętał już, kiedy ostatnim razem coś jadł. Usiadłszy za biurkiem, wyciągnął swój bloczek kieszonkowy i zaczął przeglądać wszystko, co zanotował.

Dopisał wszystkie nowe fakty, ponownie je przeanalizował, ale i to w niczym mu nie pomogło. Sięgnął po ostatni list od Iluzjonisty i rozłożywszy go na blacie, wbijał w niego wzrok.

Przeczytał jeszcze raz wszystko, co napisał zabójca. Fragment o tym, że zawiódł się na Edlingu, dowodził, że albo wiadomość została przygotowana zawczasu, albo Iluzjonista był w mieszkaniu na krótko przed tym, jak weszli do niego śledczy. Wydawało się, że ta druga możliwość jest bardziej prawdopodobna. A to mogło znaczyć, że sam Iluzjonista wykonał anonimowy telefon.

Gerard miał dość. Mimo to jeszcze raz przebiegł wzrokiem tekst. Tym razem nie skupiał się jednak na słowach, ale na tym, jak są ułożone. Coś było nie tak w zapisie. Zupełnie jakby maszyna była niesprawna albo dokonywano jakichś korekt.

Edling zmarszczył czoło. Może to był właściwy trop?

Między niektórymi słowami miejsca było nieco za wiele. Początkowo tego nie widział, ale kiedy się przyjrzał, nie ulegało wątpliwości, że coś jest nie w porządku. Szczególnie że tak skrupulatny człowiek jak Iluzjonista z pewnością nie pozwoliłby sobie na takie uchybienie.

Może powtórzył numer z sokiem z cytryny?

Nie zaszkodziło sprawdzić. Gerard poszedł do gabinetu przełożonego, a potem wygrzebał z szuflady zapałki. Zapalił kilka i mozolnie podgrzewał kartkę tak, by jej nie osmalić. Raz po raz spoglądał na wierzch – i szybko przekonał się, że w istocie patrzy na ukryty przekaz.

Pięć cyfr. Numer telefonu z kierunkowym do Opola.

Natychmiast sięgnął po słuchawkę czerwonego telefonu RWT i zaczął obracać tarczę. Emocje sprawiły, że się pomylił i musiał zacząć od początku. Kiedy w końcu wykręcił numer, przyłożył słuchawkę do ucha i czekał.

Jeden sygnał. Drugi. Trzeci. Nikt nie odbierał.

W końcu rozległ się charakterystyczny trzask świadczący o tym, że ktoś podniósł słuchawkę. Gerard natychmiast pożałował, że nie sprawdził na liście numerów, do kogo należy ten.

Musiał jednak natychmiast go wykręcić i przekonać się, czy po drugiej stronie czeka na jego telefon Iluzjonista.

Rozmówca tymczasem milczał.

– Dzień dobry – odezwał się asesor. – Gerard Edling z tej strony.

– Domyślam się – rozległ się zniekształcony głos.

Był tak niewyraźny, że Gerard musiał się wysilać, by w ogóle zrozumieć poszczególne słowa. Dzięki temu nie miał jednak wątpliwości, że udało mu się dodzwonić do człowieka, którego ścigał.

– Trochę to panu zajęło – dodał Iluzjonista.

Trudno było stwierdzić, w jakim wieku jest rozmówca. Nie ulegało wątpliwości, że jest mężczyzną i że postanowił trzymać się społecznych konwenansów, nie zwracając się do Edlinga na ty. Wszystko inne stanowiło znak zapytania.

– Może należało wyraźniej wskazać numer telefonu – odparł Gerard.

– Może należało baczniej się przyjrzeć.

Skąd ten zniekształcony głos? Gaza na słuchawce? Może jakiś inny, grubszy materiał? Nie brzmiało to jak mechaniczne zakłócenia.

– Po co to wszystko? – spytał Edling.

– Nie musi pan pytać.

– Gdybym nie musiał, z pewnością bym tego nie robił.

Cisza. Gerard słyszał bicie własnego serca i zastanawiał się, czy we właściwy sposób postanowił prowadzić tę rozmowę. Tak naprawdę nie wiedział, kim jest człowiek po drugiej stronie linii – ego mógł mieć tak duże, że nawet niewielka uszczypliwość byłaby w stanie zakończyć tę rozmowę.

– Sprawia to panu satysfakcję? – dodał Edling. – O to chodzi?

Iluzjonista nie odpowiadał.

– Czerpie pan przyjemność z gry, którą z nami prowadzi?

– Nie z wami. Z panem.

W końcu Gerard coś od niego dostał. Niewiele, ale tyle wystarczyło, by pociągnąć temat.

– Dlaczego akurat ze mną?

– Bo pana wybrałem – odparł mężczyzna.

– Na jakiej podstawie?

– Chce pan znać kryteria?

Trudno było wychwycić, kiedy rozmówca się uśmiecha, ale Edlingowi wydawało się, że w tej chwili tak właśnie jest.

– Tak – odparł. – Chciałbym wiedzieć, co sprawiło, że skupia się pan właśnie na mnie.

– Jest pan ciekawym przypadkiem.

– To znaczy?

Znów brak odpowiedzi. Tym razem cisza trwała dostatecznie długo, by Edling zrozumiał, że jej nie otrzyma. Iluzjonista przekazał mu dokładnie tyle, ile planował. I ani słowa więcej.

– Mam dla pana zagadkę – odezwał się po chwili. – Od odpowiedzi na nią będzie zależało czyjeś życie.

Gerard podniósł się z krzesła, zapominając o słuchawce w dłoni. Skręcany kabel napiął się i rozprostował, niemal zrzucając czerwony telefon z biurka. Edling w porę pochwycił aparat.

– Nie mam zamiaru uczestniczyć w kolejnym przedstawieniu – rzucił.

– Nie ma pan wyboru.

– Mogę się w tej chwili rozłączyć.

– Wówczas ofiara zginie od razu.

Obaj wiedzieli, że gdyby faktycznie mógł odłożyć słuchawkę, zrobiłby to już w momencie, kiedy usłyszał o kolejnej zagadce.

– Jeśli udzieli pan błędnej odpowiedzi, efekt będzie taki sam – dodał Iluzjonista. – Jeśli jednak odpowie pan poprawnie, daruję tej osobie życie.

– Proszę mnie posłuchać...
– Nie, to pan będzie słuchał. A potem udzieli pan odpowiedzi.

Edling spojrzał bezradnie w kierunku drzwi. Musiał natychmiast kogoś poinformować, potrzebował wsparcia. Nie było jednak żadnego sposobu, by skontaktować się z kimkolwiek. Odejście od telefonu oznaczałoby tragiczny finał dla kogoś, kto trafił w ręce tego szaleńca.

Gerard spojrzał nerwowo na zegarek. Do czasu pojawienia się pierwszych pracowników było jeszcze stanowczo za daleko. Ale może ktoś tak jak on zdecyduje się przyjść wcześniej? Może Karbowski uzna, że nie może ot tak zostawić tej sprawy?

Edling musiał grać na czas, licząc na łut szczęścia.

– Kim jest ofiara? – spytał.
– To nieistotne.
– Dla mnie istotne. Chciałbym wiedzieć, czyje życie mam uratować.

Rozmówca przez moment się namyślał. Edling zastanawiał się, czy w istocie jest sam, czy być może przy telefonie siedzi kilka osób. Co rusz wydawało mu się, że za działania Iluzjonisty nie mogła odpowiadać jedna osoba.

– Człowieka – odparł w końcu zabójca.
– Słucham?
– Może pan uratować życie człowieka. To panu nie wystarcza?
– Odpowiedź jest oczywista.
– A gdybym powiedział, że to pańska żona?

Edling zamilkł.

– Albo Małgorzata Rosa? A może jeszcze inaczej zareagowałby pan, gdyby chodziło o prokuratora wojewódzkiego? Nie ma go teraz z panem, prawda?

Nie miał zamiaru uczestniczyć w zgadywankach, ale wiedział, że musi w jakiś sposób podjąć rękawicę.

– A może zdecydowałem się na kogoś zupełnie innego? Matkę lub ojca pańskiej wybranki? Czy to zmieniłoby postać rzeczy?

– Nie. Mimo wszystko wolałbym wiedzieć.

– Nie może pan mieć wszystkiego – odparł z namysłem Iluzjonista. – I tak ma pan sporo szczęścia. Żona, kochanki, dobra praca, ubóstwiający pana przełożony, perspektywy zawodowe, nowy samochód...

Zaczął się rozkręcać, a Edling odniósł wrażenie, że uda mu się podpuścić go jeszcze trochę.

– Wszystko jednak dzieje się w cyklach – dodał mężczyzna. – Szczęście i pech mają okresy aktywności i wyciszenia, zupełnie jak w przypadku natury. I zupełnie jak przy niektórych chorobach.

Nagle zamilkł, jakby ktoś odebrał mu słuchawkę. Skąd ta wzmianka o naprzemiennych fazach szczęścia i pecha? I nawiązanie do chorób? Edling nie potrafił tego z niczym powiązać, ale odnotował wszystko w pamięci. Każda najmniejsza informacja mogła okazać się na wagę złota.

– Dosyć tego – rzucił Iluzjonista. – Ma pan siedemdziesiąt sekund na odpowiedź na pytanie.

– Zaraz...

– Jest pan gotów, by je usłyszeć?

– Ten czas jest niewystarczający.

– Jest pan gotów, by je usłyszeć? – powtórzył zniecierpliwiony rozmówca. – Czy mam po prostu zabić ofiarę?

– Nie – odparł szybko Gerard. – Jestem gotów.

Usiadł z powrotem przy biurku i zamknął oczy. Minuta i dziesięć sekund może wystarczyć, o ile zachowa czujność. Zagadki tego człowieka nie były trudne do rozwikłania, ale wymagały pełnego skupienia. Odpowiedzi kryły się w szczegółach, a Iluzjonista robił wszystko, by odciągnąć od nich uwagę.

– Istnieje pewien starożytny wynalazek. Jest używany w pewnych częściach świata po dziś dzień… – podjął mężczyzna. – Dzięki niemu zwyczajny człowiek jest w stanie widzieć przez ściany.

Edling otworzył oczy, natychmiast tracąc koncentrację.

– Co to takiego? – dodał Iluzjonista. – Czas start.

Gerard mimo woli powiódł wzrokiem po pokoju, jakby gdzieś mógł szukać ratunku. Starożytny wynalazek, co to mogło być? Nie, należało odrzucić tę część zagadki, z pewnością była jedynie zmyłką, która prowadzi na manowce.

Spojrzał na zegarek. Długa wskazówka przesuwała się stanowczo za szybko.

Wynalazek używany w niektórych częściach świata do dziś. Nie, to także mogło okazać się kompletnie bez znaczenia. Słowa były tylko mylnymi tropami.

Niemal każda rzecz pasowała do tej definicji. Wszystko zostało kiedyś wynalezione, mogło uchodzić zatem za wynalazek. I właściwie wszystkiego używało się dziś gdzieś na świecie. Czcza gadanina.

Edling pominął wszystkie te kwestie i skupił się na ostatniej części. „Zwyczajnego człowieka" również powinien zignorować, była to wyłącznie podświadoma sugestia, że wynalazek wyposaża kogoś w niemal magiczne zdolności.

Bzdura.

Znów sprawdził zegarek. Zostało tylko dwadzieścia sekund.

Myśl, powtarzał sobie w głowie, myśl. Odrzuciłeś wszystko, co było nieistotne i co miało zbić cię z tropu. Co ci zostało? Co masz po odrzuceniu mylnych informacji, mających ukryć to, co naprawdę istotne?

Dziesięć sekund. Dziewięć. Osiem.

Ostatecznie została tylko jedna rzecz.

Siedem. Sześć.

Dzięki czemu ludzie mogli widzieć przez ściany?

Edling uderzył dłonią w blat biurka.

– Okno! – krzyknął.

Sprawdził zegarek. Zdążył, miał jeszcze dwusekundowy zapas. Iluzjonista jednak nie odpowiadał, a Gerard dopiero teraz uświadomił sobie, jak gorąco mu się zrobiło. Poluzował krawat i rozpiął kołnierzyk.

Czekał na odpowiedź.

Obecnie

Prokuratura okręgowa, ul. Reymonta

Edling pociągnął drzwi wejściowe, przepuścił Gochę, a potem ruszył za nią w głąb korytarza. Sprawdzono ich dość skrupulatnie, jakby istniała możliwość, że stanowią niebezpieczeństwo.

Dopiero potem trafili do sali konferencyjnej, którą Gerard doskonale pamiętał. Wciąż czuł się tutaj jak u siebie.

Młoda kobieta, być może sekretarka lub praktykantka, podała im kawę, a potem zostawiła ich samych. Absolutna cisza panująca w pomieszczeniu była dla Rosy wyraźnie krępująca.

– Dobra – rzuciła w końcu. – Musimy się chyba z tym zmierzyć.

– Z czym?

Obróciła się do niego i jedną ręką oparła się o blat owalnego stołu. Gerard napił się kawy i odstawił kubek.

– Z tym, dlaczego potraktowałeś mnie jak zwykłą szmatę.

Niemal się udławił. Minęły trzy dekady, a ta kobieta wciąż w okamgnieniu potrafiła zmienić się w tę samą buntowniczą dwudziestolatkę, którą wówczas znał.

– Co jest? – dodała. – Dalej masz kłopoty z nazywaniem rzeczy po imieniu?

– Nigdy nie miałem. Staram się po prostu…

– Używać eufemizmów i udzielać wymijających odpowiedzi, wiem – przerwała mu. – Kiedyś ci na to pozwalałam, teraz nie. Do kurwy nędzy, po takim czasie naprawdę nie uważasz, że jesteś mi winny wyjaśnienie?

Był jej winny znacznie więcej, ale nie miał zamiaru o tym wspominać. Zdawał sobie sprawę, że to skierowałoby rozmowę na tory, których za wszelką cenę chciał uniknąć.

– Wiesz, co potem przechodziłam?

– Nie.

– Potraktowałeś mnie jak najgorszą sukę, Gerard.

Każde słowo było jak cios wymierzony prosto w serce. Zarówno dla niego, jak i dla niej.

– Potrafisz sobie wyobrazić, ile zajęło mi dojście do siebie?

– Nie.

Zacisnęła lekko usta, choć gdyby Edling nie skupiał się na mikroekspresjach na jej twarzy, być może by tego nie dostrzegł. Świadczyły jednak dobitnie o tym, że emocje osiągają punkt wrzenia.

Z pewnością dałaby im upust, gdyby nie to, że drzwi do sali się otworzyły i do środka weszła Karolina Siarkowska. Edling spodziewał się zobaczyć idącego za nią Domańskiego, prokuratorka jednak była sama.

Przywitała się z obojgiem, a potem zajęła miejsce przy stole. Uśmiechała się lekko, jakby spotkali się na pogawędki przy kawie, ale biły od niej pewność siebie i rzetelność. Sprawiała wrażenie właściwego człowieka na właściwym miejscu.

– Myślałam, że zjawi się pan sam – odezwała się.

– Dobre towarzystwo to podstawa.

Gocha zbyła tę uwagę milczeniem. Ona i Edling w zasadzie nie skończyli jeszcze toczyć rozmowy, którą Karolina im przerwała. Mimo że odbywała się już wyłącznie w ich głowach.

– Prokurator okręgowy do nas nie dołączy? – spytał Gerard.

– Nie. Jest zajęty tropieniem Iluzjonisty.

– To nie Iluzjonista, ale jedynie jego naśladowca.

– Tak czy inaczej, dobrze jakoś go określać. Zaoszczędza to sporo problemów.

Na dobrą sprawę Edling był gotów się z tym zgodzić. Nazwany wróg zawsze był mniej groźny niż ten anonimowy.

– Elimas – odezwał się.

– Co proszę?

– Proponuję nazywać go Elimasem – odparł Gerard. – To termin na określenie iluzjonisty używany w polszczyźnie w szesnastym wieku. Wszedł do niej wskutek apelatywizacji imienia pewnej postaci biblijnej. Żydowskiego maga, a przy okazji także oszusta.

– Apela...

– ...tywizacji – dokończył Edling. – Przekształcenia nazwy własnej w pospolitą.

Siarkowska spojrzała na niego bez przekonania, a potem kontrolnie zerknęła na Gochę. Rosa nadal sprawiała wrażenie, jakby myślami była daleko. Od początkowej wymiany uprzejmości milczała.

– Prokurator Domański ma jakiś trop? – spytał Gerard.

– To się okaże.

– Tożsamość ofiar jest znana? Została sprawdzona?

– Owszem. Nie mają żadnego związku z wydarzeniami z osiemdziesiątego ósmego.

– Sprawdzono „Niedźwiednik"?

– Tak – odparła bez wahania Siarkowska, wykazując dużą cierpliwość. – Ktoś został tam wysłany niemal od razu po tym, jak Iluzjonista... Elimas wskazał to miejsce.

Nie tylko była na bieżąco, ale nawet nie musiała dopytywać, o jaki budynek w ogóle chodzi. Dość pochlebna obiegowa opinia na jej temat najwyraźniej nie była przesadzona.

– Ale przecież nie zjawił się pan, żeby wypytywać o postępy w śledztwie – zauważyła. – Bo wychodzi pan z założenia, że bez pana i tak na nic nie wpadniemy.

– Tak bym tego nie ujął.

– Ale taki byłby sens.

Dla świętego spokoju Gerard skinął głową, nie mając zamiaru tracić czasu na rzeczy, które były zgoła nieistotne.

– Więc z czym pan do mnie przychodzi?

– Z możliwym wyjaśnieniem.

– Słucham więc – odparła Siarkowska i skrzyżowawszy dłonie na stole, pochyliła się.

Jej mowa ciała była właściwa do sytuacji, prokurator budowała w rozmówcy poczucie, że to, co ma zamiar powiedzieć, zostanie wzięte do serca. Nieco inaczej było w przypadku Gochy. Edling kątem oka widział, że wciąż targały nią emocje.

Raz po raz dotykała kolczyka lub drapała się po policzku. Nie wierciła się, nie wykonywała żadnych większych ruchów świadczących o chęci opuszczenia tego miejsca. Chciała tu być, ale jednocześnie nie potrafiła poradzić sobie ze stresem.

Gerard nie bardzo rozumiał, czym jest wywołany. Ich emocjonalna wymiana zdań to jedno, ale takie napięcie to zupełnie co innego.

Uznał, że znajdzie odpowiedniejszą porę, by się nad tym pochylić. W tej chwili musiał zająć się mordercą.

– Dotychczas zakładałem, że ten człowiek robi to wszystko dla własnej satysfakcji – podjął.

– My także.

– Wiem, bo to najlogiczniejsze wytłumaczenie. Ale wydaje mi się, że niewystarczające.

– Co ma pan na myśli?

– To, że owa motywacja to za mało do tak szeroko zakrojonych działań – odparł Edling. – Gdyby chodziło li tylko o czystą przyjemność, naśladowca znalazłby inne sposoby, by ją osiągnąć. Mordowałby bez zbędnego ryzyka.

– Może po prostu je lubi?

– Może. Ale to by nie wystarczyło. Nie sprawiłoby, że byłby zdolny do takich rzeczy.

Karolina wyjęła telefon, sprawdziła coś, a potem odłożyła go na stół. Uniwersalny sygnał pokazujący, że ma lepsze rzeczy do roboty od słuchania przydługich wstępów do niepewnych hipotez.

– Więc dlaczego to robi? – spytała.

– Bo chce pokazać, czym się staliśmy.

– My?

Edling podniósł się i zaczął obchodzić stół. Wnioski, do których doszedł, zaczęły się układać w jego głowie jeszcze w redakcji „GO". Wciąż jednak dopiero przybierały ostateczny kształt i krzepły.

– Patostreaming – powiedział.

Siarkowska spojrzała na niego pytająco, a Gerard zatrzymał się po drugiej stronie stołu.

– Połączenie słów „patologia" i „streaming".

– Tak, wiem. Ale do czego pan zmierza?

Oczywiście, że wiedziała. Każdy, kto był na bieżąco ze sprawami w wirtualnym świecie, orientował się, co to za zjawisko. Ludzie tacy jak Karolina byli zaś na bieżąco, bo z zawodowej staranności musieli kontrolować nowo powstające ośrodki wszelkich skrzywień.

– Ten człowiek zaprojektował swój byt w przestrzeni publicznej tak, byśmy postrzegali go jako patostreamera – wyjaśnił Edling.

– Żartuje pan sobie?

– Nie. W gruncie rzeczy niewiele różni się od tych, którzy prowadzą transmisje na żywo z okładania swojej żony, upijania się do nieprzytomności, wypróżniania się na wizji, wymachiwania przyrodzeniem, gwałtu i… i innych, powiedzmy, ekscesów.

Siarkowska zmrużyła oczy.

– Co pan konkretnie sugeruje? – spytała. – Że ten pański Elimas chciał pobić Rafonixa w liczbie subskrybentów?

– Niestety nie wiem, kim jest Rafonix – odparł Edling, a potem przeniósł wzrok na Gochę. Ta jednak nadal nie miała zamiaru włączać się w dyskusję. – I muszę przyznać, że chyba jednak nie jestem przekonany do Elimasa. Być może odpowiedniejszy byłby Eskamoter.

Karolina zerknęła na niego z niedowierzaniem.

– Obecnie to wprawdzie słowo zupełnie zapomniane, ale na początku dwudziestego wieku dość powszechne w użyciu. Wywodzi się z francuskiego *escamoteur*, które oznaczało ni mniej, ni więcej, tylko magika. W polszczyźnie określało się tym mianem osoby potrafiące dokonywać sztuczek karcianych i sprawiające, że dane przedmioty znikały.

Siarkowska jeszcze przez moment szukała właściwej odpowiedzi.

– Ma pan jeszcze jakieś lingwistyczne asy w rękawie?

– Jedynie skomorocha. To z rosyjskiego.

– Elimas i eskamoter w zupełności mi wystarczą – odparła Siarkowska i również się podniosła. Tym razem był to już wymowny sygnał, że czas tej rozmowy dobiegał końca.

– Proszę posłuchać... – podjął Gerard. – Ten człowiek chce zrobić coś więcej niż tylko zapewnić ludziom krwawe igrzyska.

– Zdaje pan sobie sprawę z tego, jak to brzmi?

– Tak.

– Jakby był pan o krok od usprawiedliwiania go.

– W żadnym wypadku – zastrzegł Edling. – Chcę tylko powiedzieć, że morderca nie kieruje się jedynie zaspokajaniem własnych żądz. Musi mieć jakiś wyższy cel, jakkolwiek wynaturzony lub błędnie postrzegany.

– Misję.

– Otóż to – przyznał Gerard. – Jego misją jest udowodnienie, jak dalece upadliśmy jako społeczeństwo.

Siarkowska spojrzała w kierunku drzwi, ale nie ruszyła się ani o metr.

– Pokaże nam, jaką drogę przeszliśmy. Od reality show, przez patostreaming, aż po to, czego on się dopuszcza. Udowodni, że kierują nami coraz gorsze instynkty. Że łakniemy coraz bardziej bulwersującej rozrywki i że gotowi jesteśmy przyklaskiwać każdemu, kto nam ją zapewnia.

Edling nie śledził wprawdzie reakcji po ostatniej transmisji, ale właściwie nie musiał. Był przekonany, że w każdej pełnej oburzenia wypowiedzi mógłby doszukać się niewypowiedzianej deklaracji, że jej autor wróci na stronę, by obejrzeć kolejną odsłonę „Spektaklu".

– Załóżmy, że ma pan rację.

– To byłoby roztropne posunięcie.

– I że faktycznie to po prostu konsekwencja tego, co dzieje się w internecie – ciągnęła niezrażona Siarka. – Co nam to daje?

– Po pierwsze to, że ten człowiek musiał wykonać odpowiedni research. Obejrzeć odpowiednio wiele patostreamów, być może wspierać finansowo któreś z transmitujących te treści osób lub nawet utrzymywać z nimi stały kontakt. Mogą istnieć ślady.

– W tej gęstwinie niczego nie znajdziemy.

Prawdopodobnie miała rację, choć przy odrobinie szczęścia i trafieniu na inne tropy mogło okazać się to na wagę złota.

– Po drugie, jeśli wiemy, jaką misję realizuje, możemy reagować w określony sposób. Utrudniać mu osiąganie kolejnych etapów i...

– I to sprawi, że przestanie?

– Nie, ale będzie musiał modyfikować swoje założenia. I w końcu popełni błąd.

Edling był przekonany zarówno co do tego, jak i tego, że nie mylił się w ocenie mordercy. Zorganizowanie wszystkiego, dotarcie do informacji o Iluzjoniście i skopiowanie jego *modus operandi* wymagało ponadprzeciętnej inteligencji. Wydawało się niemożliwe, by ktoś taki działał wyłącznie dla własnej satysfakcji.

– Mam wrażenie, że wiem, jak będzie to dalej wyglądało – dodał Gerard. – Morderca przeprowadzi nas przez kilka podobnych transmisji, podgrzewając atmosferę i sięgając po coraz bardziej występne inscenizacje. Ostatecznie udowodni, że jako społeczeństwo osiągnęliśmy moralne dno.

Karolina przez moment zawieszała wzrok na twarzy Edlinga. Potem lekko pokręciła głową i ruszyła w stronę drzwi.

– To naprawdę niewiele – powiedziała.

– Myli się pani – zaoponował Gerard, zachodząc jej drogę. – Ten, kto pierwszy zrozumie przeciwnika, wygrywa.

– Tyle że to nie gra.

– Z mojego i pani punktu widzenia być może nie. Ale z perspektywy mordercy jak najbardziej.

Mierzyli się przez moment spojrzeniami, jakby ta rozbieżność zdań miała realne znaczenie. Być może tak było. Siarkowska z pewnością będzie szukała tropów i poszlak, Edling zaś wierzył, że trafią na nie dopiero, kiedy wejdą w psychikę sprawcy.

Z pewnością kontynuowaliby, gdyby nie to, że Gocha podniosła się z krzesła, przykuwając ich uwagę. Obróciła się ku nim, ale skupiała się wyłącznie na prokuratorce.

– To wszystko bez znaczenia – powiedziała. – Bo nie zna pani całej prawdy.

Edling drgnął niemal niezauważalnie.

– Prawdy?

– O tym, co stało się trzydzieści lat temu.
– I jaka to prawda?
– Proszę przyprowadzić tutaj prokuratora okręgowego, a powiem wszystko, co wiem w tej sprawie.

Gerard spiorunował ją wzrokiem, ona jednak wciąż go ignorowała. Dopiero teraz zrozumiał, skąd te nerwowe elementy mowy ciała. Rosnące napięcie Gochy nie wynikało z ich rozmowy, ale tego, co zamierzała zrobić.

– Proponuję sprowadzić go szybko – dodała Rosa. – Bo Gero miał rację, kiedy mówił, że kolejne odsłony „Spektaklu" będą coraz bardziej krwawe. A tak się składa, że znamy odpowiedź na kolejną zagadkę.

– Słucham? – spytała Karolina, ściągając mocno brwi.
– Będzie dotyczyła wynalazku, który pozwala ludziom widzieć przez ściany.

Niegdyś
Prokuratura wojewódzka, ul. Reymonta

– Winszuję – odezwał się Iluzjonista.

Gerard zamknął oczy i z ulgą wypuścił powietrze. Nie był przekonany, czy udzielił poprawnej odpowiedzi, ale wydawało mu się, że nic innego nie pasowało. „Okno" było jedynym sensownym rozwiązaniem.

– Czy teraz powie mi pan... – Nie skończył, uświadamiając sobie, że rozmówca już odłożył słuchawkę.

Bez żadnego potwierdzenia, bez jakichkolwiek emocji. Padło jedynie krótkie słowo, a Edling nie mógł przesądzić, czy miało być rzeczywistym wyrazem uznania, czy może wręcz przeciwnie – rozczarowania tym, że Gerard rozwiązał zagadkę.

Czy ten człowiek rzeczywiście mógł oszczędzić komuś życie tylko z tej przyczyny? Jeśli tak, istniała szansa dla innych, których weźmie na celownik.

Odłożył telefon na widełki i pochylił się, zmęczony, jakby ta krótka rozgrywka z Iluzjonistą kosztowała go wszystkie siły. Natychmiast jednak się ocknął. Powinien upewnić się, czy z osobami, o których wspomniał ten człowiek, wszystko w porządku.

W pierwszej kolejności wybrał numer Gochy. Uznał to za symptomatyczne, ale nie miał zamiaru tego teraz roztrząsać. Poprosił, by sprawdziła, czy z jej rodzicami wszystko w porządku, po czym skontaktował się z żoną i z przełożonym.

Wszyscy byli bezpieczni. Najwyraźniej Iluzjonista jedynie sobie z niego zakpił.

Sprawdziwszy godzinę, Gerard uznał, że powrót do domu teoretycznie nie ma sensu. Inna osoba w takiej sytuacji po prostu zdrzemnęłaby się w prokuraturze, ale Edling nie mógł sobie na to pozwolić. Musiał wrócić do mieszkania choćby po to, by wziąć prysznic, ogolić się i przebrać.

Do sypialni nawet nie wchodził. Wytłumaczył to sobie tym, że nie chce budzić Brygidy. Ułożył się na chwilę na kanapie, licząc na krótką drzemkę, ale żona niewiele później wyszła z sypialni i się przeciągnęła. Popatrzyła na Gerarda z pewnym niepokojem.

– Wyglądasz coraz gorzej – zauważyła.
– Miałem ciężką noc.

– Ja też. Po twoim telefonie nie mogłam spać – odparła Brygida w drodze do kuchni. – Możesz mi wytłumaczyć, o co konkretnie chodziło?

– Mówiłem ci. Musiałem się upewnić, że wszystko w porządku.

Od dawna rozmawiali ze sobą jak obcy sobie ludzie i wydawało mu się, że żona już nawet tego nie zauważa. Ostatnią uwagę zdawała się zignorować, zabierając się do robienia jajecznicy.

– Gdzie w ogóle byłeś?

– W pracy – odparł Edling, przeciągając się. – To też ci mówiłem.

– Ale niezbyt przekonująco.

Nie mając ochoty na poranne przepychanki, szybko skierował się do łazienki. Dopiero kiedy wklepał wodę kolońską w świeżo ogolone policzki i poczuł mocne szczypanie, nieco oprzytomniał. To, co zdarzyło się wczoraj, jawiło mu się teraz jak zły sen.

– Nałożyć ci? – zapytała Brygida, gdy wyszedł z łazienki.

– Dziękuję, zjem przed pracą.

Opuścił dom tak szybko, jak było to możliwe przy zachowaniu choćby minimalnej kultury. Pod blokiem rozejrzał się za swoim maluchem. Dopiero po chwili uświadomił sobie, że czeka na niego niebieska zastava o numerze rejestracyjnym OPD 1703.

Liczył, że w społemowskim barze zje w spokoju, ale na miejscu zastał już rozglądającego się za nim prokuratora.

– Widzę, że się panu tutaj spodobało – zauważył, a potem zamówił sobie ryż z jabłkami. Ostatnimi czasy właściwie mógł jeść ten specjał zarówno na śniadanie, obiad, jak i kolację.

– Przynajmniej można tu pogadać bez gumowych uszu – odparł Bogdan. – Mam wrażenie, że w prokuraturze cały czas kręci się ktoś z bezpieki. Próbowałem ich wywalić, ale to korbiaste zadanie.

Usiedli przy stole i napili się herbaty z dużych, ceramicznych kubków.

– Nadal nie mogę dojść, dlaczego tak się tym interesują – ciągnął Karbowski.

– Ja również.

Przez chwilę jedli w milczeniu.

– I dalej czekamy na jakieś zgłoszenia o porwanych czy zaginionych osobach z wczorajszego wieczoru – odezwał się Bogdan. – Na razie nic, ale jak znajdziemy tego człowieka, którego żeś uratował, może coś nam powie.

– Wątpię. Iluzjonista nie pozwoliłby sobie na taki błąd.

– Więc co zrobił? Zapakował go w walizkę i wysłał na przymusowe roboty na Żuławy?

Edling sam był ciekaw losów tego człowieka, nie tylko dlatego, że mógł okazać się cennym źródłem informacji. To, czy przeżył, właściwie definiowało Iluzjonistę i przesądzało, czy kieruje się jakimikolwiek zasadami.

– Moim zdaniem po prostu go zabił – ocenił w końcu Karbowski. – Tak byłoby najłatwiej.

Gerard odłożył łyżkę. Nie był przekonany, ale właściwie nie miał żadnych twardych danych, a na intuicji nie miał zamiaru polegać.

– To ślepa uliczka – odezwał się. – Nie powinniśmy w nią brnąć.

– Powinniśmy czy nie, wypadałoby ustalić, czy ktoś zginął.

– Jeśli tak było, prędzej czy później się dowiemy.

Przełożony dodał coś jeszcze, ale Edling przestał słuchać. W jego głowie zaczęły układać się elementy, które dotychczas zignorował, mimo że były dość oczywiste. Wyprostował się, trwał przez moment w bezruchu, a potem odsunął talerz i kubek.

– Iluzjonista działał dotychczas tylko w Opolu – rzucił. – I nic nie wskazuje na to, by zmienił miejsce.

– I?

– I to oczywiste, że jeśli pojawi się ciało, natychmiast się o tym dowiemy i powiążemy je z nim.

Bogdan popatrzył na niego z powątpiewaniem.

– Zmierzasz do czegoś? – spytał. – Bo to, że trup się znajdzie, oznajmiłeś mi błyskotliwie, jeszcze zanim zrezygnowałeś z tej ryżowej mamałygi.

Gerard skinął szybko głową.

– On chce, żebyśmy szukali ofiary. Wie, że będziemy to robić.

– Aha.

– Uzna, że za wszelką cenę postaramy się ustalić, czy rzeczywiście kogoś uratowałem, czy nie.

– I? – powtórzył przełożony. – Gerard, doprawdy…

Szef rozłożył ręce, a potem przysunął sobie danie asesora. Zanurzył swoją łyżkę, spróbował, ale szybko oddał talerz.

– Proszę się zastanowić, dlaczego w ogóle sprawił, że do niego zadzwoniłem.

– Może chciał usłyszeć twój głos.

– Panie prokuratorze...

– W porządku, w porządku – odburknął Karbowski. – Chciał wejść z tobą w bezpośredni kontakt.

– W jakim celu? – spytał Edling, wciąż wyprostowany jak struna. – By zaspokoić ciekawość? Nie sądzę, szkoda zachodu. Żebym uratował tę osobę? Z pewnością nie, przecież nie lubuje się w oszczędzaniu, ale w odbieraniu życia. Chodziło o coś innego.

– O co?

– O zbicie nas z tropu – powiedział z przekonaniem Gerard, a potem przygładził dłonią krawat w ciapki. – To iluzjonista. Tworzy iluzje.

– Tak, zauważyłem.

– Moim zdaniem nie było żadnej ofiary. Celem tej zagadki i telefonu było to, byśmy szukali nieistniejącej osoby.

Teraz wydawało mu się to całkowicie sensowne. Śledczy straciliby nie tylko koncentrację, ale także sporo czasu i energii na gonienie własnego ogona.

Edling wbił wzrok w oczy przełożonego, szukając w nich zrozumienia. Szybko je znalazł.

– Załóżmy, że masz rację – odparł po chwili Bogdan. – W takim razie musieliśmy być blisko jakiegoś odkrycia.

– Niewątpliwie.

Karbowski nerwowo potarł łysiejącą głowę. On także zdawał się już nie mieć wątpliwości, że ostatnie ślady są mylące.

– Dobra – rzucił. – Co byśmy robili, gdyby nie skierował nas w ślepą uliczkę?

– Szlibyśmy dalej poprzednim tropem.

– Czyli?

– Kwartetem brydżowym z Mondrzyka – oznajmił pewnie Gerard. – Został tylko jeden człowiek.

– Witek Borbach.

– Zgadza się. A my znamy kogoś, kto może co nieco o nim powiedzieć.

Nie mieli zamiaru tracić czasu. Edling czym prędzej odniósł talerze, a potem ładą Karbowskiego popędzili do Szczepanowic. Grażynę Oblewską zastali w domu, wciąż nosiła ten sam poplamiony fartuch, podkreślający sterczący brzuch.

W domu nadal unosił się duszący zapach kapusty, a mąż był nieobecny.

Kobieta podjęła ich w kuchni, podała kompotu i dołączyła do nich przy stole. Była wyraźnie skrępowana, z pewnością za sprawą rewelacji dotyczących kontaktów seksualnych z Andyckim, Waserakiem i Borbachem, które ostatnio im przedstawiła.

– Gdzie wasz małżonek? – odezwał się Karbowski.

– W pracy. Wróci na obiad dopiero.

– To możecie mówić bez skrępowania.

Oblewska potwierdziła ledwo zauważalnym ruchem głowy, wbijając wzrok w pokryty ceratą stół.

– Z Borbachem też żeście sypiali, zgadza się? – dodał Bogdan.

– Tak...

W natłoku wszystkiego, co się działo, Edling odłożył ten fakt na bok, uznając go za ważny, ale nie kluczowy. Może jednak należało głębiej zastanowić się nad tym, co w istocie działo się przy Mondrzyka.

Trzech mężczyzn regularnie współżyło z jedną kobietą. Za każdym razem, gdy spotykali się na brydża, czyli niemal codziennie. I wprawdzie Oblewska twierdziła, że nie dochodziło między nimi do żadnych konfliktów, ale mogła mijać się z prawdą.

Sytuacja musiała być kłopotliwa. Nawet jeśli im wszystkim wydawało się, że jakoś to sobie ułożyli.

– Kiedy ostatnio się z wami kontaktował? – dodał Bogdan.

– Dawno, zanim to wszystko się jeszcze zaczęło... Potem nie miałam wieści ani od Sławka, ani od Witka.

Nadal nie wiedziała, że Sławomir Waserak nie żyje. Edlingowi przeszło przez myśl, by ją o tym poinformować i sprawdzić reakcję, ale jeśli rzeczywiście była z tymi ludźmi emocjonalnie związana, szok mógłby utrudnić przesłuchanie.

Zerknął kontrolnie na przełożonego, a ten lekko pokręcił głową. Więcej nie trzeba było.

– Znaleźli ich panowie? – spytała Grażyna. – Trafili panowie na jakiś trop?

– Niestety nie – włączył się Gerard. – Ale liczymy na to, że nam pomożecie.

Poruszyła się nerwowo i przesunęła ręką po ceracie, jakby chciała zrzucić na podłogę niewidzialne okruchy chleba.

– Pomogę – zapewniła. – Ale o Sławku powiedziałam panom towarzyszom już wszystko, co wiedziałam...

– Wiemy – uciął Karbowski. – I sprawdzamy te tropy. Teraz potrzeba nam czegoś więcej o Borbachu.

– Ale czego więcej?

– Mówcie wszystko, co wiecie – odparł Bogdan i ponaglił ją ruchem ręki.

Ledwo Oblewska zaczęła, stało się jasne, że będzie to dość długa rozmowa. Kobieta znała historię każdego z graczy, potrafiła dokładnie nakreślić ich charaktery. Z całej tej mozaiki to wciąż Waserak zdawał się najlepszym kandydatem na Iluzjonistę.

Borbach zaś najsłabszym.

Według Grażyny był to człowiek raczej nieśmiały, nieodnajdujący się w towarzystwie. Przy innych zawsze sprawiał wrażenie, jakby z jakiegoś powodu miał zapaść się pod ziemię – dopiero kiedy był sam z przyjaciółmi, można było nawiązać z nim kontakt.

– Skąd ta jego wstydliwość? – zapytał Gerard, nie chcąc, by rozmówczyni dalej meandrowała.

– Chyba taki po prostu jest. A może to przez tę jego przypadłość.

– Jaką przypadłość?

– Nie wiecie panowie?

– Nie – odparł Edling, kładąc ręce na klejącym się obrusie. – Co konkretnie macie na myśli?

– Zapalenie skóry. Atypowe chyba.

– Atopowe?

– Tak, tak – potwierdziła szybko Oblewska. – To przychodziło i odchodziło, tak na zmianę. Czasem miał lepsze okresy, czasem gorsze, ale…

– O czym mowa? – włączył się Bogdan.

– O przewlekłym stanie zapalnym skóry – odparł Edling.

– Witek mówił na to świerzbiączka. Miał to na dłoniach.

Gerard nachylił się do gospodyni.

– Co konkretnie? – spytał.

– Takie czerwone plamy, czasem trochę gorzej wyglądały, czasem lepiej. Jak miał więcej stresu, to się robiły wyraźniejsze, a nawet wyskakiwały mu takie strupy i trochę ropiały.

Bogdan lekko potrząsnął głową, Edling zaś trwał w absolutnym bezruchu, patrząc kobiecie prosto w oczy.

– Ukrywał to jakoś? – spytał.

– No, wiadoma sprawa. Nosił rękawiczki przecież.

Gerard zamknął oczy i nabrał tchu. Czy to możliwe, że naprawdę trafili na jakiś trop?

Podniósł powieki i spojrzał na przełożonego. Ten również natychmiast zrozumiał, że dotarli dalej, niż się spodziewali. W jednej chwili stało się jasne, dlaczego Iluzjonista akurat teraz starał się zamydlić Gerardowi oczy i spowodować, by prokuratura skupiła się na czymś innym.

Zagadka z rękawiczkami.

I rozmowa telefoniczna. Pech lub szczęście mają okresy cykliczne, zupełnie jak niektóre choroby.

Stąd to porównanie. Gerard nie miał co do tego najmniejszych wątpliwości. Podniósł się w momencie, kiedy to samo zrobił jego przełożony. Obaj spojrzeli na kobietę z góry.

– Panowie prokuratorzy, ja przecież nic nie zrobiłam…

– Pojedziecie z nami – oznajmił Karbowski.
– Ale dokąd?
– Do prokuratury.
– Matko Boska, przecież ja…
– Nie panikujcie – uciął Bogdan. – Trzeba to wszystko spisać. Tylko zostawcie tutaj ten fartuch.

Po drodze do centrum starali się wyciągnąć z niej wszystko, co mogłoby pomóc w ustaleniu miejsca przebywania Borbacha. Kobieta odpowiadała wyczerpująco na wszystkie pytania, ale nie dała im niczego, co choćby zawęziłoby obszar poszukiwań.

Zostawili ją z prokuratorką, która miała wyciągnąć od niej szczegóły związane z tym, jak wyglądał ten osobliwy układ seksualny, a sami wrócili do gabinetu Karbowskiego. Bogdan zapalił papierosa, Edling rozsiadł się na krześle.

– To nie są żelazne dowody, Gerard – odezwał się szef i wypuścił dym.
– Ale dość wymowne poszlaki.
– Może.
– A w takim razie powinniśmy zastanowić się, dlaczego akurat ci ludzie zginęli.

Bogdan przeszedł się po pomieszczeniu, a potem zatrzymał się przy oknie i je uchylił. Przez chwilę spoglądał na znajdującą się naprzeciwko szkołę.

– Przez miłość? – odezwał się i obejrzał przez ramię. – Sam przyznasz, że to najpotężniejszy z żywiołów.

Edling się nie odzywał.

– Trudno mi sobie wyobrazić, żeby ktokolwiek mógł stracić głowę dla Oblewskiej, ale wszystko jest możliwe. Borbach mógł ją kochać – ciągnął Karbowski. – Może to wszystko nie jest zwykłym szaleństwem, ale zemstą z chorobliwej zazdrości.

– A to nie jedno i to samo?

– Dajże spokój.

Gerard mruknął w zamyśleniu.

– Więc jak sądzisz? – dodał przełożony.

– Sądzę, że wiele wojen w historii wybuchało z tej samej przyczyny.

– Ale w takim razie...

Kiedy szef urwał, oboje wiedzieli, co muszą ustalić. Wersja, którą w tej chwili wstępnie przyjęli, tłumaczyłaby zabójstwo Andyckiego i Waseraka. Nie wyjaśniałaby jednak, dlaczego zginął także Jan Araszkiewicz. Pierwsza ofiara i ten, który dołączył do kółka brydżowego później.

Prokuratorzy natychmiast wyszli na korytarz i skierowali się prosto do pokoju, w którym ich współpracowniczka przesłuchiwała Oblewską. Przeprosili na moment, a potem obaj pochylili się nad kobietą.

– Jan Araszkiewicz – rzucił Karbowski. – Z nim także spaliście?

– Ale...

– Odpowiadajcie! Spaliście czy nie?

Grażyna odwróciła wzrok, a oni zrozumieli, że robi to tylko z powodu wstydu.

– Jakim cudem? – dodał Bogdan. – Przecież Araszkiewicz dołączył później. Przyszedł na wasze miejsce.

– Ale oni...

– Oni co? Mówcie!

– Opowiadali mu o tym... i... i...

– No? Puśćcie parę z gęby!

– Zaprosili mnie pewnego wieczoru, zaczęliśmy to robić i...

– I Araszkiewicz też chciał? – dopowiedział Bogdan. – Czy może wy chcieliście jego?

Nie musiała precyzować. Było dla nich absolutnie jasne, że między nią a pierwszą ofiarą również doszło do zbliżenia. Bogdan klasnął głośno, jakby drużyna, której kibicował, właśnie zdobyła bramkę.

– A więc jednak.

– Tak – przyznała. – Z nim też...

Przyglądając się kobiecie, Edling starał się przesądzić, czy to ona czuła taką potrzebę, czy może był to rezultat presji ze strony mężczyzn. Wątpił, by doszło do gwałtu, Borbach z pewnością by temu zapobiegł, ale to w niczym nie umniejszało ohydności tego zdarzenia.

Oblewska kręciła się nerwowo na krześle i pociła obficie. Mokre plamy pojawiły się nie tylko w okolicach pach, ale też między piersiami.

– Był tam alkohol? – zapytał Gerard.

Spojrzała na niego niepewnie, nie wiedząc, do czego zmierza. Karbowski sprawiał wrażenie, jakby też niespecjalnie to rozumiał.

– Upili was? – dodał Edling.

– Nie, to znaczy... było trochę wódki, ale nikt się nie spił. Nigdy nie piliśmy dużo. Tylko trochę, żeby się rozluźnić...

– To było już po tym, jak przeprowadziliście się do męża, do Szczepanowic?

– Tak – przyznała.

Edling dopisał Oblewskiego do listy hipotetycznych sprawców. To, że w tej chwili Borbach był najbardziej prawdopodobnym kandydatem, nie oznaczało, że należało zignorować inne typy. Przełożony z pewnością był tego samego zdania.

– Mąż wie, coście tam robili? – włączył się Bogdan.

– Nie, przecież prosiłam, żeby panowie nie powiedzieli...

– Nie domyśla się niczego?

– Niczego.

Brak wahania w głosie sprawił, że żaden z prokuratorów nie musiał dopytywać. Edling miał zamiar przejść dalej, kiedy uświadomił sobie, że pewność kobiety jest podejrzanie niezachwiana.

Nie powinien tego ignorować, skwitował w duchu. Szczególnie mając na względzie to, jak niewiele w małżeństwie trzeba, by druga strona rozpoznała podstęp.

– Skąd wiecie, że wasz mąż jest nieświadomy? – spytał.

– Takie rzeczy po prostu się wie.

– Jesteście pewni?

– Tak, panie prokuratorze.

– A co, jeśli mąż zwyczajnie nie daje po sobie poznać, że odkrył prawdę?

– Dlaczego miałby to robić?

– Bo chce z wami być – odparł Edling i dopiero teraz zrozumiał, że ma na myśli właściwie nie Oblewskiego, ale swoją żonę. – Różne motywacje mogą mu przyświecać. A wy niekoniecznie musicie je znać.

– Znałabym.

– Znowu ta pewność – wtrącił Karbowski.

Grażyna z trudem przełknęła ślinę, a potem otarła czoło wierzchem dłoni. Zapewne modliła się już w duchu o to, by czym prędzej stąd wyjść.

– Jestem pewna, bo... wiem, jak on reaguje – odparła i znów spuściła wzrok. – Gdyby się dowiedział, od razu by...

Urwała i pokręciła głową. Prokuratorzy wymienili się zdawkowymi spojrzeniami.

– Uderzyłby was? – spytał Gerard, odsuwając sobie krzesło.

Usiadł przed nią, a przełożony zrobił to samo. Obaj przez moment milczeli, czekając na odpowiedź i jednocześnie obawiając się, że Oblewska już jej udzieliła.

– Zdarza mu się...

– Czemuście tego nie zgłosili? – spytał Karbowski.

Gerard uspokoił szefa ruchem ręki, dając mu do zrozumienia, że weszli na grunt, po którym powinni stąpać z wyjątkową ostrożnością. Karbowski natychmiast odpuścił.

– Bała się go pani, tak? – odezwał się po chwili Edling, zupełnie zmieniając ton głosu. – Teraz już nie ma powodu. Jest pani tutaj całkowicie bezpieczna.

Grażyna podniosła wzrok i zmusiła się do lekkiego uśmiechu. Edling jeszcze przez chwilę zapewniał ją, że wszystko będzie dobrze i że zaraz zjawi się ktoś, kto przyjmie od niej zgłoszenie. Początkowo oponowała, twierdząc, że mąż z pewnością się dowie, ale ostatecznie dała się przekonać.

Zaraz potem obaj opuścili pokój i wyszedłszy na korytarz, oparli się o ścianę. Spodziewali się wielu rzeczy, ale z pewnością nie tego, że dziś przyjdzie im się mierzyć z przemocą domową.

– Przymkniemy chuja – odezwał się Bogdan, wyciągając paczkę papierosów. – Pójdzie prosto do ciupy i raz-dwa przekona się, jak cienki jest w uszach.

Zapalił, zaciągnął się, a potem kaszlnął.

– Dostanie to, co mu się należy – kontynuował.

Kiedy nie doczekał się żadnej odpowiedzi, zerknął z pretensją na Gerarda. Miał zamiar coś dodać, ale widząc minę podwładnego, zmienił zdanie.

– Co jest? – zapytał.

Edling nieruchomo wbijał wzrok w ścianę przed sobą.

– Ma pan rację.

– Wiem.

– Temu człowiekowi należy się kara – rzucił Edling i obrócił się do szefa. – I z pewnością to samo myśli w tej chwili Borbach.

– Chcesz powiedzieć…

Urwał, doskonale zdając sobie sprawę, że nie musi kończyć myśli.

– Tak – odparł Gerard. – Wiemy, kto będzie następną ofiarą. I dzięki temu możemy ująć Iluzjonistę.

Obecnie

Prokuratura okręgowa, ul. Reymonta

Siarkowska i Domański słuchali Gochy nawet nie z uwagą, ale z prawdziwym namaszczeniem. Notowali wszystko, co miała do powiedzenia na temat kolejnej zagadki – a potem skrupulatnie zapisywali jej relację rozmowy telefonicznej sprzed trzydziestu lat.

Pamiętała całkiem sporo z tego, co Edling jej niegdyś przekazał. Nie spodziewał się zresztą, że będzie inaczej. Tamte zdarzenia mocno odcisnęły się w pamięci wszystkich, którzy mieli z nimi cokolwiek wspólnego.

Kiedy skończyła, Siarkowska podziękowała jej i wymownym gestem wskazała drzwi.

– Może pani poczekać chwilę na korytarzu? – spytała.

Gocha skinęła głową i opuściła salę konferencyjną, zupełnie ignorując to, w jaki sposób patrzył na nią Edling.

Po tym, jak zamknęła drzwi, przez chwilę nikt się nie odzywał. W końcu Karolina zamknęła notatnik i westchnęła, a Domański wbił wzrok w Gerarda.

– Wyjaśnisz, dlaczego się o tym nawet nie zająknąłeś? – rzucił.

– Jeśli muszę.

– Musisz – odparł stanowczo Konrad. – I módl się, żebyśmy uznali to tłumaczenie za dobre.

Edling nalał sobie kawy ze stojącego na stole termosu, ale nie napił się, nie mając zamiaru przeciągać.

– Zacznijmy od tego, że ufa mi sam wiceprezes Rady Ministrów – podjął.

– Korodecki nie ma tu nic do rzeczy.

– Wprost przeciwnie. Zresztą to on cię powołał na obecne stanowisko, więc powinieneś wiedzieć o tym lepiej od nas.

Domański pokręcił bezsilnie głową.

– Masz plecy, to chcesz powiedzieć?

– Nie – odparł spokojnie Gerard. – Po prostu zauważam, że ufa mi prokurator generalny. Z punktu widzenia hierarchii służbowej to powinno być istotne.

Siarkowska się nie odzywała, Konrad również postanowił milczeć.

– Nie wspomniałem o zagadce sprzed lat, bo nie ma teraz znaczenia.

– Nie ma znaczenia? – żachnął się Domański. – To może uratować komuś życie. Zdajesz sobie przecież z tego sprawę.

– Zdaję sobie sprawę, że elimas powtarza…

– Kto?

– Taki eskamoter – powiedziała Siarkowska.

Konrad rozłożył ręce, a potem popatrzył na jedno i drugie, jakby miał do czynienia z obcymi formami życia.

– Tylko ja jestem tu normalny? – spytał i obrócił się do Karoliny. – Czy może po prostu uwierzyłaś, że powinniśmy mu zaufać?

– Z akt innych spraw wynika, że zawsze mu ufałeś. I ma rację, że zaskarbił sobie uznanie wicepremiera.

– I co z tego?

– To, że nasz przełożony ma nosa do ludzi – odparła z uśmiechem Siarkowska.

Edlingowi bynajmniej nie podobało się, że mówi się o nim w trzeciej osobie, ale musiał przyznać, że namaszczona przez Korodeckiego prokuratorka budziła sympatię.

– Mniejsza z politykami – uciął Konrad i znów skupił się na Gerardzie. – Wyjaśnisz mi, skąd ta tajemniczość?

– Tamta zagadka i moja rozmowa z Iluzjonistą nie miały żadnego znaczenia. Naśladowca jej nie powieli.

– Dlaczego nie?

– Bo była to wyłącznie zmyłka, która miała na celu odwiedzenie nas od właściwego toru śledztwa.

– Którym było trafienie na trop Witolda Borbacha?

– Zgadza się.

Gerard nie potrafił zliczyć, ile razy od początku tej sprawy minął się z prawdą. Za każdym razem przychodziło mu to z trudem, ale wiedział, że nie ma innego wyjścia. Teraz nie było inaczej.

Gocha powiedziała im tyle, by mogła cieszyć się czystym sumieniem, ale niewystarczająco, by choć zbliżyli się do prawdy. Dzięki temu Edling mógł teraz przedstawić wersję, która była tą oficjalnie obowiązującą.

Dwoje prokuratorów patrzyło na niego badawczo, szukając jakichkolwiek oznak fałszu. Pilnował się, by ich nie okazać. Mrugał dostatecznie często, nie unikał patrzenia w oczy rozmówcom, ale też nie wbijał w nie nachalnie wzroku.

Znał się na swoim fachu i miał świadomość, że dzięki temu uwierzyli.

– Pańska koleżanka jest przekonana, że ta zagadka się powtórzy – zauważyła Siarka.

– Wiem.

– Jest pan pewien, że się myli?

– Tak – odparł bez wahania. – Nie zna tego człowieka tak jak ja.

Domański syknął coś pod nosem i uniósł wzrok.

– Przestań pierdolić – rzucił. – Nie znasz go.

– Ale znam jego sposób myślenia. To wystarczy.

– Może tobie. Ale nie nam.

Edling pokiwał głową, nie mając zamiaru nalegać, by porzucili ten trop.

– Jeśli chcesz tracić czas, nie będę cię od tego odwodził – powiedział. – Ale to ślepy zaułek. Poza tym i tak niewiele ci da.

– Zobaczymy – odparł Domański, a potem wyciągnął telefon i wybrał numer. Przyłożył komórkę do ucha z wyrazem twarzy świadczącym o tym, że zamierza wyprowadzić rozmówcę z błędu.

Gerard szybko zrozumiał, co jest na rzeczy. Istniał tylko jeden sposób, by wykorzystać informacje przekazane przez Gochę.

I Domański miał zamiar to zrobić. Skontaktował się ze znajomym w NSI i przekazał mu, jaka będzie kolejna zagadka Iluzjonisty. Następnie zadzwonił do TVN24, a potem polecił komuś z biura prasowego, by rozpuścił wieść w jak najszerszym gronie.

Zadowolony z siebie, odłożył telefon na stół.

– No – skwitował.

– Naprawdę sądzisz, że to coś zmieni?

– Może zmienić wszystko. Jeśli Iluzjonista porwie kolejną osobę i zada jej właśnie tę łamigłówkę, ofiara może przeżyć.

Nawet gdyby naśladowca wybrał tę zagadkę, byłoby to absolutnie niemożliwe. Kimkolwiek był ten człowiek, nie pozwoliłby na utratę inicjatywy. Nie oddałby nikomu choćby częściowej kontroli nad sytuacją. Edling nie miał jednak zamiaru się upierać.

— A jeśli nawet stanie się inaczej, to przynajmniej utrudnimy mu robotę — dodał Konrad. — Iluzjonista poczuje nasz oddech na plecach.

— Wciąż uważam, że nazywanie go tak jest błędem.

— Lepszy ten eskimos czy monter, tak? — burknął Domański.

— Eskamoter — poprawiła go Siarkowska.

— Nie, rzeczywiście nie lepszy. Ale być może słowo Magik byłoby właściwym określeniem — odparł Gerard i przysunął się do stołu. — Prawdziwi iluzjoniści zżymają się, być może z właściwych pobudek, na ten termin. Wydaje się więc uzasadniony.

Konrad machnął nerwowo ręką, a potem podniósł się i ruszył w kierunku drzwi. Najwyraźniej rozmowa w zamkniętym gronie śledczych dobiegła końca.

Zaprosił Gochę do środka, a ta wróciła na swoje miejsce jakby nigdy nic. Wciąż nie patrzyła na Edlinga, skupiała się głównie na Siarkowskiej, sugerując, że to osoba z zewnątrz była tą najbardziej godną zaufania.

Karolina uśmiechnęła się lekko.

— Ma pani nam coś jeszcze do powiedzenia? — spytała.

W końcu Rosa krótko spojrzała na Gerarda, ale nie mógł niczego wyczytać z jej oczu.

— To była ostatnia zagadka z osiemdziesiątego ósmego — odparła. — Niedługo potem odnaleźliśmy Iluzjonistę.

— My? — spytał Domański.

— Śledztwo prowadził Gerard z Bogdanem, ale uczestniczyło w nim jeszcze kilka osób. To były inne czasy.

Siarkowska podciągnęła nieco rękawy żakietu i skrzyżowała ręce na piersi, dopiero teraz uświadamiając sobie, dlaczego na swoje pytanie otrzymała jedynie wymijającą odpowiedź. Edling też to zrozumiał. Gocha miała zamiar powiedzieć więcej.

W co ona grała?

Nagle Gerard poczuł, że robi mu się gorąco. O ile dotychczas ujawnione informacje w gruncie rzeczy niczego nie zmieniały, o tyle brnąc dalej, Rosa mogła sprowadzić na nich przemożne konsekwencje.

Mimowolnie sięgnął do węzła pod szyją, co nie uszło uwadze Domańskiego. Przełożony nie skomentował tego jednak w żaden sposób.

– Jakich osób? – spytała Karolina. – Kto uczestniczył w śledztwie?

– Oprócz mnie związane z nim były osoby z Komitetu Wojewódzkiego, a…

– To wiemy – przerwał jej Konrad. – Kto jeszcze?

– Funkcjonariusze Służby Bezpieczeństwa.

Dwoje prokuratorów popatrzyło na siebie niczym para poszukiwaczy cennego kruszcu, którzy właśnie trafili na żyłę złota.

– Bezpieka była zamieszana? – spytała Siarkowska.

– Tak. Jeden z oficerów uczestniczył nawet bezpośrednio w czynnościach.

Edling zamknął oczy i opuścił głowę. Nie było sensu dalej się pilnować, mleko się rozlało. Z tego, że nie wspomniał o ostatniej zagadce, mógł się wytłumaczyć. To jednak, o czym mówiła teraz Gocha, zupełnie go pogrążało.

– Nazywał się Wojciech Stala, był funkcjonariuszem pionu śledczego – dodała Rosa. – Koordynował tak naprawdę cały tor śledztwa.

Siedzący po drugiej stronie stołu oskarżyciele się nie odzywali. Coś było nie tak, ale Gerard nie rozumiał co.

– Stała? – jęknął Domański.

– Tak – potwierdziła Gośka. – To jego partia wyznaczyła do sterowania dochodzeniem. I to z nim powinniście porozmawiać, jeśli chcecie wiedzieć, co się wtedy wydarzyło.

Dwoje rozmówców wciąż było wyraźnie skonsternowanych.

– Co więcej, moim zdaniem to on jest Magikiem – ciągnęła. – W osiemdziesiątym ósmym był w wieku Gerarda, więc w tej chwili byłby w stanie to wszystko zorganizować. Znał wszystkie szczegóły sprawy, każdą zagadkę. Mógł bez trudu wszystko to odtworzyć, nie potrzebowałby do tego żadnych akt.

Co ona wyprawiała? Jeszcze przed momentem Edling był pewien, że zamierza wyjawić całą prawdę.

Teraz było już dla niego jasne, że jest wręcz przeciwnie. Kłamała – choć wiedzieli o tym jedynie oni.

Prokurator okręgowy zaczął nerwowo i szybko mrugać, co kazało Gerardowi sądzić, że Domański odczuwa albo wyjątkowy dyskomfort, albo niepokój. Popatrzył na swoją koleżankę po fachu, sugerując, by to ona podjęła temat.

– Od dawna staramy się znaleźć Wojciecha Stalę – odezwała się. – Nie ma jednak po nim śladu.

– Jak to? – rzuciła Rosa. – Nie żyje?

– Na to wygląda – przyznała Karolina. – Dodzwoniliśmy się do jego siostry, nie była zbyt rozmowna, ale potwierdziła, że Wojciech zmarł dość dawno temu.

Gocha przez moment się namyślała.

– Był jeszcze drugi, starszy – oświadczyła i popatrzyła na Gerarda. – Pamiętasz? Czekał na nas, jak po raz pierwszy wyszliśmy z mieszkania przy Mondrzyka. A potem był jeszcze w mieszkaniu Waseraka. Ze Stalą i tą pierwszą sekretarz.

– Pamiętam.

Kolejny ślepy zaułek. Przedstawiony jednak przez Gochę tak, że dwoje prokuratorów musiało się tym zainteresować. Edling przez moment pozorował głęboki namysł, aż w końcu podał imię i nazwisko funkcjonariusza.

Po szybkim sprawdzeniu tego człowieka okazało się, że spotkał go los dokładnie taki sam jak wszystkich innych zamieszanych w sprawę – choć w jego przypadku wszystko wskazywało na śmierć z przyczyn naturalnych.

Ostatecznie na powrót skupili się na Edlingu. Domański nie musiał po raz kolejny prosić, by wyjaśnił im, dlaczego zachował te informacje dla siebie.

– Przekazałem wam tylko to, co istotne – zadeklarował Gerard. – Stala i jego towarzysz nie żyją. Ostatnia zagadka nie ma związku z tym, co się dzieje.

Przy tak postawionej sprawie nie powinni mieć pretensji. Gocha mogła pogrążyć go kilkoma słowami, mimo to na ostatniej prostej podała mu na tacy gotowe rozwiązanie. Co ona kombinowała? I dlaczego rozgrywała to właśnie w taki sposób?

Rozmowa z prokuratorami trwała jeszcze chwilę, ale była jedynie formalnością. Edling zapewnił, że od tej pory będzie ujawniał nawet trywialne informacje. Potem wraz z Gochą w końcu opuścił budynek.

Rosa natychmiast zapaliła papierosa. Nie odzywając się, ruszyli z powrotem w kierunku redakcji „GO". Edling zamierzał poruszyć palące kwestie dopiero, kiedy znajdą się odpowiednio daleko.

Przeszli kawałek Damrota, a potem skręcili w prawo za placem Daszyńskiego. Gerard uznał, że najwyższa pora się odezwać.

– Co ty wyprawiasz? – spytał.

Gocha rozejrzała się, po czym wskazała jedną z ławek na placu. Usiedli i wbili wzrok w odświeżoną, okazałą fasadę nowej siedziby sądu.

– To było szaleństwo – dodał. – Otarłaś się o katastrofę.

Zaciągnęła się i odchyliwszy głowę, wypuściła dym w stronę korony drzewa. Potem spojrzała na Gerarda bez wyrazu.

– Katastrofę dla ciebie – zauważyła.

– Nie tylko – odparł chłodno. – Co chciałaś osiągnąć?

Obrócił się do niej i przełożył rękę przez oparcie. Przypomniały mu się liczne spacery na wyspie Bolko i momenty, kiedy zasiadali właśnie w ten sposób na którejś z ławek w zalesionych alejkach.

– Mam tego dosyć, Gero.

– Czego?

– Trzymania dłużej tej tajemnicy. Najwyższa pora wszystko ujawnić.

– Chyba żartujesz.

– Nie – odparła z przekonaniem, choć nadal unikała jego spojrzenia.

Wystarczyło, że chwilę się zastanowił, a zaczął powoli rozumieć, co w istocie zrobiła Gośka. Wizyta w prokuraturze nie była przypadkowa. Miała zamiar złożyć ją prędzej czy później, bo miała przygotowany plan.

Powinien był zobaczyć to wcześniej. Przejrzeć jej zamiary.

– Chcesz rozrzucać przed nimi trochę okruchów, żeby je pozbierali? I poznali prawdę?

Nie odpowiadała.

– Nie, nie, to raczej twój wariant awaryjny – dodał. – Podstawowy plan zakłada, że to opublikujesz. Opiszesz wszystko w „Głosie".

Gocha nie potwierdziła, ale nie musiała.

– Potrzebowałaś podkładki, by nikt nie zarzucił ci, że trzymałaś to dla siebie – ciągnął. – I ja ci ją dałem. Przedstawiłaś Siarkowskiej i Domańskiemu wybrane fakty, dzięki czemu nikt się nie przyczepi.

Wyjawiła im wszystko, co mogło pomóc w ujęciu Magika. Cała reszta rzeczy, które pozostawiła dla siebie – i które z pewnością trafią do artykułu – pod tym kątem była nieistotna.

– Nie możesz tego zrobić – odezwał się.

– Mogę. I zrobię, bo najwyższa pora.

– Po trzydziestu jeden latach?

– Na prawdę nigdy nie jest za późno, Gero – odparła, a potem wyrzuciła papierosa, nie fatygując się nawet gaszeniem go.

Podniosła się i posłała Edlingowi krótkie spojrzenie.

– To dotyczy też wyjaśnienia, dlaczego mnie wtedy zostawiłeś – dodała.

Tego nie miał zamiaru ujawniać nigdy. Ani jej, ani komukolwiek innemu.

Po tylu latach musiała zdawać sobie z tego sprawę, mimo to czekała na odpowiedź, jakby ta miała zaważyć na jej kolejnych decyzjach. Nie doczekawszy się żadnej reakcji ze strony Edlinga, Rosa skinęła głową i bez słowa skierowała się do redakcji „Głosu Obywatelskiego".

Gerard odprowadził ją wzrokiem. Znał to rozdzierające uczucie, które teraz mu towarzyszyło. Nawet po trzech dekadach nie uległo zmianie.

Wrócił do mieszkania przy Kośnego, ale syna nie zastał. Położył się na chwilę na kanapie, nie licząc na sen. Zbyt dużo myśli kłębiło mu się w głowie, zbyt wiele rzeczy nagle wróciło z przeszłości.

Edling raz po raz sprawdzał zegarek i odnosił wrażenie, że za każdym razem wskazówki przesuwają się wolniej. Wpadał w niebyt i nie wiedział, jak się z niego wydostać.

Pod wieczór uznał, że musi sprawdzić, gdzie się podział Emil i dlaczego wciąż nie wrócił do domu. Syn z pewnością nie będzie zadowolony, widząc połączenie od ojca, Gerard jednak potrzebował się upewnić, że wszystko w porządku.

Emil odebrał od razu.

– Oglądasz? – spytał niewyraźnie.

Gerarda natychmiast naszły czarne myśli. Kolejna transmisja? Nie, wydawało się to mało prawdopodobne. Zbyt mało czasu minęło od ostatniej, poza tym syn z pewnością byłby bardziej rozgorączkowany.

Może Gocha zaczęła działać? Wystarczyło, by odezwała się do kogoś w NSI, a już teraz mogłyby siedzieć w studiu telewizyjnym lokalnego oddziału i opowiadać o wszystkim, co wydarzyło się w osiemdziesiątym ósmym.

Nie, na to także było za wcześnie, Rosa najpierw puści materiał prasowy. Tak czy owak, Gerard powinien być gotów na to, co nieuniknione.

– Jesteś? – dodał syn.
– Tak – odparł cicho Edling. – Co mam oglądać?
– Nie wiesz?
– Nie.
– Jest kolejna odsłona „Spektaklu krwi". Wejdź na stronę.

A więc jednak. Edling poczuł, że drętwieje. Po raz pierwszy nie wiedział, czego się spodziewać. Wszystkie posunięcia Iluzjonisty sprzed trzydziestu lat zostały skopiowane, każdy numer powtórzony.

To, co teraz się wydarzy, będzie autorskim show Magika. I z pewnością morderca postara się, by rozmachem przebić człowieka, którego dotychczas naśladował.

Edling z przestrachem otworzył laptopa syna, a potem wyświetlił odpowiednią witrynę. Do jego uszu od razu dotarły dźwięki synthwave'u, transmisja już trwała. Magik stał na środku pokoju, a na krześle tym razem siedział obwiązany sznurem starzec.

Gerard przyjrzał mu się uważnie. Początkowo go nie rozpoznał, po chwili jednak odpowiednie zapadki w umyśle się przestawiły.

Mąż Grażyny Oblewskiej. Człowiek, którego razem z Karbowskim uratowali.

Wniosek był tylko jeden. Magik zamierzał dokończyć to, co niegdyś zaczął Iluzjonista.

Akt trzeci

Niegdyś

Szczepanowice, Opole

Zastawienie sideł na Iluzjonistę nie było przesadnie skomplikowane, od kiedy prokuratorzy zrozumieli, co nim kieruje. Do osiągnięcia rezultatu właściwie wystarczała jedna rzecz – należało stworzyć Witoldowi Borbachowi warunki, w których mógłby zająć się mężem Grażyny.

Edling i Karbowski byli zgodni, że najprostsze rozwiązanie będzie najlepsze. Oblewskiej załatwili wyjazd z Orbisu, zaopatrzyli ją w dewizy i zadbali o to, by nie było to tajemnicą. Mąż pochwalił się w zakładzie pracy, ona powiedziała kilku znajomym. Prokuratorzy byli przekonani, że tyle wystarczy, by wieść dotarła do Iluzjonisty.

Tak się stało.

Dom Oblewskich był pod stałą obserwacją milicji i Służby Bezpieczeństwa, i tylko kwestią czasu było, nim którejś nocy zjawi się w nim Borbach, by wreszcie dokończyć dzieło.

Gerard i Karbowski zmieniali się na dyżurach, tak by codziennie któryś z nich był pod telefonem, gotowy do przyjazdu. Na noc, podczas której Iluzjonista w końcu postanowił zaatakować, wypadła kolej Bogdana.

Prokurator wojewódzki natychmiast pojechał na miejsce zdarzenia, ale zanim to zrobił, zadzwonił do Gerarda. Edling nie zdążył założyć nawet krawata – wybiegł z domu i czym prędzej wsiadł do niebieskiej zastavy. Dziesięć minut później był już na miejscu.

Mrok skrywał okolicę, a światło z lamp ulicznych pozwalało widzieć jedynie na kilka metrów w dal. Mimo to ze zlokalizowaniem budynku Gerard nie miał żadnych problemów.

Milicyjne polonezy miały włączone światła, a rzucane z ich dachów niebieskie błyski skutecznie ściągały uwagę wszystkich w okolicy. Edling musiał pokazać legitymację, by przepuszczono go przez kordon i wpuszczono do budynku.

Wewnątrz zastał Bogdana w pozie zwycięzcy. Stał wyprostowany z rękoma na biodrach i połami marynarki zarzuconymi do tyłu. Na fotelu przed nim siedział związany Witold Borbach.

Iluzjonista nie rozumiał, co się stało. Nie pojmował, jakim cudem został ograny, i z pewnością nie obejmował jeszcze umysłem wszystkich konsekwencji, które mu groziły.

Twarz miał posiniaczoną, krew ściekała mu z łuku brwiowego i kącika ust. Oczy były opuchnięte, a włosy w takim nieładzie, że Edling przypuszczał, iż pojedyncze kosmyki leżą gdzieś na podłodze.

– Dobry wieczór – odezwał się Gerard.

Przełożony odwrócił się z szerokim uśmiechem.

– Dorwaliśmy go – oznajmił. – Mamy skurwysyna.
– Widzę.
– Stawiał opór. Dość duży.
– To także nietrudno zauważyć – odparł z niezadowoleniem Edling.

Stanął obok szefa i przyjrzał się Borbachowi. Żałował, że nie było go tu, kiedy doszło do ujęcia. Z pewnością zrobiłby coś, by nie potraktowano tego człowieka wbrew zasadom humanitaryzmu. Bez względu na to, jak wiele zła wyrządził, zasługiwał na to, by spojrzeć na niego jak na istotę ludzką, a nie bestię lub demona.

Był jednak jeszcze jeden powód, dla którego Gerard wolałby pojawić się tu wcześniej. Chciał widzieć moment zatrzymania. Uczestniczyć w nim. Odnosił wrażenie, że po tym wszystkim, co się wydarzyło, zwyczajnie mu się to należało.

– Powiedział coś? – zapytał Edling.
– Nie miał zbyt wielu okazji – odparł z zadowoleniem Bogdan. – Zresztą co chciałbyś usłyszeć? Jak przyznaje się do wszystkiego?
– Po prostu jestem ciekaw.

Przełożony obrócił się do niego i po ojcowsku poklepał go po plecach.

– Wszystko będziesz miał w protokole.
– Chciałbym wiedzieć o tym, co pozostanie poza protokołem.
– To też ci przedstawię – zapewnił Karbowski. – Przy czystej, tak jak powinno się omawiać takie rzeczy.

Gerard lekko się skrzywił.

– No tak, ty nie tańczysz poloneza – mruknął szef. – W takim razie kupię ci jakąś gamzę. Albo może nawet załatwię coś lepszego, zagranicznego.

– Polska Ludowa nie wydaje dewiz na import wina.

– Pożyjemy, zobaczymy – odparł Bogdan z uśmiechem. – Ojczyzna może jeszcze nie raz cię zaskoczyć.

– Panie prokuratorze...

– Co? – żachnął się rozmówca. – Będziesz wybrzydzał?

– Po prostu uważam, że to jeszcze nie pora na świętowanie.

Przełożony wyciągnął nieotwartą paczkę klubowych. Oderwał papier z góry i niezdarnie wyciągnął jednego papierosa.

– Jak nie pora? – powiedział niewyraźnie, podpalając sobie. – Skurwysyn już nam nie ucieknie.

– Mimo wszystko trzeba go jeszcze przesłuchać.

– Po co? – bąknął Karbowski. – Zjawił się tu, żeby zająć się Oblewskim, a my ujęliśmy go na gorącym uczynku.

– Nie możemy być tego pewni.

– Że chciał go zabić? – spytał z powątpiewaniem Bogdan i wypuścił dym. – W takim razie planował go porwać lub zgwałcić, obojętne.

Edling odniósł wrażenie, że to krótkie zdanie właściwie podsumowuje cały *modus operandi* wymiaru ścigania Polskiej Rzeczypospolitej Ludowej. Nie chciał, by tak to się skończyło. Liczył na to, że wszystko potoczy się zupełnie inaczej.

– Odpuść, Gerard.

– Ale panie prokuratorze...

– Wiem doskonale, czego oczekiwałeś.

Na dobrą sprawę on sam tego nie rozumiał – nie wykluczał jednak, że jest dokładnie tak, jak twierdzi Karbowski. Być może szef znał go nieco lepiej niż on siebie.

– Chciałeś intelektualnej potyczki – dodał Bogdan. – Umysłowej przepychanki, makiawelizmu i manipulacji z obu stron. Chciałeś usiąść z nim w pokoju przesłuchań i go przechytrzyć. Urobić tak, by przyznał się do winy.

Edling pokręcił głową.

– Nie ma sensu zaprzeczać – odparł szef i zaciągnął się tak głęboko, jakby w dymie było coś zdrowotnego. – Widzę przecież twoją minę.

– I aż tyle z niej pan wyczytuje?

– Bez żadnego wysiłku. Bo znam cię, Gerard.

– Nie przeczę – przyznał młody asesor, zbliżając się do fotela, na którym siedział unieruchomiony Borbach. – Ale w tym wypadku może się pan mylić.

Spojrzał na Iluzjonistę. Ten wciąż oddychał nierówno i wodził nieprzytomnym wzrokiem po zebranych, niczym dzikie zwierzę, które wpadło we wnyki. Na dłoniach nadal miał rękawiczki, nikt nie pokusił się o to, by je ściągnąć.

Edling odwrócił się do przełożonego.

– Mogę na stronę? – spytał.

Karbowski niechętnie odszedł z nim kawałek, z pewnością nie spodziewając się niczego dobrego. Jeśli tak dobrze potrafił wyczytać coś więcej z wyrazu twarzy Edlinga, to z pewnością miał także powody do obaw.

– Dajże spokój... – mruknął.

– Jeszcze nawet nie zacząłem.

– Ale domyślam się, że nie masz nic mądrego do powiedzenia.

Edling poprawił marynarkę.

– Wie pan, co ludzie najchętniej nazywają głupotą? – spytał wyważonym tonem.

– Nie.

– Mądrość, której nie rozumieją.

Szef uniósł pytająco brwi, jakby nie był pewien, czy to miało go urazić.

– Marie von Ebner-Eschenbach – wyjaśnił Gerard.

– Mniejsza z niemieckimi arystokratkami.

– Właściwie to była austriacka pisarka – sprecyzował Edling i zerknął w kierunku Iluzjonisty, upewniając się, że ten nie słyszy wymiany zdań. – Ale ma pan rację, to w tej chwili nieważne. Istotne jest natomiast to, że być może po raz kolejny zostaliśmy ograni.

– Kpisz sobie? – żachnął się Bogdan. – Mamy tego człowieka w garści.

– Albo tak nam się tylko wydaje.

Karbowski zbliżył się do rozmówcy i spojrzał na niego w dość konfrontacyjny sposób.

– Chcesz fangę między oczy? – burknął.

– Chcę po prostu zauważyć, że on nadal ma rękawiczki.

– I co z tego?

– Jest uważny. I precyzyjny.

– W dupie mam jego uwagę i precyzję – syknął Bogdan. – Wpadł prosto w nasze sidła i nie wie, co ze sobą zrobić. Tylko na niego spójrz.

Obaj odwrócili się w kierunku Iluzjonisty. Wciąż wyglądał jak ranne, spłoszone zwierzę. Przedstawienie trwało już jednak tak długo, że przełożony w końcu będzie musiał dojść do takiego samego wniosku jak Edling.

– Obserwujemy kolejną inscenizację, panie prokuratorze.

Bogdan pokręcił głową.

– Wystarczy tych głodnych kawałków – rzucił. – Chcesz, żeby coś nie grało, bo potrzebujesz się wykazać. To wszystko.

Odczytując wyłącznie słowa przełożonego, Edling mógłby odnieść wrażenie, że wali głową w mur. Biorąc pod uwagę jednak ton głosu i mimikę, wiedział już, że przebił się przez zasieki.

– Dał się złapać, bo tego chciał – powiedział Gerard. – Proszę się zastanowić: jakie twarde dowody mamy na to, że to naprawdę jest Iluzjonista?

Przełożony nie odpowiadał.

– Cały czas nosił rękawiczki, nie zostawił żadnych odcisków palców. Nikt go nie widział i…

– Niezupełnie. Widziało go to dziecko na Bolko, które dało ci list.

– Chłopak widział ucharakteryzowanego na cyrkowca mężczyznę – zastrzegł Edling i westchnął. – Rysownik usiadł z nim potem, ale nie okazało się to pomocne. Stworzyli właściwie portret klauna.

Bogdan pociągnął mocno papierosa.

– Ta kobieta… – spróbował. – Ta z amfiteatru… niedoszła ofiara w pudle.

Gerard z pewnością tak by jej nie określił, ale właściwie każde skojarzenie było dobre, kiedy szef próbował wyciągnąć coś z pamięci.

– Ela Olszewska – podsunął Edling. – Ona także nigdy nie widziała porywacza. A innych, jak pan wie, nie mamy już jak zapytać.

Przełożony sprawiał wrażenie, jakby miał zamiar puścić wiązankę, ale w ostatniej chwili powstrzymał się, by nie przyznać, że jego podwładny od początku ma rację.

– To, że wszyscy jego znajomi z kółka brydżowego zginęli, a on zjawił się tutaj, niczego bezpośrednio nie dowodzi – ciągnął Gerard. – Nie da nam to niczego w sądzie.

– Nie interesuje mnie to.

– Ale skład sędziowski będzie interesowało, panie prokuratorze.

Karbowski machnął ręką, jakby takie formalności mógł załatwić jednym telefonem.

Dopiero teraz Edling zrozumiał, że w podobny sposób zamierza się z tym uporać. Musiał przecież sam zdać sobie sprawę z tego, jak słabe dowody przeciwko Borbachowi mają. Być może od początku doskonale to wiedział, a szedł w zaparte tylko po to, by urobić Gerarda. Czy też raczej podjąć mniej lub bardziej udaną próbę.

– Nie możemy go zamknąć – odezwał się Edling.

– Nie leć w gumę, Gerard, to jest dokładnie to, co powinniśmy zrobić.

– Nie.

– Już nie za takie rzeczy zamykaliśmy – odparł cicho Karbowski. – Dowody to sprawa drugorzędna.

Edling nie odpowiedział od razu. Znał realia na styku wymiaru ścigania i partyjnego świata na tyle dobrze, by wiedzieć, że powinien ważyć słowa. Jedno czasem wystarczało, by przetrącić karierę młodym prawnikom.

– W tej sytuacji powinieneś się ze mną zgodzić – dodał Bogdan. – Mamy właściwego człowieka.

– Ale niczego mu nie udowodnimy.

– Udowodnimy wszystko, co trzeba.

Przełożony wypowiedział ostatnie zdanie tak zdecydowanym tonem, że dalsza dyskusja nie miała sensu. Gerard i tak zaczynał odnosić wrażenie, że gonią w piętkę.

Owszem, przy słabszych dowodach wsadzano ludzi do więzień. Problem polegał na tym, że Iluzjonista również zdawał sobie z tego sprawę.

Kiedy dwóch milicjantów podniosło go i zaczęło prowadzić do wyjścia, Gerard przyjrzał mu się po raz kolejny. Był przekonany, że złapali Borbacha tylko dlatego, że ten im na to pozwolił. A skoro tak, to musiał mieć plan, jak się z tego wszystkiego wywinąć.

Edling starał się złowić jego spojrzenie, ale bezskutecznie. Dopiero kiedy razem z szefem wyszli z budynku, Iluzjonista się odwrócił. Spojrzał prosto na Gerarda, jakby miał oczy z tyłu głowy i jakby w okolicy nie było nikogo poza nimi dwoma.

Młody asesor mimowolnie się wzdrygnął, choć sam nie rozumiał dlaczego.

Witold Borbach nie przywodził na myśl groźnego przestępcy. Był wysoki, dość szczupły, z pociągłą twarzą. Jasne włosy układał jeszcze na modłę przedwojenną, z wyraźnym przedziałkiem. Był nieco młodszy od pozostałych graczy z Mondrzyka, ale najwyżej dwa, trzy lata.

Teraz zaś sprawiał wrażenie, jakby ubyło mu co najmniej dwadzieścia. Wyglądał jak przestraszone, zagubione dziecko, a w jego spojrzeniu teoretycznie nie było niczego, co powinno niepokoić.

Mimo to Gerard poczuł wewnętrzny chłód.

Odetchnął dopiero, kiedy drzwi milicyjnego żuka się zatrzasnęły. Chciał podjąć rozmowę z przełożonym, ale ten kategorycznie oznajmił, że wraca do domu. Nie mając innego wyjścia, Edling zrobił to samo.

Rankiem jadł śniadanie w społemowskim barze sam. Nie wyspał się, był rozdrażniony. Myśl, że Iluzjonista ma wszystko zaplanowane co do joty, nie dawała mu spokoju.

Kiedy wszedł do siedziby prokuratury, zastał tam prawdziwe święto. Większość pracowników niespecjalnie orientowała się w sytuacji, ale zgodnie twierdzono, że ujęto niebezpiecznego zbrodniarza, który odpowiadał za ofiarę z amfiteatru.

Edling nie mógł opędzić się od wrażenia, że to wszystko zbyt wcześnie i na wyrost. Zachował jednak przemyślenia dla siebie. Skoro sam prokurator wojewódzki nie miał zamiaru brać ich sobie do serca, próżno było szukać kogoś, kto zachowałby się inaczej.

Euforia trwała aż do momentu, kiedy w prokuraturze rozeszła się plotka, że Borbach załatwił sobie świetnego, zagranicznego prawnika. Początkowo niewiele było wiadomo, ale sam fakt, że był to ktoś z zewnątrz, zaniepokoił co poniektórych.

Nawet Karbowski wydawał się nieco zbity z pantałyku, kiedy poszli na obiad do baru. Edling zjadł pierogi, szef zdecydował się na pomidorową. Wyraźnie jednak brakowało mu apetytu.

– Co on kombinuje? – spytał w końcu.

Gerard odetchnął. Wreszcie dostał sygnał, że przełożony przejrzał nieco na oczy.

– Po co mu ten zagraniczny obrońca? – dodał Bogdan, mieszając łyżką w głębokim talerzu.

– Z pewnością po to, żeby rzucić jak najwięcej światła na proces.

– Nic mu to nie da.

– Jest pan pewien?

Karbowski nie musiał odpowiadać. Jeszcze kilka, a już z pewnością kilkanaście lat temu, nie miałoby to żadnego znaczenia. Teraz jednak oddzielająca PRL od świata kurtyna była żelazna tylko z nazwy. Gdzieniegdzie prześwitywała, a miejscami była rozerwana.

– I co zrobi? – odezwał się po chwili Bogdan. – W najgorszym wypadku będzie z tego trochę smrodu. Rozejdzie się.

– Tak jak rozszedł się smród po ostatnich strajkach?

Przez kilka lat był spokój, ale w ostatnim czasie znów doszło do kilku robotniczych protestów. Strajkowano w Nowej Hucie, Gdańsku i Stalowej Woli, a w pierwszym z tych miejsc doszło do brutalnej pacyfikacji w zakładzie pracy. Wtedy, w kwietniu, władza nie miała zamiaru z nikim rozmawiać.

Przy ostatnich strajkach coś się zmieniło. Członkowie partii usiedli do negocjacji, co samo w sobie pokazywało, że sytuacja staje się dynamiczna.

– Powinniśmy uważać – dodał Gerard. – Nie mamy już tak mocnej pozycji, jak wcześniej. I ten człowiek zdaje sobie z tego sprawę.

– Więc co? Zwróci się o pomoc do Zachodu? Powodzenia.

– Z pewnością ma jakiś plan.

Dyskutowali jeszcze przez pewien czas, ale ostatecznie były to czyste spekulacje. Dopóki Iluzjonista nie wykona pierwszego ruchu, mogli jedynie zgadywać, co sobie zamierzył.

Popołudniem w prokuraturze zjawił się zagraniczny obrońca Borbacha. Wszedł do budynku pewnym krokiem i od razu skierował się do gabinetu Karbowskiego, jakby zawczasu zasięgnął języka i wiedział, gdzie szukać najważniejszej osoby w tym przybytku.

Edling powitał mężczyznę w imieniu szefa i oznajmił, że prokurator zaraz się zjawi.

– Coś wam podać? – spytał.

– Poproszę herbatę, jeśli można. Z mlekiem.

Gerard przyjrzał się młodemu prawnikowi, który sprawiał wrażenie, jakby wyszedł prosto z arystokratycznego dworku. Miał jasną, dwurzędową marynarkę, spodnie i koszulę w takim samym kolorze. Obrazu dopełniały jasny krawat i poszetka. Dewiz z pewnością mu nie brakowało.

Edling uznał, że to lekka przesada, ale musiał przyznać, że styl jest całkiem ciekawy. Postanowił rozeznać się w Modzie Polskiej, być może mieli na stanie podobne garnitury.

Kiedy do gabinetu w końcu wszedł Karbowski, gość podniósł się z idealnie wyprostowanymi plecami i podał rękę prokuratorowi.

– Harry McVay – przedstawił się. – Jestem obrońcą niesłusznie aresztowanego człowieka.

Obecnie

ul. Kośnego, Opole

Mrok płynący z elektronicznych i gitarowych dźwięków był wszechogarniający. Edling miał wrażenie, że utwór, który tym razem wybrał Magik, doskonale oddaje to, co miał zamiar zrobić. Było w nim coś, co kojarzyło się z horrorem, pierwotnymi instynktami i niemal zwierzęcą determinacją, którą cechował się ten człowiek.

Gerard nie miał pojęcia, kto jest autorem podkładu, ale szybko przekonał się, że nie tylko jego musiało to ciekawić. Na czacie trwała dyskusja tak zagorzała, że trudno było wiele z niej wyłowić, ale co rusz przewijały się artysta i nazwa utworu.

Leather Teeth Carpenter Brut. Ktoś pisał, że to odmiana synthwave'u wymieszanego z metalem, inni określali gatunek jako darkwave. Dowodziło to, że analizowano już najmniejsze detale – i że właściwie wszystko fascynowało tych, którzy stawili się, by obejrzeć kolejną odsłonę spektaklu.

W pewnym momencie coś jednak się zmieniło. Szalona wymiana zdań spowolniła, a potem nagle się zatrzymała. Okienko czatu zamarło.

Edling nie od razu zrozumiał dlaczego. Dopiero kiedy przewinął kawałek wyżej, zobaczył, że do rozmowy włączył się administrator – jego nick, „Iluzjonista", był wyróżniony na czerwono i pogrubiony. Trudno było przegapić go nawet w gąszczu wiadomości.

Napisał, że śledzi wszystko, co się dzieje, i wiadomości z widowni na bieżąco do niego docierają. Potem odpisał kilku osobom, potwierdzając, że to naprawdę on. Kiedy kilku niedowiarków nie było gotowych uwierzyć w takie szczęście, wstał z fotela i podszedł do obiektywu.

– Tak, naprawdę was widzę – powiedział, a potem uniósł smartfona, z którego konwersował z zebranymi.

Klasyczne posunięcie każdego dobrego iluzjonisty, skwitował w duchu Gerard. Klucz do udanego przedstawienia tkwił w tym, by widzowie się zaangażowali. A najłatwiej osiągnąć to poprzez wejście z nimi w bezpośrednią interakcję.

To dlatego osoby takie jak David Copperfield przyciągały tłumy, zanim jeszcze zyskały światową sławę. Wszystko zasadzało się na budowaniu relacji. A ten człowiek niewątpliwie potrafił to robić.

Magik patrzył prosto w obiektyw, a Edling zastanawiał się, czy dzisiejsza technika śledcza pozwoli na podstawie samych oczu dokonać jakichkolwiek ustaleń. To, co kryło się pod antyczną maską, wciąż pozostawało tajemnicą.

– Przyglądam się wam – dodał tamten, podchodząc bliżej do kamery. – Obserwuję, czy dobrze się bawicie.

Jego zniekształcony głos w połączeniu z dźwiękami gitary elektrycznej i syntezatora sprawiał jeszcze bardziej wynaturzone, złowrogie wrażenie. Gerard nie miał wątpliwości, że showman tak sprawnie robi użytek z najniższych instynktów ludzkich, ponieważ sam zna je nad wyraz dobrze.

– Nie chcę jednak, żebyście byli bierni – dodał. – Dlatego zaproszę jednego z was do udziału w tym, co zamierzam zrobić.

Gitarowy riff stał się głośniejszy.

– Jedna, wylosowana przez system osoba uratuje lub przypieczętuje los tego człowieka – ciągnął Magik, wskazując dłonią mężczyznę na fotelu. – A wszystko będzie zależało od tego, czy w porę uda jej się rozwiązać niewielką zagadkę.

To także było spodziewane. Każdy dobry iluzjonista zdawał sobie sprawę, że publiczność uwielbia brać udział w przedstawieniu. Nie wszyscy bezpośrednio, wystarczyło, by jeden widz został wywołany na scenę, a każdy inny czuł, jakby także się na niej znalazł. Element uczestnictwa publiki był warunkiem koniecznym dobrego przedstawienia – i ten człowiek z pewnością o tym wiedział.

Wymiana zdań na czacie znów się zatrzymała, muzyka nieco ucichła. Wiadomości od obserwatorów znikły, a zamiast tego pojawił się wykaz osób zalogowanych na stronie. Edling nie potrafił nawet oszacować ich liczby. Magik jednak niewątpliwie znów osiągnął rekordową oglądalność.

Lista przesunęła się w górę i w dół, a potem jedna z linijek została wyróżniona na czerwono.

Gerard zamarł.

– Osobą, w której ręce złożę los tego człowieka, jest użytkownik o nicku E.Emil.

Utwór Carpenter Brut się skończył, a kolejnego nie sposób było rozpoznać. Czat był zablokowany, dopiero po chwili okienko znów się pojawiło. Widniał tam tylko jeden zalogowany użytkownik.

Edling nie miał wątpliwości, że wybór nie był przypadkowy. Kiedy tylko się otrząsnął, natychmiast sięgnął po blackberry i wybrał numer syna. Brak odpowiedzi.

– Zaczynajmy – odezwał się Magik. – Państwa proszę o uwagę, a ciebie, Emilu, o skupienie. Za moment coś ci pokażę, a jeśli zrozumiesz, w jaki sposób się to stało, daruję temu człowiekowi życie.

Gerard spróbował dodzwonić się jeszcze raz. Znów bez skutku. Postanowił wydzwaniać do oporu, ale zdawał sobie sprawę, że to wszystko na nic. Po raz pierwszy w życiu miał ochotę rzucić telefonem o ścianę.

Magik ustawił się przed fotelem, a potem dał znak dwójce swoich asystentów. Stanęli za mężczyzną, po czym zza pleców wyciągnęli dwa długie noże. Przyłożyli je z obu stron do gardła przerażonej ofiary.

– Uważasz, Emilu?

Grająca w tle muzyka przywodziła na myśl slashery z lat osiemdziesiątych i Edling nie miał złudzeń, że to nieprzypadkowy wybór. Magik miał zamiar rozorać gardło tego człowieka. I to bez względu na to, czy Emilowi uda się rozwiązać zagadkę, czy nie.

Showman spojrzał w kamerę.

– Jesteś tam? – spytał.

Gerard przeniósł wzrok na okienko czatu i w duchu pochwalił syna. Absolutnie kluczowe było, by nie nawiązywać kontaktu, nie dać wciągnąć się w tę chorą grę. Wszystko było ustawione i zawczasu przygotowane, jak w każdym dobrym przedstawieniu iluzjonistycznym.

Edling wciąż nadaremno próbował dodzwonić się do syna.

– Odpowiedz, Emilu – dodał Magik. – W przeciwnym wypadku po prostu zabiję tego człowieka. A ty będziesz miał go na sumieniu.

Wciąż wpatrywał się w obiektyw, a Gerard odniósł wrażenie, że jego oczy są nienaturalnie niebieskie. Nic dziwnego, na jego miejscu z pewnością włożyłby soczewki, by zmylić śledczych.

– Jeśli spróbujesz odpowiedzieć, będzie miał szansę na przeżycie. Jeśli nie, zakończę to tu i teraz.

Wciąż zero odpowiedzi na czacie.

– Masz trzy sekundy, by się odezwać.

Edling zacisnął usta. Próba nawiązania połączenia znów przekroczyła limit czasu, a on kątem oka dostrzegł, że na czacie pojawiła się krótka odpowiedź.

<E.Emil> Jestem.

– Świetnie – powiedział Magik. – W takim razie możemy zaczynać. – Podniósł ręce, jakby spływała na niego łaska wprost z nieba, a potem raptownie je opuścił i potrząsnął nimi. W prawej ręce pojawiła się komórka, w lewej pełna wody butelka.

Edling od razu rozpoznał swój model blackberry.

– Obserwuj uważnie, Emilu – powiedział Magik, a potem odłożył telefon na stół i obrócił butelkę z wodą, udowadniając, że jest fabrycznie zamknięta. Otworzył ją, wylał całą zawartość na podłogę, z powrotem zakręcił i pokazał prosto do kamery.

Gerard od razu zrozumiał, jaki trik zostanie przedstawiony.

Zabójca ponownie podniósł komórkę, ją również obrócił przed kamerą, a potem przyłożył do ścianki butelki.

– Za moment sprawię, że ten telefon znajdzie się w środku – oznajmił.

Edling obserwował, jak showman powoli zbliża blackberry do butelki, a potem robi coś, co nie miało racji bytu. Zaczął powoli wsuwać telefon do środka przez jedną ze ścianek. Moment później komórka znalazła się wewnątrz.

– Nie wymagało to żadnej magicznej mocy – powiedział Magik. – Wystarczyło tylko trochę siły woli.

Postawił butelkę na stole, a potem znów popatrzył do kamery.

– Emilu, masz trzydzieści sekund, by napisać mi, jak to zrobiłem – rzucił. – Czas start. Próba jest tylko jedna.

Edling natychmiast ponownie wybrał numer syna. Trik, który przedstawił kuglarz, był jedną z najbardziej podstawowych i najprostszych sztuczek prezentowanych na ulicznych jarmarkach. Rozwiązanie było banalne i Gerard doskonale je znał.

Emil jednak wciąż nie odbierał.

– Dwadzieścia sekund – dodał morderca.

Na czacie nie pojawiła się żadna wiadomość. Gerard oczami wyobraźni mógł zobaczyć rozgorączkowanego, spanikowanego syna, naprędce szukającego racjonalnego rozwiązania sztuczki, która zdawała się niemożliwa.

Butelka trzymała wodę, była fabrycznie zamknięta. Prosto ze sklepu. Zgodnie z wszelką logiką telefon nie powinien znaleźć się w środku. Gdyby Emil miał więcej czasu na zastanowienie, być może odgadłby prosty sekret. W tej sytuacji nie było jednak na to szans.

Edling dopiero teraz zorientował się, że sam popełnił błąd. Nie powinien tracić cennych sekund na próbę dodzwonienia się do syna, tylko od razu wysłać krótką wiadomość. Tyle by wystarczyło.

– Dziesięć – odezwał się Magik.

Nagle rozległ się dzwonek telefonu. Gerard odebrał natychmiast i wykrzyczał rozwiązanie, nie mając nawet pojęcia, czy to numer syna pojawił się na wyświetlaczu.

Wbił wzrok w okienko czatu.

– Cztery... – dodał zabójca.

Basowy synthwave'owy akcent zdawał się tak doniosły, jakby gdzieś w rzeczywistości doszło do tąpnięcia.

– Trzy...

Edling zamknął oczy. Wiedział, że to, co się wydarzy, będzie wiązało się z wyrzutami sumienia, które mogą zniszczyć całe życie jego syna.

– Dwa...

Gerard nie usłyszał końca odliczania. Otworzył oczy i zobaczył, że w okienku czatu widnieje pojedyncza wiadomość.

<E.Emil> Przeciąłeś butelkę nożykiem na palcu.

Edling odetchnął. Natychmiast przyłożył telefon do ucha, uświadamiając sobie, że mimowolnie go opuścił.

– Emil? – spytał. – Jesteś?

Syn musiał od razu odłożyć komórkę na bok i rzucić się do klawiatury. Nie szkodzi. Najważniejsze, że zdążył.

Magik stał teraz w bezruchu, jakby sam zastanawiał się, co zrobić. Musiał być przekonany, że to wszystko jedynie formalność – w trzydzieści sekund Emil nie powinien znaleźć rozwiązania.

Edling jednak widywał iluzjonistów, którzy wykonywali ten trik. Niektórzy umieszczali niewielkie ostrze przy paznokciu, inni stosowali ostro zakończoną nakładkę na palec. Cała sztuka polegała na tym, by wykonać na plastikowej ściance nacięcie długości telefonu, a potem wsunąć urządzenie do środka, jednocześnie zasłaniając kawałek butelki przed publicznością.

– Ciekawa koncepcja – odezwał się w końcu Magik. – I całkiem trafna.

Gerard odłożył komórkę na bok i skupił się na zabójcy. Co zrobi? Jak wybrnie z sytuacji? Właściwie nie mógł się teraz wycofać, publiczność by mu tego nie wybaczyła. Ale może zakładał to od samego początku? Może taki był plan?

Jeśli odpowiednio się przyłożył do porwania Oblewskiego, ofiara mogła nigdy nie widzieć swojego oprawcy. Całkiem możliwe, że wypuszczenie mężczyzny nie wiązało się dla Magika z żadnym ryzykiem.

– Wyjątkowo szybko rozwiązałeś sprawę, Emilu – dodał kuglarz. – Przypuszczam, że miałeś jakąś pomoc, ale nie szkodzi. Nie precyzowałem przecież, że nie możesz z niej korzystać.

Przyjrzał się butelce, zważył ją w ręce, a potem lekko podrzucił. Klasnął w dłonie, zanim znowu w nie wpadła. Wówczas wydarzyło się coś, co sprawiło, że Edling znieruchomiał.

Rozległ się dźwięk czegoś twardego uderzającego o szkło.

– Nie wziąłeś pod uwagę jednej rzeczy – dodał Magik. – Butelka nie jest plastikowa, tylko szklana. Jak więc mógłbym ją przeciąć?

Muzyka stała się jeszcze głośniejsza. Dudniące elektroniczne brzmienia mieszały się z gitarowymi akcentami i tworzyły instrumentalną kotłowaninę, w której myśli Gerarda zdawały się gubić.

Magik uniósł butelkę i przez moment nią potrząsał, by publiczność nie miała wątpliwości, że wykonana jest ze szkła.

– Jak sam widzisz, twoja odpowiedź była błędna – rzucił showman. – A ja muszę dotrzymać umowy.

Na znak dany przez zabójcę dwoje asystentów przycisnęło ostrze do gardła Oblewskiego, a potem szybkim i sprawnym ruchem przeciągnęło tuż pod grdyką. Krew wyciekła z otwartej rany natychmiast, jakby była pod ciśnieniem, a głowa mężczyzny bezwładnie opadła.

Pierwszą myślą Edlinga było to, że Emil wszystko widział. I potraktował jako rezultat udzielonej odpowiedzi.

W rzeczywistości całe przedstawienie było ukartowane. Nie mogło być co do tego żadnych wątpliwości.

Kiedy rozległ się dzwonek telefonu, Gerard trzęsącą się dłonią po niego sięgnął. Zobaczył, że dzwoni syn.

– Jak… – zaczął cicho Emil. – Jak on to zrobił?

– Posłuchaj…

– Jak mu się to udało?

– Posłuchaj – powtórzył z naciskiem Gerard. – To nie twoja wina, rozumiesz?

– Jak, tato?

Edling nabrał głęboko tchu. Nie było sensu próbować przebić się przez świeże wyrzuty sumienia. Syn będzie potrzebował trochę czasu sam na sam ze swoimi myślami, by sobie z tym poradzić.

– Przecież wsunął ten telefon do butelki…

– Wiem.

– Więc jak?

– Podmienił je po tym, jak pierwszą podrzucił – odparł Edling. – Wystarczy chwila, jakiś gwałtowny ruch, by publiczność tego nie zauważyła.

– Ale...

Gerard odczekał moment, nie odzywając się, Emil jednak nie dokończył.

– Miał wcześniej przygotowaną butelkę z takim samym telefonem – powiedział Edling. – Taki numer wykonuje się dość często.

Syn potrzebował chwili, by ułożyć w głowie podstawowe fakty.

– Skąd... skąd wiesz? – spytał.

– Miałem już do czynienia z podobnymi sztuczkami.

– Prawdziwego Iluzjonisty?

– Tak – odparł ciężko Edling i machinalnie skierował się do szafki z winami. Musiał mówić, cokolwiek, byleby tylko odciągnąć myśli Emila od tej tragedii. – Od tamtego czasu starałem się być na bieżąco choćby z tymi najpowszechniej wykonywanymi trikami.

Syn się nie odzywał.

– Jesteś tam?

– Jestem...

Rozedrgany głos świadczył o głębokim szoku. Gerard także go odczuwał, może dlatego machinalnie sięgnął po wino. Pinot noir z Nowej Zelandii. Lekki, o niskiej taniczności. Potrzebował czegoś, co może wypić szybko i w odpowiednich ilościach.

Potrzebował ucieczki. Ale być może nie powinien ułatwiać jej synowi, a zamiast tego pomóc mu zmierzyć się z sytuacją.

– Twoja odpowiedź nie miała znaczenia – dodał Gerard. – Zdajesz sobie z tego sprawę, prawda?

Cisza.

– Emilu?

– Poczekaj moment.

Edling zdjął nakrętkę, nalał sobie do kieliszka i wrócił na fotel. Pociągnął łyk, starając się skupić na winie.

– Wszystko w porządku? – spytał.

– Tak, daj mi chwilę.

Nic złego się nie działo, powinien uspokoić myśli i wprowadzić je na zupełnie neutralne tory. Obrócił w dłoni nakrętkę. Nie rozumiał tych, którzy upierali się, że wino zamykane korkiem z jakiegoś powodu ma większe walory. Wydawało mu się, że jest wprost przeciwnie – szczególnie od czasu, kiedy zakrętki wykonywano tak, by wpuszczały nieco powietrza i pozwalały na oksydację. Odnosił nawet wrażenie, że to głównie Polacy z jakiegoś powodu jeszcze trzymają się korkowych tradycji, podczas gdy inne nacje dawno przestały zwracać na to uwagę.

Gerard upił jeszcze trochę, czekając, aż syn się odezwie. Przypuszczał, że Emil jest ze znajomymi i to oni być może stanowią teraz oparcie lepsze niż ojciec. Nie może, na pewno. Gdy on był nieobecny w życiu syna, to właśnie oni okazali się tymi, na których mógł liczyć.

Z pewnością była wśród nich jakaś dziewczyna, ale dotychczas o tym nie rozmawiali. Właściwie omijali ten temat szerokim łukiem, zupełnie jakby przeszłość Edlinga i jego małżeńskie zdrady dyskwalifikowały go jako kogoś, z kim można o tym porozmawiać.

Uznał, że powinien dać synowi nieco oddechu. Szczególnie teraz, kiedy nie potrzebował jego, ale osób znacznie mu bliższych.

– Emilu, mogę zadzwonić później – powiedział i nabrał tchu. – Pamiętaj tylko, proszę, że ten człowiek działa wedle swojego własnego scenariusza. Nic nie jest dziełem przypadku. I cokolwiek byś zrobił, rezultat byłby identyczny.

Emil wciąż nie odpowiadał. Zerknąwszy na ekran blackberry, Edling przekonał się, że połączenie nie zostało przerwane.

– Halo? – spytał.

Wciąż cisza.

Edling zrozumiał, że coś jest nie tak. Połączenie wciąż było aktywne, zegar odmierzał czas, jaki upłynął od jego nawiązania.

– Emilu? – powtórzył Gerard, czując, jak serce zaczyna bić mu coraz szybciej i mniej miarowo. – Jesteś tam? Odezwij się.

Odpowiedział mu przerywany sygnał świadczący o tym, że ktoś po drugiej stronie linii się rozłączył.

Niegdyś

pl. Lenina, Opole

Stojąc na balkonie Gochy, Edling spoglądał w dół na wyróżniającą się na parkingu niebieską zastavę. Zastanawiał się, jaki był realny koszt tego auta – nie w pieniądzach, ale w przysługach.

Pytanie to moment wcześniej zadała mu opierająca się na jego ramieniu Gośka, wciąż jednak nie miał dla niej odpowiedzi. Czekała na nią cierpliwie, paląc papierosa i wodząc wzrokiem po kilkupiętrowych blokach tuż obok.

– Zdajesz sobie sprawę, że czegoś od ciebie chcą, prawda? – odezwała się po chwili. – I że to jeszcze nie koniec?

– Zrobiłem wszystko, co miałem zrobić.

– Czyli?

– Informowałem ich na bieżąco. Wspólnie i w porozumieniu z moim szefem, jak dobrze wiesz.

– Tak, tyle wiem – przyznała. – Uczestniczyłam w tym festiwalu blagowania z pierwszą sekretarz. I skoro ja zobaczyłam, że chcą od ciebie czegoś jeszcze, to ty tym bardziej.

– Tym bardziej? – spytał i spojrzał na jej włosy swobodnie rozścielające się na jego ramieniu. – To był komplement?

Zaciągnęła się i wypuściła dym kącikiem ust. Gerard skrzywił się, gdy trafiła prosto w jego nozdrza.

– Jeszcze się do ciebie zgłoszą – powiedziała. – Albo z komitetu, albo z bezpieki. I raczej nie będziesz mógł odmówić.

– Nie bardzo wiem, czego mogliby chcieć. Szczególnie że Iluzjonista jakimś cudem załatwił sobie zagranicznego prawnika.

Odsunęła się, oparła plecami o balustradę i popatrzyła na niego zaciekawiona.

– Zagranicznego? – spytała. – Jakim cudem?
– Nie wiem, ale pewne jest, że będzie starał się naświetlić sprawę jak najbardziej.

Minęły już lata, kiedy władza mogła robić, co jej się żywnie podobało. Wyprowadzenie na ulice wojska, MO, ORMO czy ZOMO w tej chwili wydawało się już zbyt niebezpieczne, podobnie jak skazywanie ludzi bez jakichkolwiek dowodów. Szczególnie gdy mieli zagranicznego obrońcę, gotowego przekazać wszystko polskiej sekcji BBC lub Radiu Wolna Europa.

W praktyce ostatecznie być może nie zmieniało to wiele, ale nikomu niepotrzebna była zła prasa na świecie. A już z pewnością nie krajom, które chciały swoje długi zagraniczne zmniejszać, a nie zwiększać.

– Co to za jeden? – spytała Gocha.
– Brytyjczyk. Harry McVay.
– Brytyjczyk? Może w ogóle tu być?
– Chyba ma polskie obywatelstwo. I czerwony paszport.
– Hę?
– Konsularny książeczkowy.

Karbowski jeszcze to sprawdzał, ale obu wydawało się to najbardziej prawdopodobne. McVay był mocno związany z Polską i zdawało się, że był w stanie zrobić całkiem sporo, aby móc przyjeżdżać do kraju.

– A gada chociaż po naszemu?
– Bez problemu, jego matka była Polką. A oprócz tego asystentką jednego z ministrów w rządzie emigracyjnym, przez co musiała wyjechać z kraju po wojnie.
– Sporo się dowiedziałeś.

– Bo zrobił się dość rozmowny zaraz po tym, jak dostał herbatę z mlekiem.
– Z mlekiem? – żachnęła się Gocha. – Pojebało go?
– Rzekomo tak u niego pijają.

Wciągnęła dym do płuc ostatni raz, a potem pstryknęła niedopałkiem z balkonu. Edling kontrolnie zerknął w dół, upewniając się, że nikomu nie spadnie on na głowę. Dostrzegł pranie suszące się na balkonach sąsiadów, a na podwórku mężczyznę, który właśnie zawieszał na trzepaku perski dywan.

Obok niebieskiej zastavy na parkingu stał biały maluch, którego Gerard oddał nie żonie, ale właśnie Gośce. Brygidzie powiedział, że sprzedał go na giełdzie. Starał się nie myśleć o tym, jak symptomatyczne było to posunięcie, bo prowadziłoby niechybnie do wniosków, przed którymi wciąż się uchylał.

To właśnie dziewczynie, z którą teraz stał na balkonie, chciał oddać wszystko, w tym siebie.

Jeszcze przez jakiś czas mógł uciekać przed tą świadomością, ale ostatecznie nie było sposobu, by ją na dobre zignorować. Nigdy nie czuł tego, co teraz. Nigdy nie był gotów zrobić dla jednej osoby absolutnie wszystkiego, czego pragnęła. I nigdy nie byłby w stanie oddać życia za kogokolwiek.

Teraz to się zmieniło.

– Co on tu w ogóle robi? – zapytała Gocha.

Edling potrząsnął głową.

– Słucham?

– Ten Harry – odparła nieco zmieszana koniecznością wyjaśnień. – Co on robi w Polsce?

– Od czasu do czasu tu przyjeżdża – wyjaśnił Gerard, starając się sprowadzić myśli na właściwe tory. – Ale nie wygląda, jakby miał zamiar zostać na dłużej.

– Przyjeżdża? Po kiego grzyba? W ramach turystyki do krainy socrealizmu?

– Broni niesłusznie oskarżonych. A przynajmniej tak to ujął.

– To w tym wypadku chyba się zagalopował.

– Chyba tak – przyznał Gerard, a potem ruszył do pokoju.

Gocha zamknęła za nimi drzwi i jeszcze przez moment wypytywała o McVaya. Edling właściwie nie wiedział wiele – nie rozumiał też, dlaczego Brytyjczyk zainteresował się akurat tą konkretną sprawą. Z tego, co zrozumiał Gerard, Harry sam wybierał swoich klientów i zazwyczaj decydował się na reprezentowanie opozycjonistów lub ludzi, których aparat wziął na celownik.

Ani razu nie bronił nikogo oskarżonego o morderstwo.

– Co zamierzacie z nim zrobić? – odezwała się Gocha.

– Zabrzmiało to, jakbyś…

– Jakbym spodziewała się, że go kropniecie? No cóż, właśnie tak miało brzmieć.

Edling uznał, że najlepiej będzie to przemilczeć.

– Chyba nie boicie się reakcji Brytoli? – spytała. – Co oni mogą?

– Nic.

– Podobnie jak rzesze mieszkających tam Polaków, którzy wciąż czekają, aż ich ojczyzna będzie wolna.

– Jest wolna.

– Jeśli przez wolność rozumiesz bycie skutym kajdanami, to tak.

– Każdy nosi jakieś kajdany.

– Może masz rację – przyznała. – Ale ten, kto jest wolny, sam je sobie wybiera.

Gerardowi trudno było się sprzeczać, kiedy interlokutorka sięgała po parafrazy Rousseau. Od razu odpuścił, a potem nalał jej i sobie wina. Celowo nie patrzył na zegarek, świadomy, że albo wybiła już pora powrotu do domu, albo niebawem się to stanie.

Położyli się z powrotem do łóżka, a Gocha zrobiła sobie z jego ręki poduszkę i podkuliła nogi.

– Macie jakieś solidne dowody? – zapytała. – Bo to wszystko, co mi powiedziałeś, raczej nie przekona sędziego. Szczególnie jeśli ten McVay jest dobry.

– Podobno jest – przyznał niechętnie Edling. – Współpracuje z jakimiś krakowskimi prawnikami ze starej szkoły. Cenią go tam.

– To co zamierzacie?

Nie doczekawszy się odpowiedzi, przysunęła się jeszcze bliżej. Gerard doskonale znał tę taktykę – miała na celu głównie uśpienie jego czujności i przekonanie go, że ma do czynienia z potulną owieczką, a nie drapieżnikiem. W istocie jednak Gocha była właśnie tym drugim.

I to także w niej kochał.

– Macie już jakiegoś swojego sędziego, tak? – spytała.

– Wiesz, że…

– Że nie możesz przyznać wprost, bo potem napiszę o tym przy okazji recenzji nowej kasety KSU?

– KSU? Dziwna nazwa.

Rosa przewróciła oczami.

– Od tablic rejestracyjnych w Krośnieńskiem – wyjaśniła. – Chłopaki są z Ustrzyk Dolnych, napierdalają dobrego, melodyjnego punka. Do niedawna tylko na bootlegach, teraz wypuścili album.

– Aha. Masz kasetę?

– Tak – odparła. – Ale marny z ciebie manipulator i w ten sposób tematu nie zmienisz.

– Mimo wszystko musiałem spróbować.

Wbiła mu palec między żebra, a potem go pocałowała. Był przekonany, że na tym nie poprzestanie – zarówno jeśli chodziło o kontynuowanie wątku, jak i fizyczne igraszki.

W żadnej ze spraw się nie pomylił. Pół godziny później wyszedł spod prysznica gotowy, by wracać do domu. Przynajmniej jeśli chodziło o ciało, nie miał bowiem wątpliwości, że myślami zostanie tutaj.

– Więc powiesz mi, jak to załatwicie? – spytała Gocha, kiedy narzucał koszulę.

– Nie wiem.

– Nie wiesz w sensie, że mi nie powiesz, bo zaraz wpadnie tu bezpieka?

– Właściwie to tak. Ale oprócz tego rzeczywiście nie mam żadnej wiedzy na ten temat.

– Daj spokój, Gero – odparła, podnosząc się z łóżka. Podeszła do niego i pomogła mu zapinać guziki. – Chcecie wsadzić Iluzjonistę do paki, to jest oczywiste. Pytam tylko, jak to zrobicie przy tak słabych dowodach.

– Naprawdę nie wiem.

Zamiast zapiąć kolejny guzik, pociągnęła za niego na tyle mocno, że Edlingowi przeszło przez myśl, iż ten może się odpruć. Niełatwo byłoby się z tego wytłumaczyć w domu.

– Jasne – rzuciła Rosa. – Karbowski ci nie ufa i niczego nie zdradza.

– Tego nie powiedziałem.

– To dobrze, bobym nie uwierzyła – odparła i pociągnęła jeszcze mocniej.

– Ale nie pytałem go, jakie ma zamiary – zastrzegł szybko Gerard i własnoręcznie zapiął guzik. – Sam wolę nie wiedzieć.

Przez moment patrzyła na niego w sposób jasno sugerujący, że zastanawia się, czy dać wiarę jego słowom. Na dobrą sprawę nie powinien się dziwić, w końcu poznała go jako człowieka, który zdradzał żonę.

Prawda była jednak taka, że faktycznie nie rozmawiał na ten temat z przełożonym. Wyszedł z założenia, że im mniej wie, tym będzie zdrowszy. Oczywiste było, że dojdzie do jakiejś manipulacji – Komitet Wojewódzki z pewnością nie pozwoli wybronić tego zbrodniarza w sądzie.

– Prędzej czy później wyjdzie w praniu – powiedziała Gocha. – I czuj się wtedy w obowiązku powiedzieć mi o wszystkim.

– Dobrze.

– A teraz wracaj do żony, skurwysynu.

Pocałowała go tak, jakby wychodził do pracy, a nie do domu. Był to element ich własnego spektaklu, który wystawiali z pełnym zaangażowaniem – choć jedynie dla dwójki widzów.

Edling wrócił do mieszkania na Malince i położył się obok Brygidy na tyle ostrożnie, by jej nie budzić. Szczęśliwie miała dość głęboki sen – zapadała weń dość długo, ale kiedy w końcu jej się udawało, nawet salwy armatnie nie potrafiłyby jej zbudzić.

Rankiem powtórzył swój codzienny rytuał, wychodząc z mieszkania jak najszybciej. Czuł się tam nie na miejscu, a widok żony sprawiał, że chciał zapaść się pod ziemię. Miał wyrzuty sumienia, a oprócz tego poczucie całkowitej nieprawidłowości obecnego stanu rzeczy.

Jedyne, czego chciał, to nieprzerwana obecność Gośki. I wiedział, jak niewiele trzeba, by mógł się nią cieszyć. Wystarczyło podjąć jedną, dość prostą decyzję.

Od pewnego czasu jadał już w społemowskim barze sam. Przełożony najwyraźniej nie czuł potrzeby, by mu towarzyszyć, kiedy nie było do omówienia naglących kwestii związanych z Iluzjonistą.

Właściwie każda rozmowa na temat zabójcy kończyła się tak samo – kłopotliwym milczeniem lub wymianą znaczących spojrzeń. Edling wiedział, że prędzej czy później będą musieli podejść do tematu z otwartą przyłbicą, ale odwlekał ten moment. Obawiał się, że to stworzy między nimi wyrwę, której nie zasypią.

Jednocześnie było to nieuniknione, wszak miał uczestniczyć w przygotowaniach do procesu. Jako asesor nie miał prawa występowania przed sądami wojewódzkimi, ale był przekonany, że we wszystkich pozostałych kwestiach szef będzie wymagał jego pomocy.

Stało się jednak inaczej. Karbowski przydzielił Edlingowi inne sprawy, odsuwając go na boczny tor. Z jednej strony wydawało się to Gerardowi zrozumiałe – być może na miejscu Bogdana również wolałby skupić się na meritum, a nie na utyskiwaniach podwładnego na niesprawiedliwy proces. Z drugiej jednak koło nosa przechodziła mu doskonała okazja, by nabrać cennego, być może najcenniejszego doświadczenia.

Z takim argumentem poszedł do gabinetu przełożonego. Przedstawił mu go, a potem zaczął przydługawy wywód na temat tego, że uczestniczył w tej sprawie od początku i powinien mieć możliwość doprowadzenia jej do końca.

– Może i powinieneś – przyznał Karbowski. – Tyle że sam nie chcesz tego robić.

– Nie rozumiem.

– Szukasz dziury w całym – odparł szef i zapalił papierosa. – Podajesz winę Borbacha w wątpliwość i mącisz.

– Winę nie – zastrzegł stanowczo Gerard. – Jedynie materiał dowodowy.

– Koniec końców w sądzie to równoznaczne. A ja nie potrzebuję komplikacji, szczególnie na własnym podwórku.

Edling odsunął sobie krzesło i usiadł przed prokuratorem wojewódzkim.

– I tak nie mogę brać udziału w rozprawie jako oskarżyciel – powiedział. – I nie mam najmniejszego zamiaru krzyżować pana planów.

– Więc o co ci chodzi?

– Chcę uczestniczyć w tym do końca.

– W jakiej roli?

– Takiej jak dotychczas.

Bogdan zakaszlał tak, jakby miał wypluć płuca, ale nie przeszkodziło mu to zaraz potem głęboko zaciągnąć się klubowym.

– Dotychczas trochę zawadzałeś.

– A mnie się wydawało, że pomagałem.

Przełożony lekko się uśmiechnął. Jego ton głosu świadczył nie tylko o tym, że jest gotów na powrót włączyć Edlinga do sprawy, ale także o tym, że czekał na okazję, by to zrobić.

– Nie będziesz robił problemów? – spytał.

– Nie mam takiego zamiaru.

– To nie jest odpowiedź, na jaką liczyłem – odbąknął szef i strzepnął popiół do kryształowej popielniczki z grubego szkła.

– Ale w zupełności panu wystarczy.

Karbowski uniósł brwi.

– To było pytanie czy oświadczenie?

– Stwierdzenie stanu faktycznego.

Bogdan zaśmiał się cicho, przez moment patrzył na Gerarda, po czym łaskawie skinął głową. Właściwie nie była to rozmowa między przełożonym a podwładnym – jak wszystko w ich relacji, przypominała raczej rodzinną dyskusję.

Mimo to Karbowski jeszcze przez moment trwał w pewnym zawieszeniu, wbijając wzrok w oczy Edlinga. Wreszcie zgasił papierosa, wysunął szufladę i wyciągnął kilka teczek z aktami.

– Na dobrą sprawę może i powinieneś być na bieżąco – oznajmił.

Gerard sięgnął po teczki, ale przełożony położył na nich rękę, jakby strzegł czegoś wyjątkowo cennego.

– Wiesz dlaczego, Gerard? – spytał, ale nie czekał na odpowiedź. – Bo przed tobą świetlana przyszłość w tym zawodzie. Będziesz jednym z najlepszych, nie mam co do tego żadnych wątpliwości.

– Dziękuję za wotum zaufania, ale...

– Spędzisz tu długie lata – ciągnął szef. – I dlatego powinieneś wiedzieć, jak to wszystko działa. To w pewnym sensie okazja ku temu.

Gerard przypuszczał, że cały ten wstęp ma przygotować go na zobaczenie czegoś, co wzbudzi jego wewnętrzny sprzeciw. I obawiał się, że wie, czym konkretnie się to okaże.

– Miej to na względzie – dodał szef, podsuwając mu akta.

Fakt, że Karbowski sam zajmował się papierkową robotą, kazał Edlingowi sądzić, że była to prośba prosto z Komitetu Wojewódzkiego. W przeciwnym wypadku teczkami zajmowałby się inny prokurator, a Bogdan przyszedłby na gotowe. O ile w ogóle – jeśli bowiem mieli swojego sędziego, w rozprawie mógł równie dobrze uczestniczyć inny oskarżyciel.

Edling przez chwilę przeglądał akta. Szybko potwierdziły się wszystkie jego przypuszczenia.

– Znaleziono sporo odcisków palców Borbacha – zauważył.

– Zgadza się.

– Na skrzyni z amfiteatru, na łańcuchu, w innych miejscach...

– Tak jest.

Gerard podniósł wzrok i popatrzył przełożonemu prosto w oczy.

– Tyle że Borbach za każdym razem miał rękawiczki – rzucił.

– Widocznie nie za każdym razem. I nie cały czas.

Kiedy ich spojrzenia się skrzyżowały, przyszedł moment, w którym Edling musiał postanowić, czy dalej idzie tą drogą, czy zawraca. Postanowił milczeć, bo właściwie wszystko zostało już powiedziane.

Wrócił do przeglądania dokumentacji spreparowanego materiału dowodowego.

– Zgłosił się też świadek, który widział Borbacha na Bolko – dodał.

– Owszem.

– A oprócz tego oskarżony zjawił się w domu Oblewskich z nożem, na którym odkryto ślady krwi poprzednich ofiar.

– Tak było.

Edling wciągnął powietrze do płuc, odnosząc wrażenie, że wdycha jedynie dym tytoniowy. Może rzeczywiście powinien zacząć palić. Gdziekolwiek by poszedł, cały czas inhalował nikotynę.

– Rewizja w mieszkaniu Borbacha ujawniła, że gromadził książki na temat iluzji. Miał też większość z tych, które należały do Waseraka – dorzucił, a potem zamknął teczkę. – Cóż, to wygląda na całkiem solidny materiał dowodowy.

– Sprawa nie jest zbyt skomplikowana. Załatwimy to szybko i niemal od ręki.

Karbowski czekał, aż podwładny zaoponuje, ale Gerard nie zamierzał tego robić. Idąc na prawo, wiedział, jak to wszystko wygląda. Decydując się na karierę prokuratora, także był tego świadom.

Tym razem nie musiał się w tym babrać. Przynajmniej nie bezpośrednio.

Podczas pierwszej rozprawy zajął miejsce w ławach dla publiczności, a potem biernie przyglądał się rozwojowi wydarzeń.

Iluzjonistę wprowadzono w kajdankach. Milicjanci obchodzili się z nim dość łagodnie, ale liczne rany na twarzy dowodziły, że to raczej wyjątek od reguły. Wyglądał parszywie, właściwie jak modelowy zbrodniarz. Miał podkrążone oczy, wymięte ubranie i mętny wzrok zdający się sugerować, że każdy może stać się jego ofiarą. Uśpiona bestia.

Sędzia i ławnicy jakby już dawno podjęli decyzję. Harry'ego McVaya zupełnie ignorowali, a jeśli w ogóle rzucali mu spojrzenie, to tylko przelotne. Mógł mówić, co chciał – nie miało to żadnego znaczenia.

Publiczność była niezbyt liczna, co pokazywało, w jak dużej tajemnicy utrzymywana jest cała sprawa. W „Dzienniku Telewizyjnym" nie pojawił się żaden materiał na temat Iluzjonisty. „Trybuna Ludu" nie poświęciła mu nawet zdania na swoich łamach.

Gdyby nie to, że Edling poinformował Gochę, kiedy i w której sali powinna się zjawić, ona z pewnością także przegapiłaby rozprawę. Teraz jednak siedziała obok niego, raz po raz dotykając jego dłoni. Zdawała się robić to mimowolnie, bo podobnie jak Gerard całą uwagę skupiała na przedstawieniu, które odbywało się na ich oczach.

Wszystko miało rozegrać się za zamkniętymi drzwiami, a Iluzjonista został pozbawiony realnego prawa do obrony.

Sędzia odczytał podstawowe informacje na temat Borbacha, podając datę urodzenia, podkreślając pochodzenie inteligenckie, a nie robotnicze, następnie zaś przeszedł do zapewnienia, że „sąd rozpatrzy sprawę obiektywnie".

Odczytanie aktu oskarżenia zabrało trochę czasu i uświadomiło wszystkim, że człowiek, z którym mają do czynienia, jest zdolny do wszystkiego.

Tym bardziej wydawało się niemożliwe, że tak po prostu udało się go dopaść i postawić przed sądem. Człowieka tak przebiegłego? Potrafiącego przewidzieć każdy ruch przeciwnika?

Nie tylko w głowie Edlinga kołatały się te pytania.

– Co on zamierza? – spytała Gocha, kiedy Karbowski skończył czytać akt oskarżenia.

– Nic dobrego.

– Ale przy takim materiale dowodym niewiele może.

– Właściwie nie niewiele, ale po prostu nic.

Obróciła się do niego i przysunęła trochę, by móc mówić jeszcze ciszej.

– Oboje wiemy, że coś szykuje – szepnęła. – Prawda?

– Prawda – potwierdził półgłosem Gerard.

Przyglądał się Iluzjoniście, gorączkowo zastanawiając się nad tym, jaki numer wywinie. Ucieczka w ostatniej chwili? Rozpłynięcie się w powietrzu? Nie, teraz nie wchodziło to w grę. Taki trik musiałby być przygotowany zawczasu, tymczasem każde miejsce, w które milicja przyprowadzała Borbacha, było skrupulatnie sprawdzane.

Po odczytaniu aktu oskarżenia sędzia przewodniczący lekko poprawił swój łańcuch, a potem nabrał tchu. Zerknął przelotnie na Iluzjonistę.

– Czy oskarżony przyznaje się do winy? – spytał.

Borbach wstał, a potem powoli podniósł wzrok.

– Tak – powiedział.

Sędziowie popatrzyli po sobie skonsternowani. Harry McVay wyglądał, jakby miał zamiar zerwać się na równe nogi i oświadczyć, że jego klient jest niepoczytalny.

Iluzjonista tymczasem obejrzał się przez ramię. Posłał Edlingowi jedynie krótkie spojrzenie. Tyle wystarczyło, by młody asesor poczuł ciarki na całym ciele.

Obecnie

ul. Grunwaldzka, Opole

Pędząc w kierunku jednego z akademików na kampusie UO, Gerard miał nadzieję, że Rosa już tam na niego czeka. Przez telefon zdążył powiedzieć jej tylko tyle, że potrzebuje pomocy. I że jego syn ma kłopoty.

Nie wiedząc, co konkretnie się dzieje, Edling nie mógł ryzykować i zgłosić się do organów ścigania. Magik mógł porwać Emila, a w takiej sytuacji zaalarmowanie policji czy prokuratury mogłoby okazać się tragiczne w skutkach.

Kiedy Gerard dobiegał do budynku, na którego wejściu widniała czerwona tabliczka z napisem „Kmicic", zobaczył SUV-a Gośki. Wyszła z auta i rozejrzała się niepewnie. Dopiero po chwili dostrzegła Edlinga.

– Co się dzieje? – spytała zaniepokojona.
– Emil...
– Co z nim? – rzuciła, podchodząc do Edlinga. – To on był na czacie?
– Tak.

Gocha powiodła wzrokiem po wielopiętrowym budynku z lat siedemdziesiątych, który zdawał się niespecjalnie zmieniać. Zupełnie jakby chciała uciec myślami od świadomości tego, co przez ostatnie kilkadziesiąt minut musiał przechodzić syn Edlinga.

– Rozmawialiśmy przez telefon – powiedział Gerard, z trudem łapiąc oddech. – Potem nagle ucichł, a ostatecznie połączenie zostało przerwane.

– I? Myślisz, że coś mu grozi?

– A ty nie? – odparł trzęsącym się głosem Edling. – Ten człowiek powtarza jedne rzeczy, nawiązuje do innych. To, co teraz się dzieje, ma przypominać porwanie mnie przez Kompozytora.

Przez moment sądził, że będzie musiał nakreślić jej sytuację lub chociaż przypomnieć podstawowe fakty związane z tamtym zdarzeniem. Rosa jednak sprawiała wrażenie, jakby je wówczas śledziła.

Znów spojrzała na akademik.

– Był w „Kmicicu"? – spytała.

– Tak mi się wydaje. Zazwyczaj chodził do znajomych właśnie tutaj.

Nie mieli zamiaru zwlekać. Weszli do środka, po czym natychmiast dopadli do portierni. Wyraźnie zmęczony życiem mężczyzna popatrzył na nich jak na dwójkę wariatów w wieku, który dyskwalifikuje ich jako stałych bywalców.

– Czego państwo szukają?

Gerard natychmiast podał imię i nazwisko, mając nadzieję, że istnieje jakaś lista, na którą wpisują się goście domu studenckiego. Portier przesunął dwoma palcami po cieniutkim wąsie, a potem zmrużył oczy.

– Pan jest ojcem?

– Tak.

– A pani matką? – rzucił, patrząc na Gośkę.

Rosa wyraźnie się zmieszała, ale Edling nie miał zamiaru tracić czasu na jakiekolwiek wyjaśnienia. Sięgnął po portfel, wysunął dowód osobisty i podał portierowi. Ten przyglądał się danym stanowczo za długo.

– No dobrze – powiedział w końcu. – Znam Emila, dość często bywa.

– Dziś też?

– Tak, przyszedł jakieś dwie godziny temu.

– Wychodził?

– Nie. A przynajmniej ja nie widziałem.

Gerard zamrugał nerwowo. Może przesadził z reakcją? Syn mógł po prostu zostać zagadany przez znajomych, którzy z pewnością robili wszystko, by jak najszybciej odciągnąć jego myśli od makabrycznego przedstawienia.

– Ktoś inny mógł widzieć? – spytał Edling.

– Nie. Tylko ja tu siedzę.

– W takim razie…

– Mówię, że nie widziałem, to nie widziałem. Mogę sprawdzić monitoring na wszelki wypadek, ale…

– Bylibyśmy ogromnie zobowiązani – włączyła się Gocha i uśmiechnęła się w sposób, który powinien załatwić sprawę u każdego mężczyzny.

Ten również uległ jej urokowi. Zlustrował wzrokiem najświeższy zapis, a potem oświadczył bez cienia wątpliwości, że Emil nie wychodził i musi wciąż być w budynku.

Gerard odetchnął i poczuł, że nogi się pod nim uginają. Rosa ujęła go lekko pod rękę, jakby to dostrzegła, a potem wskazała na wyjście. Opuścili akademik i usiedli na schodach, niczym dwójka studentów, z których dopiero schodzą emocje po stresującym egzaminie. Edling wziął kilka głębokich wdechów.

– Wszystko w porządku – odezwała się Gocha. – Ale dla pewności możemy zapytać, do kogo poszedł.

– Za moment – odparł Gerard i wyprostował się. – Muszę tylko trochę ochłonąć.

Koszula kleiła mu się do pleców, a twarz piekła go, jakby przez długi czas siedział stanowczo za blisko ogniska. Zamknął oczy i skupił się wyłącznie na swoim oddechu. Nie pomagało, serce nadal waliło mu jak młotem.

Uniósł powieki i popatrzył na siedzącą obok Gośkę.

– Masz dzieci? – spytał.

– A nie przeglądałeś mojego Facebooka?

– Kiedyś syn mi pokazał – przyznał. – Ale nie miałaś tam ani uzupełnionych informacji o statusie związku, ani zbyt wielu zdjęć.

Uśmiechnęła się lekko, ale Edling był jeszcze zbyt skołowany, by odpowiedzieć tym samym.

– Kto jak kto, ale ty powinieneś docenić to nieekshibicjonistyczne podejście.

– Doceniam – odparł i sięgnął do węzła pod szyją, by go nieco poluzować. Uświadomił sobie, że już to zrobił, a problemy z przełykaniem śliny wynikają z czegoś innego. Mimo to ściągnął krawat, złożył go, a potem schował do kieszeni.

Przez chwilę milczeli, przypatrując się pierwszym studentom opuszczającym akademiki. Najpewniej wszyscy do tej pory śledzili wydarzenia na stronie Magika, a teraz musieli udać się od pubów, by omówić ostatnie wydarzenia.

– Nie mam dzieci – powiedziała w końcu Gocha.

– Brak woli czy brak męża?

– Mężów było dwóch. Przy jednym pojawiła się nawet wola, ale bez możliwości zajścia w ciążę.

Słysząc maskowany ból w głosie, Edling uznał, że dopytywanie o szczegóły byłoby niestosowne. Skinął głową i wbił wzrok w plac zabaw naprzeciw, przynależący do prywatnego żłobka i przedszkola.

– Obydwa małżeństwa zakończyły się tak samo – podjęła Gocha. – Rozwodami.

– Przykro mi.

– Nie ma powodu. Od początku bardziej zmuszałam się do trwania w nich, niż naprawdę tego chciałam.

Kątem oka zobaczył, że się do niego obraca, ale nie zareagował.

– Zupełnie jak z tobą i Brygidą – dodała.

– Mhm.

– Nie chcesz o niej rozmawiać, co?

– Niespecjalnie.

Tym razem obróciła się ku niemu całym ciałem i dalsze ignorowanie tych sygnałów byłoby już właściwie obraźliwe. Edling popatrzył na Gochę, świadomy tego, że stresująca sytuacja niejako wymusiła niespodziewane zbliżenie.

– To akurat zrozumiałe – powiedziała Rosa. – Ale to, że nie chcesz gadać o nas, to już kompletnie absurdalne.

– Owi „my", o których mówisz, nie istnieją od ponad trzech dekad.

– Twoim zdaniem.

– A twoim nie?

Zobaczył w jej oczach odpowiedź wymowniejszą niż słowa i zrozumiał, że to, co niegdyś było między nimi, przynajmniej częściowo rzutowało na jej nieudane małżeństwa.

Musiał jak najprędzej uciec od tego tematu. W przeciwnym wypadku znów znajdzie się w tym samym miejscu, co trzydzieści lat temu. I ponownie będzie musiał skrzywdzić jedyną kobietę, na której tak naprawdę mu w życiu zależało.

– Wyjaśnisz mi kiedyś, co konkretnie się spierdoliło? – odezwała się Gocha.

Gerard odchrząknął. Jeśli tylko mógł, zawsze stronił od kłamstwa. W tej sytuacji nie wiedział jednak, czy nie byłoby usprawiedliwione.

– Minęło już tyle czasu, że…

– Że co? – wpadła mu w słowo. – Że zapomniałeś, dlaczego para ludzi, którym wszystko układało się jak w pieprzonej bajce, nagle się rozeszła?

Szukał drogi ucieczki, ale wydawało mu się, że trafił w ślepą uliczkę i jedynym wyjściem jest ruszenie prosto na blokującą przejście rozmówczynię.

– Chciałeś zostawić dla mnie żonę, Gero.

– Wiem.

– I byłeś gotów się ze mną żenić.

Skinął lekko głową, bo nie było sensu zaprzeczać. W osiemdziesiątym ósmym dał jej to dość dobitnie do zrozumienia. Był gotów nie tylko zostawić żonę, ale także założyć z Gośką rodzinę. Po raz pierwszy i jedyny czuł wtedy, że chce to zrobić – a ona doskonale to widziała.

– Co się stało? – spytała.

Edling nie odpowiadał.

– To miało jakiś związek z Iluzjonistą, prawda? – dodała. – Z tym, co się wydarzyło po procesie Borbacha?

Nie powinien pozwolić, by ta rozmowa zaszła tak daleko. Przybierała niebezpieczny kierunek i niewiele brakowało, a Gerard będzie musiał przedstawić albo wyjątkowo zawoalowane kłamstwo, albo prawdę. Jedno i drugie wyjście było beznadziejne.

– Minęło już tyle czasu, że to naprawdę nie powinno mieć znaczenia – powiedział. – Dałem wtedy plamę. Nie stanąłem na wysokości zadania.

– Tak, wtedy też powtarzałeś, że to twoja wina.

– Bo tak było – przyznał. – I nic tego nie zmieni.

Podniósł się, a potem dotknął kontrolnie koszuli. Wysokogatunkowa bawełna schła dość szybko, ale nadal potrzebowała jeszcze przynajmniej kilku chwil. To uświadomiło Gerardowi, że właściwie jest tylko jeden sposób, by skończyć kłopotliwy temat. Wystarczyło napomknąć o synu i o tym, że najwyższa pora sprawdzić, co z nim.

Nie odezwał się jednak. Przez chwilę tylko patrzyli na siebie, jakby żadne z nich nie wiedziało, jak należy postąpić.

– Gero...

– Nie wyszło nam – uciął. – Przeszłość jest zamknięta.

Zerknęła na niego z pretensją.

– Po jednym złym rozdziale nie zamyka się książki, tylko przewraca stronę – powiedziała. – Dobrze o tym wiesz.

Nie doczekawszy się odpowiedzi, wciągnęła powietrze nosem i pokręciła głową. Wyglądało na to, że nie ma zamiaru drążyć, przynajmniej nie teraz.

– Chcesz sprawdzić, co z Emilem? – spytała.

Pokiwał lekko głową, a Gocha również wstała.

– Będę spokojniejszy, jeśli zamienię z nim choćby słowo.

– W takim razie na mnie czas.

– Nie pójdziesz ze mną?

– Żeby poznać twojego syna? Chyba nie.

Miał ochotę zaoponować, ale po pierwsze, nie chciał się narzucać, po drugie, im mniej kontaktu między nimi, tym lepiej dla niej.

– Chyba że załatwisz to szybko – dorzuciła po krótkim wahaniu. – Bo mamy jeszcze pewne sprawy do obgadania.

– Mówisz o artykule?

Uśmiechnęła się w sposób, który Gerard mógłby określić jedynie jako sympatyczną złośliwość. Kiedy żegnali się ostatnim razem, był przekonany, że więcej tego tematu nie poruszą, a on dowie się wszystkiego dopiero z łamów „Głosu".

Najwyraźniej istniało jednak pewne pole manewru.

– Nie zejdzie mi długo – obiecał. – Możesz poczekać na dole, jeśli nie chcesz wchodzić do bimbrowni na górze.

Zawahała się.

– Z drugiej strony mogłabyś przypomnieć sobie, jak wyglądało studenckie życie.

– Studenckie, czyli prawdziwe.

– Może.

– W takim razie okej – odparła, choć sama nie wydawała się przekonana.

Załatwienie formalności z portierem okazało się łatwiejsze, niż Edling przypuszczał. Zaraz potem mężczyzna skierował ich do pokoju, który zajmowali znajomi Emila.

Gerard przepuścił Rosę w progu, a potem wszedł za nią do środka. Powiódł wzrokiem po zaciekawionych twarzach grupy studentów, ale nigdzie nie dostrzegł syna.

– Gerard Edling? – zapytała jedna z dziewczyn, zrzucając z uda dłoń swojego chłopaka i podnosząc się.

– Znamy się?

– Ja pana znam – zadeklarowała. – I pewnie nie tylko ja.

Gerard nie miał zamiaru wnikać. W Opolu kojarzono go głównie dzięki jego działaniom w sprawie Kompozytora. To, co wydarzyło się jakiś czas temu w świecie polityki, nie do każdego dotarło – a z pewnością nie do studentów mających do roboty lepsze rzeczy niż śledzenie newsów.

– Szuka pan Emila? – spytała dziewczyna.
– Tak.
– Wyszedł jakiś czas temu.
– Wyszedł?
Edling wymienił się niewiele mówiącym spojrzeniem z Gochą.
– Dokąd? – rzucił. – I kiedy?
– Zaraz po tym, jak skończył się ten okropny cyrk w necie – wyjaśniła dziewczyna lekkim tonem, jakby mówiła o przedstawieniu, a nie o transmitowanej na żywo śmierci człowieka. – Nie powiedział, dokąd idzie.
– Ale... – zaczął Gerard i obejrzał się przez ramię. – Jak to?

Na palcach jednej ręki mógł policzyć sytuacje, w których zadawał podobne pytania. Teraz jednak umysł nagle odmówił współpracy. Znów zrobiło mu się gorąco, a panika stała się tak duża, że nie potrafił wydusić z siebie niczego więcej.

– Rozmawiał z panem przez telefon, potem dostał jakiegoś esemesa – powiedziała studentka. – No i wyszedł.

Podczas gdy Edling starał się przekonać samego siebie, że znów niepotrzebnie snuje czarne myśli, Gośka przejęła inicjatywę.

– Do kogo mógłby tutaj pójść? – odezwała się.

Dziewczyna poszukała pomocy u pozostałych studentów i wspólnymi siłami szybko ustalili, gdzie może być Emil. Gocha podziękowała, wyprowadziła Edlinga na zewnątrz, a potem skierowała się schodami w dół.

– Co robisz? – spytał Gerard.

– Chcę powiedzieć portierowi, żeby zatrzymał twojego syna, jak tylko ten będzie wychodził.

Edling pokiwał głową.

– Słusznie – przyznał.

– A ty postaraj się uspokoić. Emil nie opuścił budynku, sprawdziliśmy to.

Miała stuprocentową rację. Najwyraźniej jednak po tych wszystkich przejściach, na stare lata nerwy Gerarda nie były tak mocne, jak być powinny.

Po wizycie na portierni wrócili na górę i systematycznie sprawdzali wszystkie pokoje, w których mógł się znaleźć Emil. Po opuszczeniu każdego kolejnego Edling stawał się coraz bardziej niespokojny, a kiedy dostrzegł także nerwy Gochy, był gotów dzwonić do Domańskiego.

Zrobił to jednak dopiero po zwerbowaniu pozostałych studentów i przekonaniu się, że jego syna naprawdę nie ma w akademiku.

Kamera na zewnątrz nie zarejestrowała, by wychodził. W środku również go nie było.

Dla wszystkich stało się jasne, że doszło do kolejnej iluzjonistycznej sztuczki.

Niegdyś
Areszt śledczy, ul. Sądowa

Niełatwo było przekonać Karbowskiego, by ten pozwolił na spotkanie Gerarda z oskarżonym. Ostatecznie jednak przeważył argument o zbieraniu doświadczenia oraz pewność przełożonego, że młody asesor tak naprawdę nie chce i nie może wyrządzić żadnej szkody w toczącym się postępowaniu.

Kolejne rozprawy przebiegały błyskawicznie, a Harry McVay właściwie nie miał na czym oprzeć linii obrony. Wciąż zdawał się zaskoczony zachowaniem swojego klienta, a oprócz tego zwyczajnie nie miał dostępu do rzeczy, które mogłyby mu pomóc.

W myśl artykułu pięćdziesiątego trzeciego ustępu drugiego Konstytucji PRL Witold Borbach miał zagwarantowane prawo do obrony. Jednakże w myśl praktyki prawnej został jej całkowicie pozbawiony.

Mimo to Edling był przekonany, że Iluzjonista w jakiś sposób kontroluje sytuację. I musiał dowiedzieć się, w jaki.

Usiadł w pokoju przesłuchań naprzeciwko oskarżonego i spokojnie poczekał, aż strażnicy przykują go do krzesła. Borbach ani przez moment nie wyglądał na takiego, który zamierza robić problemy – dla wszystkich było jednak jasne, że to wyłącznie pozory.

Człowieka tego należało traktować jako wyjątkowo niebezpiecznego.

Kiedy Gerard został z nim sam na sam, ten w końcu podniósł wzrok. Potrząsnął lekko rękoma, a kajdanki wydały metaliczny dźwięk.

– To niepotrzebne – powiedział.

Edling zdawał sobie sprawę, że każde wymienione słowo będzie na wagę złota. Nic nie było dziełem przypadku. Wszystko stanowiło precyzyjnie zaprojektowane elementy przedstawienia.

– Wiele rzeczy jest tu niepotrzebnych – odparł Gerard. – A przede wszystkim wasze przyznanie się do winy.

Iluzjonista wzruszył lekko ramionami.
- Bez tego też poszlibyście siedzieć – dodał Edling.
- Siedzieć? Grozi mi kara śmierci.
- Tym bardziej nie powinniście się przyznawać.

Borbach powtórzył ostatni gest, a Gerard odniósł wrażenie, że wszystkie są starannie przemyślane. Przez chwilę mierzyli się wzrokiem.

Może przesadzał? Może widział makiawelicznego adwersarza, bo chciał kogoś takiego dostrzegać w tym człowieku? Byłaby to zrozumiała próba usprawiedliwienia tego, że nie ujęli go szybciej. I przez pewien czas pozwalali mu zabijać.

- Dlaczego to zrobiliście? – spytał Edling.
- Co konkretnie?

Lekka nuta pretensji w głosie. Wreszcie coś.

- Poświadczyliście w sądzie, że jesteście winni.
- Bo jestem.
- I? – rzucił Gerard, mrużąc oczy. – Nie musicie się wcale przyznawać, wprost przeciwnie. Lepiej dla was, gdybyście szli w zaparte, wasz obrońca na pewno wam to wytłumaczył.

Brak odpowiedzi. Kiedy oskarżony milczał, wyglądał jeszcze upiorniej – liczne rany, siniaki i opuchlizna na twarzy potęgowały poczucie, że patrzy się na bestię nie z tego świata, niemającą nic wspólnego z człowiekiem.

- Sumienie was ruszyło?
- Nie.
- W takim razie o co chodzi?

Iluzjonista rozejrzał się po pokoju, a Edling odniósł niepokojące wrażenie, jakby znalazł się nie w obskurnym pomieszczeniu aresztowym, ale miejscu przygotowanym na użytek jakiejś sztuczki.

Uświadomił sobie, że stopniowo ogarnia go paranoja. Musiał uciąć te myśli natychmiast, jeśli miał zamiar wynieść cokolwiek pomocnego z tej rozmowy.

– Chcecie szybko zakończyć sprawę? – dodał. – Bez przeciągania procesu?

– Mnie to obojętne...

– To o co wam chodzi?

– O to, że już i tak po wszystkim – odparł Borbach, wciąż nie opuszczając wzroku.

Zawiesił go nieruchomo na oczach Edlinga, przywodząc na myśl tonącego człowieka, który nagle wypatrzył gdzieś w oddali koło ratunkowe i robił wszystko, by nie stracić go z pola widzenia.

– I tak mnie powieszą – dodał Iluzjonista. – Cokolwiek bym zrobił, koniec będzie taki sam.

Był to odpowiedni moment, żeby zadać to kluczowe, najważniejsze pytanie, uznał w duchu Gerard.

– Więc dlaczego daliście się złapać? – spytał.

Spojrzenie rozmówcy stało się jeszcze bardziej przeszywające.

– Jak niby dałem? – odparł. – Zaskoczyliście mnie.

– Nie dajecie się zaskoczyć.

– Widocznie mnie pan przecenia.

Mógł darować sobie te uprzejmości, ale z jakiegoś powodu tego nie zrobił. Edling przypomniał sobie rozmowę telefoniczną, którą odbyli jakiś czas temu. Wówczas też wszystko było zgodne z zasadami dobrego wychowania.

– Co wy planujecie? – rzucił Gerard. – Co chcecie osiągnąć? Na czym polega sztuczka?

– Jaka sztuczka?

– Ta, dzięki której wyjdziecie wolno.

– Nie ma żadnej sztuczki – odparł Borbach i w końcu opuścił wzrok. – Jest wina i kara. To wszystko.

– Bynajmniej.

Iluzjonista pokręcił bezradnie głową, jakby to on usilnie próbował zrozumieć drugą stronę.

– Czego pan ode mnie chce? – spytał. – Dostaliście ode mnie wszystko, czego chcieliście.

– Zbyt łatwo.

Borbach spojrzał na niego badawczo, jakby wciąż nie był do końca przekonany, z kim tak naprawdę ma do czynienia. Z szaleńcem? Nienasyconym śledczym, który chce znaleźć dla siebie rolę w tym wszystkim? A może po prostu z człowiekiem, który ma obsesję na jego punkcie?

Znalezienie odpowiedzi na to pytanie interesowało właściwie również Gerarda.

– Zbyt łatwo? – spytał łamliwym głosem Iluzjonista. – Boże…

– Ciekawa zmiana.

Borbach na przemian podnosił i opuszczał wzrok. Zupełnie jakby tracił nad sobą kontrolę.

– Jaka zmiana? – spytał, oddychając coraz szybciej.

– Ta – odparł Edling, wskazując na niego. – Dobry z was aktor, ale nie bardzo rozumiem…

– Czego nie rozumiesz? – uniósł się oskarżony. – Czego ty, kurwa, nie rozumiesz?!

Szybko się zmitygował. Zwiesił głowę, nabrał głęboko tchu, a potem się wyprostował.

Co on odstawiał?

– Nie powinienem się unosić – powiedział Borbach. – Ale to po prostu ponad moje siły.

– O czym mówicie?

– O tym, że dałem im wszystko, czego chcieli, a teraz... to wszystko...

Urwał, wyraźnie nie chcąc kończyć. To, co mówił i w jaki sposób to robił, wreszcie pozwoliło Edlingowi ułożyć jakąś hipotezę, która objaśniałaby zamiary tego człowieka. Musiał tylko przekonać się, na ile jest poprawna.

– Co im daliście? – spytał. – I komu konkretnie?

– Przyznanie się do winy. I jak to komu, im... wam...

– A konkretniej?

– Prokuratorowi i milicjantom.

Gerard nachylił się lekko nad stołem. Musiał podjąć tę grę, bo zdawało się, że tylko w taki sposób mógł wyciągnąć cokolwiek z Iluzjonisty. Popatrzył w jego przekrwione, podbite oczy i zobaczył gotowość do rozmowy. W końcu.

– Ktoś was zmusił do przyznania się? – spytał Edling.

– A nie widać po twarzy?

– Widać, żeście stawiali opór.

– Nie stawiałem – zaprzeczył stanowczo Borbach. – Pobili mnie, żeby zastraszyć. Tłukli, okładali, przypalali, wsadzali rzeczy... Robili wszystko, żebym się przyznał. Bo już i tak miało być po sprawie.

Z pewnością nie była to czcza gadanina. Iluzjonista był gotów zarzucać śledczym i policjantom tylko te przewinienia, na które miał dowody. Bez dwóch zdań przypalił się czymś w celi, a oprócz tego wyrządził sobie obrażenia mające potwierdzić inne formy znęcania się.

– Nie chce pan o tym słuchać – powiedział. – Ale to dla mnie żadna nowość. Nikt mnie nie słucha. Nikt oprócz tego Brytyjczyka.

Gerard zmarszczył czoło.

– A więc to on jest kluczem? – spytał.

– Słucham?

– To on ma przekazać zachodnim mediom to wszystko, o czym mi teraz mówicie?

Borbach westchnął z bólem i rezygnacją.

– Wiedziałem, że pan jest taki jak oni – oznajmił. – I nie mam już nic więcej do powiedzenia.

Odwrócił głowę i mimo kilku usilnych prób Edlinga już się nie odezwał. Nawet na niego nie spojrzał, traktując go jak powietrze. Oznaczało to ni mniej, ni więcej, że Iluzjonista przekazał wszystko, co miał do powiedzenia. Resztę Gerard musiał dopowiedzieć sobie sam.

Zatrzymał go jeszcze w progu, kiedy dwaj strażnicy chwycili go mocno pod ręce. Liczył na to, że potrzeba konfrontacji przeważy i Borbach jednak zamieni z nim choćby jedno zdanie więcej.

Tak się stało. Tyle że nie wszystko poszło po myśli Edlinga.

– Będziesz tego żałował do końca życia – powiedział. – I nie tylko ty, ale też twoje dzieci.

Gerard nie zdążył odpowiedzieć, bo klawisze pociągnęli oskarżonego naprzód i poprowadzili go z powrotem do celi. Iluzjonista ani na moment się nie obrócił, ale jego ostatnie słowa wybrzmiewały głośnym echem w głowie Edlinga.

Wychodząc z aresztu, starał się skupić na innych, ważniejszych sprawach. Groźby mordercy nie miały żadnego znaczenia. Były niemożliwe do zrealizowania. Przynajmniej dopóty, dopóki siedział on za kratkami.

Jak zamierzał się wydostać?

Dotychczas Gerard spodziewał się zmyślnej iluzji i próby ucieczki. Być może powtórki z osiemdziesiątego pierwszego, z Bydgoszczy, kiedy to aż stu osiemdziesięciu ośmiu osadzonych uciekło z murów aresztu. To byłoby coś na miarę przedstawień Iluzjonisty.

Najwyraźniej jednak spekulacje Edlinga poszły w złą stronę. Chodziło o coś innego – udowodnienie, że zeznania zostały wymuszone, a wszystkie dowody spreparowane. O pokazanie światu, jak działa wymiar ścigania Polskiej Rzeczypospolitej Ludowej.

W przypadku materiału dowodowego wystarczył rzut oka, by zobaczyć, że w istocie został sfałszowany. Ślady pobicia i inne uszkodzenia ciała mogły dość wymownie przemawiać na korzyść Borbacha.

W innym kraju miałby spore szanse. Tutaj sprawa była przesądzona – a przynajmniej powinna być.

Edling zdawał sobie sprawę, że w tej sytuacji musi rozmówić się z obrońcą Iluzjonisty. McVay być może dobrze orientował się w meandrach prawniczych, ale nie miał pojęcia, kogo tak naprawdę broni.

Nie wiedział też, że w istocie jest tylko marionetką w rękach tego człowieka.

Nietrudno było ustalić, gdzie zatrzymał się Brytyjczyk. Z aresztu śledczego Gerard udał się prosto do Hotelu Opole przy Krakowskiej. Zaszedł od strony delikatesów Społem i cukierni Wedla, przed którą zawsze roztaczał się przyjemny zapach czekolady.

Wystarczyło, że na recepcji Edling wyciągnął legitymację, i po chwili obsługa poinformowała jednego z gości, że powinien zjawić się na dole. Harry McVay zszedł niemal natychmiast, mimo to był w swoim pełnym umundurowaniu.

Gerard przywitał się i przedstawił, a potem zaproponował, by Brytyjczyk udał się z nim do restauracji przy placu Wolności. McVay nieco się wahał, ale ostatecznie przystał.

W drodze do „Europy" prowadzili niezobowiązującą, dość luźną rozmowę na tematy, które niespecjalnie interesowały Edlinga. Mimo woli dowiedział się kilku rzeczy o szkockim szkoleniowcu, Alexie Fergusonie, który objął jakiś czas temu Manchester United i po roszadach w składzie sprawił, że zespół wracał tam, gdzie było jego miejsce. Dopiero kiedy zasiedli w niewielkiej sali w przyziemiu restauracji, przeszli do konkretów.

– Często zabierają państwo obrońców na obiady? – spytał Harry.

– Tylko kiedy chcemy wyciągnąć do nich pomocną dłoń.

– Tę samą, którą podnosicie na prawa człowieka i obywatela?

Edling doceniał kindersztubę rozmówcy, ale nie miał wątpliwości, że potrafi wyprowadzić ciosy jeszcze celniejsze. Zbył tę uwagę milczeniem, skupiając się na tym, co zamówić. McVay zdecydował się na schabowego z zasmażanymi buraczkami i ziemniakami, Gerard wziął placki ziemniaczane.

– Nie je pan mięsa? – zagaił Harry.

– Raczej rzadko. I właściwie tylko po to, by lepiej smakowało wino.

– Rozumiem.

– Coś nie tak?

– Po prostu z zasady mniej ufam ludziom, którzy nie jedzą mięsa – odparł McVay i poprawił nieco ułożenie sztućców na obrusie. – W pana przypadku to nie ma wielkiego znaczenia, i tak bowiem przesadnie nie wierzę prokuraturze.

– Macie ku temu powody? – spytał Edling, chcąc sprowadzić rozmowę na właściwy tor.

– Wrobiliście państwo niewinnego człowieka.

– Iluzjonista bynajmniej nie jest bez winy.

– Iluzjonista nie – przyznał Brytyjczyk, a potem napił się zamówionego wcześniej kompotu. – Ale Witold Borbach nie ma nic na sumieniu.

– To jedna i ta sama osoba.

– W żadnym wypadku.

Gerard położył dłonie na stole i je skrzyżował, patrząc badawczo na siedzącego po drugiej stronie Harry'ego. Zdawał się szczery w tym, co mówił. Najwyraźniej sam dał się urobić i uwierzył Iluzjoniście.

– Macie jakieś dowody, że złapaliśmy nie tego człowieka? – rzucił Edling.

– A państwo mają jakieś świadczące o tym, że to on?

– Oczywiście.

– Mam na myśli te niespreparowane.

Gerard nabrał tchu, trwając w niemal całkowitym bezruchu.

– Długo pan się zastanawia nad odpowiedziami – zauważył McVay, a potem wskazał na splecione na stole dłonie. – W dodatku czyni pan dość wymowny gest.

– Gest? Nic nie robię.

– Otóż to. Kontroluje pan swoje ręce i krzyżuje je, dowodząc, że strzeże pan czegoś. Jest pan uważny i stara się niczego nie zdradzić.

Edling mimowolnie rozsunął dłonie, a potem sięgnął po kubek z herbatą. Rozmówca w odpowiedzi tylko lekko się uśmiechnął.

– Interpretacja gestów to potężne narzędzie, wie pan – rzucił. – Nasze ciało mówi znacznie więcej niż słowa.

– Doprawdy?

– Oczywiście. Powinien pan zainteresować się publikacjami Raya Birdwhistella. Być może kinezyka, nauka, której jest on prekursorem, pomogłaby panu w pracy śledczego.

Gerard odstawił kubek i wbił wzrok w oczy rozmówcy.

– Wróżenie z fusów mi niepotrzebne – zadeklarował.

– Kinezyka nie ma z tym nic wspólnego. W literaturze anglojęzycznej zajmują się tym tacy naukowcy jak Kendon, Wolfgang, Davis czy Sarles. Stali się już właściwie klasykami, mają licznych uczniów, którzy kontynuują ich badania. Moje szczególne zainteresowanie budzi Paul Ekman, choć kilka lat temu zaczął skupiać się na tym, co mówi twarz, a nie całe ciało.

Edling nadal utrzymywał nieruchome spojrzenie.

– Zaczęło się na dobrą sprawę od Darwina, który badał zachowania zwierząt. Jego publikacje to również fascynująca lektura.

– Nie wątpię.

– I to właśnie dzięki tym książkom można odczytać takie spojrzenia jak pańskie.

Gerard lekko się uśmiechnął.

– Tyle wystarczy, żeby przeniknąć do czyjegoś umysłu?

– Nie – odparł bez emocji McVay. – Ale nieruchomy wzrok sugeruje, że chce pan za wszelką cenę pokazać, że nie ma nic do ukrycia.

– Może po prostu się panu przyglądam.

– Tak długo? Bez odwracania oczu? Nie, ewidentnie się pan do tego zmusza. A to oznacza, że jest wiele rzeczy, o których nie chce pan rozmawiać.

Przerwali na moment, kiedy kelner podał im dania. Życzyli sobie smacznego, a potem zaczęli jeść. Jako pierwszy sztućce na chwilę odłożył Harry.

– Nie twierdzę, że dzięki mowie ciała można przeczytać człowieka – odezwał się. – Ale z pewnością jest pomocna. I gdyby zwracał pan na nią uwagę, może zobaczyłby pan, że osoba siedząca w areszcie jest niewinna.

Edling również umieścił widelec na godzinie ósmej, a nóż na czwartej.

– Macie jakieś dowody na poparcie tych śmiałych tez? – spytał.

– Tak.

– W takim razie nie powinniście się krępować, tylko przedstawić je w sądzie.

– To nie takie proste.
– Dlaczego?

Gerard odniósł wrażenie, że zarówno jego, jak i McVaya nagle opuścił apetyt. Coś w wyrazie twarzy i tonie głosu adwokata kazało wysłuchać tego, co miał do powiedzenia. Nie wyglądał zresztą na kogoś, kto rzuca niepoparte prawdą tezy.

Edling musiał się upomnieć, by nie dawać się zwieść pozorom. I pamiętać, kogo w istocie dotyczyła ta sprawa. Oskarżonym nie był zwyczajny rzezimieszek, ale mistrz manipulacji, który sprawnie omamił także swojego obrońcę.

Brytyjczyk wahał się przez moment. W końcu złożył sztućce, sygnalizując, że skończył posiłek – oraz że ma zamiar przejść do konkretów.

– Mam świadka, który słyszał pewną rozmowę w siedzibie Komitetu Wojewódzkiego PZPR – oznajmił.

– Jaką rozmowę? – spytał Gerard. – I jakiego świadka?

– Na drugie pytanie z oczywistych względów odpowiedzieć nie mogę. I z tej samej przyczyny nie mogę powołać go podczas rozprawy. Ten człowiek się was boi.

Jeśli ktoś z komitetu rzeczywiście przekazał informacje, z pewnością zrobił to jedynie poza wszelkim protokołem. I prawdopodobnie przy wódce. McVay rzeczywiście nie mógł liczyć na to, że cokolwiek zostanie powtórzone przed sądem.

– Nie jest samobójcą, rozumie pan.

– Rozumiem – odparł Edling. – Ale nadal nie wiem, jaką to rzekomo rozmowę podsłuchał.

– Pierwszej sekretarz.

– Z kim?
– Z pańskim przełożonym – wyjaśnił Harry. – W jej trakcie padło jasne sformułowanie, że wprawdzie ujęto niewinnego człowieka, ale nie ma to żadnego znaczenia. Musi zostać osądzony, skazany i stracony. Bo tego wymaga partia.

Edling zamilkł, nie bardzo wiedząc, jak odpowiedzieć. Być może powinien od razu zaprzeczyć lub nawet oburzyć się takimi insynuacjami. Prawda była jednak taka, że podobne praktyki nieraz miały miejsce.

Kiedy władza starała się uspokoić obywateli i pokazać, że ma wszystko pod kontrolą, po prostu kogoś skazywała. Niejednokrotnie w sfingowanych procesach za kratki wsadzano ludzi, którzy nie mieli nic wspólnego z zarzucanymi im czynami. Oficjalnie jednak niebezpieczeństwo zostawało zażegnane, a groźny element usunięty ze społeczeństwa.

Wilk był syty i owca cała. Aparat obwieszczał sukces, a na prawdziwego zabójcę spadała manna z nieba. Nikt go nie szukał, nikt nie ścigał. Wystarczyło, by zaszył się lub wyjechał za granicę.

– Sprawa została ukartowana – dodał McVay.
– Waszym zdaniem.

Harry nieznacznie uniósł kąciki ust.

– Proszę porozmawiać z prokuratorem wojewódzkim, jeśli mi pan nie wierzy – odparł, podnosząc się z krzesła. – Jeśli panu ufa, może dowie się pan, co tak naprawdę się wydarzyło.

– Doskonale to wiem. I o zaufanie szefa się nie martwię.
– A więc dlaczego odsunął pana od tej sprawy?

Edling zmrużył oczy.

– Skąd o tym wiecie?

– Częścią mojej pracy jest obserwowanie, co robi druga strona – odparł Brytyjczyk. – Tak jak częścią pańskiej powinno być dążenie do prawdy.

Zanim Gerard zdążył odpowiedzieć, Harry McVay zostawił na stole zapłatę, która znacznie przekraczała cenę obydwu posiłków, a potem obrócił się i bez słowa oddalił.

Edling został sam na sam z niepokojącym poczuciem, że w tej sprawie dzieje się więcej, niż Karbowski gotów był przyznać.

Ne dokończył dania. Siedział przez kilkadziesiąt sekund w stuporze, po czym pokręcił głową i uznał, że to wszystko gruba przesada. Nie powinien dać się tak podejść obrońcy zwyrodnialca.

Opuścił „Europę" i już chciał skierować się w stronę Reymonta, kiedy zobaczył, że Brytyjczyk pali papierosa na rogu. Ewidentnie na niego czekał.

– Pan wybaczy, że tak się narzucam – odezwał się McVay. – Ale jest jeszcze coś, co powinien pan wiedzieć.

– Wydaje mi się, że wiem już wystarczająco.

– W takim razie jest pan w błędzie – odparł Harry i wypuścił dym. – Ale może pana z niego wyprowadzić pańska znajoma. Małgorzata Rosa.

Edling zrobił krok ku niemu.

– Słucham? – rzucił. – Co ona ma do rzeczy?

– Po prostu proszę z nią porozmawiać – odparł McVay i podał mu rękę. – Dowie się pan o kilku ciekawych sprawach.

Obecnie

ul. Grunwaldzka, Opole

Jedynym miejscem, którego nie sprawdzili, był dach. Wszystkie inne pokoje, pomieszczenia i przejścia zostały skrupulatnie przeszukane – i wciąż nigdzie nie było śladu Emila.

Wychodząc na płaski dach w miejscu, gdzie mieściła się większość anten i nadajników, Gerard układał już czarne scenariusze. Nogi się pod nim uginały, pot spływał mu po plecach coraz szybciej.

Potrafił wyobrazić sobie, że Magik wykorzystał zamieszanie związane z transmisją internetową, by przygotować inne, kolejne przedstawienie. Tym razem z udziałem jego syna.

– Gero, poczekaj… – zaapelowała Rosa, kiedy wychodził na zewnątrz. – Może ja powinnam pójść pierwsza.

– Nie.

Nie miał zamiaru oddawać inicjatywy komukolwiek innemu, nawet jej. Musiał sam zobaczyć to, co na niego czekało.

Wyszedł na zewnątrz i rozejrzał się nerwowo. Natychmiast wypatrzył syna.

Emil stał na samym środku dachu. Ramiona trzymał zwieszone, był obrócony przodem do Edlinga. Nie wyglądało na to, by cokolwiek mu groziło.

Gerard ruszył w jego stronę biegiem, obawiając się, że poczucie bezpieczeństwa to jedynie złuda. Ktoś mógł tu wcześniej być z jego synem. Mógł coś mu zrobić, na Boga, mógł założyć mu ładunek wybuchowy. Biorąc pod uwagę to, do czego zdolny był Magik, wszystko było możliwe.

– Emil! – krzyknął Edling. – Wszystko w porządku?

– Tak.

Krótka, spokojna odpowiedź sprawiła, że nieco się opanował. Zaraz potem uświadomił sobie, że syn zachowuje zimną krew. Nie wyglądało na to, by czuł zagrożenie.

– Tyle że nie mogę się ruszyć – dodał Emil.

Gerard szybko się zatrzymał.

– Dlaczego nie? – spytał trzęsącym się głosem.

Chłopak wskazał na gąszcz anten i innych urządzeń, o których przeznaczeniu Edling nie potrafił nawet spekulować.

– Gdzieś tam jest ustawiona kamera, która śledzi każdy mój ruch – wyjaśnił syn, a następnie pokazał na swoje nogi. – Muszę stać dokładnie tutaj. I nie ruszać się.

Gocha zatrzymała się obok Gerarda, a potem wskazała na stopy chłopaka. Dopiero teraz Edling dostrzegł częściowo niewidoczną, czerwoną naklejkę. Miała kształt pytajnika.

– Co on ci zrobił? – rzucił Edling.

Rosa złapała go za rękę, jakby obawiała się, że ruszy na pomoc Emilowi i tym samym sprowadzi na nich niebezpieczeństwo.

– Nie było go tutaj – odparł chłopak.

– W takim razie…

– Dostałem esemesa, jak z tobą rozmawiałem – dodał szybko Emil, a potem otarł pot z karku. – Ten człowiek kazał mi tutaj przyjść.

– Jak to kazał?

Edling skupił wzrok na synu, który wyraźnie nie wiedział, od czego zacząć. W końcu podjął temat i zaczął mozolnie wyjaśniać, co się stało.

– W wiadomości było zdjęcie... Zdjęcie Ani...
– Kogo?
– Mojej dziewczyny.

Gerard wciąż z trudem odzyskiwał równowagę, a jego myśli koncentrowały się przede wszystkim na tym, że syn jest bezpieczny. Nic mu nie grozi. Nie ma żadnego ładunku wybuchowego, nie ma tu nikogo, kto mógłby mu zagrozić.

O żadnej Ani dotychczas nie słyszał, a przynajmniej tak mu się wydawało.

– Porwał ją, rozumiesz? – dodał chłopak. – I przysłał mi zdjęcie na dowód. Zaraz potem kazał się z tobą rozłączyć i o niczym ci nie mówić.

Gocha puściła dłoń Edlinga i ruszyła powoli w stronę jego syna. Zbliżywszy się, obejrzała go, jakby potrzebowała się upewnić, że zabójca rzeczywiście nie miał sposobności, by się do niego dobrać.

Gerard szybko do niej dołączył.

– Zagroził, że ją zabije, jeśli nie zrobię tego, czego chce – ciągnął chłopak. – Miałem tylko wyjść na dach. I zrobić to tak, żeby nikt nie widział.

A zatem wszystkie poszukiwania były jedynie pstryczkiem w nos. Podobnie jak to, co teraz przekazywał mu Emil. Przytyczkiem, przy którym mogła ucierpieć Bogu ducha winna dziewczyna.

– Zdjęcie musiałem skasować, a potem ściągnąć apkę, która zablokowała cały telefon… – dodał, patrząc na skraj dachu. – Kazał mi wyrzucić smartfona.

O ile Edlinga nie myliła pamięć, budynek miał co najmniej dziesięć pięter, jednak przy odrobinie szczęścia być może uda się odtworzyć to, co przyszło do syna. Tak czy inaczej, nie mogło się to okazać specjalnie pomocne.

– Powiedział, że jeśli się stąd ruszę, Ania zginie – odezwał się Emil. – I że mówił ci, że twoje dziecko poniesie konsekwencje.

Gocha się wzdrygnęła.

– Co takiego? – spytała, a potem obróciła się do Gerarda. – Tak było?

Edling ściągnął marynarkę, ale szybko uznał, że to błąd. Wiatr był tutaj na tyle mocny, że mokra koszula podziałała jak ustawiony na maksimum klimatyzator.

– Gero?

– Borbach powiedział mi coś takiego, kiedy byłem u niego na widzeniu.

– W areszcie? Po pierwszych rozprawach?

Gerard skinął lekko głową.

– Jak to możliwe? – zapytała. – Jakim cudem Magik o tym wie?

Nie mógł wiedzieć. Nie miał prawa wiedzieć.

– No? – rzuciła nerwowo Rosa. – Mówiłeś o tym komuś?

Edling nie potrafił udzielić odpowiedzi. Gdyby nawet ją znalazł, nie miałby najmniejszego zamiaru omawiać tego w obecności syna. W tej chwili były zresztą ważniejsze rzeczy.

Obejrzał się przez ramię, szukając wzrokiem kamery, przez którą zabójca ich obserwował. Zanim jednak zdążył wyłowić obiektyw z plątaniny kabli i mrowia urządzeń, rozległ się dzwonek jego blackberry. Niemal w tym samym czasie usłyszał telefon Gochy.

Sięgnął po komórkę, nie spodziewając się niczego dobrego.

– Gerard Edling, słucham – rzucił machinalnie.
– Do chuja krzywego, co tam się dzieje?

Domański był tak rozgorączkowany, że niemal krzyczał. Rosa musiała rozmawiać z kimś, kto również nie potrafił poradzić sobie z emocjami, bo odsunęła telefon od ucha.

– Wyjaśnisz mi to? – dodał Konrad.
– Jeśli tylko powiesz, co konkretnie.
– Jest transmisja na "Spektaklu krwi", Edling. I ty jesteś w samym środku kadru.

Gerard spojrzał na Gochę, a ona na niego. Nie miał wątpliwości, że oboje otrzymali tę samą wieść.

A zatem to wszystko było kolejnym etapem przedstawienia.

– W dodatku trwa odliczanie – dodał Domański. – I dobrze byłoby, gdybyśmy wiedzieli do czego.
– Niestety nie mam pojęcia.
– Niestety nie masz pojęcia? – żachnął się prokurator okręgowy. – Co ty tam w ogóle, kurwa, robisz?
– Emil został tu ściągnięty. Nie miał wyjścia.
– Nie miał... – znów powtórzył Konrad, ale ostatecznie zrezygnował z dokończenia zdania. – O cokolwiek chodzi, zostało niewiele czasu.

– Ile?

– Dwie minuty.

Edling bezsilnie zwiesił głowę. Wszystko, co przygotowywał Magik, miało rozegrać się szybko. Pokrzyżowanie mu planów na gorąco wydawało się po prostu niemożliwe.

Gerard uświadomił sobie, że traci cenny czas.

– Dziewczyna mojego syna została porwana – rzucił. – Dam ci Emila, przekaże ci wszystkie informacje bezpośrednio. Tak będzie szybciej.

– Ale... – zaczął Domański, Edling jednak po raz pierwszy nie miał zamiaru słuchać, co rozmówca ma do powiedzenia.

Podał telefon synowi, polecając mu, by odpowiadał na wszystkie pytania. Zaraz potem Konrad przystąpił do dzieła, starając się ustalić, kiedy ostatnim razem Emil widział dziewczynę oraz gdzie. Seria kolejnych pytań musiała padać jak z karabinu maszynowego, bo syn rzucał odpowiedź za odpowiedzią.

Edling podszedł do Gochy, która wciąż żywo z kimś konferowała. Na moment odsunęła telefon od ust.

– Wciągnął nas w kolejną odsłonę rozgrywki – powiedziała.

– Wiem.

– Co zamierza?

Gerard przelotnie spojrzał w stronę anten, a potem podciągnął rękaw koszuli.

– Przekonamy się za mniej więcej trzydzieści sekund – mruknął. – Twój rozmówca śledzi transmisję?

– Tak.

– To nie rozłączaj się. Potrzebujemy kogoś, kto będzie informował nas o tym, co się dzieje.

Wbrew niemu Gocha nagle się rozłączyła, a zaraz potem stanęła tak, by Edling również mógł spojrzeć na wyświetlacz. Weszła na stronę „Spektaklu" i posłała stojącemu obok Gerardowi krótkie spojrzenie.

– Tak też można – przyznał.

Emil wciąż przekazywał Domańskiemu informacje na temat porwanej dziewczyny, kiedy na witrynie rozpoczął się następny show. Otwierające go dźwięki po raz kolejny wpisywały się w nostalgiczne brzmienia nawiązujące do lat osiemdziesiątych. Tym razem były jednak brutalne, agresywne, zaprawione wręcz zwierzęcą wściekłością.

Nie mogły zapowiadać niczego dobrego.

Ktoś na czacie natychmiast zidentyfikował utwór autorstwa Shredder 1984, *Samurai Cyber Punk*. Tytuł właściwie odpowiadał temu, co działo się na płaszczyźnie muzycznej.

Pomieszczenie, pośrodku którego stał zamaskowany Magik, z pewnością było tym samym, w którym rozgrywały się wcześniejsze przedstawienia. Tym razem jednak w całości przesłonięto je czarnymi kurtynami.

Ofiara siedziała na białym krześle ustawionym przed zabójcą. Była to dziewczyna w wieku Emila, z pewnością ta, o której Edling już dawno powinien usłyszeć. Magik ubrał ją w białą tunikę, zakneblował jej usta i związał ręce za oparciem krzesła. To zaś chybotało się lekko, Ania bowiem trzęsła się, jakby była przekonana, że jej los został przypieczętowany.

– Jezu… – jęknęła Gocha.

Gerard kątem oka sprawdził, co z Emilem. Wciąż był zajęty rozmową z Domańskim, być może prokurator celowo ciągnął temat, by chłopak pozostawał nieświadomy tego, co dzieje się z jego dziewczyną.

– Miło mi powitać was w kolejnej odsłonie „Spektaklu krwi" – rozległ się zniekształcony głos.

Magik rozłożył szeroko ręce, a potem skłonił się w pas do kamery.

– Dziękuję za tłumne przybycie – dodał. – Liczba zalogowanych na czacie osób rośnie z każdą chwilą i jak widać, wrażeń wciąż wam mało. Szczęśliwie dzisiejszy świat potrafi dać nam wszystko, czego pragniemy. Wam dał mnie.

Wyprostował się i zbliżył do obiektywu. W tle nadal przygrywały nieco złowrogie, niepokojące darksynthowe dźwięki.

– Tym razem w przedstawieniu uczestniczyć będzie bezpośrednio też ktoś z was. Pozwoliłem sobie dokonać już wyboru.

Ekran podzielił się na dwie części, a po lewej stronie Edling zobaczył siebie i Gochę, stojących na dachu i pochylonych nad jej telefonem. Oboje machinalnie podnieśli głowy i spojrzeli mniej więcej w stronę kamery.

– Przedstawiam państwu Gerarda Edlinga – dodał Magik. – Byłego prokuratora, który prowadził moją sprawę trzydzieści lat temu.

Mocne uderzenie gitar wieńczyło utwór. Zaraz potem rozpoczął się kolejny, równie agresywny jak poprzedni.

– Obok niego stoi dziennikarka „Głosu Obywatelskiego", Małgorzata Rosa. Lubi, jak mówi się do niej

Gocha. Razem z Gerardem trzy dekady temu byli parą, kochali się, chcieli spędzić ze sobą resztę życia.

Edling drgnął nerwowo. Obawiał się, że to tylko przyczynek do przedstawienia dłuższej historii, w której *clou* programu będą stanowiły popełnione przez nich wówczas błędy.

— Trochę im nie wyszło — dodał Magik i wzruszył ramionami. — Ale przecież nie jesteśmy tutaj, żeby zajmować się nimi.

Klasnął i potrząsnął dłońmi, a kiedy wymierzył nimi wprost w dziewczynę na krześle, w jego prawej ręce znajdował się już pistolet.

— Powinniśmy skupić się na niej.

Wybrał ją nieprzypadkowo. Była młoda, ładna, niewinna. Wiedział, że jeśli publika będzie w stanie przejść do porządku dziennego nad zabójstwem takiej osoby, będzie mógł pozwolić sobie praktycznie na wszystko.

— Jej życie spoczywa w rękach Gerarda — oznajmił. — Choć może on oczywiście korzystać z pomocy swojej dawnej ukochanej. Czy może obecnej? Prawdziwa miłość jest chyba jak gwiazda na niebie. Jeśli już gaśnie, to niszczy wszystko wokół. A tych dwoje wygląda mi na całkiem żywych.

Żywych, spiętych i starających poradzić sobie z emocjami, dodał w duchu Edling. Oboje zdawali sobie sprawę z tego, że za moment pojawi się hipotetyczna szansa, by uratować dziewczynę. Czasu będzie jednak niewiele.

— Boże, Gero... — szepnęła Gocha i obejrzała się na Emila.

— Spokojnie.

– On ją zaraz zabije.

Złapał Rosę za rękę i obrócił do siebie. Patrzył jej w oczy tak głęboko, jakby mógł dotrzeć do znajdujących się gdzieś pokładów opanowania i wyciągnąć je na zewnątrz.

– Nie damy rady – powiedziała. – Nie uratujemy jej. Sam mówiłeś, że on niczego nie zostawia przypadkowi.

– W tej chwili po prostu...

Nie dokończył, bo z telefonu doszedł głośny gitarowy riff, następnie mocne uderzenie werbli. Magik wciąż trzymał pistolet wymierzony w ofiarę, drugą ręką wskazał jednak obiektyw.

– Jesteś gotowy, Gerard?

Edling również podniósł wzrok.

– Jeśli tak, po prostu skiń głową. Jeśli nie, zabiję ją już teraz.

Dziewczyna zaczęła trząść się jeszcze mocniej. Próbowała krzyczeć, twarz i szyja nagle jej poczerwieniały. Dawała z siebie wszystko, ale knebel siedział tak mocno, że nie udało jej się wydać najmniejszego dźwięku.

– To będzie prosta zagadka – dodał Magik. – Będziesz miał na odpowiedź całą minutę. My posłuchamy w tym czasie dobrej muzyki.

Gerard nie miał zamiaru w żaden sposób potwierdzać. Najwłaściwszym wyjściem byłoby zresztą może usunięcie się z kadru, by zabójca nie mógł prowadzić tej gry na swoich warunkach.

Ostatecznie jednak ani to, ani nic innego nie miało znaczenia.

Liczyła się tylko ta dziewczyna i fakt, że istniała niewielka, hipotetyczna szansa, że Edlingowi uda się odgadnąć poprawną odpowiedź.

– Gotów? – dodał Magik.

Edling przełknął ślinę. Nie, nie był gotów. I nie, nie powinien być bierny. Ledwo to sobie uświadomił, wiedział już, co musi zrobić. Wziął od Gośki telefon, a potem szybkim krokiem ruszył w stronę anten.

Przez moment szukał miejsca, w którym znajduje się kamera. W końcu dzięki przekazowi na żywo udało mu się zlokalizować niewielki obiektyw. Spojrzał prosto w jego oko.

– Nie pozwalajcie państwo dłużej sobą manipulować – powiedział. – Wszystko, co robi ten człowiek...

– Oho – przerwał mu Magik. – Jednak stać cię na coś, Gerard.

– Wszystko, co robi ten człowiek, jest ukartowane – dokończył Edling. – Wszystko to jedynie iluzja, która ma na celu wyciągnięcie z nas najgorszych cech. Zabójca chce uwydatnić zło, które w jego przekonaniu w nas drzemie. Chce pokazać, jak okrutnej, ohydnej rozrywki tak naprawdę łakniemy, jak...

– Nie muszę niczego nikomu udowadniać, przyjacielu – uciął znów morderca. – Ty za to wręcz przeciwnie. Musisz mi udowodnić, że ta dziewczyna zasługuje na ratunek.

– Nie muszę – wtrącił szybko Edling. – Każdy zasługuje, by żyć. A ty nie jesteś...

– Już przeszliśmy na ty?

Niepotrzebnie dał się w to wciągnąć. Im dłużej tu stał, tym większe zainteresowanie syna wzbudzi. A może nie? Może Emil uzna po prostu, że ojciec szuka kamery?

– Nie podoba mi się twoja impertynencja, Gerard. Trzydzieści lat temu cechowałeś się wyższą kulturą osobistą. Ze względu na to muszę zmienić nieco zasady gry.

– Poczekaj...

– Sam się o to prosiłeś.

Edling nabrał płytko tchu. Płuca zdawały mu się kurczyć z każdą sekundą.

– Za karę zagadki będą trzy. W dodatku na każdą będziesz miał jedynie trzydzieści sekund. Gotowy?

– Zaraz...

– Tak, jesteś gotowy. Zresztą nie masz żadnego wyjścia. Gramy na moich zasadach.

Gocha podeszła do niego i wzięła go za rękę tak, by nie było widać tego w kamerze. Posłała mu krótkie, uspokajające spojrzenie, jakby przez tę krótką chwilę udało jej się nieco wziąć w garść.

– A więc posłuchaj, Gerard – dodał Magik, zanim Edling zdążył się odezwać. – Posłuchaj bardzo uważnie.

Rosa ścisnęła jego dłoń mocniej.

– Wyobraź sobie, że żyjesz w parterowym drewnianym domku w górach, który z zewnątrz w całości został wykonany z czerwonego drewna – powiedział zabójca. – Jakiego koloru byłyby schody?

Zrobił krok w stronę dziewczyny i przymierzył, zamykając jedno oko. W rogu natychmiast pojawił się zegar odliczający czas. Wskazówka przesuwała się tak szybko, jakby każda sekunda miała jedynie ułamek swojej normalnej długości.

– Gero...

– Poczekaj.

Edling potarł nerwowo czoło, czując, że dłoń Gośki natychmiast zrobiła się wilgotna.

– Czerwonego? – spytała.

– Nie – odparł szybko Gerard, a potem spojrzał w obiektyw. – Schody nie mają koloru, bo ich tam nie ma. Dom jest parterowy.

Magik obrócił się w stronę kamery i pokiwał głową z uznaniem.

– Brawo – rzucił. – Gotów jesteś na kolejny sprawdzian?

Znów nie dał mu czasu na odpowiedź.

– Skup się i powiedz mi, co to takiego... – dodał. – Nosisz to ze sobą wszędzie, dokąd pójdziesz. Do pracy, do kościoła, na kolację z ukochaną. Wszędzie. Nie ma jednak żadnego ciężaru.

Czas znów zaczął biec od początku. O ile poprzednia zagadka wymagała jedynie zachowania odpowiedniego skupienia, o tyle ta wydawała się bardziej skomplikowana.

Brak ciężaru, brak fizycznej formy. Chodziło o duchowość? Nie, nie, to zbyt górnolotne kwestie. I zbyt niekonkretne, by ten człowiek osiągnął zamierzony efekt. Chodziło o coś banalnego.

Edling poczuł, że Gocha ściska jego dłoń nieco mocniej. Dziewczyna na krześle zacisnęła mocno oczy, jakby spodziewała się, że jej czas właśnie nadszedł.

Nie fizyczna forma, ale też nie duchowa. Co pozostawało?

Coś w umyśle Gerarda w końcu zaskoczyło. Być może dzięki temu, o czym wspomniał Magik, kiedy przedstawiał Gośkę.

– Imię – rzucił.

Zabójca zagwizdał cicho i znów pokiwał głową. W tle nie milkły rytmy mrocznego synthwave'u, które kazały sądzić, że najgorsze dopiero przed nimi.

– Jesteś w formie – odezwał się Magik. – Czas na trzeci i ostatni rebus. Potem albo strzelam, albo ją wypuszczam. Rzecz jest bardzo prosta, choć tym razem zagadkę kieruję do koleżanki. – Spojrzał na Anię i potrząsnął lekko pistoletem. – Jedyne, co musisz zrobić, Gerard, to podsunąć jej, jak powinna się zachować. To wszystko. A więc słuchaj.

Edling ponownie nie miał czasu, by się odezwać. Tymczasem morderca wyjął zza pleców nóż i uniósł go na wysokość pistoletu.

– Jeśli dziewczyna skłamie, zastrzelę ją. Jeśli powie prawdę, zadźgam ją.

Zegar znów zaczął odliczać czas.

– Co powinna powiedzieć, żeby się uratować? – dodał Magik. – Czas start.

Gocha nagle wypuściła dłoń, jakby uznała, że Gerard potrzebuje pełnego skupienia. Tak w istocie było, jednak trzydzieści sekund wydawało się niewystarczającym czasem do rozwiązania jakiejkolwiek logicznej łamigłówki.

Edling poczuł, że zasycha mu w ustach. Przywodziło to na myśl uczucie szybkiego wypicia mocno taninowego czerwonego wina.

Wszystkie dane otrzymał w tym krótkim przekazie. Gdzieś w nich musiała kryć się odpowiedź.

Naprędce starał się wymyślić jakiekolwiek dobre rozwiązanie, ale umysł zdawał się odmawiać mu posłuszeństwa.

– Ach, wyleciało mi z głowy – rzucił showman. – Ta powabna niewiasta, którą widzicie, to Ania. Syn Gerarda dobrze ją zna, jest jego dziewczyną. Możecie więc wyobrazić sobie presję, którą ten teraz czuje.

Czas prawie upłynął.

– Gero…

Edling zrobił krok w kierunku kamery.

Dziesięć sekund. Rozwiązanie było na wyciągnięcie ręki. Tak mało danych oznaczało, że musi być doprawdy proste.

Osiem.

Wszystko opierało się na logice. Należało tylko na moment odsunąć emocje i skupić się na racjonalizmie.

Sześć.

Jeśli dziewczyna skłamie, zastrzeli ją. Jeśli powie prawdę, zadźga.

Nie mogła ani powiedzieć prawdy, ani skłamać. Lub musiała powiedzieć zarazem prawdę, jak i kłamstwo.

Cztery. Trzy.

Oczywiście, to klasyczny paradoks! Naraz Gerard uświadomił sobie, że odpowiedź może być tylko jedna. I że siedząc przy biurku i rozwiązując taką łamigłówkę, nie potrzebowałby nawet trzydziestu sekund.

– Musi powiedzieć, że ją zastrzelisz! – krzyknął.

Teraz nie mógłby jej zastrzelić, bo nie byłoby to kłamstwo, za które miała zginąć od kuli. W takim układzie nie byłoby to też prawdą, za którą miała umrzeć od ciosu nożem.

Innego rozwiązania nie było. Edling wpadł na właściwe.

Było już jednak po wszystkim. Gerard spóźnił się nieznacznie. Sekundę lub dwie wcześniej rozległ się dźwięk wystrzału, ręka Magika odskoczyła do tyłu, a kula trafiła Anię prosto w czoło. Krew trysnęła na czarne zasłony, a kiedy krzesło się przewróciło, rozlała się w dużą kałużę na podłodze.

Niegdyś
Klub Związków Twórczych, rynek

Do lokalu, w którym Edling umówił się z Gochą, właściwie chodziło się tylko w jednym celu – na lornetę i meduzę. Tym razem również głównymi daniami okazały się setka wódki i galaretka z wieprzowych nóżek. Było to jedno z niewielu miejsc, gdzie bywalcom przygrywał jazz – i gdzie czas można było spędzić bez pokazywania partyjnej legitymacji.

Tego wieczoru atmosfera jednak szybko stała się napięta, a przynajmniej między dwiema młodymi osobami siedzącymi przy stoliku pod oknem. Gerard nie miał zamiaru odwlekać przedstawienia powodu tego spotkania, i od razu zaczął relacjonować swoją rozmowę z brytyjskim adwokatem.

Rosa słuchała w milczeniu. Jeśli rzeczywiście wiedziała więcej niż Edling, nie dawała tego po sobie poznać. Opróżniła jedną lornetę, zagryzła, a potem poprosiła o kolejną.

Być może Gerard rzeczywiście powinien zainteresować się tematem mowy ciała, o którym wspomniał McVay. Problem polegał na tym, że nie udało mu się znaleźć w bibliotece żadnych opracowań na ten temat. Anglojęzycznych z pewnością było w bród, ale tłumaczeń w polskich zbiorach bibliotecznych próżno było szukać. Szczątkowe informacje na temat kinezyki Edling odnalazł jedynie w tekstach Zakładu Narodowego im. Ossolińskich z osiemdziesiątego pierwszego. Przypuszczał, że przez siedem lat sporo się zmieniło, dziedzina ta wydawała się dość rozwojowa.

Postanowił kiedyś do tego wrócić, na razie jednak musiał skupić się na tym, co tak naprawdę działo się w sprawie Witolda Borbacha. Kiedy skończył relacjonować przebieg rozmowy z Harrym, Rosa była już po trzeciej setce wódki.

– Ciekawe – skwitowała.

– Tak bym tego nie określił.

– A jak?

– Niepokojące lub podejrzane – oznajmił. – Bo okazało się, że dziewczyna, którą kocham, najwyraźniej współdziała z drugą stroną.

Gocha wbiła widelczyk w meduzę i uniosła brwi.

– Mocna deklaracja – zauważyła.

– Masz na myśli…

– To, że mnie kochasz – dokończyła za niego, ignorując spojrzenie, którym zazwyczaj upominał wszystkich niedających mu dokończyć myśli. – Choć zarzut o kolaborację też jest mocny.

– Jedno i drugie wydaje się uzasadnione.

Zaśmiała się i pokręciła głową.

– To chyba najmniej romantyczny sposób wyznania miłości, o jakim słyszałam.

Z pewnością miała rację, ale prawda była taka, że w ogóle nie miał zamiaru mówić o uczuciach. Nie przemyślał tego i rzeczywiście wyszło nieco osobliwie. Na swoje usprawiedliwienie miał jedynie to, że zwyczajnie mu się wyrwało, a zaraz potem było już za późno, by się wycofać.

Gocha przesunęła ręką po firance i potarła dłonie, jakby starała się ściągnąć z nich kurz.

– Nie gram już z wami w jednej drużynie – powiedziała. – Zresztą chyba nigdy do końca nie grałam.

– Mimo wszystko...

– Trzymaliście mnie blisko na polecenie komitetu, bo za dużo wiedziałam i wypadało mieć na mnie oko.

Edling położył ręce na stoliku z białego drewna i przysunął się nieco.

– Możesz mi...

– Mogę zrobić ci wiele rzeczy – przerwała z satysfakcją. – Ale tylko, jeśli obiecasz rewanż.

Gerard uznał, że musi jak najprędzej przejść do konkretów, omijając wszelkie przytyki i osobliwe czułości. Wypita wódka zaraz zacznie działać i z pewnością sprawi, że Gocha będzie jeszcze bardziej uszczypliwa.

– Co takiego wiesz, że McVay poradził mi rozmawiać z tobą? – spytał.
– To zależy.
– Wiedza zazwyczaj od niczego nie zależy. Po prostu jest.

Skinęła lekko głową i odkroiła kawałek galaretki. Dopiero teraz zdawała się odnotować, że Edling nie wypił jeszcze całego kieliszka.

– Ale to, czy ją komuś przekażę, to inna sprawa – odparła. – Ty wydajesz się w ogóle niezainteresowany prawdą.
– Skąd ta myśl?
– Stąd, że początkowo jeszcze obchodził cię uczciwy proces. Potem zacząłeś mieć to coraz głębiej w dupie, aż w końcu zgodziłeś się na wszystko, czego Karbowski od ciebie wymagał.

Sięgnęła po jego kieliszek i opróżniła go jednym haustem.

– Nie zaprzeczysz? – spytała, ocierając usta ramieniem.
– Nie ma sensu.
– Bo taka prawda?
– Nie – odparł. – Bo dla ciebie liczą się czyny, słowa zwykle ignorujesz.

Uśmiechnęła się lekko.

– A masz zamiar zaprzeczać czynami? – spytała.

Nikt o zdrowych zmysłach nie stawiałby takiego pytania. Gdyby Edling miał zamiar wystąpić przeciwko przełożonemu, musiałby już teraz zacząć szukać sobie nowej ścieżki kariery.

Zresztą czy naprawdę miał ku temu powody? Owszem, interesował go uczciwy proces. Owszem, chciał, by dziewczyna, którą kochał, miała o nim dobre zdanie. Koniec końców wiedział jednak, że ujęli właściwego człowieka. Spreparowanie kilku dowodów, by tego dowieść przed sądem, wydawało się złem koniecznym.

– Gero?

– Może najpierw powiedz mi, dlaczego miałbym robić cokolwiek wbrew Karbowskiemu.

Rosa powiodła wzrokiem po pustych stolikach obok, a potem zatrzymała go na barze.

– Będę potrzebowała jeszcze trochę paliwa.

– Dolejesz go za chwilę – odparł. – A teraz powiedz mi, co wiesz. I skąd.

Nie był pewien, czy na tak stanowcze *dictum* nie odpowie aby równie zdecydowanym buntem, ale Gocha przysunęła krzesło bliżej stołu, a potem nachyliła się do Edlinga.

– Borbach ma atopowe zapalenie skóry – powiedziała.

– Tak, wiem. Między innymi dzięki temu ustaliliśmy, że to on.

– Bo dał wcześniej wskazówki w zagadkach?

– Między innymi.

– Tak samo jak wcześniej poszlaki wskazywały na Waseraka? – rzuciła oskarżycielskim tonem. – Nie wydaje ci się to dość wygodne?

– Idziemy tam, dokąd prowadzi śledztwo – odparł Edling, nie mając zamiaru pozwolić, by wyprowadziła go z równowagi. – I jakkolwiek groźny byłby przestępca, zawsze popełni błędy. Chociażby te wynikające z chęci zaznaczenia swojej obecności przy zbrodniach.

– Tak tłumaczysz ten rebus z rękawiczkami?

Skinął lekko głową. W „Detektywie" i innych tego typu pismach być może przedstawiano przestępców jako niezwykle przebiegłych, diabelnie inteligentnych ludzi, którzy dowolnie zwodzą organy ścigania. W rzeczywistości każdy z nich pędził naprzód niemal na oślep i nie patrzył pod nogi. A w efekcie często się potykał.

– Mniejsza z rękawiczkami – powiedział Gerard. – Borbach się przyznał.

– Bo go pobili, zgnoili, zgwałcili i Bóg jeden wie co jeszcze.

– Nikt go nie zmuszał, żeby zjawił się u Oblewskich z zamiarem zabicia gospodarza.

– Nie? Skąd ta pewność? – odparowała szybko Gocha, jakby wymieniali się werbalnymi ciosami. – I jesteś pewien, że był tam, żeby go zabić?

– Tak.

– Nie masz nawet małego cienia wątpliwości?

– Cień jest zawsze – przyznał Edling. – Zniknąłby dopiero, kiedy Borbach popełniłby zabójstwo. A my w porę go zatrzymaliśmy.

– I tak po prostu zabiłby Oblewskiego?

– Na to wyglądało.

– Bez żadnego przedstawienia? Bez wypalania mu na klatce piersiowej swojego znaku?

Pytania były zasadne i Gerard przypuszczał, że Gocha usłyszała je, kiedy po raz pierwszy zgodziła się na spotkanie z Harrym McVayem. Brzmiały jak przyczynek do całkiem niezłej linii obrony – pod warunkiem, że sąd byłby w istocie niezawisły i niezależny.

– Ten pytajnik był za każdym razem taki sam – ciągnęła. – A więc Iluzjonista musi mieć żegadło, które rozżarza i przykłada do ciał.

– Być może.

– Gdzie ono jest?

Kolejne trafne pytanie. Nie znaleźli niczego, co mogłoby być wykorzystywane do wypalania znaku Iluzjonisty.

– Nie odpowiesz, bo go nie znaleźliście – rzuciła. – W dodatku spreparowaliście wszystkie inne dowody. Macie chociaż jeden solidny? Nie, nie macie. I nie będziecie mieć, bo zamknęliście Bogu ducha winnego człowieka.

Edling otworzył usta, ale nie miał okazji się odezwać.

– Kozła ofiarnego, który sprawia, że wyszliście wszyscy na idiotów – kontynuowała. – Tymczasem prawdziwy zabójca śmieje się w głos i cieszy swoim triumfem.

– Próbujesz wejść mi na ambicję?

– Próbuję przemówić ci do rozumu – syknęła. – Bo dałeś się omamić.

– Wydajesz się tego całkowicie pewna.

– Jestem.

– Dlaczego?

– Bo to ja naraiłam McVayowi tego świadka z komitetu – odparła ostro. – I sama rozmawiałam z tą kobietą. Wiem, co słyszała.

W okamgnieniu Edling dostał wystarczająco dużo informacji, by mieć pewność, że prędzej czy później odnajdzie tę osobę z KW. Lisicką należało wykluczyć, a pozostałe kobiety sprawowały raczej funkcje sekretarek – formalnie miały niewiele do gadania, nieoficjalnie zaś często mogły załatwić wszystko. Spośród nich nietrudno będzie wyłowić znajomą Gochy.

Gerard nie miał jednak zamiaru urządzać polowania na czarownice. Chciał po prostu wiedzieć, jakie są fakty.

– A co słyszała? – spytał.

– Całą rozmowę Karbowskiego z Lisicką. Po prostu nie odłożyła telefonu po tym, jak poprosił o połączenie.

– Podsłuchiwała?

– Tak jest – potwierdziła Rosa i jeszcze raz wymownie spojrzała w kierunku baru. Tym razem Edling nie mógł już grać na zwłokę.

Kiedy wrócił do stolika z dwoma kieliszkami wódki, Gocha była gotowa, by podjąć przerwany temat.

– Ta aparatczykowa gnida poleciła Bogdanowi wprost, żeby podłożył sfałszowane dowody – powiedziała. – Bez żadnych wybiegów, bez owijania w bawełnę. Jaką trzeba mieć czelność?

Czelność nie miała nic do rzeczy. Wystarczyło, że pierwsza sekretarz znała realia i miała odpowiednie doświadczenie. Doskonale wiedziała, na jak wiele i w rozmowie z kim może sobie pozwolić.

– Karbowski początkowo trzymał jeszcze jakiś poziom. Powiedział, że dowody się znajdą i powinna być cierpliwa. Wiesz, co mu odpowiedziała?

– Nie – odparł dla porządku Edling.

– Że znajdą się tylko, jeśli sami je podłożą. Tak po prostu.

Przez moment nadaremno czekała na jakąkolwiek reakcję.

— Karbowski się żachnął, ale Lisicka szybko sprowadziła go na ziemię, mówiąc, że innego sposobu nie ma, bo to nie Borbach zabił tych ludzi. Przyznała to wprost.

Gerard pociągnął niewielki łyk wódki i się skrzywił. Szybko zagryzł nabitym na wykałaczkę kawałkiem żółtego sera.

Nie było sensu upewniać się, czy Rosa wierzy osobie, od której dostała informacje – i czy ta jest pewna tego, co usłyszała. Wystarczyło, że Edling spojrzał w oczy siedzącej naprzeciw dziewczyny.

— Jeśli nie on, to kto? – spytał.

— Nie wiem. To chyba waszym zadaniem jest ustalanie takich rzeczy?

Gerard zawahał się, a potem jednak opróżnił kieliszek. Nie rokowało to dobrze, bo z pewnością po powrocie do domu odkorkuje któreś wino, nie zważając na wypitą czystą.

— I dlaczego komitet miałby wrabiać niewinnego człowieka? – dodał. Znał odpowiedź, ale najwyraźniej potrzebował ją od kogoś usłyszeć.

— Bo dostał prikaz z KC.

— Jaki?

— Żeby jak najszybciej się z tym uporać. Dać ludowi poczucie bezpieczeństwa, zaspokoić potrzebę sprawiedliwości i chęć zadośćuczynienia ofiarom.

— Lud nie śledzi sprawy – zauważył Gerard. – Bo jest skrzętnie chowana.

— Na razie. Ale tylko szybkie skazanie spowoduje, że tak pozostanie.

Oczywiście miała rację. Sam doskonale był tego świadom. Zaczął mimowolnie obracać na stole kieliszek. Kiedy podniósł wzrok, spotkał się z ponaglającym spojrzeniem Gochy.

– Iluzjonista wciąż jest na wolności, Gero.

Nie wiedział, co odpowiedzieć. Wypita wódka sprawiała, że łatwiej było się zgodzić, ale nie był przekonany, czy powinien to robić. Nawet jeśli w pełni podzielał wątpliwości Rosy.

– Dalej będzie zabijał – dodała. – Ale tym razem już tak, by nikt nigdy się nie zorientował. Dostał od aparatu władzy czystą kartę i niemal zachętę, by nie przestawać.

Edling zrobił skwaszoną minę, jakby dopiero co opróżnił kieliszek.

– Chyba nie po to zostałeś prokuratorem, żeby dawać alibi mordercom?

– Nie – przyznał. – Nie po to.

Skinęła rezolutnie głową, jakby ta deklaracja w pełni ją satysfakcjonowała.

– Świetnie – rzuciła. – W takim razie co robimy? Od czego zaczniemy?

– Od ustalenia, kim tak naprawdę jest Iluzjonista.

Z jakiegoś powodu ta deklaracja zabrzmiała złowrogo, zupełnie jakby Edling proponował absolutne szaleństwo, niepotrzebne ryzykanctwo i porywanie się z motyką na słońce. Być może niepokój był uzasadniony. Po raz pierwszy to oni, a nie mordercą, mieli przejąć inicjatywę.

Kimkolwiek był ten człowiek, z pewnością zrobi wszystko, by do tego nie dopuścić.

– W porządku – powiedziała Gocha. – Ale czekam na konkrety.

– Na razie konkrety są takie, żebyśmy wypili jeszcze po lornecie.

– No, no – odparła z uznaniem. – Nie poznaję towarzysza.

On również czuł się nieswojo, ale jeśli coś mogło pomóc, to jeszcze choć jedna setka wódki.

A przynajmniej tak mu się wydawało. Kiedy wracał do domu chwiejnym krokiem po zmroku, był przekonany, że popełnił duży błąd. Nie tylko dlatego, że uchlał się w środku tygodnia, ale także ze względu na to, że zamierzał wystąpić przeciwko Karbowskiemu i partii.

Pierwszy przeciwnik był do urobienia, drugi jednak zdawał się nie do pokonania. Przekonali się o tym nie tylko opozycjoniści, ale właściwie wszyscy, którzy przez ostatnich kilkadziesiąt lat podnosili rękę na władzę ludową.

Rankiem Edling zbudził się o przyzwoitej porze, ale bynajmniej przyzwoicie się nie czuł. Przekrwione oczy błyszczały, umysł miał zamglony. W dodatku musiał zostawić swój nowy samochód na rynku i pozostało mu jechać do pracy śmierdzącym ikarusem MPK.

Nie dotarł jednak do centrum. Wysiadł na przystanku przy Ozimskiej, tuż przed siedzibą Komitetu Wojewódzkiego. Omiótł wzrokiem potężne gmaszysko, po czym skierował się prosto do masywnych drzwi.

Nie wahał się ani chwili. Jedna decyzja pociągnęła za sobą kolejną i wydawało mu się, że to jedyne właściwe posunięcie.

Widzenie z pierwszą sekretarz zagwarantował sobie bez najmniejszych trudności. Najwyraźniej Karbowski na pewnym etapie musiał ją ostrzec, że z młodym asesorem mogą być problemy. Gerard został wprowadzony do niewielkiej salki, a zaraz potem dołączyła do niego kobieta, na którą czekał.

Usiadła bez słowa po drugiej stronie dużego stołu i uważnie przyjrzała się Edlingowi.

– Macie tylko chwilę, żeby zapewnić mnie, że nie jesteście tu po to, żeby mącić – odezwała się. – I radzę wam wywiązać się z tego śpiewająco.

– Właściwie to chciałem tylko zapytać o jedną rzecz.

– Jaką?

Edling uniósł lekko podbródek.

– Z jakiego powodu oskarżyliśmy niewinnego człowieka?

Lisicka trwała w bezruchu, a Gerardowi przeszło przez myśl, że pewnie nie zjawiłby się tutaj, gdyby nie to, że wódka nadal krążyła w jego organizmie.

– Coście powiedzieli?

– Że...

– Dopytuję tylko po to, żebyście wycofali się z tego rakiem.

Edling poprawił krawat, uświadamiając sobie, że rankiem zawiązał go trochę krzywo. W tej sytuacji było to jednak jego najmniejsze zmartwienie.

– Witold Borbach nie jest Iluzjonistą – powiedział Gerard. – I dobrze pani o tym wie.

Lisicka wciąż niemal się nie poruszała, co sprawiało, że atmosfera w pomieszczeniu zdawała się jeszcze gęstsza.

– Jedyne, co wiem, to to, że dziś podczas rozprawy zapadnie wyrok – odezwała się po chwili.

– Co takiego? Już?

– Sąd uznał, że nie ma na co czekać. Dowody mówią same za siebie.

– Są spre...

– Liczcie się ze słowami – przerwała mu. – Naprawdę.

Cały czas odnosił wrażenie, że niewypowiedziane groźby kieruje w jego stronę nie dlatego, że chce, ale dlatego, że po prostu musi. Może Edling źle odczytał sytuację? Może ta kobieta wcale nie była siłą sprawczą? Może ktoś wyżej postawiony wykorzystywał ją, by pociągać za sznurki w Opolu?

– Dlaczego to robimy? – zapytał Gerard. – Po co to wszystko?

Zerknęła w kierunku drzwi, jakby obawiała się, że nagle ktoś wejdzie do środka i wytłumaczy Edlingowi w dość klarowny sposób, że młody asesor zadaje stanowczo za dużo pytań.

– Pani sekretarz? – dodał niepewnie.

– Nic ode mnie nie zależy – odparła ciężko Lisicka. – Postępujemy zgodnie z zaleceniami płynącymi od bratniego narodu.

Przesłyszał się? Nie, naprawdę to powiedziała. I bynajmniej nie żartowała. Przeciwnie, zdawała się zdradzać mu coś, o czym nie powinno się wspominać głośno.

– Przyjaźń polsko-radziecka od tego zależy, rozumiecie?

Edling nie wiedział nawet, co odpowiedzieć. Był gotów zrozumieć, że ktoś z Warszawy steruje z tylnego siedzenia wszystkim, co się dzieje. Ale żeby z samej Moskwy? To całkowicie zmieniało postać rzeczy. I kazało sądzić, że Edling znalazł się nie tyle na polu minowym, ile przed plutonem egzekucyjnym.

– Uważajcie – poradziła Lisicka. – Ładujecie się w większe kłopoty, niż sądzicie.

Obecnie

ul. Kośnego, Opole

Dwa dni ciszy. Tyle wytchnienia po ostatnich wydarzeniach dał ludziom Magik, ale Edling przypuszczał, że stan ten nie potrwa dużo dłużej.

Emil zaszył się w domu, a Gerard nie odstępował go na krok. Przez większość czasu nie udawało mu się przeprowadzić z synem zbornej wymiany zdań, ale czuł, że sama jego obecność mu wystarcza. Przynajmniej na tyle, na ile mogła w tej sytuacji.

Gocha odwiedziła ich dwukrotnie. Raz, by przynieść zakupy i zrobić coś do jedzenia. Drugi, żeby zawczasu uświadomić Gerardowi, że nadal zamierza napisać artykuł, w którym zrelacjonuje wszystkie wydarzenia z osiemdziesiątego ósmego.

Nie mógł mieć jej tego za złe. Wyrzuty sumienia osiągnęły apogeum nie tylko u niej, ale także u niego. Powrót do zabójstw sprzed lat i kolejne ofiary sprawiły, że wszystko odżyło na nowo. A najbardziej to, co wspólnymi siłami uśmiercili.

Kiedy przyszła to omówić, był późny wieczór. Gerard od razu zaproponował, by nie prowadzili tej rozmowy w domu. Zabrał laptopa do torby, by syna nie kusiło oglądanie tego, co od kilku dni przed nim ukrywał, a potem wsiadł do SUV-a Gośki zaparkowanego przy ogrodzeniu przedszkola.

– Dokąd? – zapytała.
– Może „Maska"?

Lokal, w którym niegdyś mieścił się Klub Związków Twórczych, właściwie nasunął się Edlingowi sam. Widząc jednak wyraz twarzy Rosy, uznał, że nie był to najlepszy pomysł. Tak czy inaczej mieli obudzić demony przeszłości – i nie potrzebowali do tego miejsca, w którym nadal były żywe.

Ostatecznie zdecydowali się na „Vento di Mare" na rynku. Zamówili białe wino i talerz owoców morza. Długo jedli w milczeniu, skupiając się głównie na tym, co działo się w otwartej kuchni.

– Po co ci ten laptop? – odezwała się w końcu Gocha, wskazując torbę przy stoliku.
– Niepotrzebny. Wziąłem go tylko po to, żeby Emil nie oglądał tamtej egzekucji.
– Sprawdzi przecież na telefonie.
– Musiał się go pozbyć.
– Ano tak, rzeczywiście – przyznała, a potem przez moment jadła w milczeniu. – Dalej można to zobaczyć?
– Mhm – potwierdził z niezadowoleniem Edling, po czym wyciągnął laptopa i otworzył go na stoliku. – Wszystko nadal jest na stronie „Spektaklu krwi".

– I nikt tego nie usunie?

– To nie takie proste – odparł, obracając komputer do Gośki. – Połączenie idzie przez naręcze zaszyfrowanych węzłów, w dodatku cały czas zbacza, odchodzi w boczne uliczki, prowadzi do ślepych zaułków i tak dalej. Jeśli nawet udałoby się dotrzeć do komputera, który znajduje się na samym początku tego łańcucha, zapewne okazałoby się, że używa się go na drugim końcu świata. I prawdopodobnie nie ma nic wspólnego z Magikiem, a jego właściciel nie wie, że sprzęt jest wykorzystywany do takich celów.

Rosa patrzyła na Gerarda z niejakim niedowierzaniem, a ten wzruszył ramionami.

– Podszkoliłem się *nolens volens* podczas sprawy Kompozytora.

– Widzę – odpowiedziała, nakładając sobie kawałek łososia. – Ale trochę też szpanujesz, co?

– Tylko trochę – przyznał.

Uśmiechnęli się do siebie, ale Gocha natychmiast się zmitygowała. Odłożyła sztućce, a potem skrzyżowała ręce na piersi. Szybko je rozplotła, orientując się, że ma do czynienia z człowiekiem, który czyta mowę ciała lepiej niż tę tradycyjną.

– Postawa zamknięta, tak? – spytała.

– Hm?

– Gest, który wykonałam. Skrzyżowane ręce świadczą o blokadzie. O zamykaniu się przed rozmówcą i tak dalej.

– Niezupełnie – odparł Edling. – W większości wypadków to nie ma nic wspólnego z tworzeniem dystansu, wręcz przeciwnie. Dzięki temu czujesz się pewnie, bo *de facto* sama się obejmujesz. Jeśli spojrzysz na ludzi siedzących w kinie, najczęściej zobaczysz ich właśnie w takiej pozycji. Manifestują komfort.

– Mnie do komfortu w tej chwili daleko – odparła, a potem nabiła kawałek łososia na widelec.

Gerard wychylił się i zerknął na monitor. Wciąż włączona była strona, o której mówił. Gocha przeżuwała w zamyśleniu i wodziła wzrokiem na boki. Akurat to było dość uniwersalne i świadczyło o przetwarzaniu w głowie jakichś informacji.

– Jak się czuje twój syn? – spytała w końcu.

– Zważywszy na okoliczności, radzi sobie całkiem dobrze.

Wskazała widelcem monitor.

– Prędzej czy później to zobaczy – rzuciła. – Nie uchronisz go przed tym.

– Nie mam zamiaru. Jest dorosły. Zależy mi po prostu na tym, by był na to gotowy.

Gocha pokiwała powoli głową.

– Powinien też być gotowy na to, co przeczyta w „Głosie" – dodała.

– A zatem najwyższa pora przejść do rzeczy?

– Tak – odparła Rosa i napiła się wina. Opróżniła kieliszek, co zostało szybko dostrzeżone przez kelnera.

Musieli odczekać chwilę w milczeniu, nim pracownik uzupełnił obydwa kieliszki. Gerard w tym czasie zabrał się do krewetki tygrysiej, byleby tylko nie siedzieć bezczynnie.

Był w życiu pewny jedynie kilku rzeczy. Dotychczas jedną z nich było to, że temat, który chciała poruszyć Gocha, nigdy nie wróci. A już z pewnością nie w rozmowie z nią. Trzy dekady temu zawarli pakt, który zdawał się solidniejszy niż jakakolwiek inna umowa.

– Spróbuj kalmara, naprawdę dobry.

– Może później.

Kelner skończył nalewać, uśmiechnął się do obojga, a potem z wyczuciem się oddalił. Gocha i Edling wymienili się krótkim spojrzeniem.

– Nie chcę pisać tego artykułu wbrew tobie – odezwała się.

– Obawiam się, że nie ma innej możliwości.

– Jest – rzuciła z przekonaniem. – Możesz zrobić to ze mną.

– Co konkretnie?

Kąciki jej ust lekko drgnęły, uświadamiając mu, że przez myśl przeszły jej zupełnie inne rzeczy niż jemu. Pokręcił bezradnie głową.

– Jesteś naprawdę młoda duchem – mruknął.

– Na zbereźne myśli nigdy nie jest się za starym, Gero.

– Na myśli być może – przyznał, a potem odchrząknął. – Ale wróćmy do tematu. Co konkretnie proponujesz?

Wrzuciła do ust kawałek kalmara i lekko zmrużyła oczy.

– Pomóż mi napisać ten artykuł – zaproponowała. – I tak razem stawimy czoło konsekwencjom, więc równie dobrze możemy wspólnie opisać tamtą historię.

Zazwyczaj przeszkadzało mu, kiedy ktoś perorował z pełnymi ustami. Od kiedy jednak pamiętał, w przypadku Gochy zawsze było to w jakiś sposób urocze.

– Zamierzam puścić to drukiem za jakieś dwa, może trzy tygodnie – ciągnęła z zaangażowaniem. – Mam już zręby, ale to jest jeszcze ten moment, kiedy możesz się przyłączyć.

Edling pociągnął niewielki łyk wina. Był zbyt skupiony na słowach Rosy, jej głosie, mimice, zapachu i zachowaniu, by odnotować jakiekolwiek nuty smakowe.

– Zamierzam też dogadać się z NSI – dodała. – Dam im wyłączność na materiał, trzeba będzie zrobić wywiad i setki do programów interwencyjnych. Wszystko do obgadania. Tam też bym cię widziała, o ile zgodzisz się na wspólny artykuł. – Zrobiła pauzę, by się napić. – A zgodzić się powinieneś, Gero. To leży w twoim interesie, bo dzięki temu pokażesz się w pozytywnym świetle. W przeciwnym wypadku będziesz wyglądał co najmniej podejrzanie.

Zastanawiało go, ile może mówić bez otrzymania jakiejkolwiek reakcji ze strony rozmówcy.

– Poza tym jest jeszcze kwestia Magika – ciągnęła. – Ten człowiek jakimś cudem wie o wszystkim, co się działo. I myślisz, że zatrzyma to dla siebie? Nie sądzę. Nie po to robi ten cały szum. – Znów upiła łyk wina. – Przypuszczam, że prędzej czy później ujawni wszystko, co stało się w osiemdziesiątym ósmym. A my obudzimy się wtedy z ręką w...

Przerwała, w końcu uświadamiając sobie, że nie doczekała się żadnej odpowiedzi.

– Słuchasz mnie?

– Właściwie nie robię niczego innego.

Gocha odkroiła kawałek łososia i zaczęła mielić go w ustach.

– Mógłbyś się trochę wysilić i jakoś skomentować?

– Ciśnie mi się na usta tylko jedna rzecz.

– Jaka? – wymamrotała.
– Że ta rozmowa miała odbywać się w grobowej atmosferze, tymczasem mam wrażenie, jakbyśmy...
– Poszli na randkę?
Tak, dokładnie tak było. Ledwo jednak padło to słowo, Edling upomniał się w duchu, że musi uważać. Z Gośką łatwo było postawić jeden krok za daleko. Stanowczo zbyt łatwo.
I bynajmniej nie chodziło o sferę zawodowych propozycji.
– Dobra – rzuciła. – Muszę siknąć.
– Teraz?
– Pęcherz nie wybiera, kiedy jest pełen – odparła, podnosząc się. – Zresztą i tak widzę, że już cię urobiłam.
– Doprawdy?
Oparła się o stół i uwodzicielsko przechyliła na bok.
– Tak – potwierdziła. – Jesteś na pokładzie i pomożesz mi. Ale wiedziałam o tym na długo, zanim dobrałam się do kalmara.
Być może on też w pewnym stopniu zdawał sobie z tego sprawę. Gocha miała bowiem rację, kiedy jakiś czas temu mówiła o wyrzutach sumienia. Teraz także nie minęła się z prawdą, wspominając o zamiarach Magika.
Robił to z konkretnego powodu. I dla osiągnięcia konkretnego celu.
Poza tym, co Edlingowi udało się już zrozumieć, pozostawała kwestia tego, dlaczego odkrywa karty z przeszłości.
– Zaraz wracam – rzuciła Rosa i wskazała jego kieliszek. – A ty w tym czasie zrób z tym porządek, bo mam zamiar zamówić drugą butelkę.

– Ale samochód…
– Może tu zostać.

Nie zostawiła mu pola do dyskusji. Odprowadził ją wzrokiem, a kiedy przed wejściem do toalety rzuciła mu jeszcze krótkie spojrzenie, poczuł się, jakby ubyło mu dobrych dziesięć lat. Nie, więcej. Znacznie więcej.

Zamknął na moment oczy i postarał się uspokoić. Kieliszek z winem odsunął, alkohol w tym wypadku był zbyt niebezpiecznym kompanem.

Starając się ostudzić emocje, obrócił do siebie laptopa i zerknął na zatrzymany kadr filmu. Był to moment tuż przed oddaniem strzału. Anię od śmierci dzieliła wtedy sekunda, może dwie.

Tyle zabrakło, by Gerard zdążył. Gdyby zastanawiał się okamgnienie krócej…

Przerwał ten tok myśli, nie dając im szansy, by zamieniły się w spiralę i wciągnęły go bez reszty. Roztrząsanie tego, co mogło się wydarzyć, ale z jakiegoś powodu się nie wydarzyło, było najszybszą drogą do szaleństwa.

Przesunął wzrokiem po licznych wypowiedziach na czacie. Teraz rozmowa była zablokowana, a w okienku widać było jedynie to, co padło w danym momencie transmisji. Przy tej stopklatce większość nadal poszukiwała odpowiedzi. Niektórzy błagali Magika, by nie zabijał dziewczyny. Inni wprost przeciwnie, zagrzewali go, wyzywając ofiarę od suk i kurew i insynuując, że zasłużyła sobie na taki los. Ilość żółci bynajmniej Edlinga nie dziwiła. Każdy, kto spędził choć chwilę na lekturze anonimowych komentarzy w internecie, doskonale wiedział, czego się spodziewać w takiej sytuacji.

Jedna z wypowiedzi przykuła jednak uwagę Gerarda. Ktoś o nicku „katostreamer" napisał po prostu: „Zgadł!", a potem okrasił ten okrzyk uniesionym kciukiem.

Edling zerknął na ekran. Bez dwóch zdań był to moment, kiedy strzał jeszcze nie padł.

Było to zastanawiające, ale ostatecznie widz mógł mieć na myśli przynajmniej kilka rzeczy. Raczej wyrażać oczekiwanie niż stwierdzać fakt. Mówić o kumplu, który stał obok. Odnosić się do innego użytkownika czatu.

Edling spojrzał wyżej, ale nie zobaczył nikogo, kto rozwikłałby zagadkę. Sprawdził późniejsze komentarze.

Zaraz pod katostreamerem pojawił się kolejny, podobny: „zgadł jebany!!!", napisał ktoś o nicku „Pies_z_Rygi". Gerard przesunął stopklatkę do przodu. Strzał wciąż jeszcze nie padł, a więc jego odpowiedź także nie.

Może było jakieś opóźnienie? Ale jeśli tak, to komentarze nie wyprzedzałyby obrazu, byłoby wprost przeciwnie.

– Gero?

Dopiero teraz Edling uświadomił sobie, że Gośka wróciła. Podniósł wzrok, ale jedynie kontrolnie. Potem wrócił do przeglądania komentarzy. Pojawił się też trzeci, całkiem podobny do dwóch poprzednich – także tuż przed tym, jak Magik pociągnął za spust.

– Skurwysyn…

– Co ty powiedziałeś?

Gerard potrząsnął głową. Sam nie wierzył, że to słowo padło z jego ust.

– O co chodzi? – zapytała Gocha.

Żeby odpowiedzieć na to pytanie, Edling musiał sprawdzić nagranie klatka po klatce i odmierzyć dokładnie czas, który upłynął od początku ultimatum. Przez moment skupiał się wyłącznie na tym, podczas gdy Rosa stopniowo opróżniła najpierw resztę butelki, a potem jego kieliszek.

W końcu Gerard ustalił wszystko, czego potrzebował. Zacisnął usta, z trudem powściągając emocje.

– Powiesz mi w końcu, w czym rzecz? – spytała Gocha.

– W tym, że ten człowiek zabił Anię, zanim skończył się czas.

– Hm?

– Strzelił jeszcze przed upływem trzydziestu sekund. I sekundę po tym, jak udzieliłem odpowiedzi.

– Niemożliwe.

Edling obrócił ekran w stronę rozmówczyni. Wskazał na komentarze, stopklatki i oznaczenia czasu.

– Różnice są tak małe, że niemal nie da się tego dostrzec – powiedział. – Ale kiedy przyjrzysz się odpowiednio…

– Masz rację – ucięła Rosa, pochylona nad laptopem. Przez moment przypatrywała się oznaczeniom czasowym materiału. – Ale może nie powinno to cię tak bardzo dziwić.

– Nie powinno?

– Sam powtarzasz, że to wszystko było ukartowane – wyjaśniła. – A Magik musiał mieć pewność, że ją zabije.

Gerard zakrył dłonią oczy, a potem kciukiem i palcem wskazującym przez moment masował skronie. Zasadniczo Rosa się nie myliła. Tyle że nie pasowało to do tej sytuacji. Zupełnie nie pasowało.

Opuścił dłoń.

– Nie – powiedział.
– Nie co?
– Nie w tym wypadku – odparł z przekonaniem. – Magikowi nie zależało na śmierci dziewczyny, tylko na zrobieniu show. Było mu obojętne, czy zgadnę, czy nie. Zresztą w tym pierwszym wypadku mógłby usunąć Anię w inny sposób.

Gocha odwróciła się, chcąc skinąć na kelnera, ale mężczyźnie wystarczyło krótkie spojrzenie. Zamówiła jeszcze jedną butelkę białego sycylijskiego wina, a potem na powrót skupiła się na Edlingu.

– Dla Magika nie miało żadnego znaczenia, czy ona zginie, czy nie – powtórzył, głęboko zamyślony. – Zakładał oczywiście, że w ciągu trzydziestu sekund nie uda mi się wymyślić rozwiązania, ale...

Urwał i znów zaczął trzeć skronie. Głowa bolała go właściwie nieprzerwanie od dwóch dni i nawet wino nie pomagało. Rankiem zaś znacznie pogarszało sprawę.

– Widocznie jednak zależało mu, żeby zginęła – odezwała się Gocha.

– Tak. Widocznie tak. Ale dlaczego?

– Bo chciał, żeby Emil cierpiał?

Edling stanowczo pokręcił głową i szybko tego pożałował. Opuścił dłoń i położył obydwie na stole. Potrzebował chwili zastanowienia. Chwili spokoju.

– Nie – rzucił cicho. – To nie rodzaj motywacji, którą kieruje się ten człowiek.

– Więc co go napędza?

Było to jak kolejna łamigłówka przygotowana przez Magika.

Nie, nie przez niego. Przeciwnie, on robił wszystko, by Edling nie zastanawiał się nad tą konkretną rzeczą. Dlaczego? Odpowiedź mogła być tylko jedna. Idąc tym tropem, Gerard mógł trafić na odpowiednią wskazówkę. Wystarczyło więc tylko, że...

– O Boże... – powiedział.

– Co?

Zamknął laptopa i natychmiast skinął na kelnera, sugerując, że proszą o rachunek.

– Wszystko rozumiem – powiedział.

Niegdyś

Sąd Wojewódzki w Opolu

W sali byli już wszyscy zainteresowani, kiedy Edling z Gochą zajęli dwa z wielu wolnych miejsc. Przewodniczący składu poprawił czarny biret, a potem nałożył okulary i wbił wzrok w leżące przed nim kartki.

– W imieniu Polskiej Rzeczypospolitej Ludowej... – zaczął, następnie podał datę, oznaczenie sądu oraz wydziału, a na końcu przedstawił skład orzekający.

Gerard nie słuchał tego niezbyt długiego wstępu. Już przy pierwszych słowach poczuł, że uczestniczy w farsie. Orzeczenie bynajmniej nie było wydawane w imieniu władz krajowych – jeśli Lisicka się nie myliła, sąd mniej lub bardziej świadomie zatańczył tak, jak zagrał mu ktoś z Moskwy.

Wydawało się to nieprawdopodobne, jednak pierwsza sekretarz nie miała powodu w ten sposób konfabulować.

Przeciwnie, mogła ułożyć zgrabną historyjkę, a potem zwyczajnie użyć służb, by wybić Edlingowi z głowy wszelką niesubordynację.

Gerard przestał o tym myśleć w momencie, kiedy przewodniczący w końcu uporał się ze wszelkimi formalnościami i przeszedł do rzeczy. Gocha położyła dłoń na kolanie Edlinga. W sali panowała absolutna cisza, zupełnie jakby za najcichszą uwagę można było trafić do więzienia na resztę życia.

– Co teraz? – szepnęła mimo to Rosa.

Gerard zerknął na nią ostrzegawczo.

– Co z nim zrobią? – dodała.

– Dadzą mu dożywocie.

– Ale Gero...

Zawiesiła głos, przekonana, że nawet tak lapidarna uwaga odda wszystko, co chce przekazać Edlingowi. Nie myliła się.

– Zrobiliśmy, co się dało – odparł Gerard. – I tak jest już za późno.

– Więc pozwolimy im wsadzić za kratki niewinnego człowieka?

Nie było sensu się powtarzać, ani tym bardziej zaprzeczać.

– Tak – odparł Edling. – Pozwolimy.

Gocha przysunęła się tak blisko, że niemal dotykała ustami ucha Gerarda.

– Ot tak? – spytała. – Po prostu?

– Nic od nas nie zależy.

– Wszystko od nas zależy. Moglibyśmy pomóc McVayowi, a on...

Urwała, kiedy jeden ze stojących przy ławie oskarżenia milicjantów posłał jej ostrzegawcze spojrzenie. Natychmiast odsunęła się od Edlinga, po czym oboje skupili wzrok na składzie orzekającym.

Przyszedł czas postawienia kropki nad i.

– Sąd Wojewódzki w składzie tu obecnym – odezwał się sędzia – po rozpoznaniu sprawy w trybie przewidzianym przepisami Kodeksu postępowania karnego uznaje oskarżonego Witolda Borbacha, syna Zdzisława, za winnego zarzucanych mu czynów oraz...

Sędzia zawiesił głos i obrócił głowę na bok, by odkaszlnąć nie wprost do mikrofonu.

– ...oraz wymierza mu jedną karę łączną w postaci kary śmierci z pozbawieniem praw publicznych na zawsze.

Gdyby w sali znajdowali się jacykolwiek bliscy oskarżonego, w tym momencie z pewnością dałoby się słyszeć jęki i lamenty. Borbach został jednak sam. Jego rodzina albo nie wiedziała o procesie, albo nie chciała w nim uczestniczyć.

Jedyny wyraz zdziwienia wydała z siebie Gośka.

– Że co? – rzuciła. – Kara śmierci?

Funkcjonariusz MO znów popatrzył na nią ostrzegawczo. Edling przypuszczał, że za trzecim razem nie skończy się już na spojrzeniu.

– Wyprowadzić skazanego – polecił przewodniczący.

Nie było podążających za nim kamerzystów, nie towarzyszyły mu dźwięki migawek. Nikt się nie emocjonował, nikt nie protestował. Sam Borbach posłusznie zrobił to, co polecili mu umundurowani milicjanci.

Chwila. Tyle wystarczyło, by było po wszystkim. I by życie tego człowieka tak po prostu się skończyło. Bez prawa do obrony, bez rozgłosu i bez szansy na ratunek. Gdyby tylko wieść o sprawie dotarła do jednej czy dwóch gazet, sytuacja byłaby diametralnie inna.

I Gocha musiała być tego pewna. Pokręciwszy bezradnie głową, opuściła budynek sądu w milczeniu, a Edling z wolna podążał za nią. Skierowali się do zaparkowanej po drugiej stronie ulicy zastavy o numerach OPD 1703.

Rosa wsiadła do samochodu i zapaliła papierosa. Gerard powiódł jeszcze wzrokiem po okolicy, zanim zajął miejsce za kierownicą.

– Co to miało być? – odezwała się w końcu Gośka.

Edling nie umieścił kluczyka w stacyjce, zupełnie jakby było jeszcze coś, co mogą zrobić, a więc nie wypadało tak po prostu odjeżdżać.

– Powiesz mi?

– Ale co? – odparł, obracając się do niej.

Dmuchnęła mu dymem prosto w twarz.

– Kara śmierci? Dla niewinnego człowieka?

– Zdaniem sądu był winny.

Przewróciła oczyma, wyraźnie nie mając zamiaru brać udziału w tej grze. Edling uznał, że dla własnego dobra nie powinien jej prowadzić.

– Czemu przywalili mu taki wyrok? – odezwała się, a potem nerwowo się zaciągnęła. – Co on im zrobił?

– Nie chodzi o to, co zrobił, ale czego nie zrobił.

– Co? – żachnęła się.

– Wiedzą przecież, że jest niewinny – odparł ciężko Gerard. – A zatem boją się, że po latach to wyjdzie.

– Więc postanowili go zajebać?

– W majestacie prawa.

– W sracie – odburknęła i mocno zdusiła papierosa w samochodowej popielniczce. – Musimy coś zrobić.

Edling milczał. Spodziewał się, że do takiej rozmowy prędzej czy później dojdzie, i wychodził z założenia, że im mniej powie, tym sprawniej ona przebiegnie.

– Mówiłeś, że pierwsza też nie wygląda na zbytnio zadowoloną – podjęła Rosa. – Może byłaby gotowa nam pomóc?

– Lisicka? Wbrew partii?

– Nie wiemy, czy to partia chce udupić Borbacha.

– Wiemy – odparł ciężko Gerard. – Polecenie przyszło z KPZR do naszego Komitetu Centralnego. A z niego prosto do Lisickiej. I każdy, kto o tym wie, postąpi zgodnie z wolą Moskwy.

– Każdy o zdrowych zmysłach.

– Sugerujesz, że Lisicka się do takich nie zalicza?

– Została pierwszą sekretarz, prawda? – odparła Gocha. – Musi być przynajmniej lekko popierdolona.

Edling mimowolnie się uśmiechnął. Uznał, że najwyższa pora wracać do domu, i odpalił silnik. Dopiero po chwili uzmysłowił sobie, że pomyślał o mieszkaniu nie na Malince, ale przy placu Lenina.

Zerknął w tylne lusterko, chcąc wycofać, ale dostrzegł stojącego za samochodem mężczyznę. Miał jasny garnitur, białą koszulę i kremowy krawat.

Gerard przekręcił kluczyk w stacyjce i wysiadł z wozu. Gocha również otworzyła drzwi.

– Jest pan z siebie zadowolony? – rzucił McVay. – Prawdziwy przestępca jest na wolności, niewinny człowiek umrze, ale grunt, że milicja i aparat państwowy po raz kolejny udowodnili, że mają stuprocentową skuteczność.

– Uspokójcie się.

Harry zbliżył się o kilka kroków.

– Jestem pojedynczy, jak pan widzi. Nie trzeba mówić do mnie w liczbie mnogiej.

Najwyraźniej z tak dużymi emocjami nie radził sobie nawet Brytyjczyk z wrodzonym stoicyzmem. Gerard patrzył na rozmówcę, myśląc o tym, że sam nigdy nie pozwoli na to, by cokolwiek aż tak wyprowadziło go z równowagi.

– Pożałuje pan tego – dodał McVay.

– To groźba?

– Nie, drogi panie – odparł Harry, opanowując się nieco. – Groźbą jest to, co państwo robią. Bo niesprawiedliwość w jednym miejscu zagraża sprawiedliwości w każdym innym.

Edling otworzył usta, nie odezwał się jednak, nie mając zamiaru wdawać się w słowną przepychankę.

– Martin Luther King – dorzucił McVay. – Ale państwo tutaj takich jak on nie przywołują, prawda?

– Nie.

– Zauważyłem – odparł Harry, po czym skłonił się Gośce. – I tak chyba mam szczęście, bo jeszcze niedawno od razu skazalibyście tego człowieka prawomocnie i odmówili mu prawa do rewizji. Poszedłby prosto na stryczek.

– Myli się pan.

– Tak? A ci od afery mięsnej? Nie straciliście ich zaraz po pierwszej i jedynej instancji?

Miał stuprocentową rację. W sześćdziesiątym piątym między innymi za kradzież mięsa na karę śmierci skazano Stanisława Wawrzeckiego, odmawiając mu prawa do odwołania się od wyroku. Zrobiono to z pominięciem obowiązującego kodeksu, powołując się na dekret PKWN o postępowaniu doraźnym z 1945 roku.

– Tak było – przyznał Edling. – Ale akt prawny, na podstawie którego orzekano, został uchylony w siedemdziesiątym. I doskonale pan o tym wie.

– Doskonale wiem, że nie mam już tu czego szukać, bo zaraz to ja stanę się tym, komu się grozi. Mam rację, panie prokuratorze?

Gerard chciałby zaprzeczyć, ale obawiał się, że im dłużej Brytyjczyk będzie ciągnął tę rozmowę, tym większa szansa, że zainteresuje się nimi któryś z milicjantów stojących przy wyjściu z sądu. A od nich do SB droga już krótka.

– Po prostu róbcie swoje – poradził Edling.

– Tak jak pan robi swoje? – odparł Harry. – Nie wstyd panu?

Owszem, było mu wstyd. Za siebie, za przełożonego, za cały system, który pozwalał na tak daleko idącą i ohydną manipulację. Nie miał jednak zamiaru tego przyznawać. Pożegnał McVaya, a potem czym prędzej wsiadł z Gochą do zastavy i odjechał.

Zrobili wszystko, by szybko zapomnieć o tym, co się zdarzyło. Pili mniej lub bardziej tanie wina, kochali się nawet, kiedy żadne nie miało na to ochoty, i rozmawiali o wszystkim, tylko nie o procesie.

Edling przypuszczał, że byłoby zupełnie inaczej i Gocha wciąż suszyłaby mu głowę, gdyby nie to, że ta sprawa zaczynała się tu, a kończyła w Moskwie. Z PZPR można było sobie pogrywać, z esbecją także. Towarzysze z samego serca Związku Radzieckiego to już jednak inna sprawa.

Mimo to Gerard nie chciał, nie potrafił i nie zamierzał odpuścić. Już kilka dni po ogłoszeniu wyroku zjawił się w areszcie śledczym. Z załatwieniem widzenia z Borbachem nie było żadnego problemu – teraz, kiedy było po sprawie, młody asesor mógł robić, co mu się żywnie podobało.

Usiedli w niewielkim pokoju, a Edling zadbał o to, by skazaniec mógł nie tylko napić się herbaty i coś zjeść, ale także zapalić. Mimo to Borbach jakby nie miał zamiaru korzystać z jakichkolwiek udogodnień.

Właściwie wyglądał, jakby karę śmierci już wykonano.

– Jak was tu traktują? – odezwał się Gerard.

Więzień powoli podniósł wzrok. W jego oczach dało się dostrzec jedynie pustkę, która zdawała się wchłaniać całe światło padające z lampy nad stołem.

– Dobrze.

– Czegoś wam potrzeba?

– Może... jeśli to nie byłby jakiś problem...

– Tak?

– Wódki bym się napił.

Od tamtej pory Edling zawsze zjawiał się u Borbacha z butelką. W pewnym momencie przestał przyjeżdżać samochodem, bo stało się jasne, że aby rozmowa mogła się toczyć, on również musi golnąć. Bruderszaft wypili już przy trzecim lub czwartym widzeniu i od tamtej pory byli dla siebie Witkiem i Gerardem.

Mijał tydzień za tygodniem, a Edling coraz bardziej umacniał się w przekonaniu, że ma do czynienia z niewinnym człowiekiem. Początkowo był go tylko ciekaw. Po czasie zaczął jednak robić wszystko, by wyciągnąć z Witka rzeczy, które mogłyby wykazać jego niewinność.

McVay w tym czasie pracował nad tym, by kolejna instancja zajęła się złożoną przez niego rewizją. Miała być rozpatrywana w Warszawie, ale Gerard nie miał złudzeń, że Sąd Najwyższy zmieni lub uchyli wyrok. Jeśli komuś w Komitecie Centralnym rzeczywiście zależało na śmierci Borbacha, nie dało się tego uniknąć.

Trzy miesiące po ostatniej rozprawie Edling poczuł, że Witek stał się dobrym znajomym. Z punktu widzenia skazańca relacja była jednak znacznie bardziej zażyła, przyjacielska. Gerard od pewnego czasu był właściwie jego oknem na świat – i jedyną osobą, która uwierzyła w jego niewinność.

Nie zabiegał o pomoc. Był przekonany, że nie ma już dla niego żadnej szansy na ratunek, więc odpuścił. Przez większość czasu tkwił w całkowitym marazmie, z którego otrząsał się dopiero, kiedy w areszcie zjawiał się Edling.

Pewnego razu wyglądał gorzej niż zwykle. Gerard zastanawiał się, czy któryś ze współwięźniów nie dobrał się do niego, ale Witek od razu zapewnił, że nie. Pozostali traktowali go dość dobrze, a nawet nieco się go bali. Jedni wierzyli, że naprawdę jest Iluzjonistą, a ci, którzy byli odmiennego zdania, trzymali się od niego z daleka – jeśli bowiem tak bardzo podpadł władzy, mógł być niebezpieczny.

Tego dnia Edling nie potrafił rozszyfrować, dlaczego tym razem Borbach sprawia wrażenie, jakby chciał umrzeć tu i teraz, nie czekając na sądny dzień. Próbował coś z niego wyciągnąć, ale powiodło mu się to dopiero po trzeciej lornecie.

– Wiesz, co martwi mnie najbardziej? – spytał Witek po długim milczeniu.

– Nie.

Było zbyt dużo hipotetycznych odpowiedzi, by Gerard wybrał jedną. Brak wolności? Widmo nieuniknionej rychłej śmierci? To, że nie zdążył założyć rodziny? Że niczego po sobie nie pozostawił?

Borbach spuścił wzrok, szukając odpowiednich słów.

– To, że on gdzieś tam jest.

– Kto? – spytał Edling.

– Prawdziwy zabójca – odparł Witek i opróżnił kieliszek. – Iluzjonista chodzi wolny. Może dalej poluje.

Gerard również się napił. Pilnował się jednak, by nie przesadzić.

– Jak myślisz? – dodał Borbach. – Szuka kolejnych ofiar?

– Niewykluczone.

– Uciekasz od odpowiedzi, a ja liczyłem na szczerość.

Edling westchnął ciężko. Nie skłamał, ale też nie przedstawił mu prawdy w całości. Wydawało się bardziej niż prawdopodobne, że Iluzjonista nie poprzestanie na tym, co już osiągnął. Jak każdy psychopatyczny morderca, będzie szukał powtórki z rozrywki. Nie, więcej, będzie czuł potrzebę doświadczania coraz silniejszych emocji. A te zapewnić mogły jedynie następne zabójstwa.

Każdy działał tak samo. Wampir z Zagłębia zamordował czternaście kobiet, próbował zabić jeszcze siedem, nie potrafiąc się nasycić. Grasujący w Katowicach Bogdan Arnold zaspokajał się, dodatkowo mieszkając z ciałami ofiar. Młody Karol Kot w Krakowie z dziką satysfakcją opisywał śledczym swoje makabryczne czyny, przeżywając je na nowo.

Zdawało się, że tym ludziom nigdy nie było dosyć. Przypadek Iluzjonisty niczym się nie różnił.

– Ktoś go w ogóle jeszcze szuka? – odezwał się Witek.

– Obawiam się, że nie.

– A ty?

– Ja nie mam już żadnego pola manewru – przyznał gorzko Gerard. – Same moje wizyty u ciebie ściągają na mnie uwagę.

– Ale gdyby nie to, próbowałbyś go znaleźć?

– Nie wiem. Może.

Przemilczeć coś to jedno, okłamać go w żywe oczy to zupełnie co innego. Edling nie chciał tego robić, więc nie mógł złożyć deklaracji, na którą czekał skazaniec.

– To przestań przychodzić – odezwał się po chwili Borbach. – Jeśli dzięki temu będziesz miał więcej swobody, to tak trzeba.

– To niewiele zmieni, Witek.

– Ale jednak coś da, tak? – spytał z nadzieją. – Możesz przecież prowadzić nieformalne dochodzenie.

– Nie mogę. Przełożeni ukręcą temu szybko łeb... Mnie zresztą też.

Borbach spojrzał na rozłożone na stole karty. Często tak odpływał myślami, zupełnie jakby wracał do czasów, kiedy jego egzystencja przypominała prawdziwe życie, a nie wyłącznie jego namiastkę.

– Ale będziesz miał oczy otwarte? – spytał.

– Tak.

– Jeśli on się znów uaktywni, zauważysz?

Edling skinął głową bez przekonania. Poznał Iluzjonistę na tyle dobrze, by spodziewać się, że będzie ostrożny. Nie oznaczało to jednak, że nie popełni żadnego błędu. Jeśli będzie się ukrywał i dusił w sobie żądzę mordu dostatecznie długo, w końcu może zdecydować się na coś lekkomyślnego.

– Znajdź go, Gerard, proszę cię.

– Jeśli tylko będzie jakiś trop, możesz być pewien, że go nie zignoruję.

– Przysięgnij.

Edling znów pokiwał głową.

– Nie, przysięgnij naprawdę – powiedział błagalnie Witek. – Wiem, jak to wtedy będzie. On kogoś zabije w szale czy amoku, popełni błąd, ty to zobaczysz, a oni... ci, którzy za tym wszystkim stoją, zrobią wszystko, żebyś milczał.

Z pewnością tak by było, skwitował w duchu Gerard.

– Nie przyznają się do błędu – ciągnął Borbach coraz bardziej nerwowo. – Zatuszują to i będą się upierać, że to ja zabiłem tych wszystkich ludzi. Nie pozwolą sobie na kompromitację... Dlatego obiecaj, Gerard. Obiecaj mi, że zrobisz wszystko.

– Zrobię wszystko, co trzeba – zapewnił Edling.

Ich znajomość była krótka, ale dość zażyła, by taka deklaracja okazała się w zupełności wystarczająca. Przez moment siedzieli w ciszy, a Witek przesuwał karty po stole.

– Nie chodzi tylko o to, że jak go złapiesz, to ja wyjdę – podjął.

– Wiem.

Więzień podniósł wzrok.

– On jest na wolności przeze mnie – powiedział z wyrzutem.

– Przez ciebie?

– To ja byłem, kurwa, słaby. Uległem, przyznałem się, wziąłem to na siebie i nie potrafiłem potem z tego wybrnąć.

– Daj spokój.

– Następną ofiarę ja będę miał na sumieniu.

– Nie myśl tak – odparł ciężko Edling, nie pozwalając mu wpaść w nurt absurdalnych wniosków. – I jest naprawdę mało prawdopodobne, by do tego doszło. Iluzjonista atakował jedynie was, graczy z Mondrzyka. Nic nie wskazuje na to, żeby rozszerzył kryteria wyboru ofiar.

– Ale jest jeszcze dwójka graczy. Ja i Grażka.

– Grażyna Oblewska?

– No tak – przyznał Witek. – Pilnuj jej, dobrze?

– Dobrze. A teraz zagrajmy – odparł Edling, wskazując karty. – Może w remika?

Borbach nie protestował. Zaczęli grę, rozmawiając o tym, co dzieje się w kraju, co nowego w kinie i co wyczynia Odra Opole. Na tym etapie nie ulegało już wątpliwości, że czekają ją baraże, by nie spaść do trzeciej ligi, mimo że jeszcze siedem lat wcześniej grała w pierwszej.

Tradycyjnie wciąż trzymali się z dala od spraw osobistych. Mimo to Gerard od czasu do czasu mimowolnie wracał do tematu żony, przebąkując o tym, że im się nie układa. O Gośce nie wspominał, miał jednak wrażenie, że Witek potrafi rozszyfrować więcej, niż Edling jest gotów wyjawić.

Właściwie gotów byłby rozmawiać z nim nawet o swoim podwójnym życiu, byleby uniknąć powrotu do bardziej kłopotliwych tematów. Kiedy w końcu nadarzyła się okazja, Gerard postanowił ją wykorzystać.

– Dlaczego się z nią nie zwiążesz? – spytał Witek, wykładając karty i pokazując sekwens.

– Bo jestem żonaty.

– Nie ty jeden byś się rozwiódł – odparł Borbach pod nosem. – Dzieci nie masz, to i problemów nie masz. Możesz wszystko.

– Nie mogę zostawić jej samej, Witek.

– Dlaczego nie?

– Nie poradzi sobie – odparł ciężko Edling.

– Pieniędzy jej braknie? To sobie pracę znajdzie.

– Ma pracę. I nie w tym rzecz. – Gerard głośno wypuścił powietrze. – Idą za nią widma przeszłości, nie umie ich zgubić. A przynajmniej nie sama. Potrzebuje pewnego oparcia, rozumiesz?

– Rozumiem. Ale ty już i tak nim nie jesteś.

Edling zmarszczył czoło, a Borbach zaczął powoli rozwijać myśl. Być może miał rację, sugerując, że jeśli sercem i myślami Gerard był cały czas gdzie indziej, nie mógł dłużej być ostoją dla Brygidy.

– Ostatecznie znajdzie sobie kogoś, kto jej pomoże – dodał Witek. – A ty i Gocha będziecie mieć, co najważniejsze w życiu.

Edling uśmiechnął się lekko. Fakt, że Borbach potrafił mówić o tym w takim miejscu, uświadamiał mu, jak ważne są te sprawy z jego punktu widzenia. Podczas kolejnego rozdania obaj milczeli.

W końcu Gerard zawiesił wzrok na rozmówcy i odłożył karty.

– Kochałeś ją? – zapytał. – Grażynę?
– Jak się kocha, to się kocha. A nie, że się kochało.
– To prawda.

Witek również zrezygnował z dalszej gry i na moment zamknął oczy. Kiedy je otworzył, Edling zobaczył w nich wilgoć.

– Wszyscy ją kochaliśmy – odezwał się więzień. – I ona chyba każdego z nas też, na swój sposób. Nie wiem. To było…

Brakowało mu słowa, więc Gerard postanowił podsunąć to, które wydawało się najłagodniejsze.

– Osobliwe?
– Tak, osobliwe. To znaczy dla nas może normalne… Wiesz, jak to jest, po jakimś czasie wszystko zaczyna takie być. Dla kogoś z zewnątrz to dziwne. Jedna kobieta i trzech mężczyzn.

– Trochę.

– Byliśmy załamani po tym, jak wyszła za Oblewskiego.
– Domyślam się – odparł Edling i złożył talię. Rozmówca robił się zbyt przygnębiony, należało rzucić jakąś luźną uwagę, napić się wódki i nieco odprężyć. Na tyle, na ile to możliwe. – I przypuszczam, że Araszkiewicz nie był zbyt godnym zastępstwem.
Borbach lekko się uśmiechnął.
– Pod względem karcianym był w porządku – odparł. – Pod innymi, cóż... próbowaliśmy jeszcze wrócić do tego, co minęło, ale to już nie było to samo.
– Słucham?
Witek wyraźnie się zmieszał i natychmiast pokręcił głową.
– O, na Boga, nie z Jankiem. Źle to zabrzmiało.
– Trochę – przyznał Edling, również unosząc kąciki ust. – Czyli mieliście jakąś kobietę na zastępstwo?
– Dziewczynę.
– Prostytutkę? – zainteresował się Gerard.
– Tak. Młodą taką, bardzo ładną. Składaliśmy się we czterech, to nawet często przychodziła. Araszkiewiczowi odpowiadała, ale my... serce nie sługa. I nie tylko serce.
Edling przysunął się bliżej stołu. Spodziewał się wielu rzeczy, ale z pewnością nie tego. Sięgnął za pazuchę i wyjął swój bloczek kieszonkowy oraz ołówek.
– Jak znaleźliście tę dziewczynę?
– Zbyszek kiedyś poznał ją w „Niedźwiedniku".
– Jak się nazywała?
– Pola – odparł Witek. – Ale to na pewno nie prawdziwe imię. Miała najwyżej dwadzieścia lat, dla nas to

było... Sam rozumiesz. Przynajmniej na początku, potem po prostu każdy z nas tęsknił za Grażyną. Zrezygnowaliśmy z usług.

— Dlaczego wcześniej o tym nie wspomniałeś?
— A po co?
— To może mieć znaczenie.

Nawet duże, dodał w duchu Edling. Właściwie wszystko, co związane z graczami przy Mondrzyka, mogło okazać się na wagę złota.

— A co taka siksa mogła? — odparł. — To trzpiotka.
— Mimo wszystko powinieneś o niej powiedzieć.

Witek spuścił wzrok.

— Nie chciałem.
— Dlaczego nie?
— Bo Grażyna by się dowiedziała, a poza tym... po co kalać pamięć po innych. Nikomu to do szczęścia niepotrzebne, a Pola to Pola. Niegroźna, nawet żelazka by nie uniosła. Taki typ, rozumiesz?

Edling rozumiał co innego. To, że wreszcie odnalazł trop, który mógł okazać się kluczowy.

Obecnie

Redakcja „Głosu Obywatelskiego", ul. Krakowska

Informatyk, którego Edling z Gochą od razu zaangażowali do pomocy, zdawał się patrzeć na nich jak na dwójkę celebrytów. Najwyraźniej jeden występ w patostreamie dawał dziś znacznie większy rozgłos niż wzmianki i występy w telewizji.

Kiedy chłopak potwierdził ustalenia Gerarda z „Vento di Mare", było jasne, że doszło nie tylko do manipulacji, ale także do przedstawienia w przedstawieniu.

– Nie rozumiem, co w tym takiego dziwnego – odezwał się informatyk. – Przecież spodziewaliście się, że on i tak zabije każdą ofiarę, mając gdzieś to, czy zagadka zostanie rozwiązana.

– Nie ma tego gdzieś – odparł Edling. – To jest dla niego kluczowe. Przygotowuje po prostu wszystko tak, żeby łamigłówki nie dało się rozwiązać.

– To dlaczego w tym przypadku było inaczej?

– Bo ten przypadek był inny z natury.

Gocha pokiwała głową. Po drodze wytłumaczył jej swój tok myślenia, a ona szybko uznała go za słuszny.

– W każdej innej sytuacji Magik nie musiał nikogo zabijać – dodał Gerard. – Mógł wypuścić ofiarę, pokazując, że szanuje zasady gry, a zaraz potem wybrać kolejną. Tutaj jednak musiał zagrać w określony sposób. Nie miał innego wyjścia i dlatego nie czekał na to, jakiej odpowiedzi udzielę.

– No dobra, to dlaczego ten przypadek był niby inny?

– Bo dziewczyna na krześle to nie osoba wybrana z widowni.

– No, nie z widowni, ale…

Chłopak zawiesił głos i wymownie rozłożył ręce.

– Z żadnego innego miejsca także nie – powiedział Gerard. – Bo to jego asystentka.

– Co?

Edling wskazał na zatrzymany obraz. Klatka pokazywała moment wystrzału.

– Nie doszło do żadnego zabójstwa, jedynie do upozorowania – powiedział. – To najstarsza sztuczka na świecie. Typowy hollywoodzki trik. Wystarczy tylko odpowiednio przygotowana krew i pistolet, który tak naprawdę pistoletem nie jest.

Młody popatrzył niepewnie na Gerarda.

– Czasem między strzelającym a ofiarą stawia się szybę, która pęka, by uwiarygodnić efekt. Wystarczy impuls elektryczny z urządzenia wmontowanego w szkło, by to pękło.

– Coś jak… w tym filmie z Bale'em i Jackmanem?

Edling niejasno przypominał sobie historię o rywalizacji dwóch magików, którą niegdyś widział w kinie. Wydawało mu się, że pojawiał się tam trik z pozorowanym strzałem, szczegółów jednak nie potrafił wyłowić z pamięci.

– Tak, coś jak w tym i właściwie wszystkich innych filmach, gdzie ktoś rzekomo ginie od kuli – odparł wymijająco, a potem wskazał ekran. – Potrzebuję jedynie potwierdzenia.

– Jakiego potwierdzenia?

Razem z Gochą nachylili się nad monitorem.

– Udałoby się przybliżyć na tyle, żebyśmy zobaczyli ranę postrzałową? – spytał Edling.

– Cóż… jakość tego filmiku nie jest za dobra.

– Z pewnością nie bez powodu.

Informatyk potwierdził, przygryzł wargę, a potem szybko zapisał film na dysku i otworzył w programie, którego Gerard nie kojarzył. Przez moment przesuwał jakieś suwaki i wpisywał w wolne pola ciągi cyfr. Ostatecznie przybliżył na tyle, na ile się dało.

– Efekt nie jest powalający – powiedział, jakby nie było tego widać.

Obraz był rozmazany, niewiele szczegółów dało się wyłowić. W dodatku kiedy tylko padł strzał, głowa dziewczyny lekko odskoczyła i niemal nie sposób było dojrzeć, czy rana powstała na jej czole za sprawą czegoś, co imitowało strzał, czy przez kulę.

Rosa i Gerard się wyprostowali.

– Precyzyjnie to przygotowali – odezwała się Gocha.

– To i wszystko inne. Jak na dwójkę iluzjonistów przystało.

Wzięła go za rękę i odciągnąwszy na bok, stanęła na tyle blisko, by mogli porozumiewać się szeptem.

– Nie mam na myśli samego przedstawienia – oznajmiła. – Ale to, że jego asystentka to dziewczyna twojego syna.

– Wiem.

– Musieli podstawić ją już jakiś czas temu.

Gerard niechętnie skinął głową.

– Zdajesz sobie sprawę z tego, co to znaczy?

Nie musiała o to pytać. Był świadom wszystkich implikacji i sam zamierzał zrobić to, do czego w tej sytuacji niechybnie musiało dojść. Opuścił redakcję chwilę później, zabierając ze sobą na pendrivie nieco poprawione nagranie.

Rozmowa z synem przebiegała dokładnie tak, jak się tego spodziewał. Po pierwszym szoku przyszło zaprzeczenie, potem ponowne niedowierzanie, a ostatecznie złość. Z tych wszystkich emocji ta ostatnia była tą, na którą Edling czekał.

Chciał zabrać Emila prosto do prokuratury, by nie tracić czasu, syn jednak potrzebował kilku chwil, by oswoić się z nową rzeczywistością. Zamknął się w pokoju na niemal godzinę, ale kiedy wyszedł, zdawał się gotowy do działania. Dobrze, uznał w duchu Edling, złość przyćmiła szok, przynajmniej na jakiś czas.

Gerard zabrał go na Reymonta, a potem poprowadził prosto do Konrada Domańskiego. Uznał, że to właśnie on powinien przesłuchać syna i wyciągnąć z niego wszystko, co chłopak wiedział na temat Ani – czy też dziewczyny, która tak się przedstawiała.

Edling czekał na korytarzu. Chodził w tę i we w tę, myśląc o tym, że gdyby nie zawiódł jako ojciec, do tej sytuacji być może by nie doszło. Gdyby tylko interesował się tym, co robi syn, z kim się spotyka… Niewykluczone, że udałoby się zapobiec manipulacji. A gdyby zaproponował dziewczynie przyjście na obiad? Z pewnością by się jej przyjrzał, coś mogłoby wzbudzić jego podejrzliwość.

Zatrzymał się obok drzwi, oparł się o ścianę i zamknął oczy. Przy sprawie Kompozytora największy błąd wynikł z faktu, że nie sprawdził się jako mąż. Przy Magiku – że nie odnalazł się w roli ojca. A przynajmniej nie tak, jak powinien.

Kiedy Emil w końcu opuścił pokój, wyglądał nieco lepiej. Wróciły mu kolory, w oczach pojawiła się świadomość otaczającej go rzeczywistości.

– Wszystko w porządku? – odezwał się Gerard.
– Tak. Poczekam na dole.

Zanim Edling zdążył cokolwiek powiedzieć, syn się oddalił. Widocznie założył, że ojciec będzie chciał rozmówić się z Domańskim, choć po prawdzie było to teraz ostatnie, co Gerard planował.

Konrad wyszedł na korytarz, podparł się pod boki i głęboko odetchnął.

– Kurwa – skwitował.

Edling skinął głową w milczeniu.

– Nie myślałem, że kiedyś będę prowadził taką rozmowę z twoim synem.

– Domyślam się – odparł Gerard i obejrzał się, sprawdzając, czy Emil na pewno się oddalił. – Jak on się trzyma?

– Całkiem nieźle.

– Zważywszy na okoliczności?

– Nie, ogólnie rzecz biorąc – odparł Domański i poklepał rozmówcę po ramieniu. – Wdał się w ojca.

– Nie jestem przekonany, czy to dobrze.

Konrad ruchem ręki zasugerował, by poszli do jego gabinetu, ale Edling szybko pokręcił głową.

– Wracam z Emilem do domu – oznajmił.

Przez moment znów się nie odzywali.

– Jest twardy – powiedział w końcu Domański. – Poradzi sobie. Poza tym w tej chwili może nie jest gotów tego przyznać, ale z pewnością ma znaczenie fakt, że jego ukochana żyje.

– Ukochana, która okłamywała go od początku ich znajomości.

– No tak – odparł Konrad i wzruszył ramionami. – Przynajmniej macie wspólne tematy.

Gerard posłał mu pełne niedowierzania spojrzenie, a prokurator okręgowy uniósł dłonie w obronnym geście.
– Wybacz – powiedział. – Za wcześnie?
– Po prostu ją znajdźcie.
– Znajdziemy, możesz być tego pewien. A potem po nitce dojdziemy do kłębka.

Brzmiało to całkiem nieźle, szczególnie że po raz pierwszy udało im się wyprzedzić posunięcia Magika. Dotychczas wyłącznie reagowali na jego działania, tym razem zyskali inicjatywę. Śledczy niebawem odkryją prawdziwą tożsamość dziewczyny, a potem prześwietlą wszystkich w jej otoczeniu. Znajdą człowieka, który urządzał sobie krwawy show na oczach internautów.

Gerard pożegnał Domańskiego, a potem wrócił z synem do domu. Nie było sensu dłużej angażować go w jakiekolwiek działania, a prokuraturze w zupełności powinno wystarczyć to, co miała.

Szybko okazało się, że zanim śledczy wpadli na trop dziewczyny, zrobili to dziennikarze. W krótkiej rozmowie telefonicznej Gocha przekazała mu szczegóły związane z Anią, o których nie miał pojęcia. Zebrała ich tyle, że właściwie było to dość zastanawiające.

– Możesz mi wyjaśnić, skąd tyle o niej wiesz? – spytał Edling. – I o tym, gdzie się poznali, od kiedy się spotykali *et cetera*?
– Wyjaśnić?
– Tak. Zdradzisz mi, skąd czerpiesz wiedzę?
– Myślałam, że wiesz – odparła z realnym zaskoczeniem. – Emil opisał mi wszystko w mailu.
– W jakim mailu?

Oczywiście. Edling powinien się domyślić, że zamknięcie się niemal na godzinę w pokoju nie wynikało z potrzeby uporania się z szokiem. Emil od razu zaczął działać. I wyszedł z założenia, że lepiej zwrócić się do dziennikarki niż do ludzi, którzy swego czasu polowali na jego ojca.

– Wysłał mi go zaraz po tym, jak powiedziałeś mu o asystentce.

– Tak, już się domyśliłem.

– Naprawdę powinieneś popracować nad komunikacją z latoroślą, Gero. Otwórz jakieś wino, upijcie się. To najlepsza metoda.

– Może później – odparł pod nosem. – Teraz mamy coś do załatwienia.

– Wy?

– Ty i ja – sprostował.

Mruknęła potwierdzająco, a on usłyszał, jak podnosi się ze swojego krzesła w redakcji.

– Podjechać po ciebie? – spytała.

– Będę zobowiązany.

Zjawiła się już po kilkunastu minutach. Nie tracili czasu – ledwo Edling wsiadł do SUV-a, ruszyli pod adres, który pracownikom „GO" udało się powiązać z Anią. Prokuratura niechybnie również do niego dotrze, dzięki Emilowi dziennikarze mieli jednak godzinną przewagę.

– Anna Węgielewska – powiedziała Gocha. – Mieszka pod Opolem, w Komprachcicach.

– Jak ją namierzyliście?

– Odpaliliśmy program do rozpoznawania twarzy. Dzięki twojemu synowi materiału było aż nadto.

Przyspieszyła trochę, a Gerard wyjrzał przez okno.
- Mówisz, jakbyś się orientowała w temacie.
- Wiem tylko tyle, ile muszę.
- Czyli?
- Że program mierzy odległość między punktami kardynalnymi. Oczy, kąciki ust, nos i tak dalej. Tworzy dzięki temu tak zwany odcisk twarzy, a potem model trójwymiarowy, któremu niestraszne grymasy, starzenie się czy zmiany oświetlenia. Algorytmy są z gatunku samouków, wystarczy dać im kilka chwil.
- Aha.
- Program możesz zakupić sobie do pracy, jeśli chcesz mieć oko na swoich pracowników – kontynuowała. – Ten albo inny. Wszystkie mają skuteczność w okolicach dziewięćdziesięciu ośmiu procent, mniej więcej jak człowiek.
- Chyba jednak aż tak dobrze sobie nie radzą.
- Aż tak dobrze nie – przyznała. – Podobno są od nas mniej skuteczne o jakieś trzy dziesiąte procenta.
- A więc jest jakaś dziedzina, w której ludzki umysł przewyższa zdolności komputerów.

Skinęła głową z zadowoleniem i przez moment jechali w milczeniu Nysy Łużyckiej. Gocha nie słuchała radia, co nie stanowiło dla Edlinga wielkiej niespodzianki. Ze sparowanego z samochodem iPhone'a płynęły dźwięki podobne do tych, które niegdyś wypełniały niewielkie mieszkanie przy placu Lenina. Tym razem był to jednak nowy album Bad Religion.

- Nadal nie rozumiem, jak algorytm sprawił, że jedziemy do Komprachcic – odezwał się w końcu Gerard. – Przecież ta... Węgiel?

– Węgielewska.
– Dziękuję. Węgielewska musiała dobrze się ukrywać.
– Ukrywała się – przyznała Rosa, kierując się w stronę mostu na Odrze. – Ale media społecznościowe to kopalnia, z której wygrzebiesz wszystko.
– Miała tam konto na prawdziwą tożsamość?
Gocha wywróciła oczami.
– Skąd – odparła. – Usunęła je kawał czasu temu, ale nie mogła przecież pisać do każdego, kto kiedykolwiek zamieścił zdjęcie z nią, żeby usunął materiał. Oznaczenia wprawdzie znikły razem z jej profilem, ale szybko odezwaliśmy się do kilku osób, które pomogły nam ustalić jej tożsamość.

W tym względzie Edling zazdrościł nieco śledczym, którym dziś przychodziło ścigać przestępców. Ci drudzy zdawali się zostawiać w internecie tyle tropów, że wystarczyło tylko wiedzieć, gdzie szukać. Niektórzy w trakcie ucieczki zamieszczali nawet selfie z kolejnych miejsc, do których docierali, przekonani, że po skrawku terenu nie sposób ich znaleźć.

– Ustalenie, gdzie mieszka, nie zajęło nam wiele czasu – dodała Rosa.
– Raczej gdzie mieszkała.
– No tak.

Gerard poluzował nieco pas i obrócił się do Gochy.
– Co spodziewasz się tam znaleźć? – spytał.
– Jej z pewnością nie. Ale musi być tam jakiś trop.

Co do tego się nie pomylili – nie docenili jednak determinacji, z jaką działali prokuratorzy. Kiedy Gośka parkowała pod starym, poniemieckim domem, na miejscu był już policyjny radiowóz i samochód Domańskiego.

Nikt nie miał zamiaru wpuszczać do budynku dwójki nieproszonych gości. Nie pozwolono im nawet podejść, zupełnie jakby w środku mogły znajdować się ładunki wybuchowe, pułapki lub broń biologiczna.

Spędzili dwie godziny w samochodzie, słuchając kalifornijskiego punk rocka i czekając, aż Domański lub Siarkowska wychyną z domu. W końcu zjawił się Konrad. Powiódł wzrokiem po okolicy, szukając Edlinga, i kiedy go wypatrzył, skinął na niego dłonią.

Natychmiast wysiedli z SUV-a i podeszli do niego szybkim krokiem.

– Jeden zero dla nas – powiedział z zadowoleniem, patrząc na Rosę. – Wiedziałem, że tradycyjne dziennikarstwo łapie zadyszkę, ale żeby...

– Żeby prokuratura nas wyprzedziła? – wpadła mu w słowo Gocha. – Rzeczywiście, to wyjątkowa ujma. Wstydzę się za cały rynek prasy.

Posłał jej zgryźliwe spojrzenie, a potem zerknął na Edlinga.

– Znaleźliście coś? – spytał Gerard.

– Makulaturę. Sporo materiałów na temat iluzji.

– Jakich konkretnie?

– Odkrywanie trików największych iluzjonistów, przygotowanie przedstawień i tak dalej. Głównie teksty anglojęzyczne.

Edling potoczył wzrokiem po budynku. Był niewielką, jednopiętrową bryłą, której już kilkanaście lat temu przydałby się gruntowny remont.

– W środku jest tak, jak na zewnątrz – oznajmił Konrad. – I wygląda na to, że Węgielewska nie mieszkała tutaj sama. Są trzy wąskie łóżka, trzy komplety pościeli... generalnie sporo rzeczy po trzy.

– Czyli mamy nasze trio – odezwała się Gocha. – Byli tutaj.

– I to stosunkowo niedawno, biorąc pod uwagę, że jedzenie się nie zepsuło.

Oczywiście, musieli mieć metę gdzieś niedaleko. Ania występowała w poprzednich przedstawieniach jako zamaskowana asystentka, a przecież cały czas spotykała się z Emilem.

Dotychczas zachodziło pewne prawdopodobieństwo, że Magik urządzał swoje pokazy daleko stąd. Teraz stało się jasne, że stylizowany na lata PRL pokój znajdował się gdzieś w okolicy.

– Są jakieś ślady? – spytała Rosa.

– W chuj.

– To naprawdę profesjonalna ocena, panie prokuratorze.

Domański głęboko wciągnął powietrze nosem.

– Ściągamy odciski palców, zbieramy zaschnięte siki spod deski klozetowej, wyciągamy włosy z odpływu pod prysznicem i sprawdzamy chusteczki w koszu, z nadzieją, że odkryjemy całe bogactwo zaschniętych glutów – wyrzucił z siebie. – Więc, jak mówiłem, dowodów jest w chuj.

– Coś z nich będzie?

– Tożsamość całej trójki, jak Bóg da.

Edling rozejrzał się, nie zamierzając snuć spekulacji. Wydawało mu się mało prawdopodobne, by to wszystko było tak proste.

– Co ci znowu nie pasuje? – burknął Konrad.

– Słucham?

– Wyglądasz, jakbym kazał ci pić jabcoka, Edling.

– Po prostu zastanawiam się, czy Magik naprawdę mógłby popełnić taki błąd.

– Taki? – mruknął Domański. – To, co nas tu doprowadziło, nie było oczywiste. Zresztą byłeś jedyną osobą, która w ogóle to zauważyła.

– Dziękuję.

– To nie był, kurwa, komplement – odparł Konrad i rozłożył ręce. – Zwykle stwierdzenie faktu.

– Tak czy inaczej, jestem wdzięczny, że to przyznałeś.

Prokurator okręgowy pokręcił głową i się odwrócił.

– Wdzięczny powinieneś być za to, że nie pociągnąłem was do odpowiedzialności za utrudnianie pracy wymiarowi ścigania – rzucił. – Mieliście wiedzę na temat jednego ze sprawców i się nią nie podzieliliście.

– Wręcz przeciwnie – zaoponował Gerard. – Przecież przyprowadziłem Emila prosto do ciebie.

– Nie pierdol mi tutaj, Edling. Nie wspomniałeś o…

– Szefie! – krzyknął jeden z techników, wychylając się z domu. – Mamy coś!

Domański ruszył w jego kierunku. Gocha i Gerard natychmiast zrobili to samo.

– A wy dokąd?

– Możemy pomóc – odparła szybko Rosa. – Znamy tę sprawę lepiej niż ktokolwiek inny.

Konrad zawahał się. Przez moment wyglądał, jakby realnie rozważał zezwolenie im na udział w rozmowie, potem jednak stanowczo pokręcił głową. Zostali na zewnątrz, pilnowani przez jednego z młodszych funkcjonariuszy.

Znów musieli czekać, odnosząc wrażenie, że czas płynie coraz wolniej.

Kiedy Domański w końcu opuścił budynek, od razu skierował się ku Edlingowi. Zamglone spojrzenie i zmarszczone czoło kazały Gerardowi sądzić, że tym razem nie obejdzie się bez jego pomocy.

Prokurator podał mu woreczek na dowody, w którym znajdowała się koperta. Widniał na niej duży, czerwony znak zapytania.

– Była w skrytce za piecem kaflowym – oznajmił. – A w niej to.

Podał mu również zafoliowaną kartkę.

– List jest zaadresowany do ciebie – dodał.

Edling przebiegł wzrokiem tekst. Właściwie nie był do list, ale zaproszenie na przedstawienie. Na ostatnie przedstawienie, które miało odbyć się w miejscu, w którym narodziła się Pola.

Dopisek na końcu był ostrzeżeniem. Gerard miał zjawić się sam, inaczej spektakl zostanie odwołany.

– Co to, kurwa, ma znaczyć? – spytał Konrad.

– Że tak naprawdę nie trafiliśmy na żaden trop – odparł Edling, pozwalając sobie, by w jego głosie zadrgała nuta irytacji. – Magik to zaplanował.

– Ale co konkretnie?

Gerard spojrzał na kartkę.

– „Ostatnie przedstawienie w miejscu, w którym narodziła się Pola" – odczytał na głos.
– Czyli?
– W „Niedźwiedniku" – odparł.

Niegdyś
Zajazd „Niedźwiednik", ul. Strzelecka

Rozważenie, czy zjawić się w zajeździe pod przykrywką, czy może wymachując legitymacją prokuratorską, zajęło Gośce i Edlingowi tylko krótką chwilę. Zgodnie uznali, że nie ma już czasu na półśrodki – należało użyć wszystkich możliwych sposobów, by odkryć prawdę.

Niewinny człowiek czekał na wykonanie kary śmierci, a prawdziwy zabójca chodził wolny. Z pewnością już polował, wybierał kolejną ofiarę, być może czekał na odpowiedni moment, by pozbawić ją życia.

Edling nie był przekonany, jak wiele zachodu będzie kosztowała go rozmowa z człowiekiem, który zawiadywał lokalnym rynkiem wszelakich usług cielesnych. Okazało się, że legitymacja szybko zrobiła swoje i jedna z dziewczyn zapewniła, że szef niebawem się zjawi.

Usiedli wraz z Gochą przy jednym z szerokich stołów na uboczu, czekając na mężczyznę. Było tu na tyle dużo prywatności, że nie musieli martwić się przypadkowymi wścibskimi. Wypili po pięćdziesiątce wódki, zagryźli galaretą, a chwilę później dołączył do nich człowiek w bordowym garniturze i niebieskiej koszuli.

– Pasior – przedstawił się.

Był łysy, a twarz miał tak nabrzmiałą, jakby przed momentem skończył całonocną libację. Opadł ciężko na krzesło i rozsiadł się jak basza.

– Pan to ten prokurator, tak? – spytał, patrząc na Gerarda. – A ta cizia to obstawa?

Seplenił nieco i roztaczał woń mocnych, tanich perfum. Nie to jednak podenerwowało Edlinga najbardziej.

– Odzywajcie się z szacunkiem – rzucił.

– A, no tak. Wybacz, towarzyszu, przyzwyczaiłem się do przebywania w otoczeniu szmat.

Gerard westchnął i uznał, że to z pewnością nie będzie łatwa rozmowa.

– Należycie do partii? – spytał.

– Oczywista sprawa.

– Legitymację pokażcie.

– Nie mam. Jedna z cipsk zeżarła.

Edling wymienił się bezradnym spojrzeniem z Gochą, a potem przysunął nieco krzesło do stolika. Wolałby prowadzić tę konwersację w zamkniętym pokoju przesłuchań, w towarzystwie Karbowskiego. W tej chwili jednak przełożony nie był gotów przyznać nawet w prywatnej rozmowie, że zatrzymali i osądzili niewłaściwą osobę.

– Są żarłoczne, rozumiesz, towarzyszu. Biorą wszystko, co się da.

– Dajcie sobie spokój – rzucił Gerard najbardziej służbowym tonem, na jaki było go stać. – I odpowiadajcie na pytania, jeśli nie chcecie mieć problemów.

– Przecież odpowiadam.

– Zgodnie z prawdą.

Pasior pokiwał głową, a potem skinął ręką na jedną z kelnerek. Ta tylko czekała, by podejść. Od razu polała wódki, podała zakąski, a potem zostawiła butelkę na stole.

– Dobra – rzucił łysy. – Czego ode mnie chcecie?
– Współpracy.

Alfons zaśmiał się i gwałtownym ruchem przechylił kieliszek. Oblizał usta i dolał sobie. Odezwał się dopiero po drugiej pięćdziesiątce.

– Nie ma mowy – powiedział. – Nie babram się w tym waszym gównie. Nie interesuje mnie, kim są ci, co tu przychodzą. W dupie to mam. Chcecie sobie pilnować świętojebliwości aparatu, róbcie to w swoim chlewie. Tu każdy jest anonimowy.

Tajemnicą poliszynela było, że wielu członków partii korzystało z usług pań lekkich obyczajów, ale Edling tej kwestii akurat nie miał zamiaru roztrząsać. Niektórzy zresztą podejrzewali, że sam jest stałym bywalcem takich miejsc.

Pasior z pewnością jednak do nich nie należał. Patrzył na Gerarda jak na intruza, który może narobić mu wyłącznie problemów.

Należało jak najszybciej uporać się z tym niekorzystnym pierwszym wrażeniem.

– Posłuchajcie – zaczął Edling. – Nie przyszedłem tutaj, żeby robić wam kłopoty. Przeciwnie.

– Chcecie mi w czymś pomóc, towarzyszu? – zakpił sobie Pasior. – Spasuję. Mam wystarczająco dużo uprzejmych w aparacie.

– A w prokuraturze?

Brak odpowiedzi świadczył o tym, że niewielu.

– Zawsze przyda się przychylny człowiek – dodał Gerard.

– I ty możesz nim być?

– Mogę. Mogę też być największym służbistą, jeśli trzeba. – Omiótł wzrokiem dość ponure wnętrze sali. – I zapewniam was, że jeśli zacznę interesować się tym, co się tu dzieje...

Edling musiał urwać, kiedy rozmówca się roześmiał. Zdawało się, że celowo przeciąga rechot, patrząc to na Gerarda, to na Gochę. Potem nagle przestał się śmiać, a jego twarz zaczęła przypominać maskę.

– Powiem ci coś wprost, asesorze – rzucił. – Przychodzą do mnie jako klienci ludzie, którzy samym pierdnięciem cię, kurwa, zajebią. Rozumiesz?

– Rozumiem, że to przenośnia.

– Hę?

– Nieistotne – odparł Edling lekkim tonem, choć infantylna deklaracja Pasiora miała pewien ciężar. Niejeden klient z pewnością zajmował na tyle wysokie stanowisko, by złamać karierę początkującego oskarżyciela.

– Nie ma sensu się przepychać – rzuciła Gocha. – Przyszliśmy tutaj, żeby dowiedzieć się o jednej dziewczynie.

– Świetnie. To teraz spierdalajcie.

– Chodzi nam wyłącznie... – zaczął Gerard.

– Czego nie rozumiesz, jebany cwelu? – przerwał mu Pasior i podniósł się zza stołu.

W okamgnieniu tuż obok pojawiło się trzech osiłków gotowych, by zrobić porządek. Edling i Gocha zerwali się ze swoich miejsc, a Gerard szybko stanął tak, by w razie czego zasłonić Rosę.

– Spierdalaj i zabieraj stąd swoją sukę – powtórzył Pasior. – Albo zrobimy tu sobie festiwal gwałtu. A ty będziesz, kurwa, patrzał.

Edling pożałował, że nie miał służbowej broni, jak Karbowski. Wprawdzie i tak musiałby ją zamknąć w pancernej szafie przed opuszczeniem budynku przy Reymonta, ale miałby świadomość, że zawsze może tu z nią wrócić.

Była to tyleż absurdalna, co niepokojąca myśl. Dodała mu jednak nieco pewności siebie.

– Lepiej się jeszcze zastanówcie – odparł Gerard. – Nie chcecie mieć wrogów w prokuraturze wojewódzkiej.

– Mam przyjaciół znacznie wyżej. I gówno mnie obchodzą takie pizdy jak ty.

Gocha zrobiła krok w kierunku alfonsa, starając się odsunąć Edlinga. Spodziewał się tego. Znał jej charakter i aż za dobrze zdawał sobie sprawę, że największym zagrożeniem w tej sytuacji może być właśnie to, jak ona zareaguje.

– Słuchajcie...

– No nie, kurwa. Dosyć tego – uciął Pasior i skinął na jednego z mężczyzn.

Drab złapał Gerarda za ramię, a ten odniósł wrażenie, jakby ktoś zgniótł mu kości imadłem. Nie wydał z siebie nawet cichego jęknięcia, ale skrzywił się z bólu. Osiłek szarpnął nim niby od niechcenia, siła jednak była tak duża, że Edling niemal się przewrócił.

Stracił inicjatywę, a Pasior nie miał zamiaru dłużej go słuchać. Zrobiło się niebezpiecznie, jeśli bowiem ten człowiek nie przejmował się naruszeniem nietykalności prokuratora, musiał mieć naprawdę solidne plecy.

– Chodzi nam tylko o jedną z twoich dziewczyn – odezwała się Gocha. – O nikogo więcej. Nie interesują nas...

– Stul pysk.

– Chcemy tylko dowiedzieć się, gdzie możemy znaleźć Polę.

Siłacz zbliżył się do Edlinga z wyrazem twarzy świadczącym o tym, że czas na przepychanki się skończył i pora przejść do rzeczy. Gerard natychmiast się wyprostował, gotów na unik lub podniesienie gardy. O wyprowadzeniu kontrataku nie było sensu nawet myśleć.

– Poczekaj – rzucił alfons.

Mężczyzna zatrzymał się, po czym spojrzał na szefa. Pasior zupełnie go zignorował. Podszedł do Rosy, bacznie się jej przyglądając, a kiedy zatrzymał się przed nią, przywołał Edlinga ruchem ręki.

– Szukacie Poli? – spytał. – Dlaczego?

Gerard uznał, że najlepiej będzie, jeśli to Gocha poprowadzi dalszą część rozmowy.

– Chcemy tylko z nią pogadać – oznajmiła.

– O czym?

– O czterech facetach, do których chodziła. Na Mondrzyka.

Pasior zamilkł, mrużąc podejrzliwie oczy. Sam fakt, że był gotów dalej rozmawiać, kazał Edlingowi sądzić, że coś jest na rzeczy.

– Wiecie coś o tym? – włączył się Gerard.

– O tych staruchach nieruchach? No – przyznał alfons. – Pola chodziła do nich kilka razy. Dwóch było w ciągłym zwisie, jeden coś tam wykrzesał, czwarty walił w nią jak kibic w starego rubina podczas meczu reprezentacji.

– I? – spytał Edling.

– I chuj.

Czekał, aż mężczyzna rozwinie, ale najwyraźniej w tym temacie powiedział wszystko, co zamierzał. Popatrzył na Gochę i Gerarda, głęboko się nad czymś zastanawiając. W końcu podrapał się po karku, przeciągnął, po czym odesłał osiłków.

– Myślicie, że to któryś z tych capów jej to zrobił?

– Zrobił co? – spytała Gośka.

Pasior zerknął na nią, jakby urwała się z choinki.

– Tę szramę na czole – odparł. – O to wam chodzi, nie? Szukacie tego, kto to wypalił?

– Wypalił?

– Ten znak zapytania, do kurwy nędzy – rzucił bezsilnie alfons. – Szukacie właśnie tego skurwiela, nie?

Rosa popatrzyła na Edlinga, a ten powoli skinął głową. Nie rozumiał, co tu się właściwie działo, ale miał wrażenie, że niebawem dowie się znacznie więcej, niż dotychczas sądził.

– Mnie to jebie – zadeklarował Pasior. – Dziewczyna jest do wyrzucenia, to wyrzucam. Ale chuj mnie strzela, jak se pomyślę, że może takich być więcej. To straty dla mnie, rozumiecie?

Gocha potwierdziła lekkim ruchem głowy, Edling starał się zrozumieć implikacje tego, co usłyszał.

Czy to rzeczywiście możliwe, że dziewczyna z amfiteatru, jedyna ofiara, która przeżyła, była tutejszą prostytutką?

I to właśnie tą, która świadczyła usługi trzem ofiarom Iluzjonisty?

Odpowiedź była na wyciągnięcie ręki. Nie tylko ta.

– Pola to Ela Olszewska? – odezwał się Gerard.

– No.

– Gdzie ją znajdziemy?

Pasior wzruszył ramionami, a potem usiadł z powrotem na swoim miejscu. Napił się wódki, namyślał się chwilę, a ostatecznie przywołał jedną z kelnerek.

– Która z was trzyma dalej sztamę z Polą? – spytał.

Dziewczyna się zawahała.

– Mów, bo zakleję ci cipę i będziesz dupą zarabiała na życie.

– Sonia.

– To wołaj ją tutaj.

Szczupła, młoda blondynka zjawiła się chwilę później. Miała pewne opory przed wyjawieniem, gdzie w tej chwili zatrzymuje się Pola, ale ostatecznie zrobiła, co alfons polecił.

Gocha i Gerard opuszczali „Niedźwiednik" z poczuciem, że zbliżyli się do prawdy, ale jednocześnie z obawą, że ta na ostatniej prostej może im się wymknąć.

– Co to wszystko znaczy? – spytała Rosa.

Edling nie potrafił udzielić choćby oględnej odpowiedzi.

– Może Borbach jednak ma z tym coś wspólnego? – dodała.

– Witek? Nie. Z całą pewnością nie.

– Jako jedyny przeżył. I nie ucierpiał.

– Oblewska też nie. Ale to nie znaczy, że jest winna.

Co takiego wydarzyło się między tymi ludźmi, że trzech mężczyzn musiało zginąć, a młoda dziewczyna została oszpecona na całe życie?

Gerard ruszył w kierunku zastavy. Miał zamiar wszystkiego się dowiedzieć.

Obecnie
ul. Opolska, Komprachcice

Wokół Rosy i Edlinga zgromadziło się wystarczająco wiele osób, by Gerard poczuł atawistyczny impuls – imperatyw ucieczki. Znał go każdy, kto występował publicznie, ale rozpoznawał tylko ten, kto wiedział, z czego konkretnie wynika. Już w czasach prehistorycznych duże skupisko ludzi stojących przed mówcą oznaczało tylko jedno – zagrożenie. Odruch zakodowany w genach przetrwał. I Edling musiał się z nim uporać, by spokojnie przedstawić zebranym, czego dotyczy list zostawiony przez Magika.

Powiedział tyle, ile mógł. I dokładnie tyle, ile musiał.

Polę przedstawił jako prostytutkę, która świadczyła usługi czterem mężczyznom na Mondrzyka. Dodał jedynie, że to właśnie w „Niedźwiedniku" zaczęła parać się tą pracą, stąd wzmianka o narodzinach.

– Co potem się z nią stało? – spytała Siarkowska.

– Nie wiem.

– Była w jakiś sposób istotna?

– Nie – skłamał bez zająknięcia Edling. – Choć nie można wykluczyć, że stałaby się kolejną ofiarą Iluzjonisty, gdybyśmy go nie ujęli.

Domański przyjrzał mu się uważniej.

– Jak się naprawdę nazywała? – chciał wiedzieć.

– Nie pamiętam.

Konrad podejrzliwie zmarszczył czoło.

– Wraz z prokuratorem Karbowskim uznaliśmy, że nie jest przesadnie istotna – dodał Gerard. – Nie była powiązana ze sprawą, po prostu zjawiła się kilka razy w mieszkaniu Zbigniewa Andyckiego, żeby zrobić to, za co jej zapłacono.

– Mimo wszystko powinniście byli ją sprawdzić.

– Sprawdziliśmy. Ale nie było to na tyle istotne, żebym to sobie zakodował. Być może szczegóły są w aktach.

– W aktach, które zaginęły? – spytała Siarka.

Nikt nie odpowiedział.

– Rozmawialiście z nią? – rzucił Domański.

– O ile mnie pamięć nie myli, zrobił to jakiś pracownik prokuratury.

– Kto?

– Nie pamiętam.

Gocha milczała, ale Gerard obawiał się, że w końcu mu przerwie i wyjawi choć część prawdy. Powinna zdawać sobie sprawę, że w tej chwili absolutnie nie mogą sobie na to pozwolić.

Dostali od Magika wskazówkę, którą mogli zrozumieć tylko oni. Wszyscy inni zostali wprowadzeni w błąd.

A raczej przygotowani do tego, by zostać wprowadzonymi przez Edlinga.

– Jesteś pewien, że chodzi o „Niedźwiednik"? – spytał Domański.

– Zupełnie pewien – skłamał Gerard. – Zresztą zabójca już wcześniej wskazał nam to miejsce.

Dopiero teraz zrozumiał powód, dla którego Magik to zrobił. Chodziło o to, by podłożyć tam fałszywy trop.

– Powinniśmy uważać – dodał Edling. – Z pewnością cały ten teren został przez niego przygotowany.

– My? – włączyła się Siarkowska. – Zamierzasz nam towarzyszyć?

– To chyba oczywiste.

– Bynajmniej.

Gerard wskazał na Gośkę, a potem na siebie.

– Jesteśmy jedynymi osobami, które mają wiedzę o tamtych zdarzeniach.

– Wiedzę, którą się z nami nie dzielicie – zauważył Konrad. – Przynajmniej nie w całości.

– Daj spokój.

– Tak czy inaczej, nie ma mowy – uciął Domański.

Edling podjął polemikę, ale tylko dla zachowania pozorów. W istocie nie miał zamiaru tracić czasu na fałszywe tropy. Chciał jak najszybciej stawić się w prawdziwym miejscu, które wskazał mu Magik.

Skąd o nim wiedział? To wciąż pozostawało zagadką, której Gerard nie potrafił rozwiązać.

Kiedy uporał się z prokuratorami, znów usiadł na miejscu pasażera w SUV-ie Rosy. Nie spodziewał się łatwej przeprawy, tymczasem Gocha milczała. Siedzieli w ciszy tak długo, że spod domu zdążyły odjechać niemal wszystkie auta.

– Jesteś pewien, że dobrze robimy? – odezwała się wreszcie.

– Nie do końca.

– Może w takim razie powinniśmy powiedzieć im, o co chodzi?

– Magik postawił sprawę jasno – zaoponował Gerard. – Jeśli zjawimy się z kawalerią, będzie po wszystkim. A jeśli stawimy się sami, mamy szansę.

– Na co? – spytała, bezwiednie przesuwając dłonią po kierownicy. – Na złapanie go?

Edling nie odpowiedział.

– Znów popełniasz ten sam błąd, co w przypadku Kompozytora.

– Jaki?

– Wydaje ci się, że poradzisz sobie sam.

Czekała na odzew tylko przez chwilę. Kiedy go nie otrzymała, uruchomiła silnik, a potem pojechała w kierunku miasta. Nie musieli dłużej tego rozważać, decyzja została podjęta już w momencie, kiedy zobaczyli list.

Znalezienie miejsca parkingowego w centrum nie było łatwe. Zmrok już zapadł, a na rynku niebawem miały rozpocząć się jakieś występy. Scena była ustawiona przed ratuszem, w miejscu, gdzie często urządzano koncerty lub inne eventy, jak Światełko do nieba WOŚP.

Tym razem show nie miał nic wspólnego ze szczytnymi celami. Wiedzieli o tym jednak wyłącznie Edling i Gośka.

Zaparkowali na płatnym parkingu przy Zwierzynieckiej, tuż pod sklepem Dziupla, w którym awaryjnie zawsze można było zaopatrzyć się w papierosy, tabakę lub tytoń. Kiedy przeszli na rynek, Rosa powiodła wzrokiem po arkadach biegnących wzdłuż ratusza stanowiącego kopię pałacu Vecchio we Florencji.

– To się stało tutaj? – spytała.

Edling spojrzał na kolumny po południowej stronie.

– Tak – odparł.

Właśnie tutaj narodziła się Pola. A może raczej to tutaj przestała istnieć Ela Olszewska. Trafiła do „Niedźwiednika" i zaczęła parać się najstarszym zawodem świata tylko ze względu na to, co zdarzyło się właśnie w tym miejscu.

Był środek nocy, lato osiemdziesiątego piątego. W samym sercu miasta doszło do brutalnego gwałtu, a sprawcy nigdy nie odnaleziono. Ofiarą padła dziewczyna na resztę życia naznaczona piętnem, którego nie potrafiła się pozbyć.

Tamto tragiczne zdarzenie wyzwoliło lawinę, której Olszewska nie potrafiła już zatrzymać. Znalazła się na równi pochyłej, załamywała się z każdym dniem coraz bardziej. Ostatecznie zdecydowała się na to, co wydawało jej się jedynym ratunkiem – ucieczkę. Zostawiła rodzinę, rzuciła szkołę. I wpadła prosto w ręce człowieka, który takie jak ona wykorzystywał bez żadnych skrupułów.

Gerard nigdy nie poznałby tej historii, gdyby nie fakt, że to właśnie Pola była kluczem do zrozumienia całej sprawy. To, czego dowiedzieli się od niej w osiemdziesiątym ósmym, w końcu pozwoliło rozwiązać zagadkę Iluzjonisty.

Edling odchrząknął i wskazał na kamienice po lewej stronie ratusza.

– Wiedziałaś, że kiedyś był tu cmentarz?

– Co?

– Od klatki numer cztery do siedem – odparł, wskazując budynki. – W pięćdziesiątym piątym odkryto, że tutejsi mieszkańcy rezydują na terenie niegdysiejszej nekropolii, która mieściła kilkaset grobów.

Gocha spojrzała na niego z niepokojem.

– Twój nastrój nie napawa mnie optymizmem – zauważyła.

– Może to i dobrze.

– Bo?

– Bo nie czeka nas nic dobrego.

Scena, która znajdowała się przed ratuszem, była już gotowa. Zaciągnięto ją czarną zasłoną i nie sposób było stwierdzić, co znajduje się po drugiej stronie. Liczne reflektory ustawione przed ratuszem kazały sądzić, że dojdzie do jakiegoś pokazu świateł.

Tak zresztą informowano na plakatach, które wisiały w okolicy, oraz na ulotkach walających się w koszach i po ulicach.

– Może najwyższy czas to sprawdzić? – spytała Rosa, wskazując jedno z obwieszczeń naklejonych na elektryczną skrzynkę rozdzielczą przed najbliższą kamienicą.

– W jakim celu?

– Żeby dowiedzieć się, co to za przedstawienie.

– To nie ma znaczenia – odparł ciężko Edling. – Nie mam wątpliwości, że formalnie nie ma żadnego związku z człowiekiem, którego ścigamy.

Gocha zignorowała go i podeszła do skrzynki. Kiedy czytała o szczegółach show organizowanego dziś przed ratuszem, Edling wbijał wzrok w przestrzeń pod arkadami. Myślał o tragicznym zdarzeniu, które położyło się cieniem na przyszłości tak dużej liczby osób.

Rosa wróciła po chwili z kompletem informacji, nie odezwała się jednak słowem. Gerard zerknął na nią ponaglająco.

– I? – spytał. – Co ustaliłaś?

– Myślałam, że cię to nie ciekawi.

– Ogólne fakty znam – odparł. – Cokolwiek się tu dzisiaj wydarzy, zostało zaplanowane już dawno temu. Władze miasta musiały wydać zgodę, więc z pewnością na papierze nie ma żadnego związku z podejrzaną działalnością. Przypuszczam, że nie wspomniano też o żadnych sztuczkach magicznych, bo organizatorzy zastanowiliby się dwa razy w ostatnich dniach.

Gośka lekko skinęła głową.

– Pokaz świateł i muzyka na żywo, tyle wynika z opisu – powiedziała. – Ani słowa o iluzjach czy trikach.

Gdyby nie to, że sam Magik ich tu skierował, z pewnością nie połączyliby tego z ostatnimi wydarzeniami. Teraz jednak wydawało się oczywiste, że ten człowiek właśnie tutaj zamierza dać swój ostatni show.

– Organizator zapewnia, że już nigdy czegoś takiego nie zobaczysz – dodała Rosa.

Zabrzmiało to na tyle niepokojąco, że Gerard musiał po raz kolejny zastanowić się, czy dobrze robi, nie informując służb. Policjanci kręcili się po Krakowskiej, służby ochroniarskie również. Wszyscy byli jednak pewni, że zapewniają bezpieczeństwo kolejnej imprezie masowej.

Tymczasem mogło się okazać, że sprawa jest dużo poważniejsza.

– O której to się zaczyna? – spytał Gerard.

Ludzie powoli się zbierali, ale na razie frekwencja nie powalała. Nic dziwnego. W internecie w ostatnich dniach byli w stanie znaleźć tyle wrażeń, że żadne występy na żywo nie mogły temu dorównać.

– Za czterdzieści minut – odparła Gocha. – To jeszcze wystarczająco dużo czasu, żeby powiadomić Domańskiego.

Edling zamilkł, wciąż patrząc na ratusz.

– Zdąży w porę zorganizować wsparcie – dodała Rosa.

– Wiem.

– Więc może powinniśmy dać mu znać?

Gdyby Gocha rzeczywiście uznała, że to dobry pomysł, nie stawiałaby pytania, tylko oznajmiła dość jasno, co należy zrobić. Podobnie jak Gerard była jednak przekonana, że uczestnikami tej rozgrywki mogą być wyłącznie oni oraz Magik.

– Nie wiemy, co się tu wydarzy – dodała. – A ja nie chcę mieć nikogo na sumieniu.

– Chcesz za to, żebym to ja wziął na siebie moralny ciężar.

– Czego?

– Decyzji. Dlatego pytasz.

Odwróciła się do niego i popatrzyła mu w oczy w sposób, którego początkowo nie mógł rozszyfrować. Dopiero po chwili zobaczył w jej wzroku nie pretensję czy wyzwanie, ale gotowość do wsparcia.

– Pytam, bo sama nie jestem pewna.

Edling również się do niej obrócił.

– Ja jestem.
– Tak?
– Jeśli tylko powiadomimy służby, Magik zrezygnuje. Widziałaś, co było w liście.
– Tak, widziałam. Ale może powinniśmy właśnie zrobić wszystko, żeby zrezygnował? Zbierze się tutaj trochę ludzi, Gero. Mogą być w niebezpieczeństwie.
– Nie.

Uniosła brwi, wyraźnie zaskoczona jego kategoryczną reakcją. Na taką pewność zazwyczaj było go stać tylko wtedy, kiedy miał przed sobą człowieka, którego mógł czytać, analizując jego gesty i zachowanie.

Tyle że w tym wypadku poniekąd tak było. Mimo że nigdy nie widział twarzy Magika, miał przekonanie, że potrafi go przejrzeć.

– On nie ma zamiaru dać się ująć – odezwał się Gerard. – Nie będzie niepotrzebnie ryzykował.
– Może wpadł na to, jak zabić widzów bez ryzyka.
– W takim razie w ogóle nie musiałby się tu pojawiać – odparł Edling i ku własnemu zaskoczeniu sięgnął po dłoń Gośki. Ujął ją lekko i zaraz chciał puścić, ale Rosa przytrzymała jego rękę.
– Jesteś pewien?
– Jestem.

Zbliżyła się o pół kroku, z pewnością czując, że Gerard stara cię cofnąć dłoń. Tym razem także mu na to nie pozwoliła.

– A Domański i reszta? Co, jeśli czeka na nich zasadzka w „Niedźwiedniku"?

– Nie czeka – odparł stanowczo. – Sprawdzili cały budynek, kiedy tylko Magik po raz pierwszy na niego wskazał. I zrobią to znów, zanim do niego wejdą. To tylko wabik.

Edling był przekonany, że dobrze zinterpretował sytuację. Całe jego doświadczenie i intuicja zdawały się to potwierdzać. I Gocha w końcu też to dostrzegła.

– Nie niepokoi cię to, Gero?
– Co konkretnie?
– Że nadajecie na tych samych falach? Że z takimi ludźmi rozumiesz się lepiej niż z innymi?
– Na tym polega moja praca.

Uśmiechnęła się i postarała się przyciągnąć go lekko do siebie. Zaoponował, widząc w jej oczach gotowość, by puścić się pędem prosto do przeszłości i zapomnieć o wszystkich wyrządzonych przez niego krzywdach. Gotowość, by po prostu wrócić do tego, co było.

Próbowała go powstrzymać, ale w końcu wyswobodził dłoń i odsunął się o krok. Zrobił wszystko, by spojrzeć na nią z jak największym dystansem. Musiało się udać, bo Gocha natychmiast otrzeźwiała.

– Wnikanie w umysły tych ludzi to już nie twoja robota – rzuciła. – Teraz robisz to tylko ze względu na to, że swój zawsze pozna swego. I czuje się dobrze w jego towarzystwie.

– Być może.
– Tylko na tyle cię stać?
– A co chcesz, żebym powiedział? – spytał nieco ostrzej, niż zamierzał. – Bo odnoszę wrażenie, że ta rozmowa nie dotyczy moich metod śledczych, tylko...

– Tylko twoich metod życia – podsumowała.

Teoretycznie mogła mieć na myśli wszystko. W praktyce jednak w grę wchodziła tylko jedna rzecz. Edling spojrzał na zadaszenie estrady i aluminiowy podest, a potem sprawdził godzinę.

– Mamy wystarczająco dużo czasu – rzuciła Gośka.

– Ale...

– Ale co, pora jest nieodpowiednia? – wpadła mu w słowo i znów skróciła dystans między nimi. – A kiedyś taka w końcu nadejdzie? Kiedyś była? Nigdy nie wytłumaczyłeś mi, co się z nami stało, Gerard. Nigdy. Nie wiem, czy brakowało ci odwagi, czy może wiedzy, ale wydaje mi się, że to najwyższa pora, żebyś zdradził mi choć to.

Potrzebował chwili namysłu. Nie dlatego, że nie znał odpowiedzi, ale ponieważ musiał zachować najwyższą ostrożność.

Wiedzy mu nie brakowało – doskonale zdawał sobie sprawę, dlaczego musiał zakończyć najważniejszy związek w swoim życiu.

Odwagi także nie – gdyby cierpiał na jej deficyt, nigdy nie zrobiłby tego, czego wymagała sytuacja.

– Więc? – spytała Gocha.

Nadal nie odpowiadał.

– Powiedz cokolwiek. Że byłeś młody, głupi. Albo wprost przeciwnie, zmądrzałeś i uznałeś, że powinieneś zostać z żoną. Cokolwiek.

Szukał odpowiednich słów, które okazałyby się ratunkiem, ale na próżno. To, co mógł jej powiedzieć, tylko by ją rozsierdziło. To, czego nie mógł, i tak nie zmieniłoby zupełnie nic.

– To tyle z twojej strony, tak?

Skinął lekko głową.

– Nawet po trzydziestu latach nie potrafisz mi nic powiedzieć?

Właściwie nie nawet, ale szczególnie po takim czasie nie mógł tego zrobić. Kiedy podejmował decyzję trzy dekady temu, istniała możliwość, by podjąć inną. Teraz jednak nie wchodziło to w grę.

– Tak po prostu rozpierdoliłeś nasze życie? – spytała. – Bezrefleksyjnie?

– Przepraszam.

Popatrzyła na niego z niedowierzaniem, jakby gotowa była roześmiać się w głos. Na dobrą sprawę ani trochę by się jej nie dziwił.

– W dupę sobie wsadź przeprosiny – odparła, a następnie obróciła się w stronę sceny. – Zrobimy, co trzeba, a potem się pożegnamy. Raz, a porządnie.

Chciał coś odpowiedzieć, cokolwiek. Był jednak przekonany, że wyłącznie pogorszy sprawę. Ostatecznie najlepiej było trzymać się tego, co postanowił w osiemdziesiątym ósmym.

Na rozpoczęcie przedstawienia czekali w milczeniu. Nie wiedzieli, czego spodziewać się zarówno po Magiku, jak i po sobie. Trwali w nerwowej niepewności, mając wrażenie, że ta nigdy się nie skończy.

Ludzie zaczęli gromadzić się pół godziny przed rozpoczęciem show. Publiczność nie była liczna i większość zdawała się zebrać pod sceną jedynie przypadkiem.

Dla Magika z pewnością nie miało to żadnego znaczenia. Zależało mu jedynie na dwójce widzów – cała reszta zobaczy to wszystko w transmisji internetowej. Liczne kamery ustawione na trójnogach na rynku przeznaczone były właśnie do tego celu.

Istniała jeszcze hipotetyczna szansa, że Edling i Gocha się pomylili. Że to wszystko nie jest dziełem zabójcy, ale zwykłym, dawno zaplanowanym przedstawieniem.

Szansa zmalała do zera, kiedy czarna kurtyna się podniosła. Z głośników ustawionych na scenie popłynęły dźwięki mrocznego synthwave'u, a na podest wkroczył mężczyzna w białej masce, w niczym nieprzypominającej tych z antycznych tragedii. Kojarzyła się raczej z robotami, które miały być łudząco podobne do ludzi.

– Czas rozpocząć przedstawienie – zagrzmiał, unosząc ręce. – Zobaczycie dziś rzeczy magiczne, wymykające się znanym wam zasadom i regułom. Będziecie przecierać oczy ze zdumienia, ale zapewniam, że wszystko, co wam zaprezentuję, będzie prawdziwe. Czeka was niesamowity spektakl.

Wśród zebranych najpierw rozszedł się szum, a zaraz potem dało się słyszeć pierwsze wyrazy zdezorientowania. Część ludzi właśnie zaczęła się zastanawiać, w czym tak naprawdę ma uczestniczyć.

– Spokojnie – odezwał się Magik, znów unosząc dłonie w rękawiczkach. – Nic wam nie grozi. Jesteście tu ze mną.

Gerard i Gocha wymienili się niepewnymi spojrzeniami.

– Obiecuję, że nikomu włos z głowy nie spadnie – dodał Magik. – Nie ma powodu do strachu.

Część widzów zaczęła odchodzić, ale niespiesznie, jakby nie byli przekonani, czy aby na pewno są gotowi zrezygnować z ujrzenia przedstawienia. Połowa zdawała się nie dowierzać, że to naprawdę Magik.

– Jesteście bezpieczni – dodał zabójca. – I jeśli zostaniecie, zapewniam was, że zobaczycie coś, czego nigdy nie zapomnicie.

– Gero...

– Spokojnie. Zaraz dowiemy się, o co chodzi, i...

– Nie. Dzwoń do Domańskiego. Tu stanie się coś złego.

Ta prosta, chłodna ocena sprawiła, że Edling poczuł nieprzyjemne ciarki na plecach. Sięgnął po telefon, ale się zawahał. Spojrzał na Magika, który wykonał zapraszający ruch ręką, a potem wskazał na budynek, w którym urzędowały władze miejskie.

– Zostańcie, a na własne oczy przekonacie się, że potrafię przechodzić przez ściany.

Gocha machinalnie złapała Edlinga za ramię.

– Co on odpierdala?

– Nie wiem – odparł Gerard. – Ale z pewnością nie wyolbrzymia.

Odchodzący ludzie się zatrzymali, a Edling odniósł wrażenie, że na ich miejsce do tłumu dołączyli inni. Nie miał wątpliwości, że za kilka minut wieść się rozejdzie i cały rynek wypełni się gapiami.

Popełnił błąd. Należało zapobiec temu, co miało się wydarzyć.

– Wciąż mi nie ufacie? – spytał Magik. – Doskonale rozumiem, też nie pokładałbym wiary w słowa człowieka, który chowa się za maską. Pozwólcie zatem, że ją usunę.

Mężczyzna pochylił się lekko, machnął ręką przed głową, a kiedy się wyprostował, wszystkim zebranym ukazała się jego twarz.

Dla większości nie wyglądała znajomo. Dla Gochy i Edlinga jednak wprost przeciwnie. Obojgu wydawało się, że patrzą na ducha.

Niegdyś

ul. Sieradzka, osiedle Malinka

Do bloku z wielkiej płyty, znajdującego się nieopodal mieszkania Edlinga, weszli bez problemu. Drzwi na klatkę schodową były otwarte, jak wszędzie – o ile Gerard dobrze pamiętał, ostatni portierzy zniknęli w latach sześćdziesiątych. A i wtedy nie zawsze spełniali swoją funkcję, od czasu do czasu zostawiając drzwi otwarte.

Gocha i Edling stanęli przed mieszkaniem Poli i pukali przez dobre kilka minut. Gerard dość szybko stracił nadzieję, że ktokolwiek się odezwie. I bynajmniej nie dziwił się dziewczynie, że ta zdecydowała się na ucieczkę od świata i zaszycie się w czterech ścianach.

W końcu usłyszeli kroki, a potem zobaczyli, jak światło w wizjerze zostaje przysłonięte. Ela Olszewska nadal jednak nie zareagowała, zupełnie ignorując ich prośby i zapewnienia, że nie mają złych zamiarów.

Dopiero po chwili Edling wpadł na to, by przypomnieć jej, że to on razem z przełożonym znalazł ją na scenie amfiteatru. Liczył, że dzięki temu Pola będzie gotowa z nim rozmawiać, dziewczyna jednak nadal milczała.

Gerard spojrzał bezradnie na Gochę, a ta wzruszyła ramionami.

– Na jej miejscu chciałbyś się z kimkolwiek widzieć? – spytała.

– Nie. Ale akurat prokurator krzywdy jej nie zrobi.

– Powiedz to braciom Kowalczykom.

– Oni wysadzili w powietrze aulę WSP – odbąknął Edling.

– W takim razie setkom innych ludzi, którzy nie zrobili absolutnie nic, a mimo to postawiono im zarzuty, zakuto ich w kajdany i wrzucono do zapyziałych cel.

Gerard zerknął na drzwi, obawiając się, że dziewczyna usłyszała całą rozmowę. Nachylił się i spróbował jeszcze raz, ale szybko uświadomił sobie, że Pola zdążyła już się oddalić.

– Co teraz? – spytała Rosa.

– Może ty spróbujesz?

– A co ja mogę?

– Masz siłę przekonywania.

– Kiedy chcę nakłonić cię do szybkiego numerka przed pracą? To nie wymaga żadnej perswazji, Gero.

Popatrzył na nią krzywo.

– Jesteś kobietą i...

– Nie da się zaprzeczyć.

– ...i może łatwiej ci będzie do niej trafić. Po tym, co jej się przydarzyło, w mężczyznach może upatrywać źródła wszelkiego zła.

– Całkiem słusznie.

Gocha odepchnęła go, podeszła do drzwi i przez moment się namyślała. Potem musieli powtórzyć całą procedurę. Ponownie kilka minut pukania, by Ela się zbliżyła. A później znów cisza.

Rosa próbowała przez moment jakoś do niej przemówić, ale rezultat był taki sam jak wcześniej. Odwróciła się i rozłożyła ręce.

– Może powinieneś użyć jakiegoś prokuratorskiego argumentu? – spytała.

– To znaczy?

– Nie wiem. „Otwierajcie, bo to władza ludowa kołacze do waszych drzwi"?

– I to twoim zdaniem poskutkuje?

– Dodasz, że zaraz przyjadą radzieckie czołgi i takie tam.

Edling pokręcił głową. Nie był w nastroju do żartów – w końcu udało mu się trafić na trop, który mógł okazać się kluczowy, tymczasem jedyna osoba dysponująca informacjami nie miała zamiaru nawet z nim rozmawiać.

Odczekali jeszcze kwadrans, a potem zapukali ponownie. I tym razem efekt był taki sam.

– Zawsze możesz wrócić tutaj z jakimś papierem, który uprawnia cię do wyważenia drzwi – powiedziała cicho Gocha.

– Po tym na pewno będzie chciała z nami rozmawiać.

– Chęci nie mają nic do rzeczy – odparła Rosa. – Będzie musiała.

W pierwszej chwili zdziwiła go ta bezkompromisowość, zaraz jednak uzmysłowił sobie, z czego wynika. Niewinny człowiek siedział w więzieniu. I czekał na wykonanie ciążącej na nim kary śmierci.

Edling zapukał po raz ostatni, a potem nasłuchiwał. Znów wyłapał dźwięk zbliżających się kroków, teraz wydały mu się jednak głośniejsze. Cięższe.

– Jakiś mężczyzna jest w środku – powiedział.

– Co?

Gerard nie miał co do tego żadnych wątpliwości. A to oznaczało także, że ktoś mógł dowiedzieć się, do czego dotarli – i chcieć uciszyć dziewczynę.

– Jesteś pewien?

Odpowiedzią Edlinga było uderzenie zaciśniętą pięścią w drzwi. Zaraz potem kolejne i jeszcze jedno. Zanim Gocha zdążyła go powstrzymać, tłukł już bez ogródek, a sąsiedzi zaczęli opuszczać swoje mieszkania.

– Prokuratura wojewódzka! – ryknął ile sił. – Otwierać!

Inni mieszkańcy budynku natychmiast pozamykali drzwi. Gerard uderzył jeszcze kilkakrotnie, aż w końcu rozległ się dźwięk otwieranego zamka. Oboje odsunęli się o krok, gotowi na odparcie niebezpieczeństwa.

Spodziewali się właściwie wszystkiego.

Wszystkiego poza tym, że w progu zobaczą Bogdana Karbowskiego.

Przełożony wbił wściekły wzrok w Edlinga, a potem rzucił przelotne spojrzenie Gośce. Żadne z nich nie miało pojęcia, co powiedzieć, on jednak zdawał się wiedzieć doskonale.

– Włazić do środka, już – rzucił. – I jeszcze raz wydrzesz mi się koło ucha, Gerard, a będziesz do końca życia ścigał drobnych pijaczków i tych, co to po kiblach wypisują rymowanki o Gierku.

Weszli do mieszkania niepewnie, jakby gdzieś miało czaić się niebezpieczeństwo. Karbowski zaprowadził ich do niewielkiej kuchni, w której znajdowało się raczej standardowe wyposażenie. Wyjątkiem była wysokiej klasy sokowirówka, która wyglądała jak wyjęta prosto z linii produkcyjnej w jakimś zachodnim kraju.

Przy niewielkim stole okrytym ceratą siedziała Ela Olszewska. Szrama na jej czole była zakryta opatrunkiem, choć z pewnością zagoiła się na tyle, że nie musiała go już nosić.

Edling chciał podejść do dziewczyny, ale ta natychmiast zerwała się z krzesła. Nie podnosząc wzroku, spłoszona ruszyła do pokoju, a potem zamknęła za sobą drzwi.

– Siadajcie – rzucił Bogdan.

Oboje byli nieco skonsternowani, ale zajęli miejsce przy stole. Karbowski postawił przed nimi dwie szklanki w jednej trzeciej wypełnione zmieloną kawą, a potem zalał ją wrzątkiem.

– Co pan tu robi? – odezwał się Edling.

– Podaję plujkę, jak widzisz.

– Ale...

– Oprócz tego to ja powinienem zapytać: co wy tutaj robicie?

Odstawił emaliowany czajnik na kuchenkę, a potem przysiadł na szafce obok i skrzyżował ręce na piersi. Ewidentnie czuł się tutaj dobrze, jak w domu. Uwagi Gerarda nie uszło także to, że doskonale wiedział, gdzie szukać kawy, szklanek z aluminiowym koszyczkiem i łyżeczek.

– Mają państwo cukier? – odezwała się Gocha.

Edling odchrząknął nerwowo, a Karbowski posłał dziewczynie ostrzegawcze spojrzenie.

– Uważajcie sobie – poradził.

– Tylko pytam.

– Tylko sugerujecie, że tu pomieszkują dwie osoby – odparował Bogdan nerwowo.

– Trochę tak to wygląda.

Karbowski bezsilnie wywrócił oczami, a potem otworzył szafkę i wyjął cukier. Stanął nad Gochą jak kat nad dobrą duszą i z impetem wbił łyżeczkę w nieco zbrylone drobiny.

– Ile słodzicie?

– Trzy.

Wsypał, a potem odstawił cukier, wiedząc, że Edling go nie używa.

– Zamerdajcie sobie.

– Jasne – odparła Gocha, mieszając tak, by kawa z dołu nie złapała się w wir.

Przez moment w kuchni panowały milczenie i nerwowa atmosfera. Gerard niespecjalnie wiedział, jak odnieść się do sytuacji, a szef najwyraźniej też zaczął mieć z tym niejaki problem.

– Jak tu trafiliście? – spytał w końcu. – Przez Laurę?

Rosa i Edling milczeli.

– Czy przez jakąś inną? – dodał. – No, wysłówcie się, jeśli nie chcecie mieć, kurwa, kłopotów.

– Przez Pasiora, panie prokuratorze – odezwał się w końcu Gerard.

– Co? Tego alfonsa? Jak do niego dotarliście?

Edling nie miał wyjścia, na razie musiał wykazać wolę współpracy. Pokrótce opisał rozmowę z Witkiem, podczas której dowiedział się o Poli. Przełożony zdawał się zaskoczony takim obrotem spraw, jakby spodziewał się, że mogą trafić tutaj w każdy inny sposób, tylko nie ten.

– Chuja z rzędem temu, kto by to przewidział... – burknął.

Gerard upił łyk kawy. Smakowała nieźle, z pewnością była markowa. Nic dziwnego, bo o ile wiedział, prostytutki zarabiały całkiem nieźle – standardowa stawka wynosiła około trzydziestu dolarów, ale często zdarzało się, że dostawały więcej. Ich oszczędności na kontach PKO często przekraczały to, co normalny człowiek mógłby zarobić przez całe życie.

– A pan? – spytał Edling. – Jak pan na nią trafił? Przez inne prostytutki?

– Sugerujesz coś, Gerard?

– Nie, po prostu...

– Nie trafiłem tutaj dlatego, że szukałem Poli – uciął, a potem opadł ciężko na krzesło przy stole. – Zacząłem przychodzić, żeby sprawdzić, jak Ela sobie radzi.

Gocha i Edling znów wymienili się krótkimi spojrzeniami.

– Przestańcie na siebie łypać, to irytujące – rzucił Bogdan.

– To gdzie mamy patrzeć? – odparła Rosa.

– Na mnie. Ewentualnie obejrzyjcie sobie wystrój wnętrz.

Gerard zawiesił wzrok na meblościance, z pewnością wykonanej z czegoś, co nazywano okleiną drewnopodobną.

Było to określenie równie enigmatyczne jak to, co starał się przekazać szef.

Edling uznał, że musi nieco mu pomóc.

– Jak często pan tu przychodził? To znaczy przychodzi?

– Codziennie – odparł Karbowski bez zająknięcia. – Ta dziewczyna nikogo nie ma, rozumiesz? I nie jest to nic zdrożnego. Ktoś musi o nią zadbać. Sam widziałeś, jak wyglądała.

– Więc poczuł się pan za nią odpowiedzialny?

Znów zaległo milczenie. Karbowski najwyraźniej nie miał zamiaru udzielać odpowiedzi.

– Robię jej zakupy, rozmawiam z nią, oglądamy telewizję czy słuchamy radia – mruknął Bogdan. – Nic z rzeczy, które przyszły wam do głowy.

Gerardowi rzeczywiście przeszło przez myśl, że przełożony pojawia się tutaj interesownie, a zapłatę odbiera w walucie, którą Pola dobrze znała.

– Ten zasrany alfons ją pogonił – ciągnął Karbowski. – Wyrzucił ją na bruk, a ona została z niczym. Co miałem zrobić?

– Cóż... – zaczął ostrożnie Edling. – Gdyby poinformował pan sąd, być może...

– Co? – uciął szef. – Gdybym zdradził, że Ela to jedna z prostytutek, wezwaliby ją na świadka i Brytol przemaglowałby ją, byleby wyciągnąć z niej coś na obronę tego twojego Borbacha.

– A ma coś na jego obronę?

Gocha podniosła się i podeszła do okna. Odciągnęła pożółkłą firankę i wyjrzała na zewnątrz. Stała tyłem do mężczyzn, jakby chciała pokazać, że w istocie nie uczestniczy w ich rozmowie.

Całkiem słuszny ruch, uznał w duchu Gerard. Kierunek, w którym zmierzała ta wymiana zdań, mógł okazać się dość niebezpieczny.

– Nie wnikaj, Gerard – poradził Karbowski. – Tak będzie dla wszystkich lepiej.

– Dla wszystkich poza Witkiem. To ma pan na myśli?

Bogdan przez moment milczał, a Edling starał się ocenić, co dzieje się w głowie szefa. W gruncie rzeczy był porządnym człowiekiem – jego obecność u Poli tego dowodziła. Ostatecznie ważniejsze było jednak co innego niż empatia i dobroć – strach przed aparatem państwowym.

– Borbach jest jedną z ofiar – powiedział w końcu.

– Na moje oko jeszcze żyje.

– Jeszcze – podkreślił Bogdan i pociągnąwszy łyk kawy, wyciągnął paczkę klubowych.

Słysząc odgłos zapałki przesuwającej się po drasce, Gocha odwróciła się, a Karbowski rzucił jej papierosy. Było w tym geście coś, co sprawiło, że Edling poczuł nadzieję na wyciągnięcie z szefa prawdy.

Nie wpuścił ich tu przecież bez powodu. Musiał uznać, że zaszli zbyt daleko, by dalej pozostawać w niewiedzy.

Należało podejść do tego rzeczowo, krok po kroku ustalając, co i dlaczego zachował dla siebie przełożony.

– Pola ma dowody na niewinność Witka? – spytał wprost Gerard.

– Ma.

Tak konkretnej odpowiedzi się nie spodziewał.

— Jakie?

— Dość mocne — odparł Bogdan i westchnął. — Może dowieść, że Borbach nie jest Iluzjonistą. I zna powód, dla którego trzej gracze z Mondrzyka nie żyją, a czwarty niedługo do nich dołączy.

— W takim razie…

Gerard urwał, kiedy szef uniósł rękę. Nie kontynuował, świadomy, że zaraz usłyszy całą prawdę. Rosa odwróciła się od okna i przysiadła na parapecie.

— Zostawicie tę sprawę w spokoju — odezwał się Karbowski.

— To polecenie służbowe?

— Nie, to stwierdzenie faktu. Kiedy tylko zrozumiecie, jak daleko sięga, nie będziecie dalej iść tą drogą.

A zatem rzeczywiście miał zamiar przedstawić im wszystko. I wychodził z założenia, że prawda nikogo nie wyzwoli, wprost przeciwnie — sprawi, że będą mieli związane ręce.

— W „Niedźwiedniku" Pola miała jednego stałego klienta — podjął ciężko Karbowski. — Człowieka wysoko postawionego, pochodzącego z rodziny, która ma dojścia nie tylko do aparatu, ale także KPZR.

Gocha zapaliła klubowego i odrzuciła paczkę prokuratorowi.

— Człowiek, o którym mówię, to zwyczajny psychopata. Nie potrafi panować ani nad swoimi emocjami, ani nad żądzami. Kiedyś zjawiał się w „Niedźwiedniku" kilka razy w tygodniu, potem zaczął obcować z Polą codziennie, nawet po kilka godzin. Dostał lepszą stawkę, ale wciąż musiał płacić za możliwość bycia z nią.

Karbowski strzepnął popiół i pokręcił głową, jakby nie mógł lub nie chciał przejść do sedna.

– Raz był gotów zabrać ją stamtąd i się żenić – kontynuował. – Innym razem groził, że ją zabije. Nieustanna huśtawka, rozumiecie?

Edling skinął głową.

– Nie potrafił zapanować nad uczuciami. Raz Polę kochał, raz jej nienawidził. To, co z nią robił, nie zasługuje na to, by mówić o tym głośno. Jednego dnia potrafił ją upodlić, drugiego wynosić na ołtarze.

Wahania nastrojów, brak opanowania, odpowiedzialności za własne czyny i z pewnością także zero wyrzutów sumienia. Klasyczna osobowość psychopatyczna i szaleniec najgorszego rodzaju.

Uczucie do dziewczyny było dla niego cierpieniem, ale dość nietypowym. Czerpał z niego masochistyczną przyjemność. Edling myślał o tym człowieku w kategoriach abstrakcyjnego bytu, ale w pewnym momencie uświadomił sobie, że rozumie go tak dobrze dlatego, że sam zasmakował podobnych emocji.

Wzdrygnął się, uprzytomniwszy sobie coś jeszcze.

Przełożony mówił o prawdziwym Iluzjoniście.

To właśnie ten człowiek przychodził do „Niedźwiednika". To on był tym, który jednocześnie kochał i nienawidził. Zarazem pluł na Polę i ją uwielbiał. Poniżał ją tylko po to, by zaraz wynieść ponad wszystkie inne kobiety.

Gerard spojrzał w oczy przełożonego.

– To dlatego ich zabił? – spytał. – Trzech spotykających się na Mondrzyka? Z zazdrości?

– Nie wiem, czy zazdrość to odpowiednie słowo. Nie wyczerpuje chyba tego, co czuł ten człowiek. Miał rację. Określenia dla tak wynaturzonych emocji powinny znajdować się w oddzielnym słowniku.

– Wmówił sobie, że Pola ich kocha – dodał Bogdan. – I że zdradza im wszystkie jego sekrety.

– Jakie sekrety? – włączyła się Gocha.

Karbowski wzruszył ramionami, jakby rzeczywiście chodziło jedynie o urojenia.

– To bez znaczenia – odparł. – Liczy się to, że użył tego argumentu, by rodzina mu pomogła. Nie tracili czasu na zwracanie się do Komitetu Wojewódzkiego czy nawet Centralnego, poszli od razu do swoich towarzyszy w KPZR, w końcu mogło chodzić o tajemnice wagi państwowej. A potem wystarczyło, że ktoś z radzieckiej wierchuszki wystosował prośbę do kogoś w naszym KC. Bratnia pomoc przyszła natychmiast.

O to z pewnością było nietrudno, jeśli miało się odpowiednie dojścia. A z tego, co mówił Karbowski, wynikało, że rodzina Iluzjonisty przynajmniej raz piła bruderszaft z kimś zza wschodniej granicy. Czasem wystarczyło właśnie tyle.

– Uwierzyli, że Pola najpierw wyciągnęła informacje z Iluzjonisty, a potem wypaplała coś swoim nowym czterem klientom – ciągnął Bogdan. – Choć i bez tego aparatczycy by pomogli. Wystarczyło jedno polecenie służbowe i...

– Tak, wiemy doskonale, jak to działa – przerwała mu Gocha. – Wszystko zatuszowali, a z Witka Borbacha zrobili kozła ofiarnego. W sumie to dość sprytne. Zamiast uciszać go i zakopywać w lesie, powieszą go w więzieniu.

– Zgadza się.

Łatwość, z jaką Karbowski wypowiadał te słowa, świadczyła dobitnie o tym, że dawno pogodził się z takim stanem rzeczy. Nie miał zamiaru ratować niewinnego człowieka, w jego oczach Witek rzeczywiście stał się jedną z ofiar. Bogdanowi zależało tylko na tym, by dziewczyna była bezpieczna.

– Sędzia wie? – spytał Edling.

Przełożony jedynie wzruszył ramionami.

– Ktoś w prokuraturze oprócz nas?

– Nie – odparł Bogdan. – Ale jeśli chcesz z tym pójść do kogokolwiek, pamiętaj, kto wydał polecenie. Przyszło z samej góry, Gerard. I jeśli zaczniesz grzebać, narobisz problemów nie tylko sobie, ale wszystkim w twoim otoczeniu.

Nie miał wątpliwości, że właśnie tak by się stało.

– Wszystko trafiło pod ścisły nadzór SB – dodał Karbowski. – Oprócz tego nad tym, żeby nie było żadnych potknięć, czuwa Komitet Wojewódzki.

– Ale Lisicka nie wie, w czym rzecz?

– Nie – zaznaczył Bogdan. – Zdaje sobie sprawę tylko z tego, że ktoś z Moskwy poprosił o pomoc.

Nie było potrzeby sięgania po eufemizmy, ale Gerard zachował tę uwagę dla siebie. Szef najwyraźniej potrzebował nieco wymijających wątków, by zachować jakie takie zdrowie umysłowe.

Na jeden wybieg Edling nie był jednak gotów mu pozwolić.

— Kim jest Iluzjonista? — spytał. — Kto przychodził do Poli?

Karbowski długo na niego patrzył.

— Nie wiem — powiedział. — Dziewczyna nie chce tego wyjawić.

— Pytał ją pan?

— A jak myślisz? Za każdym razem zamykała się w sobie i nie było z nią kontaktu przed dwa, trzy dni. Mimo to przychodziłem.

Zasadniczo należało się tego spodziewać. Nawet w odpowiednich warunkach, w trakcie przesłuchania w prokuraturze, z Poli zapewne nie udałoby się wiele wyciągnąć. Chcieli wszak poznać tożsamość człowieka, który nieomal ją zabił, oszpecił ją na resztę życia i wciąż stanowił całkiem realne zagrożenie.

— Musimy to ustalić, panie prokuratorze.

— Po co? — żachnął się Bogdan.

— Po co?! — powtórzyła z niedowierzaniem Gocha.

— Nie ma to żadnego znaczenia. Borbach i tak zawiśnie, a ten drugi pójdzie wolny. Tak wygląda prawdziwy świat. I nie mówcie mi, że zobaczyliście to dopiero teraz.

Tylko aparat komunistyczny potrafiłby chronić kogoś takiego, skwitował bezgłośnie Edling. Większość z zamieszanych w to ludzi nie miała oczywiście pojęcia, do czego przykładają rękę — ale właśnie dzięki temu władza działała tak sprawnie.

— Nie uratujesz Borbacha — dodał przełożony. — On jest już stracony.

Gerard pozwolił sobie na lekki uśmiech. Był zupełnie innego zdania.

Obecnie

Rynek, Opole

Głośne dźwięki synthwave'u były znajome, ale Edling nie mógł skojarzyć, czy ta ścieżka dźwiękowa już pojawiła się w którejś transmisji. Jego wątpliwości rozwiał stojący obok młody chłopak, który chcąc zaimponować swojej towarzyszce, rzucił, że to *Endless Summer* The Midnight. Muzyka przywodziła na myśl realizm magiczny i zdawała się adekwatna do tego, co planował występujący na scenie człowiek.

– To niemożliwe... – jęknęła Gocha, wpatrując się w jego twarz.

Edling nie wiedział, co powiedzieć. Mógłby jedynie potwierdzić.

– Przecież to Karbowski – dodała.

– Widzę. Odmłodzony o kilkadziesiąt lat.

Rosa potrząsnęła głową i spojrzała na Gerarda jak na wariata.

– I zmartwychwstały – zauważyła. – Gero, co tu się dzieje?

– Nie wiem.

– To jakiś kolejny trik?

Takie było logiczne założenie. Po Magiku powinni spodziewać się właściwie wszystkiego, a zatem także tego, że potrafi przywdziać czyjąś twarz.

– Operacja plastyczna? – kontynuowała Gocha.

– Być może.

– Ale po co?

Na to pytanie także nie miał odpowiedzi. W dodatku znajdowali się na tyle daleko, że trudno było przesądzić, czy mężczyzna nosi kolejną maskę, czy może faktycznie uderzające podobieństwo jest wynikiem chirurgii plastycznej.

– To absurd – odezwała się Rosa. – Dlaczego zadawałby sobie tyle trudu? Co chciałby przez to osiągnąć, oprócz wyprowadzenia nas z równowagi?

– Może właśnie o to chodziło. A może wcale nie zadał sobie tyle trudu, ile sądzimy.

– Hm? – mruknęła.

– Dobra charakteryzacja potrafi czynić cuda – odparł Edling, przypominając sobie wszystkie hollywoodzkie produkcje, w których odmładzano lub postarzano aktorów, a tym, którzy odeszli z tego świata, niejednokrotnie dokręcano sceny. – I może chodzi o konsekwencję.

– Jaką konsekwencję?

– Już raz przyjmował czyjąś twarz. Moją.

– Więc teraz narzucił na siebie Karbowskiego?

Edling przez chwilę obserwował człowieka, który stał na środku sceny z uniesionymi rękoma, wskazując ratusz.

– Wybrał dwóch prokuratorów, którzy prowadzili postępowanie w osiemdziesiątym ósmym – podjął. – Próbuje nas napiętnować.

– W jakim celu?

Nawet gdyby potrafił udzielić odpowiedzi, nie zdążyłby tego zrobić. Magik opuścił ręce, muzyka nieco ucichła.

– Przenikanie przez ściany to skomplikowana sztuka, ale zapewniam was, że możliwa – odezwał się. – Jeśli mi nie wierzycie, za moment sprawię, że zmienicie zdanie.

Będę potrzebował tylko dwóch rzeczy: nieco skupienia i pełnej uwagi. Jesteście gotowi?

Cichy pomruk przeszedł wśród zgromadzonych. Nikt nie informował policji, nie było ku temu powodów. Nawet maska, którą ściągnął Magik, różniła się od tej z transmisji. Skojarzenie ze „Spektaklem krwi" byłoby zupełnie nieuzasadnione – równie dobrze można by przyrównać do niego jakikolwiek inny występ iluzjonistyczny.

Poza tym każdy był przekonany, że skoro przedstawienie odbywa się w samym sercu miasta, jest bezpieczne.

Edling miał wątpliwości. Na tyle duże, że w końcu zdecydował się powiadomić Domańskiego – i tylko jego. Wyciągnął telefon, wybrał numer, ale odpowiedziała mu automatyczna informacja o tym, że abonent jest czasowo niedostępny. Spróbował skontaktować się z Siarkowską, licząc na to, że przekaże komórkę Konradowi – skutek był jednak identyczny. Sytuacja powtórzyła się, gdy zadzwonił do kilku innych osób z prokuratury.

– Co się dzieje? – spytała Gocha.

– W „Niedźwiedniku" musi być jakieś urządzenie zakłócające fale GSM. Nie mogę się z nikim skontaktować.

– Spróbuj po prostu wezwać policję, Gero.

– Nie – odparł stanowczo. – Domańskiego mogę ściągnąć. Zaufa mi i postąpi tak, jak go o to proszę. Ale nikt inny tego nie zrobi, zapewniam cię.

Tłum gęstniał. Potencjalnych ofiar robiło się coraz więcej.

Nagle światła wokół miejsca przeznaczonego dla publiczności zgasły i na rynku zapadła chwilowa ciemność. Kilka osób pisnęło, dało się czuć pewien niepokój.

Wszyscy jednak dość szybko odetchnęli, kiedy rozświetlony został niewielki podest, dostawiony do ściany ratusza.

Magik ruszył w jego stronę, a światło jednego z jupiterów podążało za nim. Wszedł po metalowych schodkach na podest i położył dłoń na ścianie budynku. Zamknął oczy i przez chwilę przesuwał ręką po chropowatej powierzchni.

Ostatecznie obrócił się do publiczności i pokiwał głową.

– Solidna konstrukcja – powiedział. – Ale poradzimy sobie z tym.

Dźwięki muzyki znów stały się głośniejsze.

– Będzie wymagało to trochę magii, ale zapewniam was, że bez trudu przeniknę nie tylko przez tę ścianę, ale także przez wszystkie inne. I pojawię się po drugiej stronie ratusza.

Obrócił się w bok i wskazał telebim, który niby znikąd pojawił się na scenie. Obraz na nim pokazywał część rynku po przeciwnej stronie ratusza.

– Tutaj będziecie mogli obserwować, jak wyłaniam się z solidnej ściany po drugiej stronie. Kto nie wierzy, może tam pójść, będzie widział finał tego zdarzenia.

Nikt się nie ruszył.

– Zachęcam jednak tych, którzy są we dwoje, żeby się podzielili. Dzięki temu będziecie widzieli, że nie doszło do żadnego oszustwa.

Edling próbował zrozumieć, co konkretnie ten człowiek zamierza zrobić, ale na tym etapie wydawało się to po prostu kolejną sztuczką. W istocie jednak musiało być czymś więcej.

– Ach, zaraz... – rzucił Magik. – Możecie przecież podejrzewać, że z drugiej strony nagle cudownie pojawi się mój klon, brat bliźniak lub sobowtór. Zapewniam, że tak się nie stanie. Ale żebyście mieli pewność, poproszę kogoś z was o fant, który przeniosę ze sobą.

Światła na moment znów się rozjarzyły.

– Co mogę zabrać? Wybierzcie sami.

Ktoś podniósł papierosy, kilka innych osób uznało, że to dobry pomysł. Jeden z mężczyzn wszedł na scenę i podał mu paczkę.

– Skorzystam z twojej obecności – powiedział do widza Magik. – Proszę, dotknij ściany i sprawdź, czy jest solidna.

Mężczyzna zrobił, o co go proszono.

– A teraz utrudnijmy jeszcze sprawę i policzmy, ile jest tych papierosów. Nie chcielibyśmy przecież, żeby coś z paczki zginęło.

Widz naliczył trzynaście elemów, a potem oddał Magikowi kartonik. Ten schował go do kieszeni i zajął miejsce na podeście. Ustawił się przodem do ściany i głęboko nabrał tchu.

– Zaczynamy – powiedział. – Trzymajcie kciuki, żebym nie zgubił się po drodze. Jest tam trochę korytarzy i przynajmniej kilkadziesiąt ścian do przejścia.

Muzyka nieco przyspieszyła, światła na widowni znów zgasły. Jedynym oświetleniem były lampy wymierzone w Magika. Kiedy ten w końcu skinął głową, podest został zasłonięty płachtą ze wszystkich stron, ale dzięki światłu z tyłu widać było wyraźnie cień mężczyzny.

Ten zrobił krok w kierunku ściany, położył na niej dłoń, a potem zbliżył się jeszcze bardziej. Widzowie obserwowali, jak stopniowo wnika w budynek.

W końcu zniknął.

Wśród zebranych rozszedł się rozentuzjazmowany szmer. Dźwięki synthwave'u przyspieszyły jeszcze bardziej, a asystenci ruszyli z podestem na drugą stronę. Wszyscy wlepiali wzrok w telebim, nerwowo wyczekując. Pomocnicy ustawili schodki w wyznaczonym miejscu, zakryli podest jak poprzednio, a potem odsunęli się o krok, jakby miało tuż przed nimi dojść do eksplozji.

Oboje nosili białe maski przypominające androidy. Jedną z tych osób mogła być dziewczyna Emila, ale Gerard nie miał czasu się nad tym zastanowić, skupiając się na magicznej sztuczce.

Podświetlone od tyłu płachty jasno uwidoczniały, że na podeście nikogo nie ma.

Mimo to po chwili postać zaczęła wynurzać się ze ściany. Cień był doskonale dostrzegalny. Zdawało się, że siłuje się z czymś, próbując wyskoczyć z solidnego muru. W końcu zawahał się, spróbował jeszcze raz, a potem na moment zrezygnował. Magik trwał w bezruchu, jakby się zastanawiał.

– Przepraszam – odezwał się. – Chyba nie jestem w stanie się wydostać.

Fala cichych uwag znów przetoczyła się pośród zebranych. Naraz stała się głośniejsza, gdy ktoś dostrzegł, że mężczyzna trzyma w dłoni paczkę papierosów. Upuścił ją, jakby to ona sprawiała, że ma problemy.

– Niestety nie dam rady – odezwał się. – Muszę wracać.

Mimo to próbował jeszcze przez moment wyjść na podest. W końcu machnął ręką i powoli zaczął ponownie wnikać w ścianę.

Kiedy jego cień zniknął, światła znów zgasły.

Zaraz potem wszystkie jednak się zapaliły, wymierzone prosto w wieżę zegarową ratusza. Zebrani zobaczyli stojącego pięćdziesiąt metrów nad nimi Magika z rozłożonymi rękami. Patrzył na wszystkich z góry, uśmiechając się szeroko.

Muzyka przywodziła teraz na myśl podnoszące na duchu blockbustery.

– Zgubiłem się po drodze – powiedział. – I uznałem, że zobaczę, jak świat wygląda z góry. A teraz sprawdźmy, co z tymi papierosami.

Wskazał telebim, a potem założył maskę przypominającą oblicze robota. Stojący na dole asystent podniósł paczkę elemów i pokazał ją prosto do kamery. Przeliczył papierosy, wyszło dwanaście.

Trzynastego Magik trzymał w ręce. Obrócił go między palcami, przyjrzał mu się i uśmiechnął.

– Zapalę za moment – odezwał się. – Musimy poczekać na kilka osób, które niedługo do nas dołączą.

Usiadł na gzymsie, zwiesił nogi i zaczął przyglądać się rozgwieżdżonemu niebu. Publiczność jakby wyrwała się z transu. Wszyscy zaczęli wymieniać się uwagami, a spekulacjom na temat tego, jak udało się wykonać trik, nie było końca.

Gocha szturchnęła lekko Edlinga i odciągnęła go na bok. Stanęli przy jednej z odrestaurowanych kamieniczek, które sprawiały, że opolski rynek odzyskał dawny blask. Nie mieli wiele miejsca dla siebie, tłum był coraz większy.

– Jak? – zapytała Rosa.

Gerard powiódł wzrokiem po wysokiej wieży ratusza.

– Wiesz? – dodała Gocha. – Wiesz, jak to zrobił?

– Tak.

– To nie zachowuj tego dla siebie.

Skinął głową, starając się skupić na słowach Gośki, a nie na swoich myślach. Powoli się w nich zatracał, zastanawiając się wyłącznie nad tym, do czego to wszystko miało prowadzić i co oznaczało.

Nie było sensu gdybać. To, co wydarzyło się do tej pory, stanowiło tylko preludium mające zbić wszystkich z tropu. To, co istotne, dopiero się wydarzy.

Magik nie bez powodu wspomniał o tym, że jeszcze na kogoś czeka. I Gerard doskonale wiedział, o kim mowa. Domański i reszta mieli się tu pojawić, ale dopiero we właściwym, wybranym przez zabójcę momencie.

Tak to zaplanował.

– Gero?

Edling obrócił się do Gochy i zobaczył w jej oczach realną dezorientację. Nic dziwnego. Człowiek wchodzący przez ścianę do budynku, potem wyłaniający się z drugiej strony, a ostatecznie pojawiający się znikąd na dachu. To musiało robić wrażenie.

– To prosty trik – odezwał się Gerard.

– Zawsze to mówisz.

– Bo w gruncie rzeczy żadna iluzja nie jest przesadnie skomplikowana – odparł, opierając się plecami o budynek. – Wymaga jedynie odpowiedniego przygotowania technologicznego, wielokrotnego powtarzania tych samych ruchów i umiejętnego pokierowania uwagą widzów.

– Do rzeczy.

Edling zawiesił wzrok na Magiku. Zdawało mu się, że performer patrzy wprost na niego. I zapewne doskonale zdaje sobie sprawę, że na dole odbywają się wyłącznie rozmowy na temat tego, co zrobił.

– Widziałaś, jak David Copperfield przeszedł przez Wielki Mur Chiński?

– Nie.

– To tłumaczy, dlaczego dziwi cię sztuczka tego człowieka – odparł, skinąwszy głową na mężczyznę na wieży. – To była właściwie powtórka iluzji Copperfielda.

– Czyli? Jak się przeniósł?

Edling wskazał podest widoczny na telebimie i niewielkie dostawiane schodki. Asystenci właśnie ściągali zasłony, za którymi znajdowała się jedynie pusta przestrzeń.

– Oczywiste jest, że nie przeniknął przez żadną ścianę.

– Tak, Gero, domyślam się tego. Mimo to wyglądało, jakby to zrobił.

– Gra świateł – odparł Edling i wskazał na stojące za podestem reflektory. – Są ustawiane tak, by rzucać cień na jedną trzecią kabiny, w której stała postać. I mówię celowo o postaci, bo nie był to Magik, tylko jego asystent. Nasz iluzjonista w tym czasie schował się już w skrytce w schodkach. Po to w ogóle zostały dostawione.

Gocha skinęła lekko głową.

– Wcześniej zrobił to jeden z asystentów. Jeszcze przed tym, jak Magik wszedł w ścianę... to znaczy rzekomo wszedł, bo tu znów zaważyła gra świateł, dzięki której wydawało się, że cień wnika w budynek. Następnie przeniesiono schodki, podczas gdy my skupialiśmy się już na tym, co po drugiej stronie. Przypuszczam, że w połowie drogi wypuszczono Magika. – Gerard nabrał tchu i zerknął kontrolnie na zabójcę. Wciąż sprawiał wrażenie beztroskiego. – Asystent wyszedł ze skrytki dopiero po drugiej stronie i ustawił się w cieniu. Potem wyszedł z niego częściowo, żeby pokazać, że ma trudności z przepchnięciem się przez mur.

– A Magik?

– Był już na górze albo w drodze na górę i oczywiście wcześniej zabrał papierosa. Albo wjechał windą, albo skorzystał z jakiejś konstrukcji, która go wciągnęła. Ci ludzie zawczasu przygotowują i sprawdzają takie rzeczy, o żadnym potknięciu nie może być mowy.

Rosa przez moment się namyślała.

– I tak zrobił to Copperfield?

– Tak, najpierw użył gry cieni, a kiedy wszyscy skupiali się na tym, czy przejdzie, asystenci przenieśli schodki. Klucz to umiejętne ustawienie, dobry asystent i powtórki do upadłego. Przestrzeni w takich skrytkach jest niewiele, ale wystarczająco, by dwoje wytrenowanych ludzi w nich znikło.

Gocha zadarła głowę i przez chwilę się nie poruszała.

– W gruncie rzeczy to proste – odezwała się.

– Mówiłem.

– Ale ten człowiek ma czterech asystentów. Wiedzieliśmy tylko o dwójce.

– Przypuszczam, że pozostali to tylko najęci ludzie do przenoszenia sprzętu. Tak czy owak, sprawdzimy ich, jak wszystko się skończy.

– A kiedy się skończy? – spytała z niepokojem Rosa. – I w jaki sposób, Gero?

Edling chciał odpowiedzieć, ale przez rozgardiasz na rynku przebił się dźwięk, który dobrze kojarzył. Natychmiast sięgnął po blackberry, sądząc, że być może Emil próbuje się z nim skontaktować.

– Gerard Edling, słucham? – rzucił machinalnie, nie patrząc nawet na wyświetlacz.

– Gdzie ty, kurwa, jesteś?

Widząc wyraz twarzy towarzysza, Gocha bezgłośnie zapytała, czy dzwoni Domański. Gerard potwierdził zdawkowym skinieniem głowy.

– Na rynku.

– Mam nadzieję, że nie masz z tym nic wspólnego.

– Jestem wśród widzów.

– Domyślam się, że nie wśród iluzjonistów, do chuja jasnego – odparł przez zęby prokurator. – Wytłumaczysz mi, dlaczego tam jesteś? I z jakiego powodu mnie tam nie ma?

– Sprawdzałeś inny trop.

– Mylny. O czym najwyraźniej wiedziałeś.

Edling uznał, że im mniej powie przez telefon, a im więcej twarzą w twarz, tym lepiej dla niego.

– Kiedy będziecie?

– Niedługo – rzucił ostro Konrad. – Ale najpierw chcę wiedzieć, co tam się dzieje.

Gerard przypatrzył się Magikowi. Ten akurat się podniósł, przeciągnął, a potem rozruszał kark.

– On na was czeka – powiedział.

– Na nas? Dlaczego?

– Nie wiem – odparł niepewnie Edling. – I właśnie to mnie niepokoi. Wszystko wskazuje na to, że przygotował dla nas wszystkich ostatnie przedstawienie.

Niegdyś
Komitet Wojewódzki PZPR, ul. Ozimska

Pierwsza sekretarz zgodziła się przyjąć Gerarda z pewnością tylko dlatego, że spodziewała się kłopotów. On jednak zjawił się w gmachu zwanym białym domem bynajmniej nie po to, by je sprawiać. Wiedział, że na wojnę z partią nie opłaca się iść.

Mimo zapewnień sekretarki, że Krystyna Lisicka niebawem go przyjmie, siedział na korytarzu już niemal godzinę. Przypuszczał, że kobieta czeka na obstawę, nie chcąc rozmawiać z Edlingiem sama. Skoro w grę wchodzili wysoko postawieni towarzysze bratniego narodu, ona także musiała odpowiednio się zabezpieczyć.

Po kolejnym kwadransie Gerard przekonał się, że słusznie ocenił sytuację. W gmachu zjawili się Wojciech Stala i drugi, starszy esbek, którego Edling pamiętał ze spotkania przy Mondrzyka.

Wtedy założył, że to Stala jest niebezpieczniejszy. Był młody, ale mógł pochwalić się wysokim stopniem. Jego kompan zdawał się bierny, wycofany. Być może to w nim jednak należało upatrywać realnego problemu.

Przywitali się z Edlingiem, a potem bez zaproszenia weszli do gabinetu Lisickiej. W pierwszej chwili podniosła wzrok znad biurka z pretensją, jej twarz szybko jednak złagodniała.

Zasiedli przy niewielkim stoliku przy oknie. Krzesła były tylko trzy, więc starszy oficer stanął obok z rękoma założonymi za plecami.

– Dziękuję, że zgodziła się pani na spotkanie – zaczął Gerard, a potem zerknął na esbeków. – Ale ta obstawa nie jest konieczna.

– Nigdy nie wiadomo – rzucił Stala.

Edling posłał mu krótki, poprawny uśmiech. Drugi z oficerów trwał w bezruchu, wyprostowany jak struna.

– Kiszczak spotyka się z Wałęsą, to ja mogę z wami – odezwała się lekkim tonem Krystyna, chcąc rozładować napięcie.

– Nic nie wiedziałem.

– To jeszcze nieoficjalne. Będą rozmawiać o przyszłości związków zawodowych.

– Zalegalizują Solidarność?

Lisicka zaśmiała się w głos, a potem zapewniła, że Kiszczak rozjedzie Wałęsę jak walec, realizując tylko to, co sam wcześniej sobie zamierzył. Edling nie był jednak przekonany. Jeśli władza była gotowa spotykać się z opozycją po raz pierwszy od stanu wojennego, coś musiało być na rzeczy. Ktoś w kierownictwie PZPR musiał poczuć niepokój.

– Ale nie przyszliście omawiać takich spraw, prawda?

– Prawda – przyznał Edling i sprawdził, czy węzeł krawata się nie poluzował. – Choć to, z czym przychodzę, ma też związek z planami partii.

– To znaczy? – włączył się Stala i skrzyżował dłonie na piersi.

Zanim Gerard zdążył wyjaśnić, Lisicka ostrzegawczo uniosła dłoń.

– Uważajcie tylko – poradziła. – I pamiętajcie, że nie jesteśmy jak Kiszczak i Wałęsa. Tutaj gramy po jednej stronie.

– Zdaję sobie z tego sprawę. I dlatego zakładam, że wszyscy w tym pokoju wiedzą, iż Witold Borbach nie jest winny zarzucanych mu czynów.

Zaległa chwilowa cisza. Dało się słyszeć pojedyncze samochody przejeżdżające Ozimską w kierunku Malinki.

– Dwóch zawodowych sędziów i trzech ławników uznało inaczej – odparła Krystyna.

– Tak, wiem.

– Sąd Najwyższy przychylił się do ich zdania.

– To także wiem – odparł Edling.

Śledził przebieg rewizji i był pod wrażeniem tego, jak Harry McVay podszedł do sprawy. Podniósł właściwie wszystkie argumenty, starając się już doprowadzić nie tyle do uniewinnienia, ile do zamiany kary śmierci na dwadzieścia pięć lat pozbawienia wolności. Był to dobry ruch, ale sprawa była ukartowana. Nawet najlepsza argumentacja nie mogła zmienić rezultatu.

Witkowi pozostał już tylko jeden ratunek. Rada Państwa. To właśnie kolektywny organ egzekutywy miał ostatnie zdanie i mógł sprawić, że skazaniec jednak nie zawiśnie.

– Nie mam wątpliwości, że Rada Państwa nie skorzysta z prawa łaski – podjął Gerard. – I nie mam zamiaru przekonywać pani, że powinna.

– Słusznie.

– To niewykonalne, skoro polecenie przyszło prosto z KPZR.

– Niewykonalne jest to z innego względu – odparowała Lisicka. – Ten człowiek jest winny.

– Nie – odparł spokojnie Edling. – Nie jest. I wszyscy tutaj o tym wiemy.

Znów chwilowe milczenie. Tyle wystarczyło, by Gerard utwierdził się w przekonaniu, że nie tylko partia, ale także esbecja jest na bieżąco.

– Nikt nie postąpi wbrew towarzyszom z Moskwy, to dla mnie jasne – kontynuował Edling. – Ale jest szansa, byśmy uratowali niewinnego człowieka. I upatruję jej właśnie w planach partyjnych.

– To znaczy? – powtórzył Wojciech Stala. – Rozwiniesz w końcu?

Starszy z oficerów się poruszył. Wyciągnął z kieszeni paczkę czerwono-białych carmenów, a potem poczęstował młodszego kolegę i pierwszą sekretarz. Moment później palili wszyscy oprócz Gerarda.

– Wiem, że w Komitecie Centralnym mówi się o wprowadzeniu moratorium na karę śmierci – podjął Edling.

Czekał na reakcję esbeków lub pierwszej sekretarz, ale na próżno. Skupił wzrok na Lisickiej, wychodząc z założenia, że to ona wie więcej.

– Skoro takie wieści dotarły do prokuratury, to do pani z pewnością także – dodał.

– Możliwe.

– Wiem też, że to kwestia miesięcy.

Krystyna zaciągnęła się głęboko, nie mając zamiaru się odzywać.

– Gdyby udało nam się przeciągnąć wydanie decyzji przez Radę Państwa, moratorium weszłoby w życie i kara nigdy nie zostałaby wykonana.

Właściwie nie musieli nawet specjalnie przeciągać. Rozstrzygnięcie w przedmiocie prawa łaski zazwyczaj trwało dość długo – na tyle, że po odmownej uchwale Rady Państwa wyrok wykonywano już niezwłocznie.

– To nie wymaga wiele wysiłku z niczyjej strony – dorzucił Edling. – Sedno tkwi w tym, by się nie spieszyć. I działać tak, jak zazwyczaj.

– Zakładacie, że moratorium faktycznie przejdzie.

– Tak.

– A to nie takie pewne. W tej chwili nikt nie jest gotowy nowelizować prawa.

– Wiem – przyznał Edling. – Ale rzekomo można to zrobić w inny, nieformalny sposób.

O tym także musiała słyszeć. Wśród większości osób parających się prawem karnym temat był żywy – władza chciała skończyć z karą śmierci, ale nie była gotowa dokonać tego we właściwy, urzędowy sposób.

– Dość otwarcie mówi się o tym, że sądy wciąż będą orzekać wyroki śmierci, Rada Państwa nie będzie jednak rozpatrywać wniosków o zastosowanie prawa łaski – dodał Gerard. – Dzięki temu każde postępowanie zostanie zablokowane. Żaden wyrok nie zostanie wykonany.

Lisicka spojrzała na końcówkę papierosa, a potem zgasiła go w popielniczce z grubego szkła. Stala dopalił do końca.

– Możliwe, że tak będzie – przyznała. – Ale zanim to się stanie, wniosek tego brytyjskiego adwokata o ułaskawienie zostanie rozpatrzony.

– Pani sekretarz...
– Nie macie tu nic do gadania.
– Zdaję sobie z tego sprawę, ale...
– Ale Borbach musi ponieść konsekwencje.

Gerard zrobił wszystko, by opanować emocje i nie odpowiedzieć zbyt ostro.

– Za czyjeś czyny? – spytał. – Naprawdę jest pani gotowa z tym żyć?

– Podobnie jak wy, nie mam nic do gadania. Nasi towarzysze również – dodała, patrząc na esbeków.

Był to niezbyt zawoalowany sposób na zwrócenie uwagi, że za wszystko, co padnie podczas tej rozmowy, uczestnicy mogą ponieść srogie konsekwencje.

– Klamka już zapadła, rozumiecie? – spytała Krystyna.
– Wystarczy tylko dotrwać do...
– Najwyraźniej nie rozumiecie – ucięła, kręcąc głową.

Podniosła się, a potem podeszła do okna. Przez moment wyglądała na znajdujący się po drugiej stronie ulicy plac

Lenina i iglicę wzniesioną w hołdzie Polskiej Partii Robotniczej. Kiedyś na tym terenie znajdowało się targowisko, ostatecznie jednak przeniesiono je na plac Armii Czerwonej, uznając, że okna siedziby Komitetu Wojewódzkiego powinny wychodzić na miejsce prezentujące się godnie.

– Ten człowiek zostanie stracony – odezwała się w końcu. – Żadne prawnicze ani ustawowe wybiegi tego nie zmienią. A wy albo się z tym pogodzicie, albo dołączycie do Borbacha.

Odwróciła się i wbiła wzrok w oczy Gerarda.

– Teraz rozumiecie?

Starszy z esbeków skrzyżował ręce z przodu, Stala przyjrzał się bacznie Edlingowi. Naraz Gerard poczuł się, jakby to on był oskarżonym w jakimś procesie.

– Witek nie musi zginąć…

– Musi – odezwał się wreszcie Stala.

– Dlaczego?

Odpowiedź na pytanie była tak oczywista, że właściwie nie było sensu go zadawać. Borbach stanowił dla tych ludzi niebezpieczeństwo. Siedząc w więzieniu, prędzej czy później zacząłby myśleć o tym, że przecież muszą istnieć dowody na jego niewinność. Być może razem ze swoim prawnikiem dotarłby do czegoś, co zagroziłoby całemu układowi.

A ci ludzie po prostu nie mogli sobie na to pozwolić. Czym był dla władzy jeden niewiele znaczący człowiek?

– Sami dobrze wiecie dlaczego – rzuciła Krystyna. – I twierdziliście, że przyszliście tu z dwiema sprawami.

– Druga wiązała się z pierwszą.

Lisicka zmarszczyła czoło, zupełnie jakby za moment miała zamiar poprosić esbeków, by wywalili Gerarda na zbity pysk.

– Iluzjonista wciąż jest na wolności – powiedział Edling. – I jestem przekonany, że znów zaatakuje.

– Wątpię – odparła Krystyna. – Ta wysoko postawiona osoba, która go chroni, da mu do zrozumienia, że koniec z tym. Nie będzie miał wyjścia.

Gerard niemal się wzdrygnął, słysząc tak lekki ton. Przypominało to rozmowę o tym, że handlarze na Armii Czerwonej powinni przestać obracać kontrabandą.

Ale może nie było czemu się dziwić, dla takich ludzi była to bowiem norma. Kilka lat temu funkcjonariusze MSW uprowadzili, a potem zamordowali księdza Popiełuszkę. Podczas samego stanu wojennego zabito kilkadziesiąt osób. Bezwzględnie represjonowano kilka tysięcy. Witek Borbach był jedynie kroplą w morzu.

– Ten człowiek jest już na smyczy – dodała pierwsza sekretarz. – Aparat zadba o to, by się z niej nie zerwał.

– Mówi pani tak tylko dlatego, że go nie zna.

– A wy znacie?

– Tak – przyznał spokojnie Gerard. – Wiem, do czego jest zdolny. Wiem, jak niewiele mu trzeba. I przede wszystkim wiem, że nie pozwoli nikomu sprawować nad sobą kontroli.

Stala skrzywił się, jakby chciał zaoponować. Gerard rzucił mu krótkie spojrzenie.

– Domyślam się, co chcesz powiedzieć – odezwał się. – Że Służba Bezpieczeństwa ujarzmi każdego, tak?

– Tak.

– Nie w tym wypadku – uparł się Edling. – Iluzjonista znów zabije, bo wciąż potrzebuje tego, co go napędza.

– Czyli twoim zdaniem czego?

– Poczucia, że jest bogiem. Panem życia i śmierci – wyjaśnił Gerard, odsuwając popielniczkę na drugą stronę stołu. – Musi ponownie poczuć, jak to jest. Musi znowu oddać się tej ekstazie. Nie mam wątpliwości, że szuka teraz czegoś zastępczego, być może stara się spełnić seksualnie, ale bez skutku. To wszystko sprawi, że w końcu wróci do jedynej rzeczy, która daje mu spełnienie.

Gerard powiódł wzrokiem po zebranych, ale wszyscy milczeli.

– Trzeba go złapać, inaczej zabije znów – dodał.

– Wszystko jest pod kontrolą – zapewnił Stala.

– Doprawdy? W takim razie znacie jego tożsamość? Wiecie, gdzie jest?

Esbecy wymienili się spojrzeniami, wyraźnie niezadowoleni z kierunku, w którym poszła rozmowa.

– Nie – przyznał młodszy z nich. – Ale trzymamy rękę na pulsie.

– Tak wam się tylko wydaje.

– Mieliśmy już do czynienia z seryjniakami, nie masz się czym przejmować.

Edling wstał z miejsca, sprawiając, że obaj oficerowie natychmiast się spięli. Popatrzył na jednego i drugiego, a potem skupił się wyłącznie na starszym.

– Daliście temu człowiekowi coś, co jest najgroźniejsze dla rodzącej się bestii.

– Co takiego? – spytał Stala.

– Poczucie bezkarności.

Drugi z mężczyzn nadal nie miał zamiaru wydać z siebie nawet mruknięcia.

– Dzięki temu Iluzjonista czuje się niezniszczalny – ciągnął Gerard. – I będzie chciał udowodnić to, mordując kolejną osobę. Zapewniam jednak, że tym razem zrobi to tak, by nikt nie mógł powiązać zabójstwa z nim. To dla niego kluczowe. Będzie mógł działać dalej, pozostając całkowicie bezkarny.

Edling wbijał nieruchomy wzrok w starszego esbeka.

– To niemożliwe – odezwał się w końcu milczek.

Miał niski, basowy głos. Ledwo otworzył usta, mimo to dźwięk był wyraźny i dobrze słyszalny. Tembr należał do tych, które sprawiały, że żaden z rozmówców nie miał zamiaru się odzywać, dopóki on nie skończy zdania.

– Dlaczego nie? – spytał Gerard. – Bo jesteście tak genialni, że go przejrzycie? Czy że on jest taką fajtłapą, że da się złapać?

– Każdy popełnia błędy.

– Nie on.

– Mylicie się.

– Nie – uparł się Edling. – Dotychczas nie potknął się ani razu. Wprost przeciwnie, załatwił wszystko tak, że jest na wolności, może zabijać, a wy wsadziliście i stracicie zupełnie niewinnego człowieka. Chyba jasne, kto tu jest górą.

Ten z basowym głosem pokręcił głową, Stala powoli podniósł się z krzesła.

– Brzmisz, jakbyś rzeczywiście dobrze się z nim rozumiał – odezwał się. – Może nawet podejrzanie dobrze.

– Nie ma w tym nic podejrzanego. Jesteśmy po prostu w pewien sposób złączeni.

Krystyna zaśmiała się pod nosem i przeniosła się za biurko. Spojrzała znacząco na zegarek, a potem na drzwi.

– Mam na myśli to, że łączy nas swego rodzaju rywalizacja – dodał Gerard. – On prowadzi ze mną pewną rozgrywkę. Postrzega mnie jako rywala, z którym jeszcze nie skończył. Nie pokazał wyższości nade mną, nie udowodnił jej. W tej chwili czuje, że ma ze mną niewyrównane rachunki. I jestem przekonany, że po następnym zabójstwie znajdzie sposób, bym zrozumiał, że to właśnie on je popełnił. Poinformuję was wtedy, ale będzie już po fakcie.

– Zakładacie, że w ogóle wam uwierzymy – odparowała Lisicka. – A z tego, co widzę, jesteście gotowi zrobić wszystko, żeby udowodnić swoją tezę. Także skłamać.

Gerard chciał odpowiedzieć, ale powstrzymała go ruchem ręki i stanowczym spojrzeniem.

– Słuchajcie, asesorze... – dorzuciła. – Mam jeszcze trochę spraw do załatwienia, więc może byście wrócili do swoich zadań?

Ot tak, koniec wszelkich dyskusji? Cóż, tego także należało się spodziewać. Edling skinął głową i cofnął się o krok.

– W porządku – powiedział. – Ale proszę mieć na względzie, że ostrzegałem.

Kiedy wyszedł z siedziby Komitetu Wojewódzkiego, głośno odetchnął. Balansował na granicy, igrając z PZPR, ale musiał spróbować zrobić wszystko, by pomóc Borbachowi.

Odwrócił się i powiódł wzrokiem po gmachu. Zjawił się tutaj z przekonaniem, że niczego nowego się nie dowie. Tymczasem opuścił budynek z kilkoma odpowiedziami, których znaleźć się nie spodziewał.

Odpowiedziami, które zbliżyły go do ujęcia Iluzjonisty.

Obecnie

Rynek, Opole

Dopiero po tym, jak na miejscu zjawił się Domański ze świtą, Magik na powrót się uaktywnił. Poprawił mikrofon znajdujący się gdzieś pod maską, a potem zamachał do tłumu. Entuzjazm, który mu odpowiedział, był stanowczo za duży, by Edling czuł się komfortowo.

– W końcu dołączyli do nas przyjaciele z policji i prokuratury – oznajmił showman. – Bardzo się cieszę, bo to ostatnie przedstawienie jest dla nich. Zakładam, że będą chcieli otoczyć ratusz, i nie mam nic przeciwko temu. Jedyne, o co proszę, to to, żeby nie przeszkadzali mi w występie.

Konrad stanął obok Edlinga, a ten kątem oka dostrzegł funkcjonariuszy próbujących przebić się przez ciżbę widzów.

– Zwracam się teraz bezpośrednio do prokuratora okręgowego – dodał Magik. – Jeśli przeszkodzi mi pan w jakikolwiek sposób, nie obędzie się bez tragedii. Zna mnie pan i wie, że nie rzucam słów na wiatr.

Zaraz potem machnął ręką, jakby chciał zbyć jakiś błahy temat.

Domański złapał Gerarda za ramię.
– Co on planuje? – syknął.
– Trudno powiedzieć. Ale potraktowałbym tę groźbę poważnie, panie prokuratorze. Wszystko, co zrobił do tej pory...
– Wiem doskonale, co ma w CV – uciął Konrad. – I jeszcze lepiej wiem, że to kompletny psychol.
– Gotowy zabić wszystkich tutaj – dodała Gocha.
Domański zaklął cicho i się rozejrzał. Potem znów skupił całą uwagę na Gerardzie.
– Co proponujesz? – rzucił. – Przecież nie odwołam ludzi.
– Proszę ich trzymać w pewnej odległości, ale niech otoczą szczelnie ratusz.
– To jest oczywiste. Co jeszcze?
– Tylko tyle mogę doradzić.
Konrad przewrócił oczami.
– Wszystko inne będzie horoskopem – usprawiedliwił się Gerard i zorientował się, że rozmówca nie załapał. – Poradą na tyle ogólną, że właściwie pasującą do wszystkiego.
Dalszą rozmowę ucięły dźwięki muzyki, którą tym razem Edling doskonale rozpoznawał. Introdukcja była tak charakterystyczna, że trudno było pomylić ją z czymkolwiek innym. Ludowy litewski sznyt muzyczny połączony z pewną chorobliwością, może nawet lekkim, dopiero rodzącym się szaleństwem.
– Igor Fiodorowicz Strawinski – odezwał się Gerard.
– Hę? – mruknął Domański.

– *Święto wiosny* – wyjaśnił Edling. – To właśnie sączy się z głośników.

– I co to, kurwa, ma znaczyć?

Magik trwał w bezruchu, co zupełnie nie współgrało z coraz szybszym tempem i ostrzejszymi, bardziej bezkompromisowymi dźwiękami.

– To dość znaczący i przełomowy utwór – odparł Gerard. – Podczas premiery doszło nawet do zamieszek, bo zebrani byli zbulwersowani tym, co Strawinski wyczynia. Niektórzy datę tego zdarzenia traktują jako początek nowej ery w muzyce.

Złowrogie, przeciągłe dźwięki sprawiły, że kilka osób stojących obok się wzdrygnęło.

Magik tymczasem uniósł dłoń z papierosem, obrócił go jeszcze raz między palcami, a następnie przez otwór w masce wsadził do ust. Zapalił, ale zaciągnął się tylko raz. Potem rzucił go na dół.

Żarzący się papieros spadł prosto na scenę, a ta natychmiast zajęła się ogniem. Ludzie stojący najbliżej odsunęli się w popłochu, policjanci ruszyli przed siebie. Wszystko zdawało się rozgrywać jak w libretcie napisanym przez Strawinskiego i Mikołaja Roericha.

– Nie ma powodu do obaw – rzucił Magik.

Kiedy zebrani podnieśli wzrok, zobaczyli, że tuż obok niego stoi asystent w białej masce. Ustawił przed nim niewielką skrzynię, na której wieku leżały grube, ciężkie łańcuchy i kłódki.

– Ogień może wyrządzić krzywdę jedynie mnie – dodał. – Zapewniam, że wam nic się nie stanie.

Języki stawały się coraz wyższe, ale rzeczywiście nie wyglądało na to, by na rynku miał rozszaleć się pożar. Ogień buchał jedynie z konkretnego, z pewnością wygrodzonego miejsca na scenie.

– Stos ofiarny – odezwała się cicho Gocha. – Ta inscenizacja przypomina stos ofiarny…

– Pytanie, kogo zamierza na nim złożyć – odparł Domański, wciąż nerwowo się rozglądając i zastanawiając, co powinien zrobić.

– Siebie.

Spojrzeli na Edlinga, ale on szybko wskazał im Magika. Ten właśnie zabierał się do rozpoczęcia właściwego ostatniego przedstawienia.

– Mój asystent zakuje mnie teraz w łańcuch, który widzicie – powiedział.

Przy nieustannie złowieszczych dźwiękach *Święta wiosny* pomocnik showmana przystąpił do dzieła. Obwiązał łańcuchem ciało Magika, a potem skrępował mu nogi i ręce. Na koniec założył kłódki. Szarpnął mocno, by pokazać, że wszystko trzyma się solidnie.

– Teraz pomoże mi wejść do skrzyni, którą widzicie. – Kuglarz wskazał na drewniane pudło przypominające trumnę. – Potem zamknie je kolejnymi kłódkami, a następnie zrzuci wprost w ogień na dole.

Wśród publiczności dało się słyszeć kilka osób, które wstrzymały oddech. Niektórzy nie dowierzali, inni byli pewni, że teraz zbliża się show, w którym iluzjonista wreszcie przecenił swoje możliwości.

– Będziecie obserwować mnie cały czas – dodał. – A ja na waszych oczach wydostanę się, a następnie wsiądę do niebieskiej zastavy zaparkowanej niedaleko, na Koraszewskiego.

Gocha zerknęła na Edlinga, kiedy ten starał się dojrzeć, czy samochód rzeczywiście tam stoi. Z pewnością tak było, ale od sceny zastavę odgradzał nie tylko tłum ludzi, ale także kordon policji. Nie było najmniejszych szans, by Magik dostał się do auta. Ani na dobrą sprawę wyszedł z płonącej trumny, zrzuconej z kilkudziesięciu metrów prosto w ognisko.

– Zaczynajmy – powiedział kuglarz, a potem szarpnął dłońmi, by jeszcze raz udowodnić, jak mocno został skrępowany.

Asystent pomógł mu ułożyć się w pudle, a następnie zamknął wieko. Było krótsze niż reszta trumny, dzięki czemu widać było wystające nogi Magika. Poruszył nimi jak dziecko, które nie może doczekać się rozpoczęcia triku.

Oprócz tego widoczne były tylko jego dłonie. Asystent przełożył je przez wieko, a potem jeszcze raz obwiązał łańcuchem. Umocował Magika do trumny tak, że wydawało się absolutnie niemożliwe, by ten włożył ręce do środka i się wyswobodził.

Zaraz potem pomocnik przybił wieko ośmioma dużymi gwoździami.

– Co on zamierza? – zapytała Gocha. – Przecież nie da rady się wydostać.

Znów poruszył nogami, a potem rękoma. Było w tym coś kpiącego, coś, co sprawiło, że Edling poczuł się, jakby Magik wymierzył mu policzek.

– Gero?

– Nie wiem. Tym razem po prostu nie wiem.

Pomocnik przesunął skrzynię w kierunku gzymsu. Gerard nie miał wątpliwości, że wszystko zostało wymierzone tak, by ta spadła prosto do ognia. Wciąż jednak nie mógł dojść do tego, jakim cudem Magik ma zamiar się uwolnić.

A może nie taki był plan? Może stos rzeczywiście miał być ofiarny?

– Słychać mnie? – rozległ się przytłumiony głos. Magik z trudem łapał oddech. – Świetnie. W takim razie czas działać, bo ogień zaraz nam zgaśnie.

Na tę komendę płomienie stały się jeszcze wyższe.

Pomocnik pochylił się nad skrzynią, chwilę zawahał, a potem zaparł się i zepchnął ją prosto w gorejący stos. Spadanie trumny Edling oglądał jakby w zwolnionym tempie, odnosząc wrażenie, że czas trwania każdej sekundy się zwielokrotnił.

W końcu rozległ się cichy jęk Magika, a potem okrzyk bólu, kiedy skrzynia się roztrzaskała. Ogień przybrał na sile, ale mężczyzny nie było słychać. Między płomieniami dało się go jednak dostrzec.

Leżał w rozbitej skrzyni, z rękoma skrępowanymi łańcuchem. Nie próbował się ratować, był nieruchomy.

– Jezu… – rzucił ktoś.

– Zabił się – dodała inna osoba.

Podobne komentarze rozlegały się jeden po drugim. Niektórzy zaczęli powoli zbliżać się do płonącego stosu, ale szybko zostali zatrzymani przez policjantów. Atmosfera zaczęła robić się nerwowa. Domański wydał kilka krótkich komend, a funkcjonariusze przystąpili do ujarzmiania emocji tłumu.

– Zachowajcie spokój – rozległ się głos Magika. – Powstanę z popiołów.

Języki ognia nagle wystrzeliły w górę, jakby ktoś dolał benzyny do ogniska. Widzowie cofnęli się, czując na sobie żar, większość osłoniła oczy. Ci, którzy tego nie zrobili, mogli obserwować na telebimie, że Magik nie przesadzał. Był pokryty sadzą i zziajany, ale żywy. Znajdował się na Koraszewskiego i wchodził właśnie do niebieskiej zastavy. Zanim Domański zdążył krzyknąć cokolwiek do komórki, samochód odjechał.

Widzowie zaczęli wznosić okrzyki, nie dowierzając. Każdy zdawał sobie sprawę, że sam upadek z takiej wysokości sprawiłby, że Magik już by się nie podniósł. W ogniu wytrzymałby najwyżej kilka, może kilkanaście sekund, a o wyswobodzeniu się z tej trumny nie mogło być mowy.

Tymczasem odjechał jakby nigdy nic, ledwo osmolony.

Policjanci natychmiast popędzili do samochodów i pojechali za zastavą. Magik nie miał żadnych szans na ucieczkę. Nie miał prawa im się wywinąć.

A mimo to po niebieskiej zastavie nie było śladu. Domański upewniał się kilkakrotnie, ale funkcjonariusze, którzy ruszyli w pościg, nie mogli znaleźć samochodu.

– Jak to, kurwa, jej nie ma? – ryknął do słuchawki. – Przecież to jebana zastava! Jak mogliście ją zgubić?

Rozmowa w podobnym tonie trwała jeszcze przez chwilę, Edling nie poświęcał jednak żadnej uwagi prokuratorowi okręgowemu. Patrzył na dogasający ogień i zastanawiał się, co się właściwie wydarzyło.

Poszukiwania Magika trwały przez wiele godzin. Wszyscy zebrani na rynku dawno się rozeszli, ale ani po iluzjoniście, ani po jego asystentach nie było śladu. Ujęto jedynie dwóch pomocników, którzy zgodnie z przewidywaniami Gerarda zostali najęci do przenoszenia sprzętu i nie mieli nic wspólnego ze „Spektaklem krwi".

Konrad kilkakrotnie dawał Edlingowi i Gośce do zrozumienia, że powinni iść do domu. Mimo późniejszej pory żadne nie miało zamiaru tego robić. Czekali, aż technicy skończą pracę na wieży ratusza, by mogli sami tam wejść i sprawdzić teren.

Gerard nie pomylił się co do sposobu, w jaki Magik dostał się na górę przy iluzji z przenikaniem przez ściany. Tuż za sceną znajdowały się liny, którymi został wciągnięty na górę tak, by publiczność tego nie widziała. Było to banalne – podobnie jak rozwiązanie triku z wydostaniem się z płomieni, a potem zniknięciem w zastawie.

Edling zrozumiał to chwilę po tym, jak znalazł się z Gochą na górze. Wystarczyło sprawdzić niewielki podest, na którym ustawiona była skrzynia. I którego nie widać było z dołu.

Magika nigdy nie było w spadającej trumnie. Pozwolił jedynie sądzić, że się tam znajduje.

– Wiecie już wszystko? – spytał Gerard.

Domański niechętnie skinął głową.

– Skurwysyn miał tu skrytkę – odparł i wskazał podest. – Wsunął się do niej, jak tylko zakryli go tym pudłem. A z trumny wystawały sztuczne ręce i nogi, z niewielkim mechanizmem, który sprawiał, że się trochę poruszały.

Edling przyjrzał się konstrukcji. Trik wymagał długotrwałego ćwiczenia, by wykonawca mógł wsunąć nogi do skrytki w momencie, kiedy kładziono wieko. A potem równie sprawnie zsunąć całe ciało.

– Powinieneś to znać – dodał Konrad.

– Dlaczego?

– Podobno to samo zrobił Copperfield przy wodospadzie Niagara. Zrzucił skrzynię, w której rzekomo był, ale tak naprawdę zsunął się do skrytki, kiedy asystenci krępowali sztuczne ręce.

Amerykański magik musiał wykonać ten numer w latach dziewięćdziesiątych. Edling właściwie przestał interesować się chodliwymi, głośnymi magicznymi sztuczkami krótko po sprawie Iluzjonisty. Skupiał się na innych kuglarzach, analizował nowsze, choć mniej spektakularne triki.

Domański podszedł do gzymsu i spojrzał w dół.

– W ogniu spaliły się kukła i trumna – kontynuował. – Ale jakim cudem ten skurwiel znalazł się na dole i odjechał, nie mam pojęcia. Nie wspominając już o zniknięciu zastavy.

– Nie mógł użyć tych lin za sceną? – spytała Gocha.

– Ni cholery – odburknął Konrad. – Wszystko było pod obserwacją.

– To jak zbiegł? On i jego asystenci?

Skierowali wzrok na Edlinga, jakby to on miał całą wiedzę o każdym posunięciu Magika. Fakt faktem, łatwiej było rozwiązywać jego zagadki, jeśli znało się mechanizmy choćby kilku sztuczek. Ostatecznie wszystko sprowadzało się jednak do tego, co Gerard zrobiłby na miejscu tego człowieka.

W tym wypadku po prostu zniknąłby dużo wcześniej.

– Nigdy nie było go na wieży – powiedział Edling.
– Hę?
– Słyszeliśmy jedynie jego głos, nie widzieliśmy twarzy. Niemal od razu założył przecież tę białą maskę.

Gerard spojrzał w miejsce, gdzie odnaleźli ją technicy. Teraz razem z dwiema innymi była już zapakowana do folii i zapewne w drodze do laboratorium.

– Prawdziwy Magik musiał zniknąć w momencie, kiedy przenoszono schodki. Wyszedł z nich i już wtedy skierował się prosto do zastavy.

– Do zastavy? – jęknął Domański.

– Tak. Musiał odjechać już na tamtym etapie i uwiecznić to kamerą z tyłu sceny. Wszystko, co zobaczyliśmy później na telebimie, było nagraniem wykonanym dużo wcześniej.

Edling zerknął na zegarek.

– Zastava z pewnością się odnajdzie, ale przypuszczam, że dobre kilkaset kilometrów stąd. Chyba że porzucili ją wcześniej.

Konrad potarł nerwowo włosy, a potem zsunął dłoń na oczy. Pod nimi rysowały się już głębokie cienie, dające pojęcie o tym, ile kosztowały go ostatnie godziny.

– Dlatego na dachu był tylko jeden asystent – ciągnął Gerard. – To znaczy właściwie dwójka. Jeden udawał Magika, drugi jako pomocnik.

Domański przez moment się namyślał.

– Więc zrobili podmianę już wcześniej?

Edling uznał, że nie musi odpowiadać na retoryczne pytania.

– Ale w takim razie jakim cudem spierdoliła ta dwójka pomocników?

– Zrzucili maski i wyszli.

– Co proszę?

– Kiedy wszyscy byliśmy zajęci tym, co dzieje się w płomieniach, a potem szukaniem niebieskiej zastavy, oni dawno byli już w budynku lub nawet na dole. W innych ubraniach, bez masek. Nikt ich nie rozpoznał, być może przeszli obok zdezorientowanych policjantów.

Konrad spuścił wzrok. Musiał wiedzieć, że kiedy przedstawi to wszystko prokuratorowi generalnemu, zawiśnie nad nim widmo zwolnienia.

– Przypuszczam, że po prostu wmieszali się w tłum – dodał Gerard. – Nic nie stało na przeszkodzie, by to zrobili. Po ostatniej transmisji w internecie z pewnością mało kto potrafiłby przypomnieć sobie, jak wyglądała Ania. A szybkie przebieranie się to podstawa tego fachu. Stroje są specjalnie projektowane, by dało się je odwrócić w ciągu paru sekund.

Przez chwilę panowała absolutna cisza. Pogrążone we śnie miasto zdawało się właściwie nie istnieć.

– To jedna opcja – odezwała się Gocha. – Druga jest taka, że w ogóle nie wiedzieliśmy, kto jest kim ani w jakim momencie.

– Co masz na myśli? – mruknął Domański.

– To, że Magik od samego początku mógł mieć maskę. Twarz łudząco przypominała Bogdana Karbowskiego. Wystarczyłoby, żeby ją ściągnął albo wymienił się nią z asystentem... Cóż, możliwości jest wiele.

Konrad zerknął w kierunku dwóch neogotyckich wież pobliskiej katedry, wyraźnie nie mając ochoty dalej tego słuchać. Został ośmieszony przez iluzjonistę i pozwolił wymknąć się z miasta jednemu z najniebezpieczniejszych przestępców, jacy kiedykolwiek tu działali.

– Co teraz? – spytał bezsilnie. – Potrafisz go znaleźć? Masz jakiś trop? – Odwrócił się do Edlinga. – Daj mi cokolwiek.

– Obawiam się, że...

– Nie chcę tego słyszeć.

– W takim razie nie słuchaj – odparł spokojnie Gerard. – Ale prawda jest taka, że to koniec.

– Dopóki nie zabije znów.

Edling potwierdził ponurym pomrukiem. Nie miał złudzeń, morderca jeszcze nie skończył. Wszystko, co robił, wynikało z szaleństwa, a to z pewnością będzie trwało. Czy jednak dalej będzie sięgał po iluzje? Raczej nie. Zbyt wiele razy podkreślał, że to jego ostatnie przedstawienie.

Efekt także musiał go zadowalać, może nie mniej niż same zabójstwa. Ośmieszył tych, którzy go ścigali. Pokazał swoją wyższość i słabość służb, które miały dbać o bezpieczeństwo obywateli.

– Zastanów się jeszcze – rzucił Konrad. – Udostępnimy ci nagrania. Przejrzysz wszystko kilka razy.

– Nie muszę. To wszystko było precyzyjnie zaplanowanym spektaklem.

– Wcześniej coś wypatrzyłeś. Może teraz też ci się uda.

Czysto hipotetycznie nie mógł tego wykluczyć. Intuicja podpowiadała mu jednak, że było to najlepiej przygotowane ze wszystkich przedstawień.

– Odpocznij, wyśpij się – poradził Domański. – I przyjdź rano do prokuratury. Razem się nad tym zastanowimy.

– W porządku.

Wrócił do domu dzięki uprzejmości Gochy, ale zawahał się przed wyjściem z samochodu. Czuł potrzebę jej obecności, nie chciał być teraz sam. Zdawał sobie jednak sprawę, że w takiej sytuacji musi jak najszybciej doprowadzić właśnie do tego.

– Dzięki – rzucił i wysiadł z auta.

Czekała jeszcze chwilę, kiedy szedł do klatki. Dopiero gdy otworzył drzwi, wycofała, a potem powoli odjechała.

Edling przez kwadrans pił wino w salonie przy zgaszonym świetle. Zastanawiał się, obracał wszystko w głowie. Starał się skupić nie na tym, co Magik pokazał, ale na tym, co chciał ukryć.

A może to jedno i to samo?

Może pokazał coś, by to ukryć?

To także było dość częste posunięcie przy wykonywaniu iluzji. Najciemniej wszak zawsze pod latarnią. Edling odłożył kieliszek i skierował się do pokoju syna. Emil nie spał. On także siedział w ciemności, z laptopem na kolanach.

Posłał ojcu nieco zaspane spojrzenie.

– Mam prośbę – powiedział Gerard.

– Jaką?

Edling przysiadł na łóżku syna i skrzyżował nogi.

– Wydaje mi się, że możesz mi pomóc w ujęciu Magika – oznajmił.

Niegdyś
ul. Sieradzka, Malinka

Gerard wciąż nie mógł przyzwyczaić się do elektronicznego dzwonka telefonu. Dostał jednak nowy, mocowany na ścianie model bratka razem z zastavą, więc grzechem byłoby nie wymienić starego astera z tarczą.

– Odbierzesz? – spytał, nie chcąc ruszać się zza biurka.

– Już – odparła Brygida z kuchni.

Edling powiódł wzrokiem po materiałach, które rozłożył na okleinowym blacie. Wolał pracować w domu niż w prokuraturze, obawiał się bowiem, że jedno przypadkowe spojrzenie może zupełnie pokrzyżować mu plany. Niewiele było trzeba, by ktoś zrozumiał, co Gerard rozpisał – a od tego do powiadomienia komitetu lub SB droga niedaleka.

Pracował nad tym od kilku dni, próbując ustalić prawdziwą tożsamość Iluzjonisty. Miał kilka typów, ale jeden wciąż wydawał mu się bardziej prawdopodobny od pozostałych. Niestety nie miał cienia dowodu na poparcie jakiejkolwiek tezy.

Gocha w tym czasie pracowała u siebie w mieszkaniu. Dał jej wszystkie dane, które sam zgromadził, a wnioski mieli przedstawić sobie dzisiaj wieczorem. Gerard nie był przekonany, czy będą zbieżne, ale dwie niezależne perspektywy zawsze były lepsze niż jedna.

Podniósł wzrok znad papierów, kiedy Brygida weszła do pokoju.

– Do ciebie – powiedziała.

– Kto dzwoni?

– Nie przedstawił się.
– A czego chce?
– Nie powiedział – odparła zdawkowo żona, a potem wróciła do pokoju stołowego. Usiadła na fotelu przed telewizorem i kontynuowała oglądanie „Teleexpressu".

Edling mimowolnie sięgnął po kieliszek z winem. Pił dziś mało, chciał zachować trzeźwy umysł, więc wybrał nieco lepszy trunek. Teraz jednak nie odnotował nawet, jaki ten ma smak.

Podniósł się niepewnie i ruszył do przedpokoju. Rozmówca, który ani się nie przedstawił, ani nie wyjaśnił, dlaczego dzwoni. Czy to możliwe? Czy to mógł być on?

Kiedy w siedzibie Komitetu Wojewódzkiego Gerard mówił o tym, że Iluzjonista ma z nim niezałatwione sprawy, spodziewał się, że dojdzie do jakiegoś kontaktu. Miał tylko nadzieję, że pomylił się co do powodu.

– Gerard Edling, słucham – powiedział, podnosząc słuchawkę ułożoną na aparacie.

– Wyobraź sobie, że prowadzisz starego ikarusa – rozległ się zniekształcony, choć znany Edlingowi głos.

Gerard natychmiast się spiął. Chciał się odezwać, ale Iluzjonista nie dał mu szansy.

– W autobusie jedzie dwóch mężczyzn i jedna kobieta. Kiedy pojazd dociera na pierwszy przystanek, jeden z mężczyzn wychodzi, a zamiast niego wsiada małżeństwo z trójką dzieci. Na kolejnym przystanku autobus opuszcza kobieta, która jechała od początku, a na jej miejscu siada mężczyzna. Następnie wszyscy przejeżdżają do pętli i wychodzą z autobusu.

Edling poczuł, że serce bije mu szybciej. Nie miał czasu nie tylko na to, by coś wtrącić, ale także na to, by się zastanowić.

– Jesteś gotów na pytanie? – rzucił Iluzjonista.

– Tak.

– W takim razie powiedz mi, jakiego koloru jest koszula kierowcy autobusu?

Gerard wstrzymał oddech.

– Masz trzydzieści sekund.

Natychmiast podciągnął rękaw marynarki i rzucił okiem na zegarek.

– Czas ucieka.

Edling zamarł, wbijając wzrok w tarczę zegarka. W pierwszej chwili ogarnęło go przerażenie, szybko jednak ustąpiło ono miejsca przemożnej uldze.

Wystarczyło, że spojrzał na własny mankiet. Uświadomił sobie, od czego zaczynała się zagadka.

„Wyobraź sobie, że prowadzisz starego ikarusa".

– Koszula jest kremowa – odparł.

– Dobry wybór. A marynarkę masz w jakim kolorze?

Zakupiony niedawno w Modzie Polskiej garnitur miał prawie identyczny odcień jak koszula. Żona zupełnie zignorowała zmianę stylu, Gocha zaś twierdziła, że zaczął ubierać się na McVaya.

– W takim samym – odparł Gerard.

– Więc jesteś gotów do wyjścia.

– Nigdzie się nie wybieram.

– Wprost przeciwnie – odparł Iluzjonista. – Odwiedzisz las za miejscem pracy Poli.

– Dlaczego?

– Bo zginęła tam kolejna osoba.

Rozłączył się, zanim Gerard zdążył cokolwiek odpowiedzieć. Trwał przez moment w bezruchu, a potem w końcu się otrząsnął i odłożył słuchawkę. Ten krótki telefon uświadomił mu, jaką władzę ma nad nim ten człowiek – wystarczyło, że zadał zagadkę, a Edling natychmiast oblał się zimnym potem. Był gotów zrobić wszystko, by znaleźć odpowiedź, jakby zależał od tego los całego świata.

A przecież nie pojawiła się żadna groźba. Nikt nie znajdował się w niebezpieczeństwie. Była to zwyczajna łamigłówka, na którą mógł nie odpowiadać.

Każda sztuczka opierała się jednak na elemencie zaskoczenia. I właśnie to udało się Iluzjoniście osiągnąć.

Edling przez moment głęboko się zastanawiał. To, co teraz zrobi, przesądzi wszystko.

Musiał stawić się na miejscu. Poinformował natychmiast Gochę, potem przełożonego. Nie miał zamiaru dawać znać partii, jeszcze nie teraz – SB to jednak inna sprawa. Podniósł słuchawkę i wybrał numer Stali.

– Iluzjonista nawiązał ze mną kontakt – oznajmił Edling.

– Że co?

– Zadzwonił do mnie.

– Jesteś pewien?

– Tak – potwierdził stanowczo Gerard. – I szkoda tracić czas.

Czym prędzej wyjaśnił, że doszło do kolejnego morderstwa, a potem oznajmił, że jedzie na miejsce i Stala powinien zrobić to samo.

– Wydaje mi się, że rozwiązałem tę sprawę – dodał. – Ale proszę nie informować nikogo więcej w SB.

– Słuchaj no…

– Proszę mi zaufać.

Chwilę później pędził zastavą w kierunku Strzelec Opolskich. Drogi były niemal puste, dojazd do „Niedźwiednika" nie powinien zająć mu wiele czasu.

Na parkingu również było sporo miejsca. Kiedy Edling wysiadł z auta i się rozejrzał, nie dostrzegł ani swojego starego malucha, ani łady Karbowskiego, ani samochodu Stali. Był pierwszy.

Ruszył w stronę budynku, ignorując jedną ze stałych bywalczyń, która stała przy drodze i wodziła za nim wzrokiem. Dobry garnitur z pewnością przykuwał uwagę, zastava też nie prezentowała się najgorzej.

Edling minął zajazd i wszedł do lasu wydeptaną ścieżką. Nie musiał długo szukać miejsca zbrodni. Dostrzegł porozrzucane, zakrwawione ubrania, a kawałek dalej ciało w zaroślach. Już po samej garderobie wiedział, czego się spodziewać.

Iluzjonista zamordował jedną z prostytutek. Dziewczyna miała najwyżej dwadzieścia parę lat i była delikatnej, wręcz niewinnej urody. Teraz leżała na plecach, wbijając martwy wzrok w korony drzew ponad nią. Rany na klatce piersiowej świadczyły o wielokrotnie zadanych ciosach nożem.

Morderca postarał się, by nikt nie skojarzył sposobu działania z Iluzjonistą. A biorąc na celownik prostytutkę, zapewne liczył na to, że sprawa nie będzie zbyt skrupulatnie prowadzona.

Dlaczego w takim razie wezwał Edlinga? Możliwości były tylko dwie. Albo chciał z nim skończyć, albo uwikłać go w jeszcze większą manipulację.

Pierwsza ewentualność odpadała. Gdyby chodziło o zabicie przeciwnika, Iluzjonista czekałby tu na niego i nie pozwolił nawet się rozejrzeć. Zostawało drugie wyjście.

Gerard potrafił wyobrazić sobie, że informuje o sprawie Lisicką i pozostałych, a potem przekonuje, że stawił się tutaj, bo wezwał go sam Iluzjonista. Nawet jeśli daliby wiarę, oficjalnie i tak nie byliby gotowi tego przyznać. A on rozpocząłby mozolną krucjatę, by udowodnić, kto jest prawdziwym zabójcą. Wpadłby w jeszcze większe kłopoty, które prędzej czy później skończyłyby się dla niego tragicznie.

Kucnął przy dziewczynie i usłyszał dźwięk parkującego samochodu. Przypuszczał, że pierwszy na miejscu zjawi się Stala – miał najlepszy samochód, a dodatkowo nie musiał przejmować się ograniczeniami prędkości.

Edling się nie pomylił. Kiedy usłyszał kroki i obrócił się w stronę „Niedźwiednika", zobaczył niespiesznie nadchodzącego esbeka. Ten skinął niedbale głową i stanął obok dziewczyny. Skrzywił się z niesmakiem, jakby ktoś podał mu niezbyt dobre danie, a nie jakby tuż przed nim znajdowały się zwłoki.

Obaj przez chwilę milczeli.

– Jesteś pewien, że to on? – spytał Wojciech.

– Tak.

– Nie ma żadnego pytajnika, żadnego podpisu.

– To prawda.

– W takim razie to mógł być ktoś inny.

– Kto? – spytał Edling, podnosząc się.

– Nie wiem. Ktoś, kto skorzystał z okazji i zabił dziwkę.

– Nie – odparł stanowczo Gerard. – Jestem przekonany, że to Iluzjonista.

– Skąd ta pewność?

Edling nabrał głęboko tchu.

– Stąd, że tylko on wiedział, gdzie konkretnie ma się zjawić.

– Hę? – mruknął Stala.

– Przez telefon powiedziałem ci, żebyś przyjechał na miejsce zdarzenia – wyjaśnił Gerard. – Ale nie poinformowałem, gdzie konkretnie ono jest.

Oficer SB dopiero teraz zrozumiał. Jego twarz w okamgnieniu zupełnie się zmieniła, a Edling odniósł wrażenie, że patrzy na niego zupełnie inna osoba.

Osoba, której tak długo szukał. I która tak sprawnie mu się wymigiwała.

Iluzjonista.

Wszystko złożyło się w całość jeszcze przed tym, jak Edling wykonał telefon. Stala pasował najbardziej – musiał mieć dobre koneksje, bo inaczej nie awansowałby tak szybko w hierarchii Służby Bezpieczeństwa. Te same układy pozwoliły mu później uniknąć odpowiedzialności. Zdawał się także dobrym materiałem na szaleńca. Szaleńca, który nie tylko regularnie odwiedzał „Niedźwiednik" i znęcał się nad Polą, ale także mordował z dziką satysfakcją.

Stala wbijał w Edlinga nieruchomy wzrok, jakby sam nie mógł przesądzić, czy warto zaprzeczać, czy lepiej przyznać się do porażki.

– Nikt inny nie wiedział o lokalizacji – dodał Gerard. Nikt poza Karbowskim i Gochą, ale im Edling ufał. I o nich Stala bynajmniej nie musiał wiedzieć.

– Mógłbyś ją znać tylko dlatego, że tu byłeś – ciągnął Gerard. – I tylko dlatego, że to ty zamordowałeś tę prostytutkę.

Iluzjonista w końcu zamrugał. Potem spojrzał na ciało dziewczyny.

– Brawo – odezwał się.

– Element zaskoczenia jest kluczowy, prawda?

– Prawda – przyznał Wojciech Stala i pozwolił sobie na lekki uśmiech.

Kątem oka Edling zauważył, że jego dłoń przesunęła się w kierunku kabury z pistoletem.

– Od jak dawna to planowałeś? – spytał Iluzjonista.

– Nie planowałem.

– Mimo to musiałeś coś podejrzewać.

Gerard skinął głową, czując, że zaczyna brakować mu śliny.

– Obserwowałem twoje zachowanie podczas spotkania w Komitecie Wojewódzkim – odparł. – Jakiś czas temu ktoś poradził mi, żebym zwracał uwagę na drobne gesty. Byłeś nerwowy, kiedy zarzucałem mordercy problemy z zaspokojeniem seksualnym i wyrażałem się o nim niezbyt pochlebnie. A oprócz tego zrobiłem wszystko, żeby utwierdzić cię w przekonaniu, że rozgrywka jeszcze niezakończona. I że masz coś do udowodnienia.

Iluzjonista zaśmiał się cicho.

– Prowokowałeś mnie?

– Na tyle, na ile było to możliwe – przyznał Edling. – Znam cię. Wiem, co na ciebie działa i czego potrzebujesz. Od początku łaknąłeś bezpośredniej rywalizacji, dlatego umieściłeś imię i nazwisko mojego szefa na kopercie w amfiteatrze. I z tego powodu później adresowałeś wiadomości do mnie i robiłeś wszystko, żeby wciągnąć mnie w swoją chorą grę.

Esbek przez moment milczał, jakby musiał się namyślić, czy rozmówca nie mija się z prawdą. W jego oczach wciąż dawało się dostrzec rozbawienie. Dla niego rzeczywiście była to rozgrywka, z której czerpał niemal ekstatyczną radość.

– Nieźle – przyznał. – A więc byłeś gotowy pozwolić na czyjąś śmierć, byle mnie zdemaskować?

– Nie. Zakładałem, że uderzysz we mnie, nie w kogoś innego.

Uśmiech nie schodził z ust rozmówcy.

– Właściwie się nie pomyliłeś – odparł Stala, a potem sięgnął do kabury i ją odpiął.

– Nie radziłbym.

– Bo?

– Bo element zaskoczenia jest kluczowy – odparł wyważonym tonem Gerard. – A powinieneś pamiętać, że ściągnąłem cię tutaj już niemal przekonany, że jesteś Iluzjonistą.

Stala w mig zrozumiał, w czym rzecz. Zanim jednak zdążył wyszarpać broń i się odwrócić, zza jego pleców rozległ się ogłuszający dźwięk wystrzału. Edling odskoczył w bok, rejestrując jeszcze, że na białej koszuli Iluzjonisty pojawiła się czerwona plama. Stala runął na ziemię obok dziewczyny, wydając z siebie przeciągły jęk.

Karbowski natychmiast do niego podbiegł, Gocha była tuż obok. Kiedy prokurator unieruchomił zabójcę, ona natychmiast odebrała Iluzjoniście broń. Odskoczyła, jakby uciekała przed pożarem.

– Nie ruszaj się! – krzyknął Karbowski.

Nie było potrzeby grozić przestępcy. Oddychał ciężko, dusząc się krwią i nie potrafiąc się poruszyć. Kiedy Bogdan obrócił go na plecy, cała trójka przekonała się, że plama na koszuli robi się coraz większa.

Gocha pomogła Edlingowi wstać, a on natychmiast ją objął.

– Wszystko w porządku? – spytała.

– Chyba. Ale gdybyście byli chwilę później, mogłoby być inaczej.

Ujęła jego twarz w dłonie i głęboko odetchnęła. Potem jeszcze raz pozwoliła mu opleść się mocno ramionami.

– Miałeś przeciągać, Gero – powiedziała. – I czekać na nas.

– Wiem.

Wypuścił ją z objęć i ująwszy za rękę, podszedł do przełożonego. Podziękował mu jedynie spojrzeniem i skinieniem głowy, ale wydawało mu się, że to dostatecznie wymowne. Szef wciąż mierzył do Iluzjonisty, jakby spodziewał się, że ten wywinie jakiś ostatni numer i zbiegnie.

– To naprawdę on? – spytał Bogdan.

– Mówiłem panu przez telefon.

– Ale… jesteś przekonany?

Zdawkowe skinienie znów okazało się całkowicie wystarczające.

– Skurwysyn... – syknął Karbowski. – Przyznał się?

– Tak.

Bogdan pochylił się i przytknął pistolet do głowy zabójcy. Ten jęknął cicho, wyraźnie balansując już na granicy świadomości.

– Nigdy więcej już jej nie skrzywdzisz – rzucił Karbowski. – Nigdy, rozumiesz?

– Proszę uważać – odezwał się Edling, widząc, jak blisko mordercy znalazł się przełożony. Kiedy Iluzjonista starał się coś powiedzieć, ten nachylił się jeszcze bardziej. – Słyszy mnie pan?

Bogdan zignorował pytanie. I najwyraźniej zapomniał także o tym, że zabójca zaskoczył ich już nie raz i nie dwa. Ledwo ta myśl nadeszła, Gerard poczuł realny niepokój. Oczami wyobraźni zobaczył scenariusz zawczasu przygotowany przez Stalę. Scenariusz, w którym tylko udawał, że dał się podejść.

– Panie prokuratorze...

– Skurwiel coś mówi – uciął Karbowski, a potem przez chwilę nasłuchiwał. Ostatecznie obrócił się do Edlinga i pokręcił głową z irytacji. – Bezczelny kawał chuja. Twierdzi, że ją kochał.

– Proszę się od niego odsunąć – odezwała się Gocha.

Najwyraźniej nie tylko Gerard miał wrażenie, że niewiele trzeba, by Iluzjonista wykonał swój ostatni, tragiczny dla pozostałych trik.

Dopiero po chwili Edling zrozumiał, że poczucie niebezpieczeństwa wprawdzie jest uzasadnione, ale jego powód nie. To nie Iluzjonista był zagrożeniem, ale Karbowski.

Zanim jednak Gerard zdążył zrobić użytek ze swoich wniosków, było już za późno.

Prokurator wyprostował rękę, przyłożył lufę tym razem do barku Iluzjonisty i pociągnął za spust. Krew trysnęła na ciało prostytutki i gałęzie, a Wojciech Stala krzyknął z bólu. Karbowski natychmiast się wyprostował. Odszedł w kierunku zdezorientowanych Gochy i Edlinga, nadal mierząc w mordercę.

– Trzeba to skończyć – powiedział. – Tu i teraz.

– Panie prokuratorze...

– Inaczej wyślą go gdzieś w głąb Rosji. I tyle będzie.

– Nie możemy tak po prostu...

– Możemy – uciął Karbowski. – A nawet musimy.

Miał rację co do tego, że władza nie pozwoli, by szanowany oficer Służby Bezpieczeństwa okazał się psychopatycznym zabójcą. Jeśli to zgłoszą, Stala dojdzie do siebie pod innym nazwiskiem w jakimś szpitalu, a potem zostanie wysłany do kraju, w którym nikt nigdy go nie znajdzie.

Witka spotka los, na który nie zasłużył, a ofiary nie zostaną pomszczone.

– Nie mamy wyjścia – dodał Bogdan.

Gocha się nie odzywała. Edling również nie potrafił znaleźć odpowiednich słów. Chciał zaoponować, podać kontrargumenty, ale zwyczajnie mu ich brakowało.

Zgodzili się? On i Gośka? Nie potrafił stwierdzić nawet tego.

Nie dane mu było się nad tym na dobre zastanowić. Zanim którekolwiek z nich się odezwało, Karbowski wymierzył i pociągnął za spust. Raz, drugi i trzeci. Jakby potrzebował pewności, że wymierzył też sprawiedliwość za to, co ten mężczyzna zrobił.

Obecnie
„Kofeina 2.0", pl. Teatralny

Edling umówił się z Gochą w „Kofeinie 2.0" z trzech powodów. Po pierwsze wystarczyło, że przeszedł przez niewielkie podwórko przy Kośnego, i był już na miejscu. Po drugie lokal znajdował się na placu Teatralnym, dawnym placu Lenina, a te okolice wciąż dobrze mu się kojarzyły. Po trzecie dawali tutaj kawę, po której można było umierać. A przynajmniej tak twierdził Emil, który przychodził tu właściwie codziennie.

Miejsce było oblegane przez ludzi zbliżonych wiekiem do jego syna, więc Gerard czuł się trochę nieswojo. Poprawiło mu się jednak, kiedy Gośka w końcu się zjawiła, a on upił kilka łyków kawy z chemexa.

Rosa zamówiła aperol spritz, co Edling skwitował wymownym uniesieniem brwi. Zignorowała to, zapewne doskonale pamiętając, że tego typu drinki nigdy nie znajdowały jego uznania.

– Jak twój artykuł? – spytał Gerard.

– Pisze się.

– I dalej chcesz mojej pomocy?

– Raczej współpracy – odparła, obracając wysoki kieliszek na blacie. – Jesteś na nią gotów?

– Po to tu jestem – przyznał, choć nie był to jedyny powód spotkania.

Namyślał się od kilku dni, wiedząc, że teraz, kiedy Magik na dobre przepadł, Gocha wróci do swoich obowiązków. A najważniejszym z nich było w tej chwili ujawnienie tego, co wydarzyło się w osiemdziesiątym ósmym. Zrobiłaby to tak czy inaczej, z udziałem Edlinga lub bez.

Ostatecznie nie miał żadnego wyjścia.

Powiódł wzrokiem po niewielkiej, pustej salce. Wybrał to miejsce nieprzypadkowo, zależało mu na tym, żeby mogli porozmawiać w spokoju. I bez świadków.

– Co konkretnie chcesz opisać?

– Wszystko. Chcę podać prawdziwą tożsamość Iluzjonisty, wyjawić, kim była Pola, i…

Zawiesiła głos, licząc na to, że Gerard dokończy.

– I opisać nasz udział – powiedział.

– Nie nasz udział, tylko egzekucję, przy której pomogliśmy.

– To Karbowski pociągnął za spust – zauważył Edling i napił się kawy.

– Wiem, do cholery. Pamiętam to wszystko aż za dobrze. – Gocha na moment spuściła wzrok, a potem opróżniła niemal cały kieliszek. – To nic nie zmienia. Przyłożyliśmy do tego rękę, Gero.

– Niezupełnie.

– Pozwoliliśmy mu go zabić.

– Nie mieliśmy nawet czasu na…

– Nie pierdol – ucięła.

Wbił wzrok w swoją filiżankę i przez moment się nie odzywał. Miała rację. Powinien skończyć z wybiegami, które sam wobec siebie stosował przez ostatnie kilkadziesiąt lat. Pozwalały mu nie zwariować, ale nie mógł przecież trzymać się ich do końca życia.

– Nawet jeśli bezpośrednio nie przyłożyliśmy do tego ręki, pomogliśmy wszystko zatuszować, Gero.

Skinął lekko głową, wciąż patrząc na kawę.

– Fakt, nie mieliśmy wyjścia – dodała Gocha. – I fakt, po tylu latach wszystko się przedawniło. Ale pewne rzeczy muszą zostać powiedziane. Szczególnie po tym, co wydarzyło się w ostatnim czasie.

Edling milczał.

– Przeszłości nie zmienimy, sam jednak widzisz, jak rzutuje na przyszłość – kontynuowała Rosa. – Do tych wszystkich zabójstw by nie doszło, gdybyśmy lata temu ujawnili prawdę.

– Być może. Ale nie możesz mieć pewności.

Była wyraźnie niezadowolona, że Gerard nie idzie tropem, który mu podsunęła.

– Mogę za to być pewna, że ty przez ten czas radziłeś sobie z tym lepiej niż ja.

– Nie rozumiem.

– Jest w tobie jakiś mrok, Gero.

– W każdym z nas jest.

– Ale ty czujesz się z nim dobrze – odparła nieco ciszej, jakby sama nie chciała tego usłyszeć.

Być może on także nie chciał, bo Gocha nie mijała się z prawdą. Zło kryło się w każdym, jedyna różnica między przestępcą a przykładnym obywatelem była taka, że pierwszy podjął działanie, a drugi nie. I rzeczywiście Edlingowi nie przeszkadzała ta świadomość. Przeciwnie, uważał, że dzięki tkwiącemu w nim mrokowi udaje mu się zrozumieć zabójców.

Sam był w końcu jednym z nich. I właśnie do tego dążyła Gocha.

– Zmierzasz do tego, że ja też kogoś zabiłem, tak jak Karbowski? Więc łatwiej było mi poradzić sobie ze świadomością tego, że zataili śmy wydarzenia z osiemdziesiątego ósmego?

Cisza, która zaległa, była jak opadająca ciężka kurtyna. Odgrodziła ich od siebie i potwierdzała, że przedstawienie się skończyło. Teraz pozostało jedynie opuścić salę.

– Napij się – poradziła Gocha, podsuwając mu resztkę drinka.

– Tego? Równie dobrze mógłbym rozpuścić sacharynę w wodzie.

– Nie przesadzaj.

– Mam w domu dobre wino.

Gocha ściągnęła brwi, przyglądając mu się, a on w końcu podniósł wzrok.

– To było zaproszenie? – spytała.

– Nie – odparł bezrefleksyjnie. – Choć... może faktycznie lepiej byłoby rozmawiać u mnie.

Atmosfera nagle całkowicie się zmieniła, jakby oboje zapomnieli o rozmowie, którą przed momentem toczyli.

– O tak, Emila z pewnością by to ucieszyło – zauważyła Rosa.

– Nie ma go – powiedział Edling i westchnął. – Siedzi u znajomych w akademiku.

– Nie boisz się, że coś mu się stanie?
– Boję – przyznał. – Umówiliśmy się, że przedzwoni do mnie co jakiś czas albo wyśle wiadomość tekstową.

Gocha uśmiechnęła się i bezradnie pokręciła głową.

– Jesteś jedyną osobą na świecie, która odmówiłaby darmowego aperolu. I jedyną, która na esemesa mówi „wiadomość tekstowa".

– Na pewno nie jedyną.

– Tak czy inaczej, należysz do wymierającego gatunku.

Gerard znów musiał upomnieć się w duchu, by się nie rozpędzać. Za każdym razem rozmawiało mu się z Gośką tak dobrze, że jego serce przyspieszało, a myśli zaczynały biec tylko w jednym kierunku. Należało jak najszybciej dać temu odpór.

Szczęśliwie do sali weszła liczna grupa studentów, która szybko zajęła większość wolnych miejsc, nie przerywając ani na moment rozmowy.

– To co z tym winem? – spytała Gocha.

Edling uciekł wzrokiem.

– Daj spokój – dodała. – Do niczego nie dojdzie po jednym kieliszku. Zresztą posunąłeś się już trochę w latach. Wystarczy powiedzieć, że nie działasz już na mnie jak magnes.

Może rzeczywiście przesadzał. A już z całą pewnością lepiej było rozmawiać o tym, co chciał poruszyć, w spokojniejszych okolicznościach.

Uregulował rachunek, a potem przeszli przez parking, przecięli Kośnego i skierowali się do klatki Edlinga. Gocha zatrzymała go jednak przed drzwiami, sięgając do torebki.

– Masz prezerwatywy? – rzuciła.
– Co proszę?
– Żartuję – odparła i szturchnęła go lekko, po czym wyjęła paczkę papierosów. – Zapalę jeszcze.

Podeszli pod ogrodzenie przedszkola po drugiej stronie uliczki i oparli się o nie plecami, patrząc na budynek, w którym Gerard mieszkał z synem. O tej porze plac zabaw był pusty, a okolica zdawała się wymarła. Rosa przypaliła papierosa i zaciągnęła się głęboko.

– Chyba wróciłam do nałogu – oznajmiła.

Odpowiedziało jej milczenie.

– Mam na myśli palenie, nie ciebie, Gero. Nie masz się czego bać.

– Po prostu się zamyśliłem.

– Tak? I co tak cię zaabsorbowało?

Obrócił się, a potem oparł rękoma o płot. Zerknął z ukosa na Gochę, uznając, że nie ma sensu przeciągać sprawy. Równie dobrze mógł przedstawić jej swoje ustalenia tutaj.

– Po ostatnim przedstawieniu pod ratuszem poprosiłem Emila o pomoc.

– O pomoc? Jaką?

Znów się zaciągnęła, tym razem mrużąc oczy.

– Wyszedłem z założenia, że ma jakieś rzeczy Ani. Gumkę do włosów, spinkę, grzebień, cokolwiek.

– I? Na co ci to?

– Żeby sprawdzić DNA.

Gośka wypuściła dym i obróciła się do niego.

– Wiesz, co przyszło mi do głowy, kiedy Magik ściągnął maskę na rynku? – spytał.

– Nigdy nie wiedziałam, co masz w głowie, Gero.
– Ale w tym wypadku?

Wzruszyła ramionami, choć musiała przynajmniej przez moment również rozważać taką samą wersję.

– Przeszło mi przez myśl, że to nie żadna operacja plastyczna czy maska upodobniła tego człowieka do Bogdana, tylko geny.
– Co masz na myśli?
– Że to mógł być jego syn.

Potwierdziła cichym mruknięciem.

– Nie założyłaś tak?
– Założyłam, przez moment – przyznała. – Tyle że wiedzielibyśmy, gdyby miał syna.
– Tak sądzisz? Od dawna żadne z nas nie miało z nim kontaktu, a stan tamtego domu, w którym byliśmy, dowodził, że długo nie był używany. Bogdan mógł mieszkać z dziećmi i Polą gdzieś indziej.
– W porządku – odparła, strzepując nerwowo popiół. – Ale jaki motyw miałby syn Karbowskiego? Dlaczego miałby zabijać, powtarzając schemat sprzed trzech dekad?

Gerard nie odpowiadał, patrząc na kuchenne okno swojego mieszkania.

– I skąd wziąłby dwójkę asystentów? Kto byłby gotów na takie szaleństwo?
– Przypuszczam, że jedynie ci, którzy mieliby taki sam motyw.

Nie pytała jaki, zapewne zdając sobie sprawę z tego, że tym razem także nie usłyszy odpowiedzi. Edling ułożył sobie scenariusz tej rozmowy i miał zamiar prowadzić ją tak, jak zaplanował, punkt po punkcie. Nie było to dla Gochy niczym nowym.

– Przyjąłem hipotezę, że cała ta trójka to rodzeństwo – powiedział. – Ewentualnie że Ania i Magik to siostra i brat, a trzecia osoba to być może wybranek dziewczyny.

Gośka wykonała ręką ponaglający ruch.

– Emil miał jej spinkę, wysłałem ją na badanie DNA i dzisiaj rano przyszły wyniki.

– I?

– Anna Węgielewska to córka Poli i Bogdana – powiedział. – Oczywiście to nie jej prawdziwe dane, tych wciąż nie znam, ale...

– Węgielewska. Węgiel. Karbowski. Carbon.

– Może coś w tym jest – przyznał Edling, niespecjalnie zadowolony, że mu przerwała. – Tak czy inaczej, moja hipoteza się uprawdopodobniła, nie sądzisz?

– Dość.

– To w dodatku tłumaczyłoby, skąd ci ludzie znają szczegóły z przeszłości. Usłyszeli je od matki i ojca.

Gocha wyrzuciła papierosa i zadeptała go. Zatrzymała jednak Edlinga, który od razu ruszył w stronę klatki, a potem wyciągnęła jeszcze jednego.

– Motyw – powiedziała. – Nadal brakuje ci motywu.

– Nie sądzę.

– Nie? – spytała, podpalając sobie.

– Załóżmy, że drugi asystent to także dziecko Bogdana i Poli – ciągnął. – Cała trójka zapewne od lat słuchała o tym, co się wydarzyło. Wiedzieli, kto oszpecił ich matkę na całe życie, kto sprawił, że nigdy więcej nie wyszła z domu.

– Nie wyszła?
– O ile wiem, nie – odparł ciężko Gerard. – Tak przynajmniej twierdził Bogdan, kiedy po latach rozmawialiśmy. Nie chciał myśleć, co przez cały ten czas przechodziła, jak odbiło się to na jej psychice i w jaki sposób rzutowało na Karbowskiego i rodzinę. Przypuszczał jednak, że to właśnie z tego powodu, a nie wyrzutów sumienia, Bogdan krótko po sprawie Iluzjonisty zrezygnował z pracy w prokuraturze.

– Mieli świadomość, że prawdziwy sprawca został ukryty przez aparat państwowy. Akta zniszczone, ślady pozacierane...

– Nie tylko przez aparat – wtrąciła Gocha. – Także przez nas.

– I przez pierwszą sekretarz, która, jak wiesz, także zginęła – dodał Edling.

– Więc to wszystko zemsta?

– Niewykluczone – odparł Gerard i kaszlnął, kiedy Rosa przypadkowo wypuściła mu dym prosto w twarz. – Psychika tych ludzi oczywiście musi być skrzywiona, ale czy możesz im się dziwić? Jesteś sobie w stanie wyobrazić, w jakiej rodzinie funkcjonowali?

Nie musiała odpowiadać, Edling był pewien, że wszystko potrafi sobie dopowiedzieć. Pola była wrakiem człowieka, staczała się coraz głębiej w otchłań. Bogdan po odejściu z pracy znalazł się właściwie na marginesie. Kilkakrotnie organizowano w prokuraturze zrzutki dla niego, ale w końcu wszyscy o tym zapomnieli. Cokolwiek działo się w domu Karbowskich, nie mogło ukształtować zdrowych umysłów.

Rodzeństwo było z góry skazane na trudne życie. A szaleństwo, które wykwitło w ich głowach, z pewnością zrodziło się z obłędu rodziców.

– Poprosiłem Domańskiego, żeby sprawdził szkoły, przychodnie i inne miejsca, w których mógłby być ślad po dzieciach.

– I?

– I czekam. Konrad na razie ma na głowie inne sprawy.

Gocha zaciągnęła się, wyraźnie mając dosyć. Rzuciła papierosa na ziemię, a potem wskazała klatkę schodową.

– Czas na to wino.

– Masz rację – przyznał Gerard. – Okoliczności są sprzyjające.

Uśmiechnął się lekko, a potem poprowadził Gośkę na górę. Był tak zaaferowany wszystkim, co zrelacjonował, że nie obawiał się tego, do czego może między nimi dojść. Zresztą miała rację, kiedy mówiła o upływie lat. Skutecznie studził wszelką namiętność, która mogłaby okazać się niebezpieczna.

Weszli do środka i skierowali się do dużego pokoju.

Ledwo przekroczyli próg, oboje zamarli. Na środku pomieszczenia stała trójka ludzi. Dziewczyna, którą znali jako Anię, znajdowała się w środku. Po bokach ustawili się dwaj łudząco podobni do siebie mężczyźni.

Wszyscy troje celowali z pistoletów w Gochę i Edlinga.

Gerard zdążył pomyśleć tylko, że prawie wszyscy, którzy uczestniczyli w spisku mającym ukryć prawdę, już nie żyją. Zostały jedynie dwie osoby.

Niegdyś
ul. Sienkiewicza, Opole

Edling i Rosa zaparkowali przy jednym z walących się, zaniedbanych budynków przy Sienkiewicza, a potem bez słowa wyszli z zastavy. W oddali było widać sporo zieleni, która od wiosny zdawała się tworzyć jedyny kolor miasta – tutaj jednak uwagę zwracało się raczej na nierówne chodniki, odrapane, szare elewacje i pył. W mieście pełną parą pracowały trzy cementownie, a przy niewielkim wietrze biały pył osiadał nie tylko na budynkach, ale i na koronach drzew.

Gerardowi w tej chwili bynajmniej to nie przeszkadzało – przeciwnie, wydawało się odpowiednie do nastroju, jaki towarzyszył jemu i Gośce.

Zanim ruszyli w kierunku Nysy Łużyckiej, Rosa dobyła paczki ekstra mocnych i przysiadła na masce samochodu. Normalnie Edling by zaoponował, szczególnie kiedy postawiła nogę na zderzaku, ale dziś nie miał zamiaru tego robić.

Co więcej, usiadł obok niej. Zawieszenie zastavy zaprotestowało, tym jednak także się nie przejął.

– Emersona? – spytała z papierosem w ustach.

– Nie, dziękuję.

– Nawet w takiej sytuacji?

– Szczególnie – odparł stanowczo.

Paliła w milczeniu i Gerard obawiał się, że spędzą tak cały czas pozostały do wydarzenia, na które czekali. Po chwili jednak Rosa obróciła się do niego i nabrała głęboko tchu.

– Co myśmy zrobili, Gero?
– Pomogliśmy ująć zabójcę.

Właśnie to sobie powtarzał od kilku tygodni, kiedy to Karbowski dokonał egzekucji w lesie za „Niedźwiednikiem". Początkowo Gerard nie potrafił przekonać nawet siebie, ale po jakimś czasie wydawało mu się, że zaczyna przemawiać do Gochy. Może jednak się mylił.

– Gdybyśmy nie powstrzymali tego człowieka, zabijałby dalej – dodał. – A partia by go chroniła.
– Dalej go chroni.
– Ale...
– Usuwają wszystkie ślady po Iluzjoniście, chowają akta w pancernych szafach – ciągnęła Rosa. – Świadków albo uciszają, albo zaraz zaczną to robić. A wszystko po to, żeby nie wyszło na jaw, że mają w szeregach prawdziwych, kurwa, psychopatów.

Nie chodziło wyłącznie o to. Gdyby okazało się, że to Wojciech Stala był Iluzjonistą, musielibyśmy odpowiedzieć także za wrobienie niewinnego człowieka i skierowanie śledztwa na fikcyjne tory. Na to także władza nie mogła sobie pozwolić.

– Kto w ogóle o tym wie, oprócz nas? – dodała Gocha. – Z kim rozmawialiście?
– Z Lisicką.
– I?
– I z nikim więcej. Wątpię, żeby przekazała szczegóły wyżej. Ludziom z Komitetu Centralnego wystarczyło ogólne zapewnienie, że sama się tym zajmie.
– I się, suka, zajęła.
– Od tego tu jest – odparł Edling.

Prawdziwy obraz miał na zawsze pozostać zafałszowany. Nikt nigdy nie mógł choćby zbliżyć się do prawdy. A zadbać o to miała formacja, która na uciszaniu ludzi znała się najlepiej – i która miała w utrzymaniu tajemnicy żywotny interes. Służba Bezpieczeństwa.

– Opiszę to – powiedziała Gocha.

– W takim razie niedługo potem będę prowadził postępowanie w sprawie twojej niewyjaśnionej śmierci.

– Władza się zmieni. Wszystko wyjdzie.

– Nic nie wyjdzie – odparł zrezygnowany. – Nawet jeśli system się zmieni, ludzie zostaną. A jeśli my się wtedy wychylimy, trafimy prosto do więzienia za współudział.

Rosa wyrzuciła papierosa, nie odzywając się.

– Ten człowiek zasługiwał na śmierć – dodał Edling.

– Wiem. Ale ten, do którego idziemy, nie zasługuje.

Nie mogli nic zrobić w sprawie Witka Borbacha. Jedyne, co im pozostało, to zjawić się na egzekucji, która miała rozpocząć się już niebawem. W opolskim areszcie nie było przeznaczonej do tego sali. Administracja i kat przygotowali miejsce w piwnicy.

Karbowski twierdził, że się nie zjawi. Mimo to Edling wypatrzył go, kiedy razem z Gochą zbliżali się do budynku. Przełożony stał pod drzewem, miał wygniecioną, niedbale wepchniętą w spodnie koszulę, włosy w nieładzie i kilkunastodniowy zarost. Gdyby nie garnitur, można byłoby pomylić go z którymś z pijaczków, którzy kręcili się w okolicy.

Gerard przeprosił na chwilę i ruszył w stronę szefa. Sprawdził godzinę. Do wykonania wyroku pozostało już niecałe trzydzieści minut.

– Dobrze pana widzieć – rzucił Edling. – Choć miał pan chyba nie przychodzić.

– Nie przyszedłem na egzekucję.

Młody asesor wymownie otaksował go wzrokiem.

– Jestem tutaj, żeby się z tobą pożegnać, Gerard.

– Pożegnać?

– Mam zamiar zająć się Elą.

Edling czekał, aż przełożony rozwinie, ale najwyraźniej było to wszystko, co chciał powiedzieć. Z pewnością nie oczekiwał, że Gerard będzie naciskał. Znał go na tyle dobrze, by wiedzieć, że nie należy do ludzi ingerujących w życie prywatne innych.

Oprócz tego deklaracja została złożona z tak głębokim przekonaniem, że nie wymagała dodatkowych wyjaśnień.

Karbowski odchrząknął, a Edling poczuł nieprzyjemną woń domowego bimbru. Przełożony podał mu rękę i potrząsnął nią lekko.

– Będziesz dobrym oskarżycielem – powiedział. – Trzymaj się tylko z daleka od tej dziewczyny – dodał, wskazując Gośkę.

– Dlaczego?

– Mówiłem ci przecież o jej rodzicach.

– Powiedział pan tylko, że zmarli w sześćdziesiątym ósmym.

– Tak?

– Zasugerował pan, że stało się to z powodu antysemickich zamieszek. I że to w jakiś sposób ma źle rzutować na dziecko. Przyznam, że taka myśl budzi we mnie sprzeciw.

Bogdan zaśmiał się i zakołysał lekko. Najwyraźniej Gerard nie docenił tego, ile alkoholu szef był w stanie w siebie wlać.

– Co jeszcze ci powiedziałem?

– Że została adoptowana przez ludzi, którzy wychowywali ją dość w dość frywolny sposób. Tak to pan określił. Pan albo ona, nie pamiętam już.

– Nie przypominam sobie, ale... ona sama ci o niczym więcej nie mówiła? Nic?

– Niewiele.

– Może sama nie wie...

– O czym?

– O swoich biologicznych rodzicach – odparł Karbowski, a na jego twarzy pojawił się pijacki uśmiech. – Znaczy w połowie biologicznych. Matka była matką, wiadomo... ale z ojcem to nigdy nie ma pewności, prawda, Gerard?

– Być może – odparł dla porządku Edling.

– Problem w tym, że był nim człowiek, którego dobrze znasz – rzucił Bogdan i stłumił beknięcie. – Spędziłeś z nim całkiem dużo czasu. I to od dziecka, bo był także twoim ojcem.

– Słucham...?

– Chyba macie to w genach. Tę swawolę, skoki na bok... Sam nie wiem.

Gerard miał wrażenie, jakby niebo zwaliło mu się na głowę. Wbijał nieruchome spojrzenie w oczy przełożonego i czekał, aż ten oświadczy, że to wyjątkowo parszywy dowcip.

Karbowski jednak spochmurniał. Poklepał Edlinga po ramieniu, a potem rzucił przelotne spojrzenie czekającej przed wejściem do aresztu Gośce.

– To twoja przyrodnia siostra, Gerard – wymamrotał. – Może dlatego tak dobrze się rozumiecie.

Edling nie potrafił wydusić z siebie czegokolwiek. Czuł oblewające go na przemian fale chłodu i gorąca. Zamrugał nerwowo, jakby dzięki temu mógł usunąć sprzed oczu obraz nieco zakłopotanego Karbowskiego. I wraz z nim wymazać wszystko, co właśnie usłyszał.

– Byłem przekonany, że ci powiedziała.

– I że to zignorowałem? – spytał Gerard tak głośno, że po raz pierwszy od długiego czasu otarł się o krzyk. – Żartuje pan?

– Kto cię tam wie. Zdradzasz żonę z kim popadnie, więc...

– Jest pan pijany.

Nie pamiętał także, kiedy ostatnio komuś przerwał w tak obcesowy sposób.

– Nie przeczę – odparł Karbowski. – Ale ty też, Gerard. Tylko nie alkoholem.

Trzęsącą się dłonią Edling przygładził krawat i obejrzał się przez ramię. Gocha posłała mu kolejne ponaglające spojrzenie.

– Jest pan pewien? – spytał.

– Że jesteś wprost nawalony miłością? Jak najbardziej.

– Że to moja przyrodnia siostra.

Bogdan znów poklepał go po ramieniu, ale tym razem nie cofnął ręki. Przywodził na myśl lekarza, który po latach leczenia pacjenta musi mu oznajmić, że wszystkie wysiłki na nic.

– Sprawdziłem to – zapewnił. – I zakładałem, że ona wie, ale... może nie powinienem. W końcu biologiczna matka i jej mąż zginęli tuż po jej narodzinach. Nikt nie miał interesu w tym, żeby mówić jej prawdę. A twój ojciec mógł sam nie wiedzieć.

– A pan... pan jak to odkrył?

– Wszystko było w aktach SB, wystarczyło pogrzebać. Ci ludzie zginęli w marcu sześćdziesiątego ósmego, Gerard. Byli elementem wywrotowym.

Dalsze upewnianie się nie miało żadnego sensu. Znał Karbowskiego na tyle, by wiedzieć, że nawet po pijaku nie rzucałby niepopartych dowodami tez. Miał zresztą rację – jeśli rodzice Rosy rzeczywiście uczestniczyli w tamtych wydarzeniach, zapewne zostali skrupulatnie prześwietleni.

– Nie przejmuj się – dodał niewyraźnie szef, a potem cofnął rękę. – Już nie takie rzeczy widziała historia.

Jego podejście wpisywało się nie tylko w alkoholowy stan, ale być może także ogólny pogląd na świat. Tylko człowiek luźno traktujący nakazy i zakazy moralne mógłby przecież pociągnąć za spust w lesie za „Niedźwiednikiem".

Bogdan jeszcze raz uścisnął mocno dłoń Edlinga, a następnie powoli oddalił się chwiejnym krokiem. Gerard najchętniej poszedłby za nim i wprawił się w podobny stan, chcąc uniknąć rozmowy, którą za moment miał odbyć.

Na ułamek sekundy zastygł, po czym obrócił się i popatrzył na Gochę. Czy to naprawdę było możliwe? Jedyna kobieta, która tak naprawdę zawróciła mu w głowie, była jego siostrą?

Poczuł do siebie wstręt na tę myśl. Musiał się skrzywić, bo Rosa wyraźnie zainteresowała się, co jest nie tak. Natychmiast wziął się w garść.

Czuł się parszywie, a z nadmiaru emocji i świadomości kazirodczego związku zbierało mu się na wymioty. Mimo to nie mógł zmienić tego, co czuł. I nie mógł pozwolić na to, by Gośka popadła w szaleństwo, którego widmo właśnie zawisło nad nim samym.

Nie powinien mówić jej prawdy, a z całą pewnością nie teraz. Musiał najpierw ułożyć wszystko w głowie, przetrawić słowa przełożonego i oswoić się z faktem, że…

Że współżył z własną siostrą? Tak, należało powiedzieć to sobie wprost. Uprawiał z nią dziką, namiętną miłość. I był gotów zostawić dla niej żonę. Związać się z nią na całe życie i założyć rodzinę. Mieć dzieci.

Znów poczuł, że ślina gęstnieje mu w ustach, a treść żołądka podchodzi do gardła. Z trudem powstrzymywał nudności.

– Gero! – krzyknęła Gocha z drugiej strony ulicy.

Ruszył niepewnie w jej kierunku, mając wrażenie, że idzie równie chwiejnym krokiem jak Karbowski.

– Wszystko w porządku? – spytała, kiedy zatrzymał się przy niej. – Co z Bogdanem?

– Nie najlepiej.

– To znaczy?

– Rezygnuje z pracy.

Rosa złapała go za rękę, ale Edling szybko ją cofnął, jakby się oparzył. Gośka zmarszczyła czoło.

– Zmusili go? – spytała. – Partia dobrała mu się do dupy?

– Nie. Chyba po prostu nie może dłużej tego dźwigać – odparł Gerard i zerknął na drzwi. – Chodźmy. Witek nie może przejść tej drogi sam.

Zanim zdążyła coś dodać, ruszył do środka. Szybko dopełnili formalności, a Edling czuł, jakby działał zupełnie mechanicznie. Stawiał podpis, gdzie trzeba, dał się sprawdzić, a potem poszedł za funkcjonariuszem do piwnicy.

Gośka została na górze. Zgodnie z przepisami Kodeksu karnego wykonawczego przy egzekucji obecni mogli być tylko prokurator, naczelnik więzienia i lekarz. A jeśli więzień sobie tego zażyczył, także adwokat i duchowny.

Dzięki temu samemu aktowi prawnemu Edling wiedział też dokładnie, co dzieje się w celi. Zasady były jasne: Witek miał się nie zorientować, że jest prowadzony na śmierć.

Od kilku dni przenoszono go z jednej celi do drugiej, zawsze przed osiemnastą, kiedy dochodziło do zmiany warty funkcjonariuszy. O tej godzinie wykonywano także wyroki śmierci w całym kraju, ale więźniowie z pewnością nie mieli o tym pojęcia. Same egzekucje były trzymane w ścisłej tajemnicy – o ich przeprowadzeniu wiedziało maksymalnie kilkanaście osób.

Kiedy przyszli po Borbacha, zapewne powiedzieli mu, że dziś znów jest przenoszony. Ewentualnie że ma widzenie. Z pewnością nie zdawał sobie sprawy z tego, co nadchodzi.

Mimo to w piwnicy czekało na niego trzech klawiszy. Prowadziło go dwóch innych. Wszystko po to, by opór, jaki z pewnością stawi, dało się szybko przełamać. Edling nie chciał nawet myśleć o tym, przez co skazaniec będzie przechodził.

W piwnicy Gerard zastał naczelnika, lekarza i Harry'ego McVaya. Obecności księdza najwyraźniej Witek sobie nie zażyczył, a może po prostu widział się z nim wcześniej. Brytyjski adwokat spojrzał na jasny garnitur i lekko się skłonił. Nie odezwał się jednak słowem.

Po chwili dało się słyszeć dochodzące z oddali krzyki i odgłosy szarpaniny. Mecenas od razu ruszył w stronę wyjścia, ale zatrzymał go naczelnik, tłumacząc, że teraz już za późno, by komukolwiek pomóc.

Wprowadzenie Witka do piwnicy zajęło klawiszom dziesięć minut. Kiedy zjawili się w pomieszczeniu, Borbach był już pokonany. Ciągnęli go, jakby opadł z sił. Nie potrafił nawet podnieść głowy, o nawiązaniu kontaktu nie wspominając.

Harry wyciągnął paczkę papierosów, ale skazaniec nie był w stanie nawet zarejestrować tego faktu.

Ustawiono go na niewielkim podeście pod zwisającym z sufitu sznurem. Wszystko było przygotowane naprędce, jak kompletna amatorszczyzna. Nikt jednak się tym nie przejmował. Dopiero po chwili naczelnik poprosił, by pod podestem postawiono metalową miskę.

Skazaniec nie powinien widzieć miejsca, w którym umrze. W aresztach w Warszawie, Wrocławiu czy innych, gdzie wykonywano więcej takich kar, były specjalne pomieszczenia oddzielane kurtyną. Dopiero tuż przed założeniem stryczka ją odsłaniano.

Tu było inaczej. Gdyby Witek był w stanie podnieść na moment głowę, z pewnością dostałby kolejnego ataku paniki.

Gerard nie potrafił sobie wyobrazić, jak umysł ludzki reaguje na pewną, nieuchronną śmierć. W sytuacji nagłego zagrożenia nie ma czasu na myślenie, broni się wszelkimi sposobami. Ale w takiej? Kiedy człowiek wie, że jego egzekucja została zapisana w wyroku sądowym i nic go przed nią nie uchroni?

Szok, w którym pogrążył się Borbach, zdawał się jedyną reakcją mającą jakikolwiek sens.

Edling wyciągnął z kieszeni marynarki kartkę i ją rozłożył. Zrobił to, co nakazywały mu przepisy – odczytał akt oskarżenia. Potem na moment zamilkł.

– Panie prokuratorze – ponaglił go naczelnik. – Proszę kontynuować. Mamy już opóźnienie.

Gerard złożył kartkę i odchrząknął.

– Rada Państwa postanowiła nie skorzystać z przysługującego jej prawa łaski – dodał. – Wyrok podlega... podlega natychmiastowemu wykonaniu.

Podszedł powoli do Witka i pochylił się, by złowić jego wzrok.

– Czy skazaniec ma ostatnią wolę? – spytał, wiedząc, że nie otrzyma żadnej odpowiedzi. – Czy skazaniec chce się wyspowiadać?

Cisza. Borbach trząsł się, jakby targały nim przedagonalne konwulsje. Jego ciało zdawało się wiedzieć, że za moment zginie, nawet jeśli umysł się wyłączył.

– Proszę odnotować w protokole, że skazaniec nie skorzystał z ostatniego życzenia ani posługi duszpasterskiej – powiedział trzęsącym się głosem Edling, a potem się wyprostował.

Razem z resztą odsunął się od więźnia, kiedy funkcjonariusze ustawili go we właściwym miejscu. Przewiązali mu oczy czarną opaską, a potem mocno ją zacisnęli. Założyli mu stryczek, sprawdzili wiązania, a potem skinęli głową do naczelnika.

– Barbarzyństwo... – odezwał się cicho Harry McVay.

Gerard nabrał głęboko tchu, przekonany, że mają jeszcze chwilę. Nie mieli. Ani oni, ani Witek. Funkcjonariusze natychmiast usunęli podest, a Borbach zawisł na stryczku. Rzucał się na wszystkie strony, walczył, starał się w ostatnim, desperackim odruchu doprowadzić do cudu.

Edling z trudem zwalczył potrzebę, by się odwrócić. Miał wrażenie, że agonia Witka trwała kilka minut, zanim ciało w końcu zwiotczało, a po nogawce pociekł mocz. Spłynął do miski, a potem kapał jeszcze przez chwilę. Uderzanie kropli o metal było jedynymi dźwiękami w pomieszczeniu.

Lekarz odczekał kilka minut, zanim wypisał akt zgonu. Protokół z wykonania kary śmierci został podpisany przez naczelnika, który zaraz potem podziękował wszystkim i wskazał drzwi.

Było po sprawie.

Gocha czekała na Edlinga w korytarzu. Kiedy wyszedł, natychmiast do niego podeszła i mocno go przytuliła. Mimowolnie ją objął i poczuł, że nie chce nigdy wypuszczać jej z ramion.

Nawet w takim miejscu jej bliskość sprawiała, że czuł się dobrze. Był kompletny.

Wyszli na zewnątrz i w milczeniu skierowali się do zastavy. Tuż przed samochodem Gośka wyciągnęła paczkę ekstra mocnych.

– Schabowego? – zapytała niemrawo.

Edling skinął głową.

Zapalił, kaszlnął, a potem z niesmakiem spojrzał na papierosa. Znów długo trwali w ciszy.

– To kiedyś wróci – odezwała się w końcu Gocha. – Odpowiemy za to.

Gerard wyrzucił papierosa, nie biorąc już ani jednego sztacha. Przez moment patrzył na Rosę, nie zastanawiając się jednak nad jej słowami, tylko nad tym, jak powinien postąpić. Właściwie uciekał od jedynego możliwego rozwiązania.

Musiał zerwać z nią wszelki kontakt. I nigdy nie zdradzać jej prawdy, która byłaby dla niej dewastująca.

Będzie wymagało to zachowania się jak ostatni skurwiel, ale koniec końców to najlepsze wyjście. Rosa znienawidzi go, owszem, ale ruszy dalej. I nie będzie wracała do tego, co było między nimi. W przeciwnym wypadku być może nigdy nie da sobie spokoju. On także nie.

Bez słowa wsiadł do zastavy i trzasnął drzwiami. Gocha ruszyła w kierunku miejsca dla pasażera, ale Gerard już odpalił samochód.

Odjechał, nie patrząc w lusterko.

Nazajutrz władze Polskiej Rzeczypospolitej Ludowej ogłosiły nieformalne moratorium na wykonywanie kary śmierci.

Obecnie

ul. Kośnego, Opole

Edling zrobił krok do przodu, chcąc zasłonić Gośkę, ale stojąca między mężczyznami kobieta natychmiast posłała mu ostrzegawcze spojrzenie. Zdawała się gotowa, by już teraz wystrzelić. Magik i jego asystent również.

– Jak… – zaczął Gerard, ale nie skończył.

Nie musiał. Od razu wszystko zrozumiał. Ania dorobiła sobie klucz Emila, gdy ten o tym nie wiedział.

Edling przeklął się w duchu za lekkomyślność. Powinien wziąć pod uwagę taką możliwość, powinien się zabezpieczyć, od razu wymieniając zamki. Dlaczego tego nie zrobił? Zbyt wiele rzeczy go zajmowało? A może podświadomie zakładał, że była dziewczyna syna mu nie zagrozi?

Teraz było to już nieistotne.

Ci ludzie nie mieli zamiaru spędzić tu wiele czasu. Zjawili się, by załatwić to, co zaplanowali, a potem rozpłyną się w powietrzu. Nie będą ryzykować, nie będą prowadzić długich rozmów ani napawać się swoim zwycięstwem.

Czas na zagadki i łamigłówki się skończył. Podobnie jak czas Gochy i Edlinga.

Uderzające podobieństwo trojga napastników nie pozostawiało wątpliwości, że są rodzeństwem. I każde z nich sprawiało wrażenie, jakby chciało być tym, które pociągnie za spust. O hałas nie musieli się martwić – wszystkie trzy pistolety były wyposażone w tłumiki.

– Telefony – rzuciła w końcu dziewczyna. – Powoli i ostrożnie.

Wskazała miejsce na środku pokoju. Gerard i Gocha złożyli tam swoje komórki, a moment później jeden z mężczyzn rozgniótł je butem. Znów zaległa ciężka, niemal fizycznie dotkliwa cisza.

– Nie spytacie, dlaczego to wszystko? – odezwała się po chwili córka Karbowskiego.

– Nie – odparł Gerard.

Czekał, aż dziewczyna podejmie temat, ale najwyraźniej tyle jej wystarczyło. Nie dziwił się. Miał do czynienia z trójką niezwykle inteligentnych ludzi. Skrzywionych, owszem, ale także o dużym potencjale. W przeciwnym wypadku nigdy nie byliby w stanie zrobić tego wszystkiego, co założyli i zrealizowali w ostatnim czasie.

– Nie interesuje was powód? – rzucił drugi z synów.

– Znamy go – odparł Edling. – Interesuje mnie tylko jedna rzecz, na którą nie znam odpowiedzi. Ofiary były przypadkowe?

– Czasem tak, czasem nie – odparła dziewczyna. – Niektórzy mieli związek z kimś na czarnej liście, inni nie.

– Na czarnej liście?

– Wykazie osób, które zawiniły – wyjaśnił Magik. – Które doprowadziły do załamania, psychozy, a ostatecznie samobójstwa naszej matki.

– I depresji ojca, która skończyła się jego śmiercią – dodał drugi z synów Bogdana.

Zdawali się odczytywać akt oskarżenia.

A zatem to musiało stać się impulsem, pomyślał Edling. Wszystkie tragiczne zdarzenia w końcu osiągnęły kulminację, którą było odebranie sobie życia przez Polę.

– Wszyscy ponieśli konsekwencje – dodała dziewczyna. – Oprócz was.

– Wasz ojciec sam... – zaczęła Gocha.

– Zamknij się – ucięła Karbowska. – Nie masz pojęcia o ojcu.

– Mam całkiem dobre.

– Bo widziałaś, jak zabił tamtego skurwysyna trzydzieści lat temu? Bo pomogłaś mu to zatuszować?

– Tak.

– Tam kończyły się twoje zasługi – syknęła dziewczyna. – Potem trwaliście w tym przez tak długi czas. I to wy staliście się dwiema osobami, które pilnowały prawdy o gwałcicielu matki.

Gośka lekko dotknęła Edlinga, sugerując, by się odsunął. Nie miał zamiaru tego robić.

– A wasz ojciec? – spytała. – On także...

– Dwadzieścia lat temu próbował wszystko ujawnić – przerwał jej Magik. – Został natychmiast uciszony przez UOP, stracił emeryturę i zaczął pogrążać się jeszcze bardziej w nicości. Przez was.

– Nigdy nie próbował się z nami...

– Odzywał się do was – rzuciła dziewczyna. – Zignorowaliście go. Po dziesięciu latach baliście się tylko o siebie i o to, co prawda zrobi z waszymi karierami. Staliście się ścierwem, którym wcześniej się brzydziliście.

Edling nie miał już wątpliwości, kto gra pierwsze skrzypce w tym tercecie. Dziewczyna była najmłodsza, ale ewidentnie to ona dowodziła. I to ona pociągnie za spust.

Powoli zaczynał rozumieć, co kierowało tymi ludźmi. Wszystko układało się w logiczną całość, naznaczoną traumą i grzechami z przeszłości. Rodzice zostali wybieleni, bo tak działał ludzki umysł. Cała wina spadła na tych, którzy zostali uznani za wrogów.

Ta trójka z pewnością nie stworzyła sobie tej wizji sama. Pola lub Karbowski musieli latami przerzucać odpowiedzialność na innych. Ale czy można było im się dziwić? Dwoje ludzi żyjących na skraju nędzy, wychowujący troje dzieci i niemogący poradzić sobie z bolesną, dewastującą przeszłością?

– Zaraz... – odezwała się Gocha, wyrywając Edlinga ze spirali myśli. – Nie wiecie o jednym.

Żadne z nich nie było zainteresowane tym, co miała do powiedzenia.

– Przygotowuję artykuł – dodała Rosa, starając się, by jej głos brzmiał pewnie. – Opisuję w nim wszystko, co się zdarzyło. Gerard mi pomaga.

Wciąż zero reakcji.

– Prawda wyjdzie na jaw – kontynuowała Gocha. – A wy możecie być pewni, że...

– Nie – ucięła dziewczyna. – To nie tak.

Wyszła przed szereg, przygotowując się do oddania strzału.

– Prawdę ujawnimy my – oświadczyła. – Po tym, jak opuścimy kraj, opowiemy o wszystkim przed kamerą. Inni zobaczą to w internecie, wy niestety nie będziecie mieli już okazji.

– Moment...

Gocha urwała, widząc zaciekłość na twarzy byłej dziewczyny Emila. Nie istniał żaden sposób, by do niej przemówić.

Była gotowa odebrać im życie. Tu i teraz.

Być może już by to zrobiła, gdyby nie rozległ się dzwonek telefonu stacjonarnego w przedpokoju. Napastnicy rozejrzeli się niepewnie, a Gerard podziękował w duchu wynajmującemu, który zostawił linię w mieszkaniu.

Spojrzał na dziewczynę.

– Ten numer zna tylko jedna osoba – powiedział. – Mój syn.

W oczach Karbowskiej dało się dostrzec jedynie obojętność.

– Miał dawać mi znać co jakiś czas. Musiał próbować na komórkę… – dodał Edling, wskazując telefony z rozbitymi szybkami. – Jeśli nie odbiorę, będzie wiedział, że coś jest nie tak.

Agresorzy wciąż milczeli, a napięcie było nie do wytrzymania.

– Zaalarmuje służby – dodał Gerard. – Nie zdążycie uciec.

Grał na czas, ale co mu pozostało?

Ci ludzie musieli zdawać sobie sprawę, że wraz z synem spodziewał się kłopotów, przynajmniej hipotetycznie. Obaj byli czujni, a więc niewiele potrzeba, by Emil uznał brak kontaktu ze strony ojca za oznakę problemów.

W końcu dziewczyna skinęła głową.

– Odbierz. Powiedz, że wszystko w porządku, i się rozłącz – poleciła. – W przeciwnym wypadku zginiecie nie tylko wy, ale też on.

Poszła z nim do przedpokoju, ale powstrzymała go, zanim podniósł słuchawkę.

– Włos mu z głowy nie spadnie – powiedziała. – Chyba że usłyszę choćby jedno podejrzane słowo.

Gerard skinął głową.

– Jeśli mnie znasz, wiesz, że nie ryzykowałbym w ten sposób – odparł. – I nie mogę go ot tak zbyć, będzie coś podejrzewał. Muszę chwilę…

– Byle krótko.

Skinął głową, a potem podniósł słuchawkę i zamknął oczy. Potrzebował maksymalnego skupienia, by jego głos brzmiał, jakby wszystko było w porządku.

– Dzwoniłem na komórkę – odezwał się Emil.

– Wiem, rozładowała mi się.

– Wszystko w porządku?

– W jak najlepszym – odparł Edling, pilnując, by każde słowo brzmiało naturalnie i syn nie wyłapał przyspieszonego oddechu. – O której będziesz?

– Jeszcze nie wiem.

– Daj znać, gdybyś miał być późno. Rano możemy się minąć, bo będę w prokuraturze – powiedział Edling jakby nigdy nic. – Jestem wezwany w jakiejś sprawie związanej z Magikiem.

Zawahał się, a dziewczyna natychmiast to zauważyła.

– Kończ rozmowę – poleciła szeptem.

Gerard nie miał zamiaru podejmować ryzyka.

– Muszę kończyć – dodał szybko. – Do zobaczenia.

Odłożył słuchawkę, zanim syn zdążył cokolwiek odpowiedzieć. Spojrzał na wymierzony w niego pistolet, a potem w oczy osoby, która go trzymała. Zastanawiał się, jak bardzo odkleiła się od rzeczywistości, ona i jej bracia.

Odpowiedź mogła być tylko jedna: całkowicie. Ci ludzie od dawna nie potrafili już racjonalne rozumować. Kierowali się karykaturalnym poczuciem sprawiedliwości, a moralność była dla nich zbiorem niejasnych reguł, które sami definiowali.

– Zapamiętam ten wzrok – odezwała się dziewczyna. – I ten wyraz twarzy.

Gerard nie potrafił zapanować nad ekspresją. Nie analizował zachowania ani swojego, ani trójki zabójców. Miał pewność, że w tej sytuacji nawet największe umiejętności z zakresu kinezyki na nic się nie zdadzą.

Dziewczyna poprowadziła go do pokoju, a potem ustawiła obok Gochy. Dołączywszy do braci, celowała na przemian w głowę Gerarda i Rosy.

– Jaki to wyraz twarzy? – odezwał się Edling.

– Robisz się rozmowny przed śmiercią – rzucił Magik.

Dziewczyna uciszyła go, unosząc otwartą dłoń, a Gerard odniósł wrażenie, że jest w tym geście coś karcącego.

– Bezsilny – powiedziała. – Cały stanowisz zresztą bardzo wymowny obraz pokonanego i bezbronnego człowieka.

Starała się utrzymać emocje na wodzy, ale w jej głosie dało się słyszeć nutę podniecenia. Ta sytuacja miała nie tylko przynieść zadośćuczynienie, ale także dać jej pewną zwierzęcą satysfakcję.

– O czym myślisz, Gerard? – spytała dziewczyna. – O tym, że nasza trójka ma psychopatyczne skłonności? Że to klasyczny, wręcz podręcznikowy przykład? Jeśli tak, to się nie mylisz.

Edling poczuł, że Gośka sięga po jego dłoń. Odczekała chwilę, ledwo jej dotykając, ale kiedy żaden z napastników nie zaprotestował, splotła palce z jego palcami.

– Patologiczne środowisko, psychoza i samobójstwo jednego z rodziców, załamanie psychiczne drugiego – wymieniła. – To wszystko kształtuje szaleńców, prawda? A nie wiesz o połowie rzeczy. Nie wiesz, jak bardzo wszyscy przez was cierpieliśmy.

Gocha ścisnęła mocniej. Zdawała sobie sprawę, że im bardziej emocjonalna stawała się dziewczyna, tym szybciej oboje zbliżali się do śmierci. Jeszcze lepiej wiedziała, że nie ma dla nich żadnego ratunku.

– Nikt wam nie uwierzy – odezwała się Rosa. – Jeśli nas zabijecie, stracicie ostatnich świadków tamtych wydarzeń...

– Nie potrzebujemy, by ktokolwiek nam wierzył – odparł Magik.

– Jeśli chcecie, żeby wszyscy wiedzieli, kto tak naprawdę zniszczył wasze życie, potrzebujecie – zaoponowała Gośka. – Mój artykuł właśnie do tego doprowadzi, nie musicie...

– Milcz – rzucił drugi z braci.

Edling poczuł wilgoć na dłoni Gochy. Chwilę później Rosa zaczęła lekko drżeć.

Świadomość nieuchronnego końca docierała do obydwojga. I żadne słowa nie mogły ustrzec ich przed tym, co zbliżało się coraz szybciej. Jednocześnie napastnicy przeciągali, odwlekali ten moment, napawając się perspektywą tego, co za chwilę zrobią.

Uśmiechali się, przyglądając się dwójce ofiar. Edling nie miał pojęcia, jak długo trwali w milczeniu. Od momentu wejścia do mieszkania czas zdawał się biec zupełnie inaczej.

Rosa lekko obróciła głowę w stronę Gerarda i posłała mu błagalne spojrzenie. W jej oczach kołatała się jeszcze nadzieja na to, że Edling coś wymyśli. Powtórzy to, co zrobił w osiemdziesiątym ósmym, przechytrzy przeciwnika i sprawi, że to on okaże się górą w tej walce.

– Gero...

– Przepraszam – szepnął.

Mówiąc to, miał na myśli nie tylko sytuację, w którą ją wciągnął, ale także to, do czego między nimi doszło. To, co rozpoczął trzy dekady temu, odjeżdżając bez słowa spod aresztu. Potem było tylko gorzej.

Gocha ścisnęła jego dłoń mocniej i zamknęła oczy.

– Akt oskarżenia znacie – odezwała się dziewczyna. – Prawo łaski wam nie przysługuje. Wyrok jest wykonalny.

Cała trójka zdawała się tak rozentuzjazmowana, jakby uczestniczyli w jednym ze swoich przedstawień.

– Jakieś ostatnie słowa? – zapytał Magik.

– Albo ostatnie życzenia? – dodał jego brat.

Kiedy Gocha mocno się zatrzęsła, Edling odniósł wrażenie, jakby impuls przechodził także przez jego ciało.

– Wino – wydusił. – Kieliszek wina...

Mężczyźni spojrzeli po sobie, a dziewczyna wystąpiła naprzód.

– Odmawiam – powiedziała z zadowoleniem, a potem przymknęła oko.

Rosa ścisnęła jeszcze mocniej, aż ręka Gerarda poczerwieniała. W mimowolnym odruchu chciał zacisnąć mocno powieki, ale kątem oka dostrzegł, że Gocha obróciła głowę w jego stronę. Popatrzyli na siebie, jakby splatające się spojrzenia mogły przenieść ich w inne miejsce.

Poniekąd tak było. Uśmiechnęli się lekko, niemal niezauważalnie.

– Odliczę teraz od pięciu – powiedziała dziewczyna. – A wy w tym czasie możecie jeszcze powiedzieć jedną rzecz, która was uratuje. Próba będzie tylko jedna.

– Co takiego? – rzuciła Rosa.

Edling otworzył usta, ale nie zdążył ani się odezwać, ani zastanowić.

– Pięć, cztery, trzy... – odliczyła od razu dziewczyna.

Gocha zasłoniła się rękoma i upadła na ziemię, Gerard natychmiast rzucił się na nią, zakrywając ją własnym ciałem.

– Dwa, jede...

Córka Karbowskiego nie dokończyła. Zamiast dźwięku wystrzału rozległ się huk z korytarza, jakby nastąpiła tam jakaś eksplozja. Kawałki drewna wleciały do przedpokoju, a w tym samym momencie wszystkie szyby w pomieszczeniu, w którym się znajdowali, zdawały się same z siebie rozbić w drobny mak.

Do środka z obydwu stron wpadli uzbrojeni funkcjonariusze grupy uderzeniowej, krzycząc wniebogłosy i mierząc z karabinów automatycznych do trzech zdezorientowanych napastników.

– Na ziemię, kurwa! – ryknął jeden z policjantów.

– Gleba, gleba, już! – wydarł się drugi.

Rodzeństwo Karbowskich nie miało nawet chwili na zastanowienie. Funkcjonariusze, którzy weszli od balkonu, natychmiast przygwoździli ich do podłogi. Pozostali w okamgnieniu znaleźli się obok i wyrwali broń z rąk napastników. Przyciskali ich do ziemi tak mocno, że dziewczyna i jej bracia mieli problem ze złapaniem tchu.

Gerard również nie mógł nabrać powietrza. Podniósł się, wciąż osłaniając dłońmi Gochę. Musiał sprawiać wrażenie spłoszonego, dzikiego zwierzęcia, które nie rozumie, co się wydarzyło.

W istocie wiedział doskonale. Sam zadbał o to, by ci ludzie się tutaj zjawili.

– Sypialnia czysta! – krzyknął ktoś.

Zaraz potem kilku innych członków grupy zameldowało, że wszystkie pomieszczenia zostały sprawdzone. Dopiero wtedy Edling przestał osłaniać Rosę. Usiadł na podłodze i uniósł wzrok. Byli bezpieczni, naprawdę byli bezpieczni. To, co jeszcze przed momentem wydawało się nieuniknione, teraz zostało zażegnane.

Gocha trzęsła się, nie rozumiejąc, co się wydarzyło.

– Gero... – zdołała wydusić.

Potrząsnął głową, podał jej rękę i pomógł usiąść. Natychmiast zjawił się przy nich jeden z funkcjonariuszy.

– Wszystko w porządku? – spytał, przyglądając im się w poszukiwaniu jakichś obrażeń. – Nie oberwaliście?

– Nie – odparł Gerard.

Mężczyzna upewnił się, czy nie przemawia przez niego szok, a potem poklepał go po plecach, jakby czuł potrzebę pochwalenia go za dobrze wykonaną robotę.

Trójka napastników została bez ceregieli postawiona na nogi. Potem policjanci równie bezceremonialnie skrępowali im ręce za plecami.

Gerard pomógł Rosie usiąść na kanapie, ale sam nie zajął miejsca obok niej. Zatrzymał jednego z antyterrorystów.

– Moment – powiedział.

Mężczyzna popatrzył na niego niepewnie, jakby spodziewał się, że Edling jest w tak dużym szoku, że zamierza wymierzyć sprawiedliwość oprawcom. Gerard zrobił więc wszystko, by zapozorować spokój.

– Muszę zamienić słowo z tą kobietą. – Wskazał na córkę Bogdana.

– Chyba pan żartuje.

– Tylko słowo.

Nie dał funkcjonariuszowi szansy na to, by zaoponował. Stanął przed dziewczyną i spojrzał jej głęboko w oczy. Zobaczył w nich dezorientację i strach. Zmiana była tak duża, że jego niedoszła zabójczyni wyglądała teraz jak zupełnie inna osoba.

– Nie spodziewałaś się tego, prawda?

Nie odpowiadała.

– Element zaskoczenia to klucz – dodał.

Sprawiała wrażenie, jakby ostatkami sił powstrzymywała się przed cedzeniem przekleństw, nie chcąc dawać mu satysfakcji.

– Wiesz, jak to zrobiłem? – spytał.

Postąpił krok w jej kierunku, ale antyterrorysta natychmiast go powstrzymał.

– Słyszałaś, co mówiłem przez telefon – dodał Edling, mrużąc oczy. – Nie było tam żadnych kodów, żadnych ukrytych znaczeń. A mimo to mój syn natychmiast zaalarmował służby.

Dziewczyna zacisnęła usta.

– Jak? – syknęła.

Gerard wzruszył ramionami.

– Żaden szanujący się iluzjonista nie zdradza swoich tajemnic – odparł, a potem się odsunął.

Dostarczyło mu to więcej satysfakcji, niż się spodziewał. Zaraz potem członkowie grupy uderzeniowej wyprowadzili trójkę zabójców na korytarz. Edling przypuszczał, że nigdy więcej nie zobaczy dzieci Karbowskiego.

Opadł ciężko na kanapę obok Gośki. Nadal lekko się trzęsła, ale na jej twarzy rysował się blady, pełen niedowierzania uśmiech. Kiedy Gerard się oparł, przysunęła się i położyła głowę na jego ramieniu. Już sam zapach jej włosów sprawiał, że Edlingowi znów brakło tchu. Powinien się odsunąć, powinien czym prędzej uciekać. Zamiast tego przełożył jednak nad nią rękę i ją objął.

Długo trwali w milczeniu, wodząc wzrokiem za funkcjonariuszami, którzy dla pewności sprawdzali jeszcze mieszkanie. Jeden poinformował ich, że prokurator Domański jest w drodze.

Kiedy antyterroryści wyszli, Gocha i Edling wciąż nie ruszali się z kanapy, czekając na Konrada. Mieli złożyć wyjaśnienia i dopełnić wszystkich formalności, ale wykorzystali ten czas głównie na dojście do siebie. Na tyle, na ile było to możliwe.

– Może prześpicie się z Emilem u mnie? – odezwała się w końcu Rosa, wskazując rozbite okna. – Tu będziecie mieć trochę zimno.

– Zakleimy to czymś.
– Nie ma przecież problemu, Gero. Po tym wszystkim... Cóż, to byłaby z waszej strony przysługa.

Nie chciała wracać do pustego domu, a on doskonale to rozumiał.

– Poradzimy sobie – odezwał się po chwili. – Ty też.
– Sama?
– Tak.

Spodziewała się, że odpowiedź będzie dłuższa. Edling nie miał jednak zamiaru dodawać nic więcej. Obróciła się ku niemu i ściągnęła brwi. Powoli odzyskiwała równowagę, a to nieuchronnie wiązało się z próbą zrozumienia tego, co jest między nimi.

– Nawet po czymś takim? – spytała. – Nadal będziesz jak góra lodowa?

– Przepraszam, ale...

– I nigdy nie wyjaśnisz, co się z nami stało w osiemdziesiątym ósmym?

– Doskonale wiesz co.

– Wiem tylko, że najpierw zostawiłeś mnie pod aresztem, a potem powiedziałeś mi rzeczy, które nigdy wcześniej nie przeszłyby ci przez gardło.

Tak było. Doskonale pamiętał, w jak obcesowy i brutalny sposób zakończył ten związek. Uznał jednak, że tylko dzięki temu Gocha zamknie sprawę na zawsze. Padły wtedy słowa, których żadna kobieta nigdy nie powinna słyszeć od swojego mężczyzny. A następnie Gerard oświadczył, że wraca do żony.

Uznał, że to najlepsze rozwiązanie. Jakiś czas później Brygida zaszła w ciążę, Emil przyszedł na świat i wszystko, co zdarzyło się wcześniej, zdawało się jak z wyjątkowo nierealnego snu. Jak z marzeń.

– Ktoś cię wtedy do tego zmusił? – spytała Gocha.
– Ktoś? Nie. Zmusiła mnie sytuacja.
– Jaka?

Zawahał się. Nadal był roztrzęsiony, nie mógł polegać ani na swoim umyśle, ani na instynkcie. W pewnym momencie poczuł, że powiedzenie prawdy byłoby rzeczywistym oczyszczeniem, którego po latach potrzebują.

Nie, uznał w duchu. Jedynym oczyszczeniem, na jakie mogli sobie pozwolić, było to związane z tajemnicą Iluzjonisty. Najwyższa pora wybielić Witka Borbacha i wskazać prawdziwego sprawcę morderstw sprzed trzydziestu lat.

– Najpierw zajmijmy się twoim artykułem – powiedział Gerard. – Potem nami.

Gocha wysunęła się z jego objęć. Popatrzyła na niego w sposób, którego początkowo nie mógł rozszyfrować. Dostrzegał w oczach Rosy pretensję, ale też gotowość, by przystać na to, co jej zaproponuje.

Ostatecznie skinęła głową i oboje przez jakiś czas wbijali nieruchomy wzrok przed siebie. Obawiał się, że Gośka będzie miała dość. Wstanie i opuści mieszkanie, zanim zdąży ją zatrzymać.

Zamiast tego znów oparła głowę na jego ramieniu.

– Skąd oni się tu wzięli, Gero? – spytała.
– Kto?
– Antyterroryści. Jak ich powiadomiłeś?
– Nie ja, tylko Emil.
– Ale skąd wiedział?

Gerard uśmiechnął się lekko, a potem podniósł. Podszedł do szafki stojącej obok okna, zrzucił nieco rozbitego szkła i wyciągnął swój stary bloczek kieszonkowy z żółtymi kartkami.

– Nadal to masz? – spytała. – Chodziłeś z tym w latach osiemdziesiątych.

– Zostawiłem na pamiątkę.

Właściwie nie tylko na pamiątkę. Nigdy nie zapisał tego bloczka do końca, uznając, że zostawi ostatnią kartkę na swoją ostatnią sprawę.

Przyłożył ołówek do papieru, a potem zaczął pisać.

– Oto wszystko, co powiedziałem do słuchawki – oznajmił, kiedy skończył.

Gocha zerknęła na pierwszą linijkę tekstu.

„Daj znać, gdybyś miał być późno. Rano możemy się minąć, bo będę w prokuraturze".

– Wiem, słyszałam.

– I to samo słyszała też córka Karbowskiego – odparł Edling. – Ale Emil usłyszał coś zupełnie innego, bo po dwóch pierwszych słowach wcisnąłem przycisk wyciszenia. Puściłem go dopiero przed wypowiedzeniem ostatniego słowa. Zamiast środkowej części wypowiedzi mój syn słyszał jedynie ciszę.

Rosa jeszcze raz spojrzała na kartkę.

– „Daj znać prokuraturze" – odczytała.

– Podobnie zrobiłem przy drugim zdaniu.

Znów zerknęła mu przez ramię.

„Jestem wezwany w jakiejś sprawie związanej z Magikiem".

– „Daj znać prokuraturze, jestem z Magikiem" – powiedziała, a potem się roześmiała. – Nieźle, Gero.
– To stara sztuczka – odparł. – Zna ją każdy dobry eskamoter.

Wymienili się szczerymi, ciepłymi uśmiechami, jakby oboje chcieli zapewnić się, że teraz wszystko będzie już dobrze. Potem znów siedzieli w milczeniu, odsunąwszy się od siebie.

Posłowie

Gerard Edling nie dawał mi spokoju przez lata. Pracę nad *Behawiorystą* rozpocząłem w lipcu dwa tysiące piętnastego roku – i właściwie jegomość w jasnym garniturze towarzyszy mi nieprzerwanie od tamtego czasu.

Pamiętam, że napisałem wtedy połowę książki, a potem odłożyłem ją, bo musiałem zająć się redakcją innej, mającej ukazać się niebawem powieści. Wróciłem do *Behawiorysty* po pół roku – i te powroty od tamtej pory nie ustały. Przekonać mogli się o tym czytelnicy serii *W kręgach władzy* – Gerard pojawia się tam nie raz, więc zainteresowanych tym, co działo się z nim między *Behawiorystą* a *Iluzjonistą*, odsyłam do wspomnianego cyklu. Powinienem chyba wskazać konkretny tom, w którym Edlinga najwięcej, ale prawda jest taka, że najlepiej czytać je po kolei, a więc rozpoczynając od *Wotum nieufności*.

Na pomysł napisania historii, z której przed momentem się wynurzyliśmy, wpadłem zaraz po wydaniu *Behawiorysty*. Dokładnej daty nie pamiętam, ale książka ta ukazała się w ostatnich dniach października dwa tysiące szesnastego roku, a plik zatytułowany „Prequel" na moim dysku pochodzi z listopada.

Już wtedy miałem zręby tej przygody – wiedziałem, że Edling będzie musiał zmierzyć się z mistrzem iluzji i że będzie się to działo w przeszłości. Takie historie mają jednak to do siebie, że długo krzepną w umyśle. I zazwyczaj po przelaniu ich na papier autor staje się tak związany z bohaterami, że chce pisać dalej.

Tak jest też w tym przypadku – towarzyszy mi pewne uczucie nostalgii i jeśli u Ciebie też występuje, to mogę chyba uznać, że spędziliśmy dobrze czas z Gochą i Edlingiem.

Wszystko to, co w tej książce związane z okresem Peerelu, znajduje swoje odzwierciedlenie w faktach. W kilku miejscach musiałem odbiec od aptekarskiej precyzji na użytek fabuły. W Opolu bowiem nie wykonywano kary śmierci, robiono to we Wrocławiu. Ostatnia egzekucja w PRL została przeprowadzona 21 kwietnia 1988 roku – stracono wówczas Andrzeja Czabańskiego.

Kiedy skazany czekał na wyrok, obradowała już komisja, która miała zmienić stosowne przepisy prawa karnego. Ostatecznie zdecydowano się jednak na niedokonywanie zmian normatywnych – moratorium, które weszło w życie, miało charakter zupełnie nieformalny. Sprowadzało się do tego, że Rada Państwa PRL, a po zmianie ustrojowej Prezydent RP, nie odpowiadali na pisma w sprawie zastosowania prawa łaski. Formalnie zatem dalsze postępowanie było niemożliwe. 7 grudnia 1989 ostatecznie uchwalono amnestię, która zmieniała orzeczone kary śmierci na dwadzieścia pięć lat pozbawienia wolności (w Kodeksie karnym dożywocie wtedy nie występowało, przez co konsekwencje tamtej decyzji są odczuwalne także dziś).

Zaginięcie akt, jak w przypadku Iluzjonisty, nie stanowiłoby wielkiego odstępstwa od peerelowskich norm. O sprawie wspomnianego Czabańskiego niewiele wiadomo, nie ma nawet protokołu z wykonania kary śmierci. Podobnie stało się w przypadku jednego z najgłośniejszych procesów PRL, związanego z aferą mięsną. Po rzekomym pożarze z pięćdziesięciu tomów akt tamtej sprawy zostało raptem pięć. I nikt nie pamięta żadnego pożaru.

Ja za to doskonale pamiętam ten, który jakiś czas temu wybuchł w moim umyśle. Razem z Kasią Bondą siedzieliśmy pewnego zimowego przedpołudnia na ławce na warszawskim barbakanie i jak typowa para cieszyliśmy się każdymi oznakami budzącej się do życia wiosny. Oprócz tego, że analizowaliśmy świergot ptaków, deliberowaliśmy też na temat książek – ona mówiła o tym, co pisze, ja narzekałem, że nie wiem, do czego się zabrać. Kiedy rzuciłem temat *Iluzjonisty* i oględnie opowiedziałem, w czym rzecz, usłyszałem tylko: „Pisz to".

Tak też zrobiłem, a więc w pierwszej kolejności podziękowania kieruję do wyżej wspomnianej serdecznej koleżanki po piórze, która wówczas znosiła moje codzienne oglądanie „Dziennika Telewizyjnego", gadaninę o wkładzie dewizowym i innych takich.

Moim Rodzicom nieustannie dziękuję za wsparcie i bycie na bieżąco ze wszystkimi moimi książkami (choć ich niemało), a tym razem także za bezpośredni wkład w książkę. Pomogli mi odtworzyć realia Opola w przededniu zmian ustrojowych, co samo w sobie było ciekawym doświadczeniem i miło spędzonym wspólnie czasem.

Niski ukłon kieruję w stronę Adriana Tomczyka, który od momentu wydania *Behawiorysty* co jakiś czas niby przypadkiem, niby mimochodem wspominał, że prequel mógłby okazać się całkiem ciekawą historią.

Podziękowania należą się oczywiście wszystkim z Wydawnictwa FILIA, którzy sprawili, że książka ta jest teraz w Twoich rękach.

I Tobie za to, że ostatecznie do tego doszło – dzięki czemu mogliśmy wspólnie odbyć podróż do osiemdziesiątego ósmego roku oraz przyjrzeć się kilku magicznym sztuczkom...

A na koniec zagadka.

Samolot linii Air Hibernia rozbił się na przejściu granicznym między Polską a Białorusią, katastrofę przeżyło tylko jedenaście osób. Po której stronie granicy ich zakopiesz?

Remigiusz Mróz
12 maja 2019 roku

PS Masz już rozwiązanie?
Hmm...
Zastanów się jeszcze raz.
A dopiero potem przewróć stronę. Nie podglądaj, jeśli nie masz gotowej odpowiedzi.

Już?
Okej.
Może nie tylko ja powinienem pisać kryminały, jeśli naprawdę przeszło Ci przez myśl, żeby zakopywać tych, którzy przeżyli…

„Potężna dawka emocji, nieustanne napięcie i fascynujący bohater!
Behawiorysta to książka, której nie odłożycie do ostatniej strony!"
Tess Gerritsen

Zamachowiec zajmuje przedszkole, grożąc, że zabije wychowawców i dzieci. Policja jest bezsilna.
Służby w akcie desperacji proszą o pomoc Gerarda Edlinga, byłego prokuratora, specjalistę od kinezyki, działu nauki zajmującego się badaniem komunikacji niewerbalnej.
Rozpoczyna się gra między ścigającym a ściganym, w której tak naprawdę nie wiadomo, kto jest kim.

FILIA

NAJWIĘKSZE TAJEMNICE DRZEMIĄ W MAŁYCH MIASTECZKACH.

NOWA SERIA! PATOMORFOLOG SEWERYN ZAORSKI NA TROPIE ZBRODNI SPRZED LAT.

REMIGIUSZ
MRÓZ
LISTY ZZA GROBU

FILIA

Dwadzieścia lat po śmierci ojca Kaja Burzyńska wciąż otrzymuje od niego wiadomości. Zadbał o to, przygotowując je zawczasu i zlecając coroczną wysyłkę tego samego, pozornie przypadkowego dnia.
Do miasteczka po dwudziestu dwóch latach wraca Seweryn Zaorski. Patomorfolog i samotny ojciec dwójki dzieci kupuje zrujnowany dom rodzinny Kai i rozpoczyna remont. W zniszczonym garażu odnajduje zamurowaną skrytkę z materiałami, które rzucają nowe światło na sprawę sprzed dwóch dekad...

FILIA

„Cały świat czytał Stiega Larssona, potem Jo Nesbø,
a teraz nadszedł czas na Remigiusza Mroza".

TESS GERRITSEN

**THRILLERY PSYCHOLOGICZNE NA MIARĘ
NAJWIĘKSZYCH ŚWIATOWYCH BESTSELLERÓW**

FILIA